D0625942

VAMPIRATEN
Bloedzee

Justin Somper

De Fontein

www.defonteinkinderboeken.nl

Oorspronkelijke titel: *Vampirates: Blood Captain*
Verschenen bij Simon & Schuster

Vertaling: Irene van Zeyst
Omslagafbeelding: Bob Lea
Illustraties: Bob Lea
Omslagontwerp en grafische verzorging: Hans Gordijn

ISBN 978 90 261 3223 0
NUR 283

Voor Jenny, Jo en Jonathan.
Het water roept, maar luider nog klinkt de stem
van het bloed!

HOOFDSTUK 1

Het kraaiennest

'Kom op, Connor. Je kunt 't!'

'Vooruit, maatje! Gewoon doorgaan met klimmen!'

Connor Tempest vertrok zijn gezicht. Zijn benen waren loodzwaar, maar ze voelden tegelijkertijd alsof ze van drilpudding waren. Hij had nooit halverwege moeten stilhouden, want het ging zo goed! Hij móést zijn angst overwinnen. Dat werd tijd, de hoogste tijd. De angst zat echter diep vanbinnen, zwaar en onwrikbaar als een anker, gevangen onder een rotsblok.

Hij wilde naar beneden kijken, en het kostte hem de grootste inspanning zijn hoofd omhoog te houden. Zijn ogen werden als door een magneet naar het dek getrokken, meters – veel te veel meters! – onder hem, en nog dieper, over de reling van de *Diablo*, naar de oceaan. Wanneer je erover nadacht – en dat moest je in dit soort gevallen nóóit doen – zou hij wel heel diep vallen als hij zijn evenwicht verloor.

'Niet naar beneden kijken!' riep de krachtige, zelfverzekerde stem van Cate van beneden. Voelde hij zich maar net zo zeker van zichzelf als de onderkapitein altijd klonk!

'Kom op, knul!' Dat was de stem van kapitein Wrathe. 'Waar hebben we het over? Een paar meter want! Je hebt wel voor hetere vuren gestaan!'

Dat viel niet te ontkennen, dacht Connor, en in gedachten zag hij een reeks duistere momentopnames uit de drie maanden die achter hem lagen. De begrafenis van zijn vader. De nacht waarin hij zou zijn verdronken als Cheng Li hem niet had gered. De nacht waarin hij bovendien Grace was kwijtgeraakt. De dood van zijn dierbare kameraad Jez. Het verraad door Cheng Li, commodore Kuo en Jacoby Blunt. De verschrikkelijke nacht waarin hij de aanval had geleid op Sidorio en Jez... Nee, níét Jez, het monster dat Jez was geworden. De herinnering aan die nacht brandde als een vuur diep binnen in hem, net zo heet als de fakkels die hij over het water naar het andere schip had geslingerd. Net zo verterend als de vlammen die zijn vriend hadden omhuld... Nee, de écho van zijn vriend...

'*Vooruit, Connor! Zet 'm op!*'

Dat was Grace! Hoewel ze naar het vampiratenschip was teruggekeerd, was het onmiskenbaar haar stem die hij hoorde. Die gaf Connor net dat extra beetje kracht dat hij nodig had. Na alles wat ze samen hadden doorgemaakt, kon hij het niet laten gebeuren dat hij werd verslagen door zijn laatste angst. Door zoiets lachwekkends als hoogtevrees.

Zorgvuldig liet hij met zijn rechterhand het want los. Over zijn palm liepen vurige, rauwe striemen waar het touw in zijn vlees had gesneden. Daardoor besefte hij pas goed hoe krampachtig hij zich had vastgeklampt. De scheepsklok luidde. Hij schrok zo van het geluid dat hij even dreigde zijn evenwicht te verliezen, maar het was slechts het signaal dat er van ploeg moest worden gewisseld. Hij herstelde zich. Het was nu of nooit. Hij reikte omhoog langs het want en haalde diep adem.

Zonder naar beneden of naar boven te kijken, hield hij zijn ogen gericht op zijn handen, op de mazen van het want. Ze waren allemaal hetzelfde – raamwerken van touw die een klein stukje hemel omlijstten. Als hij zich daarop concentreerde, kon hij bijna vergeten waar hij mee bezig was. Vergeten dat hij langs het want omhoogklom!

Ineens besefte hij dat hij niet langer last had van trillende knieen, dat zijn benen gestaag hoger klommen en hun ritme hadden gevonden, steeds weer op zoek naar nieuw houvast voor zijn voeten. Ook zijn ademhaling was tot rust gekomen. Hij voelde zich volmaakt beheerst. Het ging hem lukken. Hij zou zijn angst overwinnen. En dat voelde goed. Ontzettend goed!

Helemaal opgaand in zijn bewegingen drong het pas tot hem door dat hij zijn bestemming had bereikt, toen er van beneden gejuich tot hem doordrong. Hij keek omhoog. Zijn hand greep niet langer in de mazen van het want, maar sloot zich om de houten rand van het kraaiennest. Nu moest hij zich alleen nog in de mastkorf zien te werken.

Een ijzige kilte nam bezit van hem. Hij bevond zich op duizelingwekkende hoogte boven het dek. Zonder een tuig dat zijn val zou breken. Het was krankzinnig wat hij deed! Hij was hier volledig overgeleverd aan de genade van de golven, aan de woeste deining diep beneden hem. Opnieuw trok er een ijzige vlaag van angst door hem heen. Hij zette zijn tanden op elkaar en wachtte tot het gevoel wegebde. De angst klampte zich aan hem vast, maar Connor weigerde zich eraan over te geven. Daarvoor was hij al te ver gekomen.

Hij had bovendien een goede reden om hier te zijn. Het was van het grootste belang dat het kraaiennest altijd bemand was, zodat de bemanning tijdig kon worden gewaarschuwd voor een dreigende aanval, of wanneer zich een kans voordeed om zélf in de aanval te gaan. Door de wacht te houden in het kraaiennest, bood je bescherming aan je kameraden. En in de drie maanden dat hij inmiddels meevoer op de *Diablo*, was de bemanning van het schip méér voor hem geworden dan een groep kameraden. Bart, Cate en kapitein Wrathe waren zijn nieuwe familie. Ze konden natuurlijk nooit de plaats van Grace innemen, maar zijn zus had haar eigen reis te maken. Verder bevond zich iedereen die hem op deze wereld dierbaar was, aan boord van de *Diablo*. Zo bekeken was het niet meer dan logisch dat hij naar boven was geklommen om zijn dierbaren te beschermen. Moeiteloos werkte hij zich omhoog, het kraaiennest in.

Toen hij zijn voeten op de houten vlonder zette, klonk er opnieuw gejuich van beneden. De verleiding om in de diepte te kijken was nu wel erg groot, maar hij slaagde erin die te weerstaan en recht voor zich uit te kijken. Zover als het oog reikte zag hij niets anders dan de eindeloze uitgestrektheid van de glinsterende blauwe oceaan. Zijn nieuwe thuis.

Hoewel... Heel ver weg tekende zich het silhouet van een schip af tegen de middagzon. Het kraaiennest was voorzien van een kleine telescoop. Connor hield hem voor zijn rechteroog en tuurde naar de horizon. Het duurde even voordat hij het schip had gevonden, maar toen hij het in de lens had weten te vangen, zag hij dat het een galjoen was. Een galjoen dat sterke gelijkenis vertoonde met de *Diablo*. Misschien was het ook een piratenschip. Hij stelde de telescoop nog nauwkeuriger in om de vlag te kunnen zien. En inderdaad, het was een piratenschip! Te oordelen naar de koers was het op weg naar een baai die zich voorbij het schip aan de horizon aftekende. In dat geval wist Connor maar al te goed wat de bestemming was: Ma Kettle's Tavern, de favoriete kroeg van iedere piraat.

Toen Connor de telescoop weer in de houder deed, streek er een vogeltje neer op het kraaiennest. Een bonte stern, zag hij aan de gevorkte staart. Het vogeltje schonk hem een snelle blik, toen sloeg het zijn vleugels uit en vloog weg, hoog opklimmend langs de blauwe hemel. Connor keek de vogel na tot die niet meer was dan een zwarte stip en ten slotte helemaal uit het gezicht verdween. Hij glimlachte. Dat is mijn angst, dacht hij. Verdwenen.

'Goed gedaan, maatje!' Bart begroette Connor met een high-five toen hij uit het want op het dek sprong.

'Indrukwekkend!' zei de piraat die naast Bart stond.

'Bedankt, Gonzalez.'

'Ik meen het! Een halfuur om boven te komen en binnen dertig seconden weer beneden!' Gonzalez grijnsde.

Connor schudde zijn hoofd. Hij had Brenden Gonzalez pas na de dood van Jez Stukeley echt leren kennen. Gonzalez zou nooit de plek van Jez kunnen innemen, maar hij had wel dezelfde droge humor.

'Ik ben zo trots op je!' Cate omhelsde hem, iets wat ze zelden deed. 'Want ik weet hoeveel moeite het je heeft gekost,' fluisterde ze in zijn oor.

'Een schitterende prestatie!' Kapitein Wrathe keek Connor stralend aan. Zelfs Scherpent, de slang van de kapitein, die zich om diens pols had gerold, leek Connor bewonderend op te nemen.

'Allemaal even luisteren!' riep kapitein Wrathe. 'Ik vind dat we na de prestatie van Mr. Tempest wel iets te vieren hebben!'

Over het hele dek klonk instemmend gejuich, en niet voor het eerst was Connor zich bewust van het gevoel alsof hij deel uitmaakte van een grote, zeevarende familie.

'Dus we gaan vanavond naar Ma Kettle's!' bulderde de kapitein.

Opnieuw ging er een luid gejuich op, terwijl Connor door Bart en Gonzalez op de schouders werd gehesen.

'Zet me neer!' riep hij.

'O hemel,' zei Bart. 'Je hebt toch niet weer last van hoogtevrees, hè?' Waarop Gonzalez en hij het uitbrulden van de lach.

'Nee,' zei Connor. 'Zet me neer! Ik heb nieuws voor de kapitein.'

'Ja, dat zal wel!' riep Bart.

'Het is echt waar!' hield Connor vol. 'Zet me neer!'

'Als je nieuws heb voor de kapitein, vertel je me dat maar vanaf je hoge zitplaats!' riep Molucco Wrathe.

'Ook best,' zei Connor, nog altijd balancerend op de schouders van zijn kameraden. 'Het is waarschijnlijk niets om ons zorgen over te maken. Maar ik zag een piratenschip vanuit het kraaiennest.'

'In ónze zeeroute?' bulderde Molucco verontwaardigd. De ironie van zijn opmerking ontging de bemanning niet, en er werd dan ook alom hartelijk gelachen. Ze wisten allemaal dat kapitein Wrathe weinig – of liever gezegd, geen enkel – respect had voor het systeem van zeeroutes zoals de Piratenfederatie dat had opgesteld.

Connor knikte. 'Ja, in onze route, maar ik denk niet dat we problemen hoeven te verwachten. Volgens mij nam het schip gewoon de kortste route naar Ma Kettle's.'

'Aha!' Molucco haalde een zilveren uitschuifbare kijker uit zijn blauw fluwelen jas, hield die voor zijn rechteroog en kneep het linker stijf dicht. 'Vanuit welke richting kwam het?'

'Noordnoordwest.'

Molucco bewoog de kijker heen en weer, waarbij hij Cate bijna een bloedneus bezorgde. Gelukkig had de onderkapitein snelle reflexen.

'Aha! Daar is het.' Hij begon aan de kijker te draaien. 'Eens even kijken.'

De kapitein verviel in stilzwijgen.

'En?' vroeg Connor.

Het bleef stil, en Connor wilde zijn vraag al herhalen, toen de kapitein antwoord gaf. 'Ja, knul. Ja, ik kan het goed zien.'

Zijn stem verried dat er iets niet in orde was. Cate deed een stap in zijn richting. Bart en Gonzalez lieten Connor van hun schouders glijden.

'Wat is er aan de hand, kapitein?' vroeg Cate.

Hij leek zo verdiept in zijn gedachten dat hij haar vraag niet hoorde. Heel traag, als in slow motion, liet hij de kijker zakken en schoof hij die weer in elkaar. Op zijn gezicht lag een verdwaasde uitdrukking.

'Eindelijk is het zover,' zei hij ten slotte.

'Wat bedoelt u?' vroeg Cate. 'Is er iets met dat schip wat we moeten weten?'

'Daar komen jullie nog vroeg genoeg achter,' antwoordde Molucco. 'Cate, ik ga naar mijn hut. Zet koers naar Ma Kettle's.'

'Maar, kapitein,' zei Cate. 'Als er iets niet in orde is, dan wil ik dat graag weten...'

'Doe nou maar gewoon wat ik zeg,' zei Molucco vermoeid, en

hij liep met grote stappen weg.

'Wat zou hem dwarszitten?' vroeg Bart zich hardop af toen de kapitein benedendeks was verdwenen.

Cate haalde haar schouders op. 'Het is zoals hij zegt. Daar komen we nog vroeg genoeg achter.' Ze zuchtte. 'Het zou natuurlijk leuk zijn om een beetje op de hoogte te worden gehouden. Ik bén tenslotte onderkapitein op dit schip... Tenminste, in naam.'

'Kop op, Cate.' Bart drukte bemoedigend haar schouder. 'Ik geloof niet dat je het persoonlijk moet opvatten.'

Cate nam zijn hand weg. 'Dat is een hoogst ongepaste, maar zeer gewaardeerde steunbetuiging,' zei ze op gedempte toon. Toen keerde ze zich glimlachend naar de bemanning. 'We veranderen van koers! Richting Ma Kettle's. Vooruit, vlug een beetje!'

Connor liep het dek over.

'Waarom heb jij ineens zo'n haast?' riep Bart hem na.

'Ik ga douchen. Na die klimpartij ben ik helemaal zweterig, dus ik wil me even opfrissen voor Ma Kettle's.'

Bart schonk hem een veelbetekenende blik. 'Voor Ma Kettle's, hè? Toch niet toevallig om indruk te maken op een bepaalde dame die daar werkt?' Hij keek Connor grijnzend aan. 'Hé, zie ik het goed? Blóós je?'

'Nee!' zei Connor. 'Ik zal wel verbrand zijn. Boven in het kraaiennest.'

'Ai, die jongen van ons wordt wel heel snel groot,' zei Bart. Samen met Gonzalez versperde hij Connor de weg, en hij maakte zijn haar in de war.

'Hou op!' Connor rukte zich los en vloog de trap af.

Ma Kettle's was vertrouwd terrein. Een plek waar Connor zich op zijn gemak voelde. De *Diablo* mocht dan tegenwoordig zijn thuis zijn, Ma Kettle's was een goede tweede. Wanneer hij het klotsen van het grote waterrad boven zijn hoofd hoorde en met zijn kameraden de drempel over stapte, was Connor zich altijd bewust van een plezierig soort spanning, opwinding.

Samen met Bart en Gonzalez liep hij de bar binnen. Er werden diverse hoofden naar hen omgedraaid, en het ontging Connor niet dat enkele serveersters hem stralend begroetten. Blozend beantwoordde hij hun glimlach. Hij was nog altijd niet gewend aan de groeiende hoeveelheid aandacht die hem de laatste tijd ten deel viel. Als lid van de bemanning van Molucco Wrathe had je in de piratenwereld onmiddellijk een zekere status. Want wat ze ook over hem zeiden, vriend noch vijand raakte ooit over hem uitgepraat.

Zoals altijd heerste er in de kroeg een levendige drukte. Bemanningen van talrijke piratenschepen vulden de gelagkamer. Sommigen hadden het geluk te worden ontvangen achter het fluwelen koord, in het gedeelte voor de VIP's. Anderen begaven zich naar de afgezonderde nissen op de bovengalerij, die met een gordijn konden worden afgesloten. Connor ontdekte Cate aan de bar. Ze stak haar hand op en wenkte het drietal.

'Ben je er al achter wat de kapitein dwarszit?' vroeg Bart.

'Nee.' Ze schudde haar hoofd. 'Sinds hij dat schip in de gaten kreeg, heeft hij amper een woord tegen me gezegd.'

'Waar is hij eigenlijk?'

'Daar.' Ze wees naar het gedeelte achter het fluwelen koord. 'Ongetwijfeld om Ma alles te vertellen wat hij niet aan mij kwijt wil.'

Ze keken naar de hoek van de taveerne, waar Molucco met Ma Kettle aan een tafeltje zat. Ma knikte vol medeleven, wreef hem over zijn schouder en schonk hem de ene borrel na de andere in.

'Ach, ze zijn tenslotte oude vrienden,' zei Bart.

'Ja,' zei Cate. 'Maar ik ben onderkapitein. Ik word geacht te weten wat er aan de hand is.' Ze zuchtte. 'Maar je weet net zo goed als ik wat hierachter zit. Hij neemt me het drama met de *Albatros* nog steeds kwalijk. En dat is niet meer dan redelijk. Ik maak mezelf ook de grootste verwijten.'

Connor boog zijn hoofd. Ze hadden het er allemaal moeilijk mee om de herinnering aan die noodlottige dag achter zich te laten, toen een schijnbaar gemakkelijke overwinning was uitgelopen op een nachtmerrie. De dag waarop hun vriend en kameraad Jez de dood had gevonden.

'Dat moet je je niet zo aantrekken,' zei Bart. 'We werden allemaal verrast door wat er gebeurde.'

'Dat kan wel wezen,' antwoordde Cate. 'Maar ík ben...'

'Onderkapitein. Ja, dat weten we,' zei Bart.

Cate schudde haar hoofd. 'Ik wilde zeggen dat ik me in mijn positie niet mag láten verrassen! Door niets!'

Connor las de pijn in haar ogen. Kon hij maar iets bedenken om haar op te beuren, maar in dat opzicht voelde hij zich machteloos.

'Hoor eens,' vervolgde Bart. 'Onze Connor heeft vandaag een enorme angst overwonnen, en we worden geacht dat te vieren. Dus kunnen we misschien een beetje vrolijker kijken allemaal?'

'Goed gesproken!' Gonzalez nam een paar glazen van het blad van een passerende serveerster.

'Sodemekaatje, wat ben jij een mooie meid!' zei hij bewonderend. 'Ben je nieuw hier?'

Het meisje schudde blozend haar hoofd en liep door.

'Sukkel, dat is Jenny. Heb je die nog nooit gezien?'

'Zeker weten van niet,' zei Gonzalez. 'Maar van nu af aan hou ik haar in de gaten. Dus ze heet Jenny!'

Bij het horen van haar naam keek het meisje over haar schouder.

Gonzalez hief zijn kroes in haar richting. 'Wat een lekker ding!'

Bart schudde meesmuilend zijn hoofd.

Cate kwam naast Connor staan. 'Sorry dat ik zo somber deed,' zei ze. 'Je hebt je geweldig gehouden vandaag, en dat moeten we vieren!'

'Trek het je niet aan,' zei Connor. 'Ik weet dat je het niet gemakkelijk hebt.'

'Nee,' zei Cate. 'Maar dat is niet jouw probleem. Dus had ik jou er niet mee moeten lastigvallen.'

'Natuurlijk wel,' zei Connor. 'Je mag dan onderkapitein zijn, maar we zijn in de eerste plaats goede vrienden.'

Op dat moment klonk er een bulderende kreet door de taverne.

'Molucco Wrathe!'

Connor, Bart, Cate en Gonzalez draaiden zich om. Ze zagen dat Molucco en Ma aan de andere kant van de gelagkamer verstijfden en toen langzaam omkeken.

'Molucco Wrathe!' klonk de bulderende stem opnieuw.

Een lange, indrukwekkende gedaante liep met grote stappen naar het volle licht in het midden van de ruimte. Hij werd op korte afstand gevolgd door een opvallend uitziende vrouw en een wat slungelige jongen. Aan zijn uniform kon Connor zien dat hij kapitein was. Zijn verschijning had iets merkwaardig vertrouwds.

'Dus dáárom was de kapitein zo over de rooie!' riep Cate uit.

'Wat bedoel je?' vroeg Connor. 'Wie is dat?'

'Dat is Barbarro Wrathe,' zei Bart. 'Molucco's broer.'

HOOFDSTUK 2

De expeditie

In de kleine kreek aan de voet van een reusachtige berg likte kille avondlucht aan het dek van de *Nocturne*. Ook al boog ze haar hoofd zo ver mogelijk naar achteren, Grace kon de top van de berg niet zien, zo hoog verhief hij zich boven de wateren. Bovendien was het aardedonker. Slechts een smalle sikkel van de maan wierp zijn armzalige schijnsel over het dek. De meeste gewone mensen zouden het een ongelooflijk roekeloze onderneming vinden om in het holst van de nacht de ijzige, onbekende bergpassen te beklimmen. Maar de mensen die deel uitmaakten van de expeditie, konden voor het merendeel niet 'gewoon' worden genoemd, hield Grace zichzelf voor. Sterker nog, sommigen zouden beweren dat de waarheid geweld werd aangedaan door haar reisgenoten als 'mensen' aan te duiden.

Terwijl ze zich – tevergeefs – ver naar achteren boog, merkte Grace dat de wollen baret van haar hoofd gleed. Geschrokken door de kou die daarvan het onmiddellijke resultaat was, schoof ze de baret terug en ging ze weer rechtop staan. Net als de rest van haar kleren had ze de baret geleend van haar vriendin, Darcy Flotsam, die naast haar aan dek stond.

'Grace, kindje, weet je wel zeker dat je warm genoeg gekleed bent?' vroeg ze. 'Ik kan gemakkelijk nog even naar mijn hut lopen om een bontjas voor je te halen. Je hoeft het maar te zeggen.'

Grace schudde haar hoofd. 'Nee, Darcy. Ik draag geen bont, dat weet je. Ik wil niet dat er ook maar één dier wordt doodgemaakt om mij warm te houden.'

Darcy schudde ongelovig haar hoofd. 'Maar bont is zo zacht en zo heerlijk warm! Trouwens, de vos waar mijn jas van is gemaakt, is nu toch al dood. Dus wat kan het voor kwaad?'

'Nee, Darcy,' zei Grace resoluut. 'Ik draag geen bont, en daarmee uit! Deze jas is warm genoeg.'

Darcy keek Grace glimlachend aan terwijl ze wachtten op de anderen. 'Ik wou dat ik meekon. Niet vanwege de klim. Die lijkt me een verschrikking. Maar dat zou ik ervoor overhebben om bij jou en luitenant Furey te kunnen zijn.'

'Dat weet ik, Darcy, en Lorcan weet het ook.' Grace schonk haar een dankbare glimlach. 'Maar de kapitein vindt het blijkbaar beter dat je op het schip blijft. Hoe minder mensen er van boord gaan, hoe beter, zegt hij.'

Ze keken naar de gesloten deur van de hut van de kapitein. Daar gaf hij zijn plaatsvervangers instructies hoe ze tijdens zijn afwezigheid leiding moesten geven aan het schip met al zijn opvarenden.

'Het is héél zeldzaam dat de kapitein van boord gaat.' Darcy keerde zich weer naar Grace. 'Dat hij bereid is het risico te nemen, bewijst hoezeer hij zich het lot van luitenant Furey aantrekt.'

Risico? Zo had Grace het nog niet bekeken, maar ze besefte dat het, na de recente beroering op het schip en na de opstand die was gevolgd op het vertrek van Sidorio, inderdaad een risico met zich meebracht dat de kapitein de overige vampiraten alleen liet, al was het maar voor een paar dagen. Sidorio was in opstand gekomen tegen de regels op het schip, in het bijzonder tegen de beperkingen die de kapitein de vampiraten oplegde, door hen alleen tijdens het wekelijkse Feestmaal bloed te laten nemen. Sidorio mocht dan van boord zijn gezet en inmiddels vernietigd zijn, het zaad van de onvrede was gezaaid. Onder de daarvóór zo meegaande bemanning waren er nu ook anderen die vroegen waarom ze niet váker bloed konden nemen. Grace wist dat de kapitein sinds Sidorio's vertrek nog drie bemanningsleden van boord had gestuurd. Het drietal had zich bij de afvallige vampiraat gevoegd, en samen hadden ze een spoor van geweld en bloedvergieten getrokken tot ze vernietigend waren verslagen en uitgeroeid – door Connor, haar broer. Connor, de held.

Het was vreemd om in die bewoordingen aan haar tweelingbroer te denken. Er was zo veel gebeurd in de maanden sinds de dood van hun vader, toen ze het huis in Crescent Moon Bay hadden moeten verlaten. Wat waren ze destijds nog naïef geweest, dacht Grace. Ze hadden zich voorgesteld aan alle narigheid te kunnen ontsnappen door er met de boot van hun vader vandoor te gaan. En in zekere zin wáren ze ook ontsnapt. Maar hun reis had hen in diverse hachelijke situaties gebracht, waarbij hun leven regelmatig in gevaar was geweest. Inmiddels voer Connor op de beruchte *Diablo*, iets waar zijn zuster bepaald niet gelukkig mee was. En haar broer was misschien zelfs nog minder gelukkig met het feit dat Grace tot de vaste bemanning van de *Nocturne* behoorde, het schip van de piratenvampiers, die vampiraten werden genoemd. Het pleitte voor hun relatie dat ze zich erbij hadden neergelegd dat ieder van hen een eigen weg te gaan had. In elk geval voorlopig.

En dus stond Grace nu op het dek van de *Nocturne*, in afwachting van de kapitein en haar dierbare kameraad Lorcan, op het punt aan een belangrijke missie te beginnen: de expeditie naar de top van de berg, naar een geheimzinnig oord dat de Wijkplaats heette. Daar zouden ze Mosh Zu Kamal, de vampiratengoeroe, ontmoeten en hem vragen Lorcan te genezen van zijn blindheid.

Opnieuw omhoogkijkend langs de berghelling vroeg Grace zich af hoelang ze nodig zouden hebben om de Wijkplaats te bereiken. Het zou wel eens een erg vermoeiende tocht kunnen worden. Ze maakte zich nu al zorgen of de inspanningen niet te veel zouden zijn voor Lorcan. Niet alleen zijn blindheid vormde een probleem, hij was de laatste tijd ook sterk verzwakt. Een paar dagen eerder was het haar al zwaar gevallen hem zelfs maar naar het bovendek te krijgen.

'Ik ben klaar,' klonk een vertrouwde fluisterstem, en Grace zag een derde figuur aan dek verschijnen. Hij was van top tot teen in het zwart gehuld en leek uit de donkere nacht zelf gehouwen. Anderen zouden misschien geschokt zijn door de aanblik van deze lange, indrukwekkende verschijning met zijn leerachtige cape, waarin de aderen af en toe vluchtig oplichtten, net als de zeilen van het vampiratenschip die aan vleugels deden denken. Ze zouden geïntimideerd zijn door het feit dat hij altijd een masker droeg en nooit zijn donkere handschoenen uittrok. Sommigen zouden terugdeinzen bij het horen van zijn stem, waarvan het geluid zich niet zoals dat van andere stemmen door de lucht verplaatste, maar die als een ijzige fluistering in je hoofd klonk, zonder ooit te veranderen van toonhoogte of volume.

Maar in de betrekkelijk korte tijd sinds hun eerste ontmoeting had Grace de vampiratenkapitein leren kennen als een wijs en barmhartig man – en, misschien op haar overleden vader na, menselijker dan iedereen die ze ooit had ontmoet. In zekere zin was ze de kapitein als een vaderfiguur gaan zien, besefte ze.

'Laten we gaan.' Opnieuw klonk de stem van de kapitein in haar hoofd.

Terwijl hij naar hen toe kwam, viel Darcy haar vriendin om de hals. 'O Grace,' zei ze half snikkend. 'Het lijkt wel alsof we voortdurend bezig zijn afscheid te nemen.'

Grace knikte glimlachend. Ze was een beetje verrast toen ze voelde dat er een traan over haar wang biggelde. Soms vergat ze wat een goede vriendin Darcy Flotsam voor haar was geworden. Ze was niet langer het wispelturige, maar beeldschone boegbeeld van het schip. Nee, Darcy was veel meer voor Grace gaan betekenen. Overdag figureerde ze als boegbeeld, maar zodra de zon achter de horizon verdween, veranderde ze in een meisje dat bruiste van leven, een meisje dat boordevol emotie zat, een wezen van vlees en bloed.

Grace veegde over haar wang. 'Ik blijf niet lang weg, Darcy. Dat beloof ik. Zodra Lorcan aan de beterende hand is, komen we terug naar de *Nocturne*.'

Darcy knikte. Ze omhelsden elkaar nogmaals, namen afscheid en hielden vast aan de schijn dat Lorcan vanzelfsprekend volledig zou genezen. Want alleen al de gedachte aan het alternatief was onverdraaglijk.

De kapitein boog zich licht naar haar toe. 'Dag Darcy,' fluisterde hij, en hij legde een geschoeide hand op haar schouder. 'Ik weet dat ik op je kan rekenen. Dat je mijn plaatsvervanger zult gehoorzamen en het belang van het schip altijd voor ogen zult houden.'

'Tot uw orders, kapitein!' Darcy salueerde kordaat.

Terwijl Grace hen gadesloeg, besefte ze dat ze geen flauw idee had wie de kapitein tijdens zijn afwezigheid met de leiding van de *Nocturne* had belast. Ze wist dat er sprake was van een zekere hiërarchie aan boord van het schip – Lorcan was bijvoorbeeld luitenant, zoals Sidorio dat vóór hem was geweest. Maar Grace had geen idee wie de onderkapitein was, zelfs niet welke leden van de bemanning nog meer een hoge rang bekleedden. Dit in tegenstelling tot haar tijd aan boord van de *Diablo*, het piratenschip, waar het maar al te duidelijk was geweest dat eerst Cheng Li en later Sabel Cate de positie van onderkapitein bekleedde. Niet voor het eerst besefte Grace dat ze nog heel veel te leren had over de vampiraten.

'Aha, en daar zijn de laatste deelnemers aan onze expeditie!' De gefluisterde woorden van de kapitein deden haar opschrikken uit haar gedachten.

Hij knikte toen Lorcan aan dek verscheen, gekleed in een zware legerjas die hij van een ander lid van de bemanning had geleend. Op de borst was een medaille bevestigd. Het ziet er indrukwekkend uit, dacht Grace, zich afvragend aan welk conflict de medaille een aandenken was, en met welke nobele maar bloederige daden ze was verdiend. Compleet met zijn militaire laarzen bood Lorcan in elk geval een dynamische, bijna daadkrachtige aanblik. Op zijn rug hing een kleine plunjezak met wat spullen om zijn verblijf in de Wijkplaats zo aangenaam mogelijk te maken. Zijn ogen gingen schuil achter het schone verband dat Grace eerder die dag had aangebracht. In het maanlicht glansde het wit als duivenveren. Het verborg de vurige brandwonden waarmee ze maar al te vertrouwd was geraakt.

Lorcan was niet alleen. Naast hem liep Shanti, zijn beeldschone, maar boosaardige donor. De hoge hakken van haar schoenen tikten venijnig op het dek. In een van haar kleine, in suède gehulde handen droeg ze een beautycase. Dus ze ging ook mee, besefte Grace. Trouwens, dat was niet meer dan logisch. Als ze wilden dat Lorcan helemaal beter werd, zou hij ook weer bloed moeten gaan nemen. Shanti was zijn donor, dus wanneer de tijd er rijp voor was, zou hij haar bij zich moeten hebben. Ze droeg een bontjas met bijpassend rond hoedje. Grace hoefde niet lang na te denken voordat ze wist van wie die uitmonstering afkomstig was.

Darcy bloosde, maar Grace schudde haar hoofd. Haar vriendin was nu eenmaal een vrijgevig schepsel. Wat Grace stoorde, was dat Shanti er beeldschoon uitzag in al dat bont.

Toen Lorcan en zij het groepje bereikten dat op hen stond te wachten, schonken Grace en Shanti elkaar een geforceerde glimlach. Ze waren bepaald geen vriendinnen, en hun gezichten verrieden dat ze er niet blij mee waren samen te moeten reizen. Van dichtbij viel het Grace op hoeveel ouder Shanti was geworden sinds de laatste keer dat ze haar had gezien. Ondanks dat was ze nog altijd beeldschoon. Sterker nog, in sommige opzichten leek ze zelfs knapper geworden. De lijnen in haar gezicht, rond haar ogen en haar mond, gaven haar schoonheid iets kwetsbaars en maakten die daardoor nog kostbaarder. Shanti waren de rimpels echter een gruwel. Donoren waren onsterfelijk zolang hun vampier regelmatig hun bloed dronk. Wanneer dit zogenaamde 'delen' ophield, liet de sterfelijkheid onmiddellijk haar invloed op het lichaam van de donor gelden. Omdat Lorcan niet langer Shanti's bloed dronk, was ze verontrustend snel gaan verouderen. Sterker nog, als het delen niet spoedig werd hervat, zou ze ernstig in gevaar komen en zou ook zij behoorlijk verzwakt raken. Grace schudde haar hoofd. Wat een onwaarschijnlijk reisgezelschap zijn ze, dacht ze, terwijl ze haar blikken over de leden van de expeditie liet gaan.

'Kom mee,' zei de kapitein. 'Hoogste tijd om op weg te gaan. De Wijkplaats en Mosh Zu wachten op ons. Kom, vrienden!'

'Dag lieve luitenant Furey.' Darcy omhelsde Lorcan stijf. 'Ik hoop dat je snel weer de oude bent.'

'Dank je wel, Darcy,' zei Lorcan warm. 'Denk erom dat je braaf bent. Afgesproken?'

Grace was aangenaam verrast te horen dat hij weer iets van zijn oude bravoure terug had. Die had ze al veel te lang gemist. Shanti keek echter verre van blij en tuitte afkeurend haar lippen. Ze was opmerkelijk bezitterig ten aanzien van Lorcan, had Grace gemerkt. Op dat moment schoof ze zelfs een in bont gehulde arm door de zijne. Grace hees haar plunjezak op haar rug. Toen volgden ze de kapitein voorzichtig de loopplank over, op weg naar het vasteland.

Achter hen steeg mist op van de donkere wateren. Nevelslierten kronkelden zich teder maar vastberaden om de romp van het schip. Darcy stond aan dek en zwaaide het vertrekkende groepje hardnekkig uit, tot de mist een ondoordringbaar gordijn vormde en de *Nocturne* aan het gezicht onttrok.

'We staan aan het begin van een nieuwe reis,' kondigde de kapitein aan.

Grace knikte. Ze wilde enthousiast reageren, om wat positieve energie in het groepje te creëren, maar bij het zien van de sombere trek om Lorcans mond en de kille, haatdragende blik in Shanti's ogen, wist ze precies wat die twee dachten: dat dit wel eens hun laatste reis zou kunnen zijn. Als de Wijkplaats en de geheimzinige Mosh Zu Kamal niet in staat bleken Lorcan te genezen, was er voor hen geen hoop meer.

HOOFDSTUK 3

Twee gebroeders

HET WERD DOODSTIL IN DE TAVEERNE toen Barbarro Wrathe, geflankeerd door zijn twee metgezellen, boven aan de trap naar de gelagkamer verscheen. De vrouw en de jongen bleven op de bovenste tree staan, terwijl Barbarro als enige aan de afdaling begon. In zijn hand hield hij een stok, waarvan de bovenkant werd gevormd door een schedel. Uit een van de oogkassen kwam een met edelstenen bezette slang tevoorschijn, die zich langs de volle lengte van de stok kronkelde. Barbarro's opmars werd begeleid door een onheilspellend getik van de stok.

Toen hij de voet van de trap bereikte, schoot het taveernepubliek naar alle kanten weg – uit angst of uit respect, dat was Connor niet duidelijk. Het getik van de stok weergalmde door de gelagkamer, waar een zacht geroezemoes ontstond. Connor sloeg het tafereel gespannen gade. Hij wist dat er sprake was van oud zeer tussen de twee broers. Was Barbarro hier om een rekening te vereffenen? Zijn gezicht stond ondoorgrondelijk.

Degene die het minst verrast – en het minst uit zijn doen – leek door Barbarro's aankomst, was Molucco. Maar dat was ook niet zo verwonderlijk. Tenslotte had Molucco geweten dat het Barbarro's schip was dat Connor vanuit het kraaiennest had gezien. De piratenkapitein was aanvankelijk geschokt geweest toen hij door zijn kijker keek, maar inmiddels had hij zichzelf weer volledig in de hand. Dus hij dronk kalmpjes zijn glas leeg, toen stond hij op, en hij kwam zijn broer tegemoet.

'Barbarro!' bulderde hij met luide stem. 'Wat een verrassing!'

Barbarro reageerde niet, maar bleef afwachtend midden in de gelagkamer staan. Connor moest onwillekeurig denken aan twee oerwoudkatten die elkaar taxerend opnamen en elkaars krachten probeerden te peilen.

Toen de twee broers eindelijk tegenover elkaar stonden, was Connor getroffen door de sterke gelijkenis. Ze waren niet elkaars evenbeeld, maar wel duidelijk uit hetzelfde flamboyante hout gesneden.

Barbarro was wat langer en breder dan Molucco. In zijn flesgroene militaire jas met gouden tressen en met zijn hoge laarzen bood hij een even krachtige, dynamische aanblik als zijn broer. Hij droeg echter, op een gouden trouwring na, geen juwelen. Net als Molucco had hij lang haar, maar het zijne was nog glanzend zwart, met één brede zilvergrijze lok die hem zowel charme als gezag verleende. Zijn baard en zijn snor waren keurig verzorgd, zijn twinkelende ogen een volmaakte weerspiegeling van de ogen van zijn broer. Net als je dacht te weten welke kleur ze hadden, veranderden ze. Eerst leken ze groen, dan werden ze blauw, dan paars, dan bruin en ten slotte zwart. Ogen die net zo veranderlijk waren als de uitgestrekte watervlakte van de oceaan.

'Dat is lang geleden,' zei Molucco. Alle ogen in de taveerne waren op hem gericht, en vervolgens schoten de blikken naar Barbarro, benieuwd naar diens reactie.

'Te lang, Molucco,' zei Barbarro met net zo'n diepe, welluidende stem als zijn broer. 'Sinds onze laatste ontmoeting heb ik een broer verloren. En ik ben niet van plan er nog een te verliezen.'

Hij strekte zijn armen uit, waarop Molucco naar voren kwam om hem te omhelzen. Er ging een zucht van verlichting door de gelagkamer, want het leek erop dat de langlopende vete tot het verleden behoorde. Uit de gruwelijke moord op Porfirio Wrathe was tenminste íéts goeds voortgekomen, dacht Connor.

Toen de twee kapiteins Wrathe elkaar eindelijk loslieten, zag Connor dat Scherpent uit Molucco's haar tevoorschijn kwam en zich vol verwachting in de richting van Barbarro kronkelde. Connor had wel eens gezien dat de slang mensen als het ware namens de kapitein de maat nam, maar dat was nu niet het geval. Ineens ontstond er beweging tussen de donkere lokken van Barbarro, en ook daar kwam een slang tevoorschijn.

Barbarro keek glimlachend op. 'Zo te zien is Schobbejak ook blij zijn broer te zien.'

'Ja.' Molucco knikte ernstig. 'Ik durf te wedden dat hij hem de afgelopen jaren verschrikkelijk heeft gemist.' De slangen sisten vertrouwelijk naar elkaar, toen kronkelden ze zich rond de hals van hun meester, vanwaar ze elkaar in het oog konden houden.

Rondom klonk gelach, een welkome uitlaatklep voor de spanning die de komst van Barbarro had veroorzaakt.

Connor maakte gebruik van het plotselinge lawaai door Bart een por te geven. 'Je hebt me nooit verteld dat Scherpent een broer had,' zei hij.

Bart grijnsde. 'Ik hoef je toch ook niet alles te vertellen? Er moeten nog een paar verrassingen overblijven.'

Op dat moment kwam de lange vrouw die achter Barbarro had gestaan, naar voren. Ze bewoog zich sierlijk en was vorstelijk gekleed, in een jas die dezelfde bleekgouden kleur had als haar hoog opgestoken haar.

'Dat is Barbarro's vrouw,' fluisterde Bart.

'Trofie!' riep Molucco.

'Hoe heet ze? *Trofee*?' vroeg Connor. 'Wat een rare naam.'

'Nee, ze heet Trofie, met F-I-E. Het is, geloof ik, een Scandinavische naam,' zei Bart.

'Ze lijkt me een stuk jonger dan Barbarro,' zei Connor.

'Ja, dit gezicht past wel bij haar.'

'Wat bedoel je, dít gezicht?'

'Laten we maar zeggen dat het van tijd tot tijd verandert.' Bart maakte een knippende beweging met zijn vingers. 'Als je begrijpt wat ik bedoel.'

Trofie strekte haar rechterhand uit. Ook die glansde als goud, op de robijnrode nagels na. Connor keek toe terwijl Molucco een buiging maakte voor zijn schoonzuster en haar hand kuste. Iets wat haar blijkbaar niet beviel, want toen Molucco zich oprichtte, haalde ze een zakdoekje tevoorschijn en veegde ze daarmee over haar hand. Connor zag tot zijn verrassing dat het leek alsof de hand licht gaf. Toen hij zijn ogen tot spleetjes kneep, ontdekte hij dat Trofies rechterhand van metaal was en letterlijk net zo goudkleurig als haar haar. Wat hij voor roodgelakte nagels had aangezien, bleken echte robijnen te zijn!

'Wat is er met haar hand?' vroeg hij aan Bart.

'Ach ja, die hand,' zei Bart. 'Daar zijn verschillende verhalen over in omloop. De officiële lezing is dat Trofie ooit door een van Barbarro's rivalen gevangen is genomen en gegijzeld. Haar gevangennemer dreigde haar een voor een haar vingers af te snijden als ze hem niet vertelde waar hij Barbarro's geheime schatkamer kon vinden. Volgens het verhaal heeft Trofie vijf dagen lang haar mond gehouden, en elke dag werd er weer een vinger afgehakt. De zesde dag slaagde Barbarro erin haar te bevrijden. Hij doodde haar gevangennemers en nam Trofie mee naar een chirurg, die een gouden hand voor haar maakte.'

'Wow! Verbijsterend.' De gedachte aan zo veel wreedheid maakte Connor misselijk. 'En wat is de ónofficiële lezing?'

'Nou... Trofie houdt van alles wat glimt, en Barbarro vindt dat hij zijn vrouw alles moet geven wat haar hartje begeert. Dus het gerucht gaat dat ze uiteindelijk zo veel ringen droeg, dat ze haar hand letterlijk niet meer kon optillen. Uiteindelijk moest ze kiezen tussen haar ringen en haar vingers.'

'En ze koos...'

'Ze liet haar hand amputeren – het schijnt dat die in formaldehyde wordt bewaard, voor het geval dat ze hem ooit terugwil – en de ringen omsmelten tot een gouden hand.'

'Wow!' zei Connor opnieuw. 'En welke van de twee lezingen is volgens jou de waarheid?'

Bart schudde zijn hoofd. 'Al sla je me dood. Dat zullen we misschien nooit weten. Ik durf het haar in elk geval niet te vragen. Eerlijk gezegd ben ik bang voor haar.' Bart huiverde.

Connor richtte zijn aandacht weer op Trofie. 'Het spijt me dat je je broer hebt moeten verliezen,' hoorde hij haar ijzig en afgemeten tegen Molucco zeggen.

'Dame, de dood van Porfirio Wrathe was een vernietigende slag voor ons allemaal,' antwoordde Molucco. 'Sterker nog, voor de hele piratenwereld.'

Trofie knikte. Toen wierp ze een blik over haar schouder, en ze wenkte de slungelige jongen. 'Link, kom eens dag zeggen tegen je oom.'

De jongen rolde met zijn ogen en slenterde naar voren. Hij was nonchalant gekleed in een strakke zwarte spijkerbroek en een leren motorjack. 'Hé, ome Luc! Hoe gaat-ie?'

Trofie stak een gouden vinger tussen zijn ribben.

'Au!' bracht hij kreunend uit. 'Dat doet zeer!'

'Een beetje meer respect,' zei ze.

Maar Molucco straalde. 'Bij familie horen geen formaliteiten,' zei hij. 'Allemachtig, Link, wat ben jij gegroeid sinds we elkaar voor het laatst hebben gezien. Je bent zo lang en zo dun als een mast!'

Link keek zijn oom enigszins ontevreden aan, maar hij had het soort gezicht dat waarschijnlijk altijd ontevreden stond, dacht Connor. Het feit dat hij een zware vorm van acne had, maakte het er niet beter op, en hetzelfde gold voor het vurige, paarse litteken op een van zijn jukbeenderen.

Alsof hij hun blikken voelde, keek Link plotseling naar Connor en Bart. Toen zijn ogen de hunne ontmoetten, verstrakte zijn gezicht. De blik waarmee hij hen opnam, was ronduit kwaadaardig. Waar hadden ze dát aan te danken, vroeg Connor zich af.

'Connor!' riep Molucco. 'Cate! Kom eens hier. Dan kan ik jullie aan mijn familie voorstellen.'

Connor en Cate gehoorzaamden.

'Dit is onze onderkapitein,' zei Molucco. 'Cate, je hebt Barbarro en Trofie al eerder ontmoet.'

Cate knikte en maakte een buiging.

'Maar Link, hun zoon, ken je volgens mij nog niet. En jullie hebben geen van drieën kennisgemaakt met Connor Tempest.' Molucco trok Connor naar zich toe. 'Connor is het jongste lid van mijn bemanning. Hij is pas drie maanden bij ons, maar ik kan me nu al bijna niet meer voorstellen dat er ooit een tijd is geweest waarin we het zonder hem moesten stellen. Wat zeg ik, hij is als een zoon voor me!'

Connor bloosde bij de uitbundige lof van de kapitein. Niet voor het eerst was hij getroffen door diens ruimhartigheid.

'Een zoon, hè?' Barbarro schudde Connor de hand. 'Dat is heel wat uit de mond van mijn broer. Connor, dit is Trofie, mijn vrouw en onderkapitein.'

Connor vroeg zich nerveus af of ze haar echte of haar gouden hand zou uitsteken. Het werd de gouden. Toen hij de hand schudde, voelde hij iets wat leek op een elektrische schok. Behalve dat hij ijskoud was, voelde de hand net zo glad en soepel aan als een hand van vlees en bloed.

Trofie schonk hem een flauwe glimlach. 'Dag, *min elskling*,' zei ze. 'We hebben van je gehoord.'

'Echt waar?' vroeg Connor verrast.

'Reken maar.' Trofie glimlachte nog steeds. 'We zijn goed geïnformeerd.'

'Dit is Link,' zei Barbarro. 'Link, zeg eens dag tegen Connor.'

Link nam Connor zwijgend op, maar de blik in zijn ogen verried dat hij zijn hand net zo lief in zijn eigen braaksel zou steken als die van Connor te schudden. Uiteindelijk had hij geen keus dan zijn vader te gehoorzamen. Bij het zien van zijn zwarte, afgebeten nagels, kreeg Connor het merkwaardige gevoel dat hij die hand kende. Zonder te weten waarvan. Ze hielden de begroeting zo kort mogelijk, waarbij het Connor opviel dat de hand van Link net zo koud was als die van zijn moeder, maar bovendien klammer.

'Hoe oud ben je, Connor?' vroeg Barbarro.

'Veertien, kapitein.'

'Veertien? Dan ben je net zo oud als onze Link! Ik denk dat jullie wel eens heel dikke vrienden zouden kunnen worden,' zei Barbarro, duidelijk blind voor de weerzin waarmee moeder en zoon Connor opnamen. Trofie had de arm met haar gouden hand om het middel van haar zoon gelegd. De robijnen 'nagels' glinsterden.

'Zo!' Ma Kettle nam de leiding. 'Jullie hebben elkaar heel wat te vertellen! Kom hier zitten, dan maken we een fles oesterchampagne open om deze vreugdevolle hereniging te vieren.' Ze loodste Molucco, Barbarro en Trofie naar het tafeltje waar ze eerder met Molucco had gezeten.

'Jullie jonkies niet.' Ze pakte Connor en Link resoluut bij de hand. 'Kom op, Bart!' riep ze door de gelagkamer. 'Jullie gaan mijn nieuwste attractie proberen.'

'O ja?' zei Connor.

'Reken maar!' Ma Kettle keek over haar schouder. 'Sugar Pie! Is de band klaar?'

'Ja, Ma!' klonk een vertrouwde stem.

Even later verscheen Sugar Pie, Ma Kettle's beeldschone rechterhand.

'Connor! Bart! Wat heb ik jullie lang niet gezien! Hoe gaat het?' Sugar Pie kuste hen vluchtig op de wang, en Connor zwoer heimelijk dat hij zich de eerstkomende dagen niet zou wassen. Hij kon geen woord uitbrengen, maar grijnsde van oor tot oor.

'En dit is Link Wrathe,' stelde Ma Kettle hem voor aan Sugar Pie. 'Molucco's neef.'

Link hield Sugar Pie zijn wang voor, in de hoop ook een kus te krijgen, maar bij het zien van zijn pokdalige gezicht, klopte ze hem alleen maar luchtig op zijn wang.

'Hebben jullie de dansvloer al gezien?' vroeg ze.

Het was hun nog niet opgevallen, maar nu zag Connor dat Ma Kettle de boel drastisch had veranderd. Het gedeelte van de gelagkamer onder de galerij met de afgezonderde nissen was omgetoverd tot een dansvloer. Onder de vierkante glazen vloerdelen – als de velden van een schaakbord – flitsten gekleurde lichten op de maat van de muziek.

'Ik neem aan dat je de tango kent?' vroeg Sugar Pie.

'Natuurlijk!' Link duwde zijn kippenborst naar voren.

'Mooi! Dan ga jij met Kat dansen.' Sugar Pie duwde hem in de richting van de dansvloer, waar een lang meisje met donker haar stond te wachten. 'En jij, Bartholomeus, jij danst met Elisa,' zei ze. Grijnzend liep Bart de vloer op en nam zijn danspartner in zijn armen.

'Zo, en jij danst met mij.' Sugar Pie nam Connor bij de hand.

De muzikanten speelden een kleine ouverture terwijl ze hem meetroonde naar de dansvloer.

'Eh... ik ken de tango niet,' stamelde Connor.

'Daarom dans je ook met mij,' zei Sugar Pie. 'Ik leid. Het enige wat je moet doen, is mij stevig vasthouden.'

'Maar de man hoort toch te leiden?' vroeg Connor.

'Ha!' Sugar Pie begon te lachen. 'Niet op déze dansvloer!'

Plotseling zette de band de tango in, en Connor werd meegevoerd op het ritme.

'Goed zo,' zei Sugar Pie. 'Gewoon stevig vasthouden en niet loslaten!'

Connor besefte dat hij weinig keus had en liet zich meevoeren over de dansvloer. Af en toe ving hij vluchtig een glimp op van de anderen, alsof ze kleine boten waren die elkaar op zee passeerden. Bart knipoogde naar hem toen hij Elisa zo ver achterover liet buigen dat haar haar over de grond streek.

'Let op!' instrueerde Sugar Pie. Ze dwong Connor haar aan te kijken en hief haar ontwapenende blauwe ogen naar hem op. 'Zo mag ik het zien!' Het was geen verrassing voor hem dat in hun geval *hij* degene was die achterover moest buigen, zodat hij omhoogkeek naar de nissen met hun fluwelen gordijnen. Ze waren allemaal stijf gesloten, zag hij.

'Uitstekend!' Sugar Pie trok hem weer overeind. 'Je begint de slag al aardig te pakken te krijgen.'

Verdwaasd liet Connor zich opnieuw meevoeren over de dansvloer. Toen Link voorbijkwam, zag Connor dat hij Kat bijna wreed met zich meesleurde. Het leek wel alsof het joch bij alles wat hij deed, werd beheerst door een raadselachtige, maar diepgewortelde woede. Terwijl hij Kat in het rond liet draaien, keek hij Connor recht in de ogen.

De muziek bereikte een climax, en Connor was zich bewust van de onverholen haat die sprak uit de blik van Link Wrathe. Hij fronste zijn wenkbrauwen. Hoe kon je iemand haten die je net voor het eerst had ontmoet? De komst van Link bezorgde Connor een gevoel van onbehagen. Barbarro mocht dan zijn gekomen om een oude vete bij te leggen, te oordelen naar het gezicht van zijn zoon was er alweer een nieuwe vete in de maak. Connor begreep niet waar Links vijandigheid vandaan kwam, maar hij had zo'n voorgevoel dat er akelige dingen stonden te gebeuren.

HOOFDSTUK 4

Een reis door het duister

TOEN DE MIST OPTROK, ZAG Grace slechts de uitgestrekte verlatenheid van de oceaan. De *Nocturne* was verdwenen. Er ging een huivering door haar heen. Ze konden niet meer terug. Met een blik op de kaptein, en toen op Lorcan en Shanti, vroeg ze zich af welke uitdagingen hen te wachten stonden, voordat ze naar het schip konden terugkeren.

'En nú?' vroeg Shanti.

'Dat lijkt me duidelijk,' zei de kapitein. 'Nu beginnen we aan de beklimming.'

'Ja, dat snap ik! Maar waar zijn onze muilezels? En hebben we geen lantaarns? Ze zullen toch wel iemand naar beneden hebben gestuurd om ons de weg te wijzen en onze bagage te dragen?'

Hoe afschuwelijk Grace het ook vond, ze moest toegeven dat ze het met Shanti eens was. Wat ze zei, klonk niet meer dan redelijk. Grace was dan ook verrast door de gefluisterde woorden van de kapitein. 'Nee, we zullen het helemaal alleen moeten doen. Ieder moet zijn eigen weg naar de Wijkplaats zien te vinden.'

'Maar hoe dan?' vroeg Shanti niet-begrijpend. 'Het is pikdonker. Dat redden we nooit! We hebben niet eens een kaart. En mijn schoenen... Trouwens, Lorcan kan helemaal niet zo lang klimmen!'

Lorcan zuchtte. 'Bedankt voor je vertrouwen,' mompelde hij.

In het donker pakte Grace zijn hand en drukte die bemoedigend.

'Het is gewoon zo!' hield Shanti vol. 'We kunnen beter wachten tot het licht wordt.'

'Je vergeet dat ik niet tegen daglicht kan,' zei Lorcan. 'De kapitein is de enige van ons – van de vampiraten – die daar geen moeite mee heeft.'

Shanti was niet onder de indruk. 'Je bent toch al blind, dus wat maakt een beetje daglicht dan nog uit?'

Het was een kwaadaardige opmerking, zelfs voor Shanti. Lorcan ging er niet op in.

'Laten we het er verder niet over hebben,' zei de kapitein. 'Dat is tijdverspilling.' Hij begon met grote stappen het pad af te lopen, waarbij de vonken in zijn mantel lichte vlekjes wierpen op de bomen aan weerskanten daarvan.

Shanti keek naar de anderen, op zoek naar bijval. 'Dit is krankzinnig,' zei ze. 'Beseffen jullie dat dan niet? We halen het nooit!'

'Misschien heb je gelijk,' viel Lorcan haar moedeloos bij. Het leek erop dat Shanti's scherpe woorden hem zijn laatste restje zelfvertrouwen hadden ontnomen.

'Toch moeten we het proberen,' zei Grace met grimmige vastberadenheid. 'We mogen niet opgeven, voordat we zelfs maar zijn begonnen. Ik denk niet dat de kapitein een dergelijke expeditie had voorgesteld als hij dacht dat we de top nooit zouden halen.'

'Wat weet jij daar nou van?' vroeg Shanti. 'Trouwens, je weet helemaal nérgens van!'

Shanti was verbitterd, woedend op Grace, die ze de schuld gaf van het feit dat Lorcan blind was geworden en was gestopt met delen. En ook al viel het Grace zwaar dat toe te geven, Lorcan was inderdaad blind geworden bij zijn pogingen haar te beschermen. Dus ze voelde zich maar al te verantwoordelijk voor wat er was gebeurd. Met elkaar beschuldigingen naar het hoofd te slingeren schoten ze echter niets op. Volgens de kapitein had Lorcan op de top van deze berg de grootste kans op genezing. Daar moesten ze zich aan vasthouden.

'Ik ga achter de kapitein aan,' zei Grace dan ook. 'Voordat we hem uit het oog verliezen.' Ze keerde zich naar Lorcan. 'Ga je mee?'

Hij knikte.

Grace aarzelde even. Het was een ongemakkelijke vraag, maar toch moest ze hem stellen. 'Moet ik je helpen?'

Voordat hij kon reageren, schoof Shanti haar arm door die van Lorcan. 'Als iemand hem helpt, dan ben ik het!'

Maar Lorcan schudde zijn hoofd en trok zijn arm los. 'Ik kan wel alleen lopen.' Hij deed een stap naar voren. Ondanks het verband voor zijn ogen bewoog hij zich met grote vastberadenheid. 'Grace, ga jij maar voorop. Ik loop achter jou aan.'

Shanti werd vuurrood. Grace zag aan haar gezicht dat ze op het punt stond opnieuw te protesteren.

'Kom mee dan,' zei Grace. 'Ik kan de vonken van de cape van de kapitein nog zien, maar als we niet opschieten, verliezen we hem uit het oog.'

Het is merkwaardig hoe snel je je aanpast aan de duisternis, dacht Grace. De lichtende gloed in de aderen van de cape van de kapitein was niet zo helder als anders – net genoeg om te zien waar hij was, maar te weinig om hen bij te lichten. Dus bleef ze zo dicht mogelijk achter hem. Af en toe zwiepte er een tak in haar gezicht of langs de bovenkant van haar hoofd, maar haar andere zintuigen compenseerden het gebrek aan zicht. Haar gehoor was scherper geworden, alsof het zich had afgestemd op het geluid van haar voetstappen. Het was verbazend hoe gemakkelijk ze haar eigen voetstappen kon onderscheiden van de zware, maar resolute tred van Lorcan en van de snellere pasjes van Shanti. Maar hoezeer ze haar oren ook spitste, het lukte haar niet de voetstappen van de kapitein te horen. Door de voortdurende lichtflikkeringen wist ze dat hij er was, maar waarom kon ze zijn voetstappen niet horen?

Ze rook de enigszins muffe geur van Lorcans jas, en achter hem een zweem van Shanti's parfum – ongerijmd in de zuivere berglucht. In gedachten verzonken liep ze voort, gestaag de ene voet voor de andere zettend. Plotseling klonk er een kreet achter haar.

'Wat was dat?' vroeg Shanti met schrille stem.

'Wat was wát?' vroeg Lorcan.

'Er schoot iets langs me heen. Iets nats. En harigs,' zei Shanti. 'Heb jij niks gevoeld?'

'Nee.' Het lukte Lorcan niet de geamuseerde klank uit zijn stem te weren.

'Erg grappig, ja!' zei Shanti nijdig. 'In het pikkedonker een berg op klimmen, terwijl we worden omringd door griezels!' Haar stem klonk steeds hoger. Het was duidelijk dat ze op de rand van hysterie verkeerde.

'Rustig maar,' zei Lorcan kalm. 'Maak je geen zorgen. Misschien heb je gelijk en was het inderdaad een wild dier. Maar je moet niet vergeten dat deze berg zijn thuis is. Volgens mij kwam het gewoon even een kijkje nemen...'

'Nu misschien,' zei Shanti. 'Maar wie zegt dat het de volgende keer niet aanvalt?'

'Ik denk eigenlijk dat het arme beest in de war was,' zei Lorcan. 'Door je jas.'

Hij kon niet helpen dat hij in lachen uitbarstte. Grace probeerde zich in te houden, maar het was tevergeefs.

'Ja, ja, lachen jullie maar,' zei Shanti. 'Lach me maar uit! Maar jullie zullen zien dat ik gelijk heb. Deze expeditie wordt onze dood.' Ze zweeg even. 'Voor zover we al niet dood zijn!' voegde ze er nog bitser aan toe.

Haar woorden leken te worden weerkaatst door de kille nachtlucht en zorgden opnieuw voor een sombere, onheilspellende stemming. Het was kouder geworden, besefte Grace, en de vegetatie aan weerskanten van het pad werd steeds schaarser, het landschap steeds kaler.

Bovendien merkte ze dat het pad geleidelijk aan steiler werd en de klim hoe langer hoe vermoeiender. Ze voelde het in haar benen. Had ik op de Piratenacademie 's ochtends maar meegedaan met hardlopen, dacht ze spijtig. Ineens zag ze dat de kapitein was blijven staan. Viel het klimmen hem ook zwaar? Ze haalde hem in, en samen wachtten ze op de anderen.

'Het pad wordt steiler,' waarschuwde de kapitein. Toen draaide hij zich om en begon weer te lopen. De anderen volgden. Na een bocht in het pad werd de berghelling plotseling beschenen door een smalle baan maanlicht.

Shanti slaakte een gilletje. Grace schudde haar hoofd. Ondanks het spaarzame licht was duidelijk te zien dat het pad naar de top zo steil was dat het moest zigzaggen over de helling. Het was amper een voetstap breed en verdween aan één kant in een peilloze diepte.

'Dit kan de kapitein toch niet van ons verwachten?' bracht Shanti kreunend uit.

'Is het zo erg?' vroeg Lorcan.

'Het is steil.' Grace keek langs de loodrechte, kale rotswand omhoog. Haar hart bonsde in haar keel. Anders dan haar broer had ze geen last van hoogtevrees, maar in dit geval was ze het met Shanti eens. Deze uitdaging zou wel eens te hoog gegrepen kunnen zijn. Toch had ze tegelijkertijd een onvoorwaardelijk vertrouwen in de kapitein. Ze weigerde te geloven dat hij aan deze expeditie zou zijn begonnen als hij had gedacht dat hij daarmee te veel van hen eiste.

'Het pad is erg steil,' herhaalde Grace. 'Maar het is te doen. We moeten alleen heel voorzichtig zijn.'

'We lopen vlak langs een loodrechte afgrond!' zei Shanti. 'En de wind wordt harder. Voel je niet hoe koud het is? Mijn gezicht is al helemaal gevoelloos.'

Grace besefte dat het weinig zin had Shanti erop te wijzen dat zij als enige in bont was gehuld, dus dat de anderen het nog kouder hadden dan zij.

'Het is te doen,' herhaalde ze dan ook. 'De kapitein was hier nooit aan begonnen als hij had gedacht dat we het niet zouden halen,' zei ze zacht maar resoluut. Ze keek omhoog en zag dat de lichtflikkeringen in de cape van de kapitein steeds zwakker werden. Waarom liep hij zo ver vooruit, vroeg ze zich af. Waarom bood hij niet aan hen te helpen?

'Kom mee,' zei ze. 'Het is te doen, Lorcan. Wil je dat wij je een hand geven, of loop je liever alleen?'

'Laten we gewoon maar proberen op de oude voet verder te gaan. Als ik hulp nodig heb, dan zeg ik het.'

'Oké.' Grace keerde zich naar Shanti. 'Wil jij misschien een tijdje voorop lopen?'

'Vóórop?' vroeg Shanti verrast.

'Ja,' zei Grace. 'Een van ons tweeën moet vóór Lorcan lopen, de ander achter hem. Wat doe je het liefst?'

Shanti schudde haar hoofd. 'Ik kan het niet, Grace. Het pad is te steil voor me.'

'Je hebt geen keus.' Grace deed haar best om kalm te blijven. 'Lorcan moet naar boven. Volgens de kapitein heeft hij daar de grootste kans om van zijn blindheid te worden genezen. Let wel, het is een kans. Niets is zeker. En je hebt gelijk. Het is mijn schuld dat hij blind is, net zoals het mijn schuld is dat hij weigert nog langer met je te delen, en dat jij rimpelig en oud wordt.' Ze stikte bijna in haar emoties en haar woorden. 'Het is allemaal mijn schuld, Shanti... niet de jouwe. Het is míjn schuld. Maar ik probeer er tenminste iets aan te doen. Als we de top van de berg weten te bereiken, dan denk ik dat het allemaal weer goed komt. Dus voor Lorcan en voor jou – ook al vind ik je niet eens aardig! – ben ik bereid de poging te wagen. Je kunt kiezen. Of je gaat mee, of je blijft hier. Maar zolang Lorcan bereid is door te gaan, ga ik met hem mee.'

Even was Shanti met stomheid geslagen.

'Ik ga door,' zei Lorcan.

'Dan ga ik voorop.' Shanti werkte zich langs Grace en begon met grote stappen het pad te volgen.

'Goed gedaan, Grace.' Bij het horen van de fluistering in haar hoofd besefte ze met een schok dat de woorden niet afkomstig waren van Lorcan, maar van de kapitein. Hoe was het mogelijk dat hij haar had gehoord, terwijl hij hun zo ver vooruit was?

In sommige opzichten is de duisternis een zegen, dacht Grace.

Daardoor kon je verdringen dat het pad aan één kant werd begrensd door een peilloze afgrond. Dat móést je verdringen. Zolang je je bleef concentreren op het ritme van je voetstappen, op de bochten in het pad, viel het allemaal wel mee. Shanti nam haar verantwoordelijkheid heel serieus en waarschuwde Lorcan voor elke bocht en kronkel. De kapitein was iets langzamer gaan lopen, zodat hij niet langer zo ver vooruit was.

Opnieuw werd Grace volledig in beslag genomen door het ritme van haar bewegingen. Ze verloor het gevoel voor tijd en hoogte. Het enige wat ze wist, was dat ze verder moesten, ongeacht hoelang de klim nog duurde. Het was vreemd om een reis te maken die geen eindpunt leek te hebben, maar op een merkwaardige manier had dat ook iets bevrijdends.

Een geluid vóór haar deed haar opkijken. Lorcan was gestruikeld, zag ze tot haar schrik. Hij was gelukkig de goede kant uit gevallen, maar hij had bij zijn val wat gruis losgemaakt dat met veel kabaal langs de berghelling naar beneden ratelde.

'Is alles goed met je?' Grace stak haar hand naar hem uit.

'Ja.' Hij krabbelde overeind. 'Ik heb geen idee wat er gebeurde.'

'Het is mijn schuld,' zei Shanti. 'Het pad wordt smaller en er zitten gaten in. Dat had ik moeten zeggen.'

'Het geeft niet,' zei Lorcan. 'Het is allemaal goed afgelopen.'

'O nee!' Shanti kreunde. 'Ik zie de kapitein nergens meer. Is hij nog verder vooruitgelopen? Het is bijna onmogelijk om hem bij te houden!' Ze haastte zich voort, bijna rennend om de kapitein in te halen.

'Pas op!' riep Grace. 'Niet zo vlug!'

Maar Shanti wilde niet luisteren. Ze was vastberaden de kapitein in te halen. Toen ze om een bocht in het pad verdween, keerde Grace zich naar Lorcan. 'Ik moet haar inhalen en zorgen dat ze langzamer gaat lopen. Blijf jij alsjeblieft hier wachten!'

'Akkoord,' zei hij, duidelijk opgelucht dat hij de kans kreeg om even op adem te komen.

Grace klom hoger. Ze was nog niet ver gevorderd toen ze een

kreet hoorde, gevolgd door een geraas als van vallende rotsblokken. Paniek maakte zich van haar meester, al voordat ze Shanti's gesmoorde kreet hoorde. 'Help!'

'Shanti!' Grace haastte zich met grote stappen verder.

Toen ze de bocht om kwam, werd haar grootste angst bevestigd. Shanti hing langs de berghelling, met onder haar een loodrechte afgrond. Bij haar handen was het pad afgebrokkeld. Het enige wat haar weerhield van een val in de diepte, was een zielige struik die eruitzag alsof hij elk moment uit de grond kon worden gerukt.

'Shanti!' riep Grace nogmaals. Ze liet zich op haar hurken zakken en bukte. 'Pak mijn arm. Dan trek ik je omhoog.'

Grace had nog nooit zo'n naakte doodsangst gezien als op dat moment, in de ogen van Shanti. 'Nee,' bracht die ademloos uit. 'Dat lukt je niet, Grace. Je bent niet sterk genoeg.'

'Natuurlijk wel,' zei Grace, ook al was ze daar verre van zeker van. Shanti en zij waren ongeveer even zwaar. De kans was levensgroot dat Shanti haar mee de afgrond in sleurde. Ze verdrong de gedachte. Het ging lukken. Het zou allemaal goed komen. Ze stak haar hand uit. 'Kom op, Shanti! Je hoeft alleen maar die struik los te laten. Dan trek ik je omhoog.'

'Ik kan het niet!' Shanti had het nog niet gezegd, of er kwam beweging in de struik. De grond brokkelde verder af. Shanti sloot haar ogen, op het ergste voorbereid. Grace pakte haar bij de arm. 'Ik heb je vast! Ik heb je vast!' Nu hoefde ze haar alleen nog maar omhoog te trekken, op een niet-afbrokkelend stuk van het pad.

Maar toen ze begon te trekken, besefte Grace tot haar afschuw dat ze inderdaad niet sterk genoeg was. Wat nu? Van de kapitein was geen spoor te bekennen, en zonder iemand om hem te leiden, was het ondenkbaar dat Lorcan haar te hulp kon komen. Opnieuw dreigde ze in paniek te raken, maar dat mocht ze Shanti niet laten merken.

'Wat is er?' vroeg die. 'Ik had gelijk, waar of niet? Je kunt het niet! We storten allebei in de afgrond!'

Grace zag zich geconfronteerd met een gruwelijk dilemma. Of

ze moest Shanti laten vallen en alleen in de afgrond laten storten, of ze moest zich laten meesleuren. Ze keek in de diepte. Het was ondenkbaar dat ze een dergelijke val zouden overleven.

Plotseling leek Shanti lichter te worden, en Grace vroeg zich af of ze een onbekende krachtbron diep vanbinnen had weten aan te boren. Maar toen zag ze nog twee handen die naar Shanti reikten. Ze keek opzij. Naast haar op het pad hurkte een jongeman, gehuld in herderskleding.

'Ik tel tot drie,' zei hij. 'Dan trekken we haar omhoog, oké?'

Grace knikte, en hij schonk haar een glimlach die haar een onvoorwaardelijk vertrouwen inboezemde, zodat ze op slag volmaakt kalm werd.

'Een, twee, dríé...'

Grace spande zich tot het uiterste in, en samen trokken ze Shanti omhoog en legden haar op het pad. Daar lag ze snikkend, en onder het zand. Ook Grace voelde dat haar hart als een razende tekeerging. Ze hadden allebei de dood in de ogen gezien. Zonder de hulp van de herder zou het allemaal heel anders zijn afgelopen. Wat een wonder dat hij uitgerekend op dat moment was langsgekomen!

'Dank je wel.' Grace keerde zich naar hem toe.

Maar hij was nergens te bekennen. Even geheimzinnig verdwenen als hij was verschenen.

Ze keek op Shanti neer. 'Goed gedaan!' zei ze.

'Ik was bijna dood geweest!' Shanti keek huiverend de diepte in. 'We waren allebei bijna dood geweest!'

'Niet doen.' Grace legde haar hand langs Shanti's bevende wang en dwong haar zich van de afgrond af te keren. 'Niet naar beneden kijken. En ook niet achterom. We moeten alleen maar vooruit kijken! Begrijp je dat?'

Shanti knikte. Ze kon van angst geen woord meer uitbrengen.

'Wacht jij maar hier!' zei Grace. 'En probeer een beetje op adem te komen. Ik ga Lorcan halen, en dan gaan we samen verder.'

'Nee!' riep Shanti. 'Je mag me niet alleen laten!'

'Het duurt maar heel even. Alleen om Lorcan te halen.' Grace aarzelde. 'Nou, vooruit dan. Kom, dan help ik je overeind.' Toen ze Shanti op de been had geholpen, strompelde die. Even was Grace bang dat ze haar enkel had verstuikt, of erger nog. Toen zag ze wat eraan mankeerde.

'Je bent een hak kwijt van een van je laarzen,' zei ze.

'O! Waar is hij gebleven?' vroeg Shanti.

Grace keek over de rand van de afgrond. 'Dat doet er niet toe.'

'Maar hoe moet ik nu verder?' Shanti's stem verried dat ze in paniek dreigde te raken. 'Ik kan niet verder, Grace. Ik heb het geprobeerd. Echt waar. Ik heb het geprobeerd, maar ik kan het niet. En zeker niet met een laars zonder hak.' Ze liet zich snikkend weer op de grond zakken en maakte zich zo klein mogelijk.

Grace zakte door haar knieën, pakte Shanti's andere laars en gaf een krachtige ruk aan de hak, die vrijwel onmiddellijk losliet.

'Wat doe je nóú?' riep Shanti.

Zonder iets te zeggen gooide Grace de overbodige hak over de rand van de afgrond. 'Vooruit! Opstaan! Dan kunnen we zien of je zo wel kunt lopen.'

'Nee, natuurlijk niet! Ik kan zonder hakken niet lopen!'

'Hoe is het met je enkel? Dat is veel belangrijker. Heb je hem verstuikt, denk je?'

'Ik heb het over mijn laarzen!' jammerde Shanti.

'Als je echt niet goed kunt lopen, ruilen we van laarzen,' zei Grace. 'Volgens mij hebben we dezelfde maat.'

'Meen je dat? Meen je dat echt? Maar... maar je zei dat je me niet aardig vond.'

Grace glimlachte, ondanks zichzelf. 'Volgens mij vind jij mij ook niet aardig, maar we zijn tot elkaar veroordeeld. Dus we kunnen maar beter samenwerken.' Haar glimlach verdween en ze keek Shanti vastberaden aan. 'We móéten zien dat we Lorcan naar de Wijkplaats krijgen... In zijn belang en het jouwe. Daar moet alles voor wijken.'

Haar woorden maakten indruk.

Shanti knikte dankbaar.

'Ik ga Lorcan halen,' zei Grace. 'Hij zal wel ongerust zijn.'

Maar toen Grace zich omdraaide, zag ze Lorcan al aankomen. Hoe was het hem gelukt dat verraderlijke, gevaarlijke stuk van het pad alleen af te leggen? Plotseling zag Grace in gedachten de herder die hen ook had geholpen. Had hij misschien...

'Is alles goed met jullie?' vroeg Lorcan.

'Ja, alles in orde. Shanti was gevallen, maar het viel allemaal reuze mee.'

'Ja.' Shanti knikte. Blijkbaar had ze begrepen dat Grace Lorcan niet ongeruster wilde maken dan hij al was. Ze zweeg even. 'Dank je wel, Grace,' zei ze toen. 'Zullen we van plaats ruilen? Dan kun jij een tijdje vooroplopen.'

Grace knikte en keek langs de donkere helling omhoog. Hoe ver was het nog naar de top? Ze had het nog niet gedacht, of ze hoorde een vertrouwde fluisterstem in haar hoofd.

'Het is nu niet ver meer.'

Ze tuurde voor zich uit en zag de vonkjes oplichten in de cape van de kapitein. Blijkbaar had hij op hen gewacht, of misschien was hij zelfs teruggelopen. Maar als hij zo dichtbij was geweest, waarom had híj hen dan niet geholpen? Mysteries genoeg om over na te denken. Toen hoorde Grace een kreet achter zich. Het was Lorcan.

'Sneeuw!'

Even wist ze amper waar hij het over had. Toen voelde ze de eerste vlok op haar neus neerdalen. Normaliter zou ze sneeuw opwindend hebben gevonden, maar niet onder deze omstandigheden. Een sneeuwstorm was wel het laatste wat ze konden gebruiken!

Het duurde niet lang of het pad was helemaal wit. Er ging een huivering door haar heen.

'Het kán nu niet veel verder zijn!' hoorde ze Shanti verzuchten.

'Nee, het is niet ver meer,' zei Grace.

'Dat zeg je steeds!' jammerde Shanti.

'Kijk omhoog,' klonk de fluisterstem van de kapitein door de bries.

'Waar moet ik kijken?' vroeg Shanti. 'Ik zie niks!

Maar Grace zag het wel. In de verte prikten twee lichtjes door de duisternis. Twee brandende fakkels, als reusachtige wachten aan weerskanten van een poort. De poort van de Wijkplaats. Eindelijk! Ze hadden hun bestemming bereikt.

'Dat mocht tijd worden!' verzuchtte Shanti toen ook zij de lichten in de gaten kreeg.

'Wat kan die toch zeuren!' fluisterde Lorcan. Grace glimlachte. Ze had precies hetzelfde gedacht.

'O Lorcan!' zei ze opgewonden. 'We zijn er bijna! Wat een tocht... Maar nu zijn we bijna bij de poorten.' Ze keek voor zich uit. 'Zie jij ze ook?' Ze had het nog niet gezegd, of ze kon haar tong wel afbijten. 'O, sorry,' zei ze. 'Het spijt me zo. Ik wilde je niet...'

'Het geeft niet,' zei Lorcan. 'Trek het je niet aan. Vertel me maar wat je ziet, dan leen ik jouw ogen.'

'Ik zie een poort, een ijzeren poort. Bijna twee keer zo hoog als jij, schat ik. Aan de bovenkant voorzien van punten, met daaronder een ingewikkeld rond patroon. Een beetje zoals de wijzerplaat van een klok of een zonnewijzer. Het is erg mooi.'

En zo bereikten ze het eind van hun tocht, terwijl Grace een beschrijving gaf van het fraaie sierzaagwerk op de enorme ijzeren poort, geflankeerd door fakkels. Toen ze ten slotte voor de toegang naar de Wijkplaats stonden, zweeg ze, plotseling overweldigd door de enormiteit van hun reis. Maar het ging om wat voor hen lag. Hier, in de Wijkplaats, zou over Lorcans toekomst worden besloten. Een toekomst, waarvan ze voelde dat die net zozeer was verweven met de hare, als de kronkelende klimranken in het sierzaagwerk van de poort met elkaar verstrengeld waren – onmogelijk van elkaar te onderscheiden.

HOOFDSTUK 5

Een andere dans

BOVEN DE DANSVLOER, WAAR CONNOR en zijn partner in het rond draaien, bevindt zich een rij nissen met gordijnen voor wie afzondering zoekt. Wanneer het orkestje de eerste tango inzet, zijn alle gordijnen gesloten. Het duurt echter niet lang of de klanken van de muziek dringen in een van de nissen door. Een bleke hand schuift voorzichtig het fluwelen gordijn opzij. In de smalle kier verschijnt een oog dat nerveus naar de dansvloer kijkt.

De aanblik van de dansers is hartverscheurend. Hun passen zijn vaak weinig sierlijk, zelfs houterig, maar de dansers stralen zo veel leven uit. Hun gezichten, hun lichamen... Het is allemaal zo dynamisch, zo bruisend van energie. De bleke hand, het nerveuze, vochtige oog zou er alles voor over hebben om zelfs maar íéts van die levenskracht in zich te voelen.

Drie van de dansparen kent hij. Hij kent ze maar al te goed! En het is alsof ze proberen hem met hun levenslust, hun energie de ogen uit te steken. Ooit zou hij zich ook op die dansvloer hebben begeven, maar wat hen scheidt is iets veel ingrijpenders dan een fluwelen gordijn. Zij bevinden zich aan de ene kant daarvan, draaiend en wervelend over de vloer. Hij, aan de andere kant, is een buitenstaander, een toeschouwer.

Dan naderen er voetstappen, en een hoge, opgewekte stem vraagt: 'Mag ik binnenkomen?'

Met zijn gebarsten lippen kost het hem nogal wat moeite te antwoorden. Hij heeft amper 'Ja' gezegd, of het gordijn wordt opzij geschoven en een serveerster kijkt om een hoekje de donkere ruimte in.

'Goedenavond. Wilt u misschien iets drinken?'

Hij knikt. Nou en of, denkt hij. Ja, hij wil dolgraag iets drinken!

Ze kijkt hem afwachtend aan, maar zonder hem goed te zien. Daarvoor is het te donker in de nis.

'Uw kaars is uit. Kom, dan steek ik hem voor u aan.'

'Nee,' zegt hij. 'Nee, ik hou niet van... vuur.'

Zijn lippen zijn te traag, haar handen te snel. De kaars brandt alweer, de vlam klimt hoger, steeds hoger in het glas. Hij huivert bij de aanblik.

'U rilt helemaal. Ik zal u iets brengen waar u lekker warm van wordt.'

'Wat kunt u me aanraden?' vraagt hij schor, en hij probeert niet ongeduldig te klinken.

Ze haalt haar schouders op, zonder ook maar enig besef van het gevaar waarin ze verkeert. 'We hebben hier alles wat u maar wilt. Rum, bier, wijn... U heeft het voor het kiezen.'

Hij kijkt haar aan. Een knap ding, dat is ze. Een herinnering dringt zich op, maar hij weet niet of hij zich haar herinnert of dat ze hem aan een ander meisje doet denken. Dat gebeurt hem de laatste tijd wel vaker. Dat gezichten in elkaar overlopen en hij moeite heeft ze uit elkaar te houden. Daarom móét hij iets doen, voordat het nog erger wordt. Hij kijkt opnieuw naar de dansvloer beneden hem. De muziek zwijgt, de dansers vallen elkaar om de hals. Al na enkele ogenblikken zet het orkestje opnieuw een tango in. Hij laat het gordijn dichtvallen. Er branden tranen in zijn ogen.

'Voelt u zich wel goed?'

Dus ze is er nog. Iets in hem zou haar willen zeggen dat ze moet vluchten, zo snel als haar benen haar willen dragen. Maar dat doet hij natuurlijk niet.

'Ja, ik... ik voel me prima.'

'Weet u het zeker?' Ze buigt zich naar hem toe. 'U ziet zo bleek. Alsof u een spook hebt gezien. Ik denk dat een glas brandewijn...'

'Ja,' valt hij haar in de rede. 'Ja, doe maar een brandewijn.' Laat haar gaan, laat haar gaan, dan gaat hij zelf ook weg. Voordat er iets gebeurt. Voordat hij een grens overschrijdt.

De kaars flakkert. Ze schuift het glas met het lichtje erin over de tafel. Nu pas kan ze hem goed zien.

'Grappig,' zegt ze. 'U lijkt op iemand die ik heb gekend. Nou ja, ik kénde hem niet echt. Hij kwam hier vaak. En hij was erg populair. Een jonge piraat.'

'O ja?' Ga weg, denkt hij. Want hij wil dit niet horen. Maar tegelijkertijd is hij benieuwd wat ze gaat zeggen en snakt hij ernaar dat ze blijft.

'Ja, u lijkt sprekend op hem... U zou zijn tweelingbroer kunnen zijn.'

Een tweelingbroer? Hij glimlacht bij de gedachte.

'Het was zo verschrikkelijk verdrietig,' vervolgt ze.

'Wat was verdrietig?'

'Wat er met hem is gebeurd. Echt verschrikkelijk verdrietig.'

'Wat is er dan met hem gebeurd?'

'Hij werd gedood. In een duel op een piratendek. Tenminste, dat heb ik gehoord.'

'Een duel.' Het klinkt zo nobel, maar hij herinnert het zich helemaal niet als iets nobels. Het vurige zwaard, het gutsende bloed, het leven dat uit hem stroomt... De stemmen om hem heen die wegsterven tot alles koud is, en stil, en eenzaam...

Niet voor het eerst is hij weer op die noodlottige plek. Om de een of andere reden kan hij die plek niet achter zich laten. Nog niet.

'Hoe heette hij?' vraagt hij. 'Die jonge piraat...'

'Jez. Hij heette Jez Stukeley.' Ze glimlachte. 'Wat een piraat! Echt een knappe man!'

Hij glimlacht ook. 'Vind je me nog steeds knap?' vraagt hij zacht.

'Ik moet eigenlijk gaan.'

Ja, denkt hij. Dat had je al veel eerder moeten doen, maar nu is het te laat.

'Blijf nog even.' Terwijl hij het zegt, pakt hij haar pols.

'Au! U doet me pijn.'

'Neem me niet kwalijk.' Hij laat zijn greep verslappen. 'Het spijt me. Ik ben niet gewend aan... gezelschap. Ik ben lang... weg geweest...'

'O ja? Was u op reis?' Haar ingeboren nieuwsgierigheid wint het van haar angst.

'Op reis?' vraagt hij. 'Ja, ik neem aan dat je het zo zou kunnen noemen. Ik heb een helse reis gemaakt... Kom even bij me zitten. Dan zal ik je erover vertellen.'

Ze verkeert duidelijk in tweestrijd. 'Ik word eigenlijk niet geacht te gaan zitten tijdens mijn dienst.'

'Ach toe, een paar minuutjes maar,' zegt hij. 'Wat is tijd? Dat is zo'n rekbaar begrip.'

'U zegt zulke rare dingen.' Ze glimlacht. 'Vooruit dan maar. Een minuutje. Dan kunt u me vertellen over uw reis. En daarna haal ik een... Wacht eens even!' Ze zwijgt abrupt, haar ogen schitteren plotseling. 'Wat bedoelde u... toen u vroeg of ik u nog stééds knap vond?' Haar stem wordt hoger. 'Wat bedoelde u daarmee?'

'Volgens mij weet je dat wel.' Hij trekt haar naar zich toe. 'Volgens mij weet je precies wat ik bedoelde.'

Het is al vroeg in de ochtend wanneer Sugar Pie het fluwelen gordijn openschuift. Samen met de andere serveersters doet ze haar ronde en zet ze klanten die weigeren van hun stoel te komen – of die dat niet meer kúnnen – de deur uit.

De kaars is allang opgebrand, en het is donker in de nis. Maar Sugar Pie ruikt de dood. Bij het zien van de gedaante die over de tafel hangt, voelt ze een steek in haar hart. Ze laat zich op haar knieën vallen.

'Wat is er?' vraagt de jongen die naast haar staat.

‘Ga Ma Kettle halen,’ zegt Sugar Pie schor, ademloos.
‘Waarom? Wat is er aan de hand? Laat mij eens kijken...’
‘Ga Ma halen,’ zegt Sugar Pie, nu aanzienlijk krachtiger. De jongen gehoorzaamt onmiddellijk.
‘O Jenny,’ zegt Sugar Pie, terwijl ze de wond in de borst van het jonge meisje inspecteert. ‘Arme kleine Jenny. Wie heeft dit met je gedaan? En waarom?’
‘Wat is er aan de hand?’ Ma Kettle komt de nis binnen. Sugar Pie weet niet wat ze moet zeggen, dus ze doet een stap opzij, zodat Ma Kettle met eigen ogen kan zien wat er aan de hand is. ‘O nee! Jenny! Wat verschrikkelijk!’ Wanneer ze zich omdraait, biggelt er een traan over haar wang. Het is heel lang geleden dat Sugar Pie haar bazin voor het laatst heeft zien huilen.
‘Neergestoken,’ zegt Ma Kettle, vervuld van afschuw. ‘Vlak onder onze neus!’
Sugar Pie kan het bijna niet meer aanzien. Er is ook zo veel bloed. Dan kijkt ze naar het gezicht van het meisje, en er valt haar iets vreemds op.
‘Kijk, Ma,’ zegt ze. ‘Kijk... Het lijkt wel alsof ze glimlacht.’
Ma Kettle slaakt een zucht. ‘Ach, ze is vertrokken naar een beter oord. Daarom glimlacht ze. Onze kleine Jenny Stormvogel is weggevlogen naar een beter oord.’
Sugar Pie wenst dat ze dat zou kunnen geloven, maar iets zegt haar dat het zo niet is gegaan.

HOOFDSTUK 6

De aankomst

Door de ijzeren poort betraden de vermoeide reizigers de Wijkplaats. Voor zich zagen ze een rij lantaarns rond een verlaten binnenplaats. Een dun laagje ijs op de grond weerspiegelde de fluweelzwarte nachthemel. De binnenplaats werd aan drie kanten omzoomd door een soort wandelgalerij en lage, houten gebouwen. Voor zover Grace kon zien, hadden de gebouwen geen deuren of ramen. Alleen aan de overkant van de binnenplaats kon ze twee deuren onderscheiden, halverwege het blok.

'We hebben het gehaald!' zei Grace tegen Lorcan, opnieuw vervuld van vertrouwen en optimisme. Over enkele ogenblikken zouden ze de beroemde Mosh Zu Kamal ontmoeten.

'Ja,' zei Lorcan zacht. 'We hebben het gehaald.'

Grace vroeg zich af waarom hij zo mat klonk. Nu de reis achter de rug was, zou alles van een leien dakje gaan. Mosh Zu Kamal zou zich over hem ontfermen, en het genezingsproces kon beginnen. Dus hij had toch alle reden om blij te zijn! Maar Lorcan zag eruit alsof hij het koud had. Zijn gezicht stond vermoeid. Uit niets bleek dat hij nog maar enige hoop koesterde. Het was duidelijk dat de klim hem meer had afgemat dan hij had laten blijken. Zelfs de kapitein maakte een vermoeide indruk. De inspanningen van de tocht naar boven eisten hun tol. En misschien zag Lorcan ook wel op tegen de behandeling en tegen alles wat hem te wachten stond. Ze drukte zijn hand. 'Maak je geen zorgen,' zei ze. 'Het komt allemaal goed. Dat zul je zien.'

Toen Grace opkeek, ontdekte ze verschillende gedaanten op de binnenplaats. Ze waren allemaal hetzelfde gekleed, in karmozijnrode gewaden. Blijkbaar waren de nieuwelingen opgemerkt, want twee van de in gewaden gehulde gedaanten kwamen met grote stappen naar hen toe. Toen ze voor het groepje stonden, schoven ze hun kap naar achteren. Het waren jonge mensen, zag Grace. Een man en een vrouw.

'Welkom in de Wijkplaats,' zei de vrouw zacht en zorgvuldig articulerend. 'Het is een eer u te ontmoeten en u en uw reisgezelschap te verwelkomen op deze bijzondere plek.' Haar blik ging over de groep. 'Ik ben Dani.'

Op het gezicht van haar metgezel verscheen een warme glimlach. 'Goedenavond, kapitein,' zei hij. 'Misschien herinnert u zich mij nog van uw vorige bezoek?'

'Maar natuurlijk, Olivier,' zei de kapitein. 'Wat fijn om je weer te zien.'

Olivier schudde de kapitein de hand. 'Mosh Zu ziet ernaar uit u opnieuw te ontmoeten.' Hij keerde zich naar de anderen. 'Voor degenen van u die hier voor het eerst zijn, een kleine toelichting. Wij zijn twee van de assistenten van Mosh Zu. Maar zoals u kunt zien...' hij wees naar de andere figuren die tussen de gebouwen heen en weer liepen, 'zijn we met velen.'

De kapitein stelde de leden van zijn groepje aan Dani en Olivier voor, waarop de assistenten Grace en Shanti een warme glimlach schonken. Bij Lorcan aangekomen, pakte Olivier zijn hand. 'Het is erg dapper van je dat je deze reis hebt aangedurfd, broeder.'

'Dapper, of roekeloos?' vroeg Lorcan lachend.

Olivier drukte hem nogmaals de hand. 'Dapper!'

Achter hen vielen de hoge ijzeren poorten met een galmend geluid dicht. Een sleutel werd omgedraaid in een slot. Het geluid van metaal op metaal galmde als een doffe klok over de binnenplaats. Het deed Grace denken aan de *Nocturne*, aan het luiden van de klok voor het vallen van de avond en bij zonsopgang. De Ochtendklok. De klok waarnaar Lorcan had moeten luisteren. De klok die hij had genegeerd om haar te redden. Wat een stroom van herinneringen kon het omdraaien van een sleutel op gang brengen!

'Kom mee,' zei Olivier. 'Jullie bibberen helemaal. Het is hier bijtend koud. We zullen zorgen dat jullie het zo snel mogelijk weer warm krijgen.'

Samen met Dani leidde hij het groepje de binnenplaats rond, via de wandelgalerij die van ijs was vrijgemaakt. Ten slotte kwamen ze bij de deuren die Grace bij binnenkomst al waren opgevallen. Olivier duwde ze open en loodste de reizigers naar binnen. Toen keerde hij zich naar Dani. 'Verder red ik het wel,' zei hij. 'Is het niet ongeveer tijd om de flessen bij Blok 2 af te leveren?'

Dani knikte, ze nam afscheid van het groepje en stak de binnenplaats over. Waar – en wat – was Blok 2, vroeg Grace zich af. En wat voor flessen moest Dani daar afleveren? Ze volgde Olivier en was al spoedig weer afgeleid.

Binnen was de verlichting erg zwak, maar toen de ogen van Grace zich daaraan hadden aangepast, zag ze dat ze zich in een lange, smalle gang bevonden, verlicht door lampen die net boven hun hoofd aan kettingen hingen. Bij de windvlaag als gevolg van het openen van de deuren, zwaaiden ze zachtjes heen en weer. De vlammen flakkerden even onrustig, maar nadat Olivier de deuren had gesloten, brandden ze algauw weer gestaag.

'Welkom in de Wijkplaats, goede vrienden,' zei Olivier glimlachend. 'We zijn hier in de Gang der Lichten. Komt u maar met me mee.'

Terwijl ze door de gang liepen, werd haar gevoel van gespannen verwachting steeds sterker, merkte Grace. Met elke stap kwamen ze dichter bij hun ontmoeting met Mosh Zu Kamal. Ze was geïntrigeerd door deze beroemde figuur – de man die de kapitein zijn 'goeroe' had genoemd en die ooit, zo had de kapitein haar verteld, het concept van de *Nocturne* had bedacht. Het was Mosh Zu die de kapitein had geholpen met het creëren van een toevluchtsoord voor 'de bannelingen der bannelingen' – vampiers die uit de gewone maatschapij waren gestoten en die wreed genoeg zelfs onder vampiers niet langer welkom waren, vanwege het feit dat ze de voortdurende jacht naar bloed afwezen. Het was Mosh Zu die het systeem van donoren had bedacht en die de kapitein had geholpen een conditie te bereiken waarin deze zelf helemaal geen bloed meer nodig had.

Grace zag ernaar uit hem te ontmoeten en met hem te praten, maar er waren dringender zaken waarvoor ze deze reis hadden gemaakt, hielp ze zichzelf herinneren. Het ging erom dat Lorcan van zijn blindheid werd genezen.

Toen ze een hoek omsloegen, werd de gang iets breder. En dat was maar goed ook, want de muren aan weerskanten waren bedekt met planken, beladen met prullaria en foto's. Er was geen stukje muur meer vrij, en Grace zag dat de spulletjes op de planken hier en daar drie of vier rijen dik stonden. Het deed haar denken aan een uitdragerij, of een heiligdom, en ze voelde zich zowel geïntrigeerd als verdrietig door alles wat ze zag. Waar kwamen deze spullen vandaan? Van wie waren ze geweest? Inmiddels was het niet meer dan oude rommel, maar ooit hadden ze iets, misschien zelfs heel veel, voor iemand betekend.

Het leek wel alsof Olivier haar gedachten had geraden. 'We zijn hier in de Gang van het Afstand Doen. Dit zijn allemaal spullen die degenen die de Wijkplaats zijn binnengegaan, hebben achtergelaten.'

Hierdoor raakte Grace zelfs nog meer geïntrigeerd, want net als de vampiers die de hulp van Mosh Zu inriepen, waren ook hun spullen afkomstig uit de hele wereld en uit diverse, ver uit elkaar liggende historische tijdperken. Met de spullen waarvan ze afstand hadden gedaan, hadden de vampiers een vreemde collage gemaakt van de wereld die ze achter zich hadden gelaten. Grace zou het liefst wat hebben rondgekeken, maar Olivier en de kapitein hielden er stevig de pas in. De gang maakte een bocht en ging over in een andere gang, zonder planken aan de muur, zag Grace met enige spijt.

'Wat ruik ik?' De stem van Shanti deed haar opschrikken uit

haar gedachten. Grace keerde zich naar haar toe en zag dat Shanti haar wipneusje optrok.

Olivier schonk haar een glimlach. 'Dat is boter,' zei hij.

'Boter? Zijn ze soms pannenkoeken aan het bakken?'

Olivier schudde zijn hoofd. 'Nee, we gebruiken boter als brandstof voor de lampen.'

'Het is een smerige lucht.' Shanti vertrok haar gezicht. 'Kunt u hierboven geen kaarsen krijgen?'

Olivier zei niets, maar Grace kon aan zijn ogen zien dat Shanti zijn geduld zwaar op de proef stelde.

De gang maakte opnieuw een bocht, en Grace besefte dat ze steeds verder naar beneden liepen. 'Gaan we onder de grond?' vroeg ze aan Olivier.

'Ja,' antwoordde die. 'Het voornaamste gedeelte van het complex bevindt zich onder de grond.'

Natuurlijk, dacht Grace. Op die manier konden de vampiers zich vrij bewegen zonder bang te hoeven zijn dat ze aan daglicht werden blootgesteld. Ze keek nieuwsgierig om zich heen. De gang waar ze nu liepen, deed haar denken aan foto's die ze had gezien van de piramides in Egypte. Maar te oordelen naar wat Olivier hun had verteld, vermoedde ze dat de Wijkplaats een soort omgekeerde piramide was die zich uitstrekte tot in het hart van de berg.

Toen viel haar iets anders op. Boven hun hoofd hingen linten aan een dunne lijn tussen de lampen. Ze waren verschillend van kleur en lengte en vormden als het ware een reusachtig spinnenweb.

'Wat zijn dat?' vroeg ze.

'Linten,' antwoordde Olivier. 'We zijn hier in de Gang der Linten.'

'Ja, maar wat betekenen ze?' hield Grace vol.

'Ik denk dat Mosh Zu dat beter kan uitleggen,' zei Olivier.

Grace keek op naar de linten die zachtjes heen en weer bewogen. Het was wel duidelijk dat de simpele stroken stof belangrijk waren. Dat bleek eens te meer uit het feit dat ze op Mosh Zu zou moeten wachten om duidelijkheid te krijgen over hun betekenis.

Toen de gang opnieuw een bocht maakte, ontdekte Grace weer een dubbele deur.

Olivier duwde ze open. De vierkante ruimte daarachter was helderder verlicht. De vloer was betegeld, en er stonden wat tafels met stoelen eromheen.

Shanti's ogen begonnen te stralen. 'Eindelijk! Ik doe een moord voor een stoel!'

'Ga rustig zitten.' Olivier trok een stoel voor haar bij en legde er een kussen op. 'Maak het je gemakkelijk. We zullen je niet lang laten wachten.'

Shanti liet zich met een zucht van genot op het zijden kussen ploffen.

Grace keek jaloers naar de stoel naast Shanti, maar Olivier legde luchtig zijn hand op haar arm. 'Kom, het is nu niet ver meer.'

Grace keek hem vragend aan. Ze zag dat de kapitein was doorgelopen naar opnieuw een dubbele deur. Daaruit begreep Grace dat de ruimte waarin ze zich bevonden, een soort wachtkamer was.

'Kom!' Olivier duwde de deuren open. 'Mosh Zu verwacht jullie.'

Grace keek achterom naar Shanti. Mocht zij niet mee naar de audiëntie bij de goeroe? Grace was bepaald niet dol op Shanti, maar het leek haar niet eerlijk haar buiten te sluiten. Zeker niet na alle beproevingen die ze had moeten doorstaan. Grace keerde zich van Olivier naar Shanti, die haar laarzen inmiddels had uitgetrokken en over haar vermoeide voeten wreef.

'Shanti!' riep Grace.

'Ja, wat nou weer?'

Grace haalde diep adem. Shanti maakte het haar niet gemakkelijk! 'Trek je laarzen aan en kom mee.'

'Maar de uitnodiging van Mosh Zu strekt zich niet uit tot...' begon Olivier.

'Dat is niet eerlijk,' zei Grace. 'We zijn hier samen gekomen. Shanti heeft het net zo zwaar gehad als wij. Misschien zelfs zwaarder. Ze is gevallen...'

'Dat doet er niet toe,' zei Olivier. 'Mosh Zu heeft voor alles wat hij doet zijn redenen. Ze is niet meer dan een donor. Wanneer ik jullie bij Mosh Zu heb gebracht, breng ik haar naar de donorvertrekken...'

Grace was geschokt – door Oliviers neerbuigende toon maar zelfs nog meer door de houding die Mosh Zu jegens Shanti leek aan te nemen. De relatie tussen vampiers en donors was onderling afhankelijk. De kapitein had altijd met respect over de donoren gesproken, en over het geschenk dat ze hun vampiers aanboden. Er bestond ongetwijfeld geen groter geschenk dan je eigen bloed, je eigen levenssappen. Hoe je ook mocht denken over het karakter van individuele donors, je hoorde hen te respecteren. Het verraste haar en het maakte haar boos dat Olivier en Mosh Zu dat respect blijkbaar niet konden opbrengen. Haar stijgende boosheid werd een halt toegeroepen door de kapitein.

Hij knikte naar haar en richtte zich tot Olivier. 'Grace heeft gelijk,' klonk zijn fluisterstem. 'Shanti heeft haar audiëntie bij Mosh Zu Kamal verdiend. Bovendien ken ik Mosh Zu als een royale gastheer, dus ik weet zeker dat hij ons allemaal in de Wijkplaats zal willen verwelkomen.'

Grace zag dat Olivier bloosde, maar hij knikte. 'Zoals u wilt, kapitein.'

Het was een overwinning, maar Grace was nog steeds een beetje nijdig. Ze had Olivier op het eerste gezicht sympathiek gevonden, maar die sympathie werd in snel tempo minder.

Toen Shanti zich bij hen voegde en ze gevieren hun weg vervolgden, werd haar boosheid moeiteloos verdrongen door andere dingen die haar afleidden. Het vertrek dat ze betraden, was groter dan het vorige. Ook hier was de vloer betegeld, maar er waren nauwelijks meubels, en de sobere aankleding bestond slechts uit enkele wandtapijten. De blik van Grace viel op het geschoren hoofd van een man die aan de verre kant van de ruimte met zijn rug naar hen toe zat. Hij was bezig kaarsen aan te steken. Achter zich hoorde Grace de deuren in het slot vallen.

Olivier kwam naar voren. 'Uw gasten zijn er,' kondigde hij aan, en hij deed weer een stap naar achteren.

Even bleek uit niets dat de man hem had gehoord. Hij ging onverstoorbaar door met kaarsen aansteken.

Ten slotte draaide hij zich naar hen om. Hij was sober gekleed in een wit vest en een wijdvallende bruine broek, om zijn middel bij elkaar gebonden en dubbelgevouwen. Voor zover Grace dat kon zien, liep hij op blote voeten.

Ze kon haar ogen niet geloven, want ze had verwacht dat de goeroe van de vampiraten een oude man zou zijn. Maar als dit Mosh Zu was, dan was hij nog heel jong. Hij kwam naar voren, weg van de kaarsen, zodat zijn gezicht voor het grootste deel in schaduwen werd gehuld. Tenzij het vage licht bedrieglijk was, schatte Grace hem misschien een paar jaar ouder dan zijzelf was. Maar, bedacht ze, hij mocht er dan uitzien als begin twintig, dat was slechts een indicatie van de leeftijd waarop hij was gestorven. Of beter gezegd, de leeftijd waarop hij was overgegaan.

'Mosh Zu!' hoorde ze de kapitein zeggen.

'Kapitein!'

Dus dit was inderdaad Mosh Zu. Grace kon niet helpen dat ze zich een beetje bedrogen voelde. Ze had gerekend op een oude, wijze man. De kapitein en hij maakten allebei een buiging, toen deden ze een stap naar voren en ze omhelsden elkaar. Grace besefte dat dit misschien het menselijkste gebaar was dat ze de kapitein ooit had zien maken. Dat herinnerde haar eraan dat er onder zijn kleren dan misschien geen kloppend hart schuilging, maar dat zijn gepantserde omhulsel wel degelijk een ziel bevatte.

'En dit is Grace,' zei de kapitein. 'Ik geloof dat ze een bijzondere gave bezit.'

'Dat hebben we vernomen,' zei Mosh Zu.

Grace voelde zich verrast en gevleid door hun woorden, maar

toen Mosh Zu zich naar haar toe keerde, kreeg ze opnieuw een schok te verwerken.

Dit was het gezicht dat ze op de berg had gezien! De herder die haar had geholpen Shanti in veiligheid te brengen en die vervolgens spoorloos was verdwenen.

Hij schonk haar een glimlach, zijn donkere ogen twinkelden in de schemerige belichting.

'Welkom, Grace Tempest,' zei hij, en het was alsof zijn ogen tot in het diepst van haar ziel konden kijken. Toen wendde hij zich af en nam de rest van zijn gasten onderzoekend op.

'Hartelijk welkom in de Wijkplaats. Ik hoop dat ieder van jullie hier zal vinden wat hij of zij zoekt.'

'Het enige wat ík zoek, is een fatsoenlijk bed,' mompelde Shanti.

Grace keek naar Lorcan en ze zag dat hij beefde. Ze nam zijn hand weer in de hare, maar durfde niets te zeggen. In plaats daarvan probeerde ze hem met haar gedachten te bereiken. *Het komt allemaal goed, Lorcan. Echt waar. Het komt allemaal goed.*

'Inderdaad.' Mosh Zu schonk hun een gelukzalige glimlach. 'Inderdaad, Grace Tempest. Je hebt volkomen gelijk.'

Grace was geschrokken, maar niet verrast. Ze had kunnen verwachten dat hij haar gedachten kon lezen. Dat kon de kapitein tenslotte ook.

'Jullie hebben een lange, vermoeiende reis achter de rug,' vervolgde Mosh Zu. 'En het begint buiten al licht te worden. Dus het is tijd om te gaan slapen. Olivier zal jullie je kamers wijzen. Morgen hebben we een belangrijke nacht voor de boeg.'

HOOFDSTUK 7

De nachtwacht

'WAT IS ER TOCH MET dat joch... die Link?' vroeg Bart terwijl hij samen met Connor en Brenden Gonzalez over de steiger liep, terug naar het schip.

'Nou, hij stond jullie wel zo ontzettend vuil aan te kijken!' beaamde Gonzalez.

'Ja, dat kun je wel zeggen!' zei Connor. 'Je zou bijna denken dat hij nog een ouwe rekening met ons te vereffenen heeft. Dat we hem iets hebben misdaan. Maar we hebben hem vandaag pas voor het eerst ontmoet!'

'Ik zal je eens wat zeggen, het lijkt me een etterbak. En over etter gesproken, die acne liegt er ook niet om,' zei Bart. 'Trouwens, het is echt een moederskindje. Is het je opgevallen dat hij voortdurend aan Trofies rokken hangt?'

Connor knikte. 'Ja, en Trofie spoort ook niet helemaal, volgens mij.'

'Helemaal niet, zul je bedoelen,' viel Gonzalez hem bij. 'Maar die Barbarro, dat lijkt me een goeie vent. Ik weet dat Molucco en hij niet echt dikke vrienden zijn, maar je kunt zien dat hij deugt. Ik mag hem wel.'

'Ik ook,' zei Connor. 'Ik hoop dat kapitein Wrathe – ónze Kapitein Wrathe – en hij erin slagen hun ruzie bij te leggen.'

Bart knikte. 'Zet die twee een avond in de kroeg, met een grote fles rum en een bord dadels voor hun slangen, en tegen zonsopgang is alles weer koek en ei. Maar met Trofie en die snotneus erbij weet ik het nog zo net niet... Volgens mij zijn die twee er eerder op uit een ruzie te beginnen dan die uit de wereld te helpen.'

'Hoe bedoel je?' vroeg Connor.

'Ach, ik weet het niet,' zei Bart. 'Maar het zit me gewoon niet lekker.'

'Dat krijg je als je alles door elkaar drinkt,' meesmuilde Gonzalez.

Bart ging er niet op in. 'We zullen onze ogen en oren wijd open moeten houden, en verder kunnen we alleen maar afwachten.'

Inmiddels waren ze bij het schip aangekomen, en ze stapten de loopplank op.

'Jongens, wat ga ik lekker slapen vannacht!' zei Gonzalez toen hij op het dek sprong. Hij rekte zich gapend uit. 'Gaan jullie meteen mee naar beneden of blijven jullie nog aan dek hangen?'

Bart keek hem grijnzend aan. 'Vergeet je niet iets? We worden geacht vannacht wacht te lopen. Dus ik zou maar een pot sterke koffie zetten, anders hebben we niks aan je!'

'Nee, maak je geen zorgen.' Gonzalez schudde zijn hoofd. 'Ik was het gewoon vergeten, maar ik heb geen koffie nodig. Echt niet. Je kunt op me rekenen.'

'Wat hoor ik?' vroeg Connor vijf minuten later.

'Wat dacht je van Doornroosje die ligt te snurken?' Bart wees omhoog, naar het kraaiennest.

Gonzalez was in een onmogelijke houding tegen de zijkant van de korf gezakt. Zijn ene arm hing over de rand. En Connor besefte dat het merkwaardige, hinnikende geluid inderdaad het gesnurk van zijn kameraad was.

'Hoe kan hij in 's hemelsnaam slapen daarboven? Hij kan er niet eens gaan zitten!'

Bart schudde zijn hoofd. 'Gonzalez kan overal slapen, dus daar hebben we niks aan. Laten we hopen op een rustige zee, want we zouden niet willen dat onze kleine wakker werd!'

Connor was ook moe, maar zijn hoofd tolde op een aangename

manier na alles wat er was gebeurd. Een dag die begon met het overwinnen van je angst en eindigde met een tango in de armen van Sugar Pie, dat was een dag met een gouden randje. En dan was er bovendien nog de komst van Barbarro en zijn merkwaardige gezin. Wat ze hier ook kwamen doen, het was een intrigerende ervaring om kennis te maken met Molucco's familie.

Hij liep naar de boeg en keek naar de horizon. De hemel was bezaaid met lichtende puntjes, en zoals altijd ging hij op zoek naar de sterrenbeelden. Daar stond Ophiuchus, de Slangendrager. Connor glimlachte bij de naam, denkend aan de twee kapiteins Wrathe en hun slangen. Misschien zouden er ooit, in een verre toekomst, sterrenbeelden naar Molucco en Barbarro worden genoemd. Maar voorlopig was hij tevreden met Ophiuchus. Hij herinnerde zich hoeveel moeite het hem als klein jochie had gekost om de Slangendrager te ontdekken. En hoe zijn vader hem altijd had gerustgesteld. *Maak je niet druk, Con. De meeste sterren van dit sterrenbeeld zijn nu eenmaal erg vaag. Je moet zoeken naar een theepot.* En sindsdien had hij de Slangendrager in gedachten altijd de Grote Hemelse Theepot genoemd.

Terwijl hij naar de nachtelijke hemel keek, dacht hij natuurlijk ook aan Grace. Waar zou ze zijn? En keek ze naar dezelfde sterren? Dacht ze aan hem? Hij miste haar. Want ook al besefte hij dat ze haar eigen reis moest maken, hij vond het afschuwelijk dat ze niet bij hem was en hij hoopte op een spoedig weerzien. Hij had er genoeg van afscheid te moeten nemen van mensen die hem dierbaar waren – zijn vader, Jez, Grace...

'Een stuiver voor je gedachten!'

Connor schrok op uit zijn overpeinzingen en zag dat Bart bij hem was komen staan.

'Ik keek naar Ophiuchus.' Connor glimlachte.

'Ach, natuurlijk.' Bart knikte. 'Sorry, maar ik heb geen idee waar je het over hebt.'

Connor wees grijnzend naar de hemel. 'Ook wel de Grote Hemelse Theepot genoemd!'

Bart keek omhoog, toen weer naar Connor. 'Weet je, Tempest, ik vergeet soms wat een rare snijboon je bent!'

'Hoezo, rare snijboon?' herhaalde Connor verontwaardigd. Hij keerde zich in gevechtshouding naar zijn maat.

'O, is het weer zover? Moet je klappen?' vroeg Bart geamuseerd.

Plotseling schudde Connor zijn hoofd. Zijn ogen puilden bijna uit hun kassen, en hij begon onbeheerst te beven.

'Wat is er, knul? Je kijkt alsof je spoken ziet!'

Connor profiteerde van het feit dat Bart kortstondig was afgeleid door zich op hem te storten.

'Jij, vuile vieze...' Bart had zichzelf onmiddellijk weer onder controle, tilde Connor op zijn schouders en begon met hem in het rond te draaien.

'Nee! Niet doen! Hou op!'

'Weet je hoe ze dit noemen?' vroeg Bart. 'De molen! En je weet zeker niet waarom?'

'Hou op!' jammerde Connor weer. 'Ik word duizelig. En... en... misselijk!'

'Schei toch uit!' Bart kende geen genade en draaide nog sneller in het rond.

Connor was machteloos, van het lachen en van duizelighied. 'Alsjeblieft,' wist hij ten slotte kreunend uit te brengen. 'Zet me alsjeblieft neer!'

'Het is dat je het zo vriendelijk vraagt!' Bart deponeerde Connor in een van de reddingsboten, waar hij onzacht op het zeildoek en de trossen belandde. Even was het alsof hij nog steeds in het rond draaide, en hij keek verdwaasd om zich heen.

Bart stak waarschuwend zijn vinger op. 'Laat dit een les voor je zijn, Tempest. Je mag dan sneller groeien dan een macarangaboom, maar tegen Bartholomeus Pearce ben je nog lang niet opgewassen.'

Toen Connor weer een beetje op adem was gekomen, ging hij rechtop zitten. Hij probeerde een snedige repliek te bedenken, maar op dat moment zag hij iets wat de adem deed stokken in zijn keel.

'Wat is er?' Bart nam hem bezorgd op. 'Nou kijk je alweer zo verschrikt. O...' Hij grijnsde. 'Ik snap het al, maar je denkt toch niet dat ik daar voor de tweede keer in trap!'

Connor kon slechts zijn hoofd schudden, met zijn ogen wijd opengesperd van angst en verbijstering.

Achter Bart was een bleek gezicht verschenen. Een gezicht waarvan Connor niet had gedacht dat hij het nog ooit zou zien. Bevend wees hij ernaar.

Bart draaide zich om.

Daar, op het dek, stond Jez.

'Hé, makkers! Hoe gaat-ie?' vroeg hij. 'Kan er geen lachje af voor een ouwe vriend?'

HOOFDSTUK 8

De kunst van de genezer

'Kom maar mee,' zei Mosh Zu. 'Lorcan, jouw kamer ligt op de verdieping hieronder.'

Terwijl ze nog dieper in de berg afdaalden, bedacht Grace dat de situatie eigenlijk niet veel verschilde van die op een schip, waar de hutten ook beneden lagen. Dus misschien was de ondergrondse constructie van de Wijkplaats niet alleen bedoeld om de vampiers niet aan het daglicht bloot te stellen, maar was die er bovendien op gericht hen voor te bereiden op het leven aan boord van de *Nocturne*.

'Inderdaad, Grace. Dat is een juiste analyse,' zei Mosh Zu. Ze had het gevoel dat hij haar doordringend opnam, maar toen ze zich naar hem toe keerde, bleek hij strak voor zich uit te kijken. Ze was nog altijd verbijsterd door het feit dat hij zo jong was... of in elk geval zo jong léék. Hij straalde een en al kracht en vitaliteit uit. Zijn gezicht was volmaakt rimpelloos. Je zou hem zelfs knap kunnen noemen. Kortom, hij was heel anders dan ze had verwacht.

'Dank je wel,' zei Mosh Zu glimlachend. 'Dat beschouw ik als een compliment.'

Grace bloosde. Ze was er inmiddels aan gewend dat de kapitein haar gedachten kon lezen, maar met Mosh Zu had ze meer moeite. Hij was tenslotte een volslagen vreemde. Het bezorgde haar een gevoel van kwetsbaarheid. En terwijl ze dat dacht, besefte ze dat ook die gedachte niet voor hem geheim bleef. Waar moest ze naartoe met haar geheimen?

'Probeer niet je voor me te verstoppen,' zei Mosh Zu. 'Het is juist goed dat je zo open bent. Bij anderen doet hun geest soms denken aan een verwilderd woud, een woekering van verstrengelde takken. Jij bent puur, schoon, als de frisse berglucht. En dat is goed, Grace. Dat is heel goed.'

Ze bloosde opnieuw en wenste dat hij zijn aandacht op een van de anderen richtte. Het was een wens die prompt in vervulling ging. Deed hij dat om haar ter wille te zijn, vroeg ze zich af.

'Lorcan Furey, dit is jouw kamer!' Mosh Zu bleef staan en opende de deur naar een klein vertrek. Net als alle andere kamers waar ze waren geweest, was ook deze slechts schemerig verlicht. In het midden stond een bed, in een van de hoeken een stoel. Boven het bed en aan een van de muren hingen soortgelijke tapijten als in de grote ontvangkamer boven. Ze nemen als het ware de plaats van ramen in, dacht Grace.

'Alle kamers zijn min of meer hetzelfde,' zei Mosh Zu. 'Eenvoudig en simpel. Ik hoop dat je je hier op je gemak zult voelen.'

Lorcan liep enigszins zoekend, aarzelend naar het bed en ging zitten. Met een diepe zucht bukte hij zich om de veters van zijn laarzen los te maken.

'Rust zal je goeddoen,' zei Mosh Zu. 'Het duurt niet lang meer of de zon komt op, en zolang het licht is, moet je slapen.'

Grace zag dat Lorcan moeite had om zijn veters te vinden. Ze wilde hem al te hulp schieten, maar haar intuïtie hield haar tegen. Op de een of andere manier wist ze dat dit iets was wat hij zelf moest doen. Ze keerde zich naar Mosh Zu en zag dat hij haar toeknikte. Had hij haar gedachten gelezen of haar de zijne gestuurd?

'Gaat u zijn verwondingen onderzoeken?' vroeg ze hardop.

Mosh Zu glimlachte. 'Je bent me net een stap voor, Grace.' Hij keerde zich naar Lorcan, die inmiddels zijn tweede laars uitdeed. 'Ga maar op het bed liggen, Lorcan. Als je dat goedvindt, zou ik graag je verwondingen willen onderzoeken.'

Lorcan knikte. 'Natuurlijk, heer.'

Mosh Zu schudde zijn hoofd. 'Je hoeft me geen heer te noemen. Zeg maar gewoon Mosh Zu.'

'Zoals u wilt.' Lorcan knikte.

'Kom.' Olivier gebaarde de anderen het vertrek te verlaten. 'Ik breng jullie naar je kamers, dan kan Mosh Zu in alle rust zijn diagnose stellen.'

Grace voelde zich teleurgesteld. Ze was zo benieuwd hoe het vonnis zou luiden; wat Mosh Zu van Lorcans verwondingen zou vinden.

'Ik denk dat Grace er graag bij wil blijven wanneer ik haar vriend onderzoek.' Mosh Zu keek haar vragend aan.

'Ja,' antwoordde ze. 'Tenminste, als dat goed is... Ook wat jou betreft, Lorcan. Ik wil niet in de weg lopen.'

'Ik vind het prima.' Lorcan pakte haar hand en drukte die.

'Als zíj blijft, dan blijf ík ook.' Shanti reikte naar Lorcans andere hand.

'Nee,' zei Mosh Zu zacht maar resoluut. 'Nee, daar kan geen sprake van zijn.'

Shanti bleef Lorcans hand vasthouden. 'Ik blijf,' zei ze nogmaals. 'Grace betekent helemaal niets voor hem...'

Lorcan wilde al protesteren, maar Shanti was niet meer te stuiten. 'Ik ben zijn donor! Het is mijn bloed dat door zijn aderen stroomt. Of liever gezegd, dat zou zo zijn als hij ophield met dat rare gedoe en weer gewoon begon met delen.'

'Ik doe niet raar,' zei Lorcan vermoeid. 'Ik heb gewoon geen honger.'

'Geen honger!' zei Shanti nijdig. 'Dan zorg je maar dat je honger krijgt! Wat ben je nou voor vampier, dat je plotseling geen bloed meer wilt? Dat is echt ongehoord!'

'Shanti...' Lorcan schudde zijn hoofd. 'Je begrijpt het niet.'

'Kom.' Olivier legde een hand op Shanti's schouder. 'Je maakt hem van streek.'

'Blijf van me af!' Er schitterden tranen van woede in Shanti's ogen. 'Ik heb alle recht om hem van streek te maken. Je hebt geen idee hoe verschrikkelijk hij míj van streek heeft gemaakt!'

De kapitein had tot op dat moment gezwegen, maar toen hij de stilte verbrak, was zijn zachte fluisterstem als balsem op een wond en werd de spanning onmiddellijk gebroken. 'Misschien is het inderdaad beter als jij en ik op de gang wachten, Shanti. Dan horen we het meteen wanneer Mosh Zu zijn diagnose heeft gesteld.'

Shanti zei niets, maar ze liet Lorcans hand los. Hoewel, Grace was er niet helemaal van overtuigd dat Shanti dat uit vrije wil had gedaan. Terwijl de donor naar de deur liep, lag er een merkwaardige, gelukzalige uitdrukking op haar gezicht. Ze keken haar na toen ze de kamer verliet, gevolgd door Olivier.

'Dank u wel, kapitein,' zei Mosh Zu. 'U bent natuurlijk van harte welkom om te blijven.'

'Nee.' De kapitein schudde zijn hoofd. 'Ik ben ervan overtuigd dat Grace een bekwame assistente zal blijken te zijn. Dus ik val u niet verder lastig en wacht op de gang, samen met de anderen.' Hij liep de kamer uit, de deur viel achter hem dicht.

Grace voelde een lichte huivering. Ze was ineens erg nerveus. Dit was het moment waarop ze had gewacht. Het moment waarop zou blijken of het onderzoek van Mosh Zu haar grootste angst zou bevestigen.

'We doen het rustig aan. Stapje voor stapje.' Mosh Zu schonk haar een bemoedigende glimlach. 'Lig je goed, Lorcan?'

Hij knikte.

'Dan breng ik je in een lichte slaap,' legde Mosh Zu uit. 'Want daardoor kunnen we op een dieper niveau contact met elkaar maken. Ga je daarmee akkoord?'

'Ik vind alles goed wat u noodzakelijk acht.' Lorcan glimlachte. '"Dokter", had ik bijna gezegd.'

Hij glimlachte nog steeds toen zijn hoofd plotseling slap opzij viel. Mosh Zu had zijn hand op Lorcans nek gelegd, zag Grace. Ze was verbaasd en geïntrigeerd door de snelheid waarmee hij Lorcan onder zeil had weten te brengen.

'Zou je me alsjeblieft willen helpen, Grace?' vroeg hij op dat moment.

'Natuurlijk!' Ze vroeg zich af wat ze voor hem kon betekenen.

'Zou jij het verband willen verwijderen?'

Dat was iets wat ze kon! Tenslotte had ze sinds haar terugkeer op de *Nocturne* dagelijks Lorcans verband verschoond. Mosh Zu tilde voorzichtig Lorcans hoofd op, zodat Grace de knoop in het verband kon losmaken. Zorgvuldig nam ze het gaas van zijn gezicht. Toen keken ze samen neer op Lorcans verwondingen.

'Je hebt dit vaker gezien?' vroeg Mosh Zu.

Ze knikte. 'Ja, dagelijks.'

'Wat denk je? Is er in jouw ogen ook maar énig teken van verbetering te bespeuren?'

Terwijl ze naar de vurige littekens keek, kon ze zichzelf er bijna van overtuigen dat die begonnen te verbleken. Maar dat kwam door de zachte belichting. Want hoe graag ze ook verbetering zou willen zien, de verwondingen zagen er nog net zo uit als altijd.

'Nee.' Ze schudde somber haar hoofd. 'Nee, ik wou dat ik iets anders kon zeggen, maar het ziet er allemaal nog precies hetzelfde uit.'

'Wat heb je op het verband gedaan?'

'Alleen een beetje yoghurt,' zei ze. 'Ik wist niet goed wat ik anders kon gebruiken. Wanneer Connor en ik vroeger verbrand waren door de zon, smeerde mijn vader ons altijd in met yoghurt. Ik herinner me nog hoe dat het brandende gevoel verzachtte. Er was yoghurt in de kombuis van de *Nocturne*, dus ik heb het er maar op gewaagd.'

Mosh Zu glimlachte.

'Was het verkeerd wat ik heb gedaan?' vroeg Grace, plotseling in verlegenheid gebracht.

Hij schudde zijn hoofd. 'Ik lach je niet uit, Grace. De kapitein had gelijk. Je bezit inderdaad de kunst van de genezer.'

'De kunst van de genezer? Echt waar?'

Hij knikte, en Grace voelde zich warm worden van blijdschap.

'Je moet je niet ongerust maken omdat de verwondingen nog geen teken van genezing vertonen. Dit wordt een heel traag proces. De huid van een vampier geneest aanzienlijk langzamer dan die van een sterveling. Lorcans lichaam bevat minder cellen dan het jouwe, of misschien moet ik zeggen dat de cellen in zijn lichaam niet dezelfde complexiteit bezitten. Het bloed dat hij tot zich neemt, is bedoeld voor meer basale functies – voor de levenskracht, als je het zo wilt noemen. Natuurlijk heeft hij bloed nodig voor zijn genezing, maar dat gaat niet uit zichzelf aan het werk om verwondingen zoals deze te herstellen. We zullen het moeten sturen.'

Grace knikte, maar toen kwam er een sombere gedachte bij haar op. 'Maar Lorcan neemt al geruime tijd geen bloed meer,' zei ze.

'Dat weet ik, en dat betekent een extra uitdaging voor het genezingsproces. We moeten hem zover zien te krijgen dat hij weer bloed neemt.'

Grace knikte vastberaden. Ze was tot alles bereid om te zorgen dat Lorcan weer helemaal de oude werd. Zelfs als dat betekende dat hij Shanti tot op de laatste druppel bloed zou moeten leegzuigen. Ze huiverde bij de gedachte.

'De yoghurt heeft geholpen de pijn te verzachten,' zei Mosh Zu. 'Maar ik ga Lorcan een intensievere behandeling voorschrijven. Dat betekent dat ik Olivier vraag een zalf van vlierbessen voor hem te maken. Ik denk dat je het wel interessant zult vinden om te zien hoe hij dat doet.'

Ze knikte heftig. 'Ja, absoluut! Dus u denkt dat Lorcan weer helemaal beter kan worden?'

Mosh Zu knikte. 'Die verwondingen zijn het probleem niet. De genezing is gewoon een kwestie van tijd. Als het ons lukt weer wat bloed in zijn systeem te krijgen en als we de zalf regelmatig aanbrengen, zul je die akelige brandwonden geleidelijk aan zien verdwijnen. Tot er uiteindelijk niets meer van over is. En hij zal weer kunnen zien. Daar twijfel ik geen moment aan.'

Grace kon wel juichen. Mosh Zu maakte zijn reputatie meer

dan waar. De goeroe gebaarde haar het verband weer aan te brengen. Opnieuw tilde hij Lorcans hoofd op om haar het werken te vergemakkelijken. Nadat ze het verband had vastgeknoopt, deed ze een stap naar achteren.

'Ik wil je niet van streek maken, Grace,' zei Mosh Zu op dat moment. 'De uitwendige verwondingen zijn goed te behandelen, maar ik vermoed dat we elders op complicaties zullen stuiten.'

'Complicaties? Wat voor complicaties?'

'Ik ga hem ook op een dieper niveau onderzoeken,' antwoordde Mosh Zu. 'Dat is misschien geen prettig gezicht. Dus aan jou de keus of je erbij wilt blijven of op de gang wilt wachten, samen met de anderen.'

'Nee.' Grace rechtte resoluut haar schouders. 'Ik blijf.' Wat er ook ging gebeuren, ze liet Lorcan niet alleen.

'Heel goed,' zei Mosh Zu. 'Waar het me om gaat, is dat je bent voorbereid.'

Zijn woorden maakten haar bang. Wat was hij van plan? Haar koortsachtige fantasie riep allerlei nare beelden op.

'Ik ga mijn hand op zijn thorax leggen.' De rustige stem van Mosh Zu hielp haar de gruwelijke beelden in haar hoofd een halt toe te roepen. 'Je weet wat de thorax is? Het is het gedeelte van het lichaam tussen de hals en het middenrif. Voor een vampier een erg belangrijk deel van het lichaam.' Hij keerde zich naar Grace. 'Ben je ooit getuige geweest van het delen?'

Ze schudde haar hoofd. 'Nee. Ik heb Shanti en Lorcan alleen achteraf een keer gezien. Toen ze lagen te slapen.'

'Maar je hebt niet gezien hoe hij, of een van de anderen, bloed tot zich nam?'

Ze schudde haar hoofd, nijdig op zichzelf vanwege de weerzin die het beeld bij haar opriep.

'Bij het delen bijt een vampier zijn donor in de thorax,' vervolgde Mosh Zu.

Grace reageerde verrast. 'Ik dacht altijd dat ze hun slachtof... ik bedoel hun *donor* in de hals beten.'

'Dat denkt iedereen!' De ogen van Mosh Zu twinkelden. 'Er zijn zelfs vampiers die dat denken. Ze hebben het in boeken gelezen, dus dan moet het wel waar zijn! Bovendien genieten ze van het dramatische beeld. Maar de beste plek om aan bloed te komen, is de thorax, net boven... Nou ja, dat lijkt me duidelijk.'

'Ja, natuurlijk!' zei Grace opgewonden. 'Recht boven het hart van de donor.'

'Precies,' zei Mosh Zu. 'Maar laten we onze aandacht van de donoren verplaatsen naar de vampiers. De thorax van de vampier is ook belangrijk.'

Grace keek hem niet-begrijpend aan. 'Maar ze – ik bedoel jullie – jullie hebben toch geen hart?'

'Niet zoals jij dat hebt,' antwoordde Mosh Zu. 'Onsterfelijkheid is een geschenk – misschien zelfs het grootst denkbare geschenk. Maar er is wel een prijs aan verbonden. Het lichaam van de vampier heeft geen pomp die het bloed doet circuleren. Die pomp houdt op te bestaan wanneer het lichaam zijn eerste dood sterft. Er blijft echter wel íéts achter onder het borstbeen. Je zou het een bron van diepe emotie kunnen noemen. Ik denk dat je zelfs zou kunnen zeggen dat die bron het vampierequivalent van de ziel is.'

De ogen van Grace werden zo groot als schoteltjes. Mosh Zu haalde zijn schouders op. 'Dat zijn gevoelstermen. Er valt over te discussiëren hoe je het zou moeten noemen. Maar zoals je zult zien, is die plek in Lorcans lichaam de zetel van zijn diepste emoties.' Hij strekte zijn hand uit naar Lorcans borst. 'Ben je er klaar voor?'

Grace knikte, haar hart ging plotseling als een razende tekeer.

Mosh Zu legde zijn vlakke hand op de linkerkant van Lorcans borstkas. Lorcan reageerde niet meteen. Grace vroeg zich af of Mosh Zu iets kon voelen of horen wat haar ontging.

Toen deed Lorcan plotseling zijn mond open, en hij slaakte een lage, luide kreet. Het was een verschrikkelijk geluid – een van de verschrikkelijkste geluiden die Grace ooit had gehoord. Het leek uit het diepst van zijn wezen te komen. Het liefst zou Grace haar handen voor haar oren hebben geslagen en haar ogen stijf hebben dichtgeknepen, maar er was iets wat haar daarvan weerhield. Dus ze concentreerde zich op Mosh Zu, die zijn hand nog altijd op Lorcans borst hield. Toen de schreeuw uiteindelijk wegstierf, knikte hij peinzend.

'Het gaat goed,' zei hij geruststellend. 'Schrik maar niet, Grace. Er komt nog meer...'

Opnieuw slaakte Lorcan een luide, langgerekte kreet. Hoe kon Mosh Zu zeggen dat het goed ging, vroeg Grace zich af. De goeroe stond zwijgend, roerloos als een standbeeld, alert op het kleinste signaal.

'Zo,' zei hij ten slotte. 'Dat was het voorlopig.' Hij nam zijn hand weg.

Grace was geschokt tot in het diepst van haar wezen. 'Hij lijdt verschrikkelijk veel pijn, hè?'

'Ja.' Mosh Zu knikte. 'Ik had al zoiets verwacht. De verwondingen aan en rond zijn ogen zijn slechts een afgeleide. De wérkelijke wond zit veel dieper. Als een doorn die zich diep vanbinnen heeft vastgezet.'

Grace voelde dat haar optimisme verdween als sneeuw voor de zon. 'Kunt u...' Ze durfde het nauwelijks te vragen. 'Kunt u daar iets aan doen? Kunt u die doorn weghalen?'

'Ik ga het proberen,' zei Mosh Zu. 'Maar het zal niet meevallen. Het is een operatie waarbij alles heel nauw luistert, en we mogen niets overhaasten. Trouwens, dan heb ik het over een operatie zonder chirurgisch instrumentarium, maar met gebruik van de genezende kunsten. Bovendien zou ik je dankbaar zijn als jij me zou willen helpen.'

Grace was blij verrast. Het zou vast zwaar worden, maar wat ze ook moesten doen om te zorgen dat Lorcan weer de oude werd, hij was het waard.

'Het begin is er in elk geval,' zei Mosh Zu iets opgewekter. 'Die schreeuw, dat was het begin. Ik besef dat het in jouw oren verschrikkelijk moet hebben geklonken, maar voor Lorcan was het een eerste aanzet om iets van de pijn diep vanbinnen los te laten.'

Grace fronste haar wenkbrauwen.

'Ik begrijp dat het onwaarschijnlijk klinkt, maar ik ga hem nu wakker maken, en dan zul je zien dat hij al wat rustiger is.' Hij legde vluchtig zijn hand op Lorcans hoofd. 'Hoe voel je je nu?'

Lorcan sloeg zijn ogen op en glimlachte. 'Iets beter,' antwoordde hij, precies zoals Mosh Zu had voorspeld.

Grace kon haar oren niet geloven. Mosh Zu knikte naar haar.

'Maar ik ben ineens wel erg moe,' vervolgde Lorcan.

'Dat is ook niet zo vreemd,' zei Mosh Zu. 'Het is tijd om te gaan slapen. Trouwens, dat geldt ook voor ons. We laten je nu alleen, maar ik zal tegen Olivier zeggen dat hij regelmatig een kijkje bij je neemt. En mocht je iets nodig hebben, er staat een bel op je nachtkastje.'

Lorcan knikte. Grace verbeet een geeuw. Ze was ook ineens doodmoe.

Mosh Zu grijnsde. 'Zie je dat, Furey? Je behandeling heeft zuster Tempest behoorlijk uitgeput.'

'Grace is altijd zo goed voor me,' zei Lorcan.

'Ja.' Mosh Zu knikte. 'Ze heeft veel goedheid in zich. Zo, en dan wordt het nu tijd dat ik haar en haar vermoeide reisgenoten naar hun kamer breng.'

'Ja.' Lorcan knikte.

'Slaap lekker, m'n vriend,' zei Mosh Zu. 'Welkom in de Wijkplaats. Ik hoop dat je binnen onze muren diepe innerlijke vrede zult vinden.'

Grace boog zich over Lorcan heen en pakte zijn hand. 'Slaap lekker. En ik hoop dat je fijn droomt.'

Maar toen ze zich omdraaide om de kamer te verlaten, was ze bang dat Lorcan tot in zijn dromen zou worden achtervolgd door de verschrikkelijke pijnen waarvan zij tot op dat moment geen weet had gehad.

HOOFDSTUK 9

Vreemde kamergenoten

Toen Grace en Mosh Zu de gang op kwamen, haastte Shanti zich naar hen toe. Blijkbaar hadden Lorcans kreten de bezwering doorbroken die haar eerder tot kalmte had weten te brengen.

'Wat is er aan de hand?' riep ze. 'Waarom schreeuwde hij zo?'

'Maak je geen zorgen,' zei Mosh Zu. 'Ik besef dat het angstaanjagend klonk...'

'Angstaanjagend klónk? Het wás angstaanjagend! Sterker nog, het leek wel alsof er iemand dóódging!'

'Nou, er is niemand dood,' zei Mosh Zu. 'Dat kan ik je verzekeren.'

'Mosh Zu is begonnen met het genezingsproces,' voegde Grace eraan toe.

'Wat weet jij daar nou van?' beet Shanti haar toe. 'Trouwens, ik had het niet tegen jou.'

'Er is geen enkele reden om zo lelijk tegen Grace te doen,' zei Mosh Zu. 'Ik begrijp dat je moe bent en van streek, en dat je je zorgen maakt over Lorcan. Maar je moet proberen je woede in bedwang te houden. Ga slapen, en als je daarna nog vragen hebt, zal ik ze met alle plezier beantwoorden.'

Shanti deed haar mond open om te protesteren, maar Mosh Zu had zich al van haar afgewend. 'Kapitein, gaat u mee? We hebben heel wat bij te praten.'

De kapitein knikte, waarop Mosh Zu zich naar Olivier keerde. 'Zou jij Shanti en Grace hun kamer willen wijzen?'

'Natuurlijk.' Olivier gebaarde hen hem te volgen.

'Slaap lekker,' zei Mosh Zu. 'En Grace, bedankt voor je hulp. Probeer alsjeblieft je niet te veel zorgen te maken. De genezing is inmiddels begonnen.'

Grace knikte en nam afscheid van Mosh Zu en de kapitein. Ze vermoedde dat ze heel wat te bespreken hadden. Terwijl ze hen nakeek, verwonderde ze zich over de vele mysteries waarin de twee mannen ongetwijfeld waren ingewijd.

'Kom mee,' zei Olivier. 'We gaan eerst naar het donorenblok.' Grace begreep wat hem bewoog. Hoe eerder hij van de lastige Shanti af was, hoe beter!

Ze sloegen een zijgang in en begonnen weer te klimmen.

'De donorvertrekken liggen helemaal boven in het complex,' legde Olivier aan Shanti uit. 'Daarvandaan heb je toegang tot de binnenplaats en tot de rest van het terrein. Bovendien is de keuken er buitengewoon royaal. Nog even en het ontbijt wordt geserveerd.'

'Het ontbijt?' riep Shanti uit. 'Ik hoef geen ontbijt! Ik wil alleen maar slapen.'

'Natuurlijk,' zei Olivier, enigszins geamuseerd. 'Maar zolang je hier bent, kun je je het beste aan de donoruren houden. Dat is het eenvoudigst.'

Al pratend betraden ze een gang waar een levendige drukte heerste.

'Dag, Olivier,' zei een man die hen passeerde.

'Wat moet dit voorstellen?' vroeg een onaangenaam ogend meisje. 'Nieuwelingen?' Ze nam Shanti taxerend op. 'Is ze niet een beetje oud om te beginnen?'

Shanti schonk haar een vernietigende blik. 'Hoezo, nieuweling? Ik vaar al jaren op de *Nocturne*.'

'Je denkt toch niet dat ik dat geloof!' reageerde het meisje venijnig. 'Als dat zo was, dan zag je er wel anders uit. Zodra je begint met delen, word je onsterfelijk. Dan ben je voor altijd jong, en je blijft geconservéérd. Je zou jezelf eens moeten zien. Het heeft geen zin gedroogde pruimen te conserveren!'

'Zo is het wel genoeg!' zei Olivier.

Grace zag aan Shanti's gezicht dat ze hevig van streek was. Elke nieuwe rimpel – en sinds het begin van hun reis waren er weer heel wat bij gekomen – was als een dolkstoot in haar hart, wist Grace. Ze was zo verdiept in gedachten dat ze aanvankelijk niet in de gaten had dat de donor-in-opleiding háár inmiddels keurend stond op te nemen.

'Dát lijkt er meer op. Jij ziet eruit alsof je lekker vers bloed hebt,' luidde haar oordeel. Ze kneep Grace in haar wang.

'Au!'

'Ja.' Het meisje trok haar hand terug. 'Jij gaat als donor iemand heel blij maken.'

Grace schudde haar hoofd. 'Ik ben geen donor.'

'Nee, kindje. Natuurlijk niet.'

Olivier legde resoluut een hand op de schouder van het meisje. 'Grace heeft gelijk. Ze is geen donor. Grace is hier te gast. Shanti is wel donor, en het klopt dat ze al geruime tijd meevaart op de *Nocturne*. Zo, en wil je ons nu alsjeblieft met rust laten? Dan kan ik deze vermoeide reizigers hun kamer wijzen.'

Het meisje besefte dat ze het onderspit had gedolven. '*Bien sûr, Monsieur Olivier*,' zei ze met een revérence. 'Tot ziens, dames.'

Terwijl ze wegslenterde, deed Olivier een deur open. 'Kijk eens, Shanti. Hier slaap jij.'

Zoals Mosh Zu al had gezegd, verschilde de kamer nauwelijks van die van Lorcan.

'Dan laten we je nu alleen.' Olivier deed een stap naar achteren en liep de gang weer in.

'Wacht even!' zei Shanti. 'Wanneer zie ik je weer? En waar is de kamer van Grace?'

'Je bent donor,' zei Olivier. 'Dit is jouw kamer. Je wordt gewaarschuwd voor de maaltijden. Zoek aansluiting bij de donoren-in-opleiding. Ze zijn niet allemaal zoals zij daar!' Hij wees met zijn hoofd naar het verdwijnende meisje.

Zoals zij daar! Ook al had ze zich onaangenaam gedragen, waarom kon hij niet het respect opbrengen om haar bij haar naam te noemen, vroeg Grace zich geërgerd af.

Olivier had zo te zien niets in de gaten. 'Kom,' zei hij. 'Dan breng ik je naar je kamer, Grace.'

Op hetzelfde moment klonk er een zacht gejammer uit de kamer naast die van Shanti.

'Wat was dat?' vroeg die.

Olivier haalde zijn schouders op. 'Sommige donoren hebben er moeite mee te wennen aan het idee dat ze bloed gaan geven. Je kent dat ongetwijfeld. Sterker nog, ik denk dat je ze kunt helpen.'

'Nee!' Shanti was spierwit geworden. 'Ik wil hier niet blijven, Grace! Neem me mee naar jouw kamer! Alsjeblieft!'

'Dat zal niet gaan,' zei Olivier.

'Natuurlijk wel,' protesteerde Grace kordaat. 'Pak je spullen, Shanti. Dan kun je bij mij op de kamer slapen.'

Olivier schudde zijn hoofd. 'Geen sprake van.'

Maar Grace hield voet bij stuk. 'Wat zijn we hier eigenlijk, gasten of gevangenen? Shanti is mijn... vriendin, en ik nodig haar uit om samen een kamer te delen. Als je daar problemen mee hebt, dan stel ik voor dat je de zaak aan Mosh Zu voorlegt.'

Shanti keek haar zo dankbaar aan dat het leek alsof ze elk moment in snikken kon uitbarsten. Olivier grijsde als een boer met kiespijn.

'Als dit je vriendin is, zou ik niet graag je vijand zijn,' merkte hij op.

'Nee,' zei Grace kil en onbuigzaam. 'Dat denk ik ook niet. Wil je ons dan nu alsjeblieft onze kamer wijzen?'

Olivier slaakte een zucht en begon weer te lopen. 'Dat wordt niks,' zei hij. 'Zij is overdag wakker, maar jij moet je aan de vampieruren houden – overdag slapen en opstaan bij zonsondergang. Dat wordt dus niks!'

'Daar komen we wel uit,' zei Grace. Hoezo, een onzalige vriendschap, kon ze niet nalaten te denken.

'Dank je wel, Grace.' Shanti schoof haar arm door de hare.

Blijkbaar namen ze de lange weg terug, want ze kwamen opnieuw door de Gang van het Afstand Doen en de Gang der Linten, voordat ze een gang insloegen met een reeks deuren.

'We zijn er!' Olivier deed een deur open.

Het vertrek was net zo sober als alle andere kamers die ze hadden gezien, met één bed in het midden.

'Heb je geen kamers met twee bedden?' vroeg Shanti.

'Het is hier geen motel,' snauwde Olivier. 'Ik heb je gezegd dat het niks werd...'

'Laat het maar aan ons over,' zei Grace zacht. 'Bedankt voor alle moeite, Olivier.'

'Graag gedaan. Dan laat ik jullie nu alleen. Veel plezier... met de kamer en elkaar...'

Hij trok de deur achter zich dicht. Ze waren eindelijk alleen.

'O Grace,' zei Shanti. 'Ik weet gewoon niet hoe ik je moet bedanken! In dat donorenblok had ik echt niet kunnen slapen. Dank je wel! Echt heel erg bedankt!'

'Graag gedaan.' Grace besefte opnieuw hoe moe ze was. Haar hoofd begon net zo veel pijn te doen als de rest van haar lichaam. Ze moest dringend slapen.

'Tja,' zei Shanti opgewekt. 'Dan moeten we nog wel overleggen wie er in het bed slaapt.'

'Neem jij dat maar,' zei Grace, die al wist welke kant het uit zou gaan. 'Ik ben zo moe dat ik op de grond ook wel slaap.'

'Nou... als je het zeker weet...' Shanti liet zich op het smalle bed vallen.

'Ja, ik weet het zeker.' Grace trok haar schoenen en haar jas uit. 'Misschien heb je wel een kussen voor me.'

Shanti fronste haar wenkbrauwen. 'Ik slaap altijd met twee kussens,' zei ze aarzelend. 'Dus misschien kun je je jas dubbelvouwen...'

Grace keek haar dreigend aan.

'O, natuurlijk! Alsjeblieft.' Shanti gaf haar een kussen.

'Bedankt.'

'Trouwens, ik heb iets voor je. Om je te bedanken,' zei Shanti. Ze stak haar hand in haar jaszak en haalde er twee linten uit.

'Een voor jou en een voor mij.' Ze hield de twee linten omhoog, om te bepalen welke ze het mooist vond.

Grace voelde een stekende pijn in haar hoofd. 'Hoe kom je daaraan?' vroeg ze.

'Wat denk je?' vroeg Shanti. 'Uit de Gang der Linten, natuurlijk! Daar hangen ze toch maar maar te hangen, zonder dat iemand er iets aan heeft. Volgens mij zijn ze perfect om...'

Ze had haar keuze gemaakt, trok haar haar naar achteren in een staart en bond het lint er met een fraaie strik omheen. 'Zie je wel! Perfect!'

Grace schudde haar hoofd. 'Ik geloof niet dat je die linten mee had mogen nemen.'

'Ach, ik heb in mijn leven wel meer linten gepikt! Volgens mij heb je niet eens gezien dat ik het deed!' Ze keek Grace trots aan.

'Nee, ik heb het niet gezien,' moest die toegeven.

'Hier, pak aan!' Shanti hield haar het andere lint voor. 'Niet om het een of ander, maar je haar lijkt wel een vogelnest.'

Grace kreeg een onprettig gevoel terwijl ze naar het lint keek. Wat een onzin, dacht ze. Het was maar een lint. Maar ze herinnerde zich dat Olivier er niets over had willen zeggen en dat liever aan Mosh Zu had overgelaten. Dus de linten hadden wel degelijk een bepaalde betekenis. Ze besefte echter dat Shanti haar niet met rust zou laten tot ze het cadeautje aannam.

'Dank je wel.' Ze pakte het lint aan. De pijn in haar hoofd was nog erger geworden. Ze moest echt gaan slapen. 'Ik leg het hier neer,' zei ze. 'Onder mijn kussen.'

'Wat je wilt.' Shanti klopte haar kussen op.

Grace ging op de grond liggen en legde haar vermoeide hoofd op het kussen. Dus dit was de Wijkplaats, de bestemming van hun lange, uitputtende reis. Het was allemaal niet zoals ze het zich had voorgesteld. In geen enkel opzicht. Maar misschien werd morgen alles anders. Met die vurige hoop sloot ze haar ogen.

HOOFDSTUK 10

De verloren boekanier

'Niet naar hem kijken!' Connor greep Bart bij zijn schouder. 'Niet naar hem kijken en niet tegen hem praten. Hij is het niet. Het is...' Hij weigerde de naam zelfs maar uit te spreken. 'Het ís 'm niet.' Hij herinnerde zich wat de vampiratenkapitein had gezegd. 'Het is alleen maar een echo...'

Hoe resoluut hij ook klonk, Connor kon zijn gevoelens niet ontkennen. En terwijl hij zijn vriend nog altijd bij de schouder hield, besefte hij dat die een soortgelijke worsteling doormaakte.

'Het heeft geen zin,' zei Bart ten slotte, en hij schudde Connors hand af. 'Hij heeft tijdens zijn leven te veel voor me betekend om hem nu te kunnen negeren.' Hij deed een paar stappen naar voren. Vlak voor Jez bleef hij staan.

'Ben jij het?' vroeg Bart. 'Ben je het écht?' Hij stak zijn hand uit, maar verstarde, alsof hij de waarheid niet aankon, ongeacht wat die zou blijken te zijn. 'Je bent in mijn armen gestorven. Ik heb gezien hoe het leven uit je stroomde en geholpen je kist in zee te gooien! Hoe kun je dan de echte Jez zijn?' De tranen stroomden over zijn wangen.

Jez stond roerloos. 'Ik ben het écht,' zei hij heel zacht. 'Of tenminste, het kleine beetje dat er nog van me over is.'

Bart schudde ongelovig zijn hoofd. 'Je klinkt wel zoals Jez.' Hij keek op naar de maan. 'Dit is verrekte moeilijk,' zei hij ten slotte, en Connor wist niet of hij het tegen hem of tegen Jez had.

'Wil je me niet de hand schudden, ouwe makker?' vroeg Jez.

'Niet doen!' zei Connor bijna smekend tegen Bart. 'Je moet hem de rug toekeren. Het is een truc. Hij is gevaarlijk.' Toch was ook Connor niet langer zeker van zijn gevoelens. Hij zei het meer uit plichtsbesef dan omdat hij het geloofde.

Bart stak opnieuw zijn hand naar Jez uit. 'Je bent het echt!' riep hij snikkend toen hun handen elkaar hadden gevonden. 'Ik begrijp niet hoe het kan, maar je bent het echt.' Hij streek met zijn arm de tranen van zijn gezicht. 'Ik had verwacht dat mijn hand dwars door de jouwe zou gaan. Dat je een geest was!'

Jez schudde zijn hoofd. 'Dat je me kunt zien en aanraken, wil nog niet zeggen dat ik stoffelijker ben dan een geest.' Hij keek langs Bart heen naar Connor. 'Alsjeblieft, Connor! Wil jij me ook de hand schudden? Dat zou zo veel voor me betekenen.'

Connor besefte dat hij beefde. 'Hoe zou ik dat kunnen? De laatste keer dat we elkaar zagen, heb ik er alles aan gedaan om je te vernietigen.' Zijn blik werd versluierd door tranen. In gedachten zag hij opnieuw die verschrikkelijke nacht voor zich. Hij zag de vlammende toorts in zijn hand, en hij zag Jez die op het brandende dek om genade schreeuwde.

'Dat is allemaal vergeven en vergeten,' zei Jez. 'Hoewel, nee, we moeten het niet vergeten. Maar je had alle reden om me te willen vernietigen. Ik heb zulke verschrikkelijke, zulke afschuwelijke dingen gedaan. De laatste tijd word ik beheerst door het verlangen mezelf te vernietigen.' Hij boog zijn hoofd.

Connor kon zich niet langer inhouden. Hij kwam naar voren en schudde de ijskoude hand van zijn oude makker. Daarbij stond hij zichzelf voor het eerst toe Jez recht in het gezicht te kijken. Het zag bleek en afgetobd. Toen hij nog leefde, had Jez altijd een blos op zijn wangen gehad. In de dood – of in welk voorgeborchte hij zich ook bevond – zag zijn huid wit als sneeuw waarop het schijnsel van de maan blauwachtige schaduwen schilderde.

Plotseling liep er een rilling over Connors rug. Hij hield de hand van een dode in de zijne! Jez was ooit zijn vriend geweest, maar nu was hij een vampier. Grace leek er geen moeite mee te hebben om tussen vampiers te leven, maar voor hem was dit allemaal erg nieuw. Hij worstelde met zo veel vragen.

'Ik weet dat dit een schok voor jullie is,' zei Jez. 'Om het maar voorzichtig uit te drukken. Als jullie eens wisten hoe vaak ik op het punt heb gestaan contact te zoeken, maar op het laatste moment ontbrak me telkens weer de moed. Na alles wat we samen hebben doorgemaakt, kon ik de gedachte niet verdragen dat jullie me zouden afwijzen...'

'We wijzen je niet af, maatje,' zei Bart.

'Nee,' zei Connor. 'Maar wat kunnen we voor je doen? Wat verwacht je van ons?'

'Ik wilde jullie vooral graag zien,' zei Jez. 'Want ik ben zo alleen geweest, zo eenzaam.'

'En Sidorio dan?' Connor móést het vragen.

'Sidorio is er niet meer,' zei Jez onbewogen. 'Jullie hebben hem gedood. Sterker nog, jullie hebben ze allemaal gedood, behalve mij.'

Connor was verrast. Hoe was het mogelijk dat Jez de brand had overleefd? Hoe was het mogelijk dat Jez was blijven leven, terwijl de machtige Sidorio was omgekomen?

Hij dacht aan Sidorio's gesnoef...

Vuur maakt me alleen maar sterker.

Maar dat was blijkbaar niet gebeurd.

De dood heeft geen greep op me. De dood heeft geen greep op wie al dood is.

Maar de dood had wel degelijk greep gehad op Sidorio, terwijl Jez gespaard was gebleven. Connor dacht koortsachtig na. Was Jez misschien blijven leven omdat hij nog niet zo diep was gezonken als de anderen? Omdat hij nog geen 'echo' was, zoals de kapitein hem had genoemd? Omdat hij misschien nog te veel menselijks in zich herbergde? Toch had hij vrijwillig deelgenomen aan de wrede moord op Porfirio Wrathe en zijn bemanning. Dat had hij net zelf toegegeven. Hij had 'verschrikkelijke, afschuwelijke dingen' gedaan. Connor keek naar hem en besefte hoe weinig ze wisten van de activiteiten van Jez.

'Wat verwacht je van ons?' vroeg hij nogmaals.

'Dat heb ik al gezegd,' antwoordde Jez. 'Ik heb behoefte aan een beetje gezelschap.'

'Nee, dat is het niet alleen,' zei Connor. 'Je wilt iets van ons.'

Jez glimlachte. 'Ik weet nog dat je aan boord kwam, en dat we je leerden schermen. Bij de aanval was jij mijn rugdekking. Dat is nog maar een paar maanden geleden, maar het lijkt veel en veel langer! Je bent veranderd. Gegroeid, in de lengte en de breedte. Ik herken je nauwelijks meer.'

Connor fronste zijn wenkbrauwen. 'We zijn allemaal veranderd. De een wat meer dan de ander.'

'Oké, je hebt gelijk,' zei Jez. 'Ik ben hier niet alleen maar om een beetje met jullie te kletsen. Ik kom jullie om een gunst vragen. Een buitengewoon grote gunst.'

'Voor de draad ermee,' zei Connor.

'Je hoeft het maar te zeggen,' zei Bart.

'Het is heel simpel. Ik wil dat jullie me helpen de weg terug te vinden.' Hij zweeg even. 'En als dat niet kan, dan wil ik dat jullie me doden. Maar deze keer voorgoed.'

HOOFDSTUK 11

Sneeuw

Ook al was ze doodmoe, toch kon Grace niet de rust vinden om in slaap te vallen. Daarvoor was ze veel te opgewonden door alles wat er was gebeurd. Ze was dolgelukkig dat Lorcan de weg naar zijn genezing had ingeslagen en ze kon er niet over uit dat ze Mosh Zu Kamal aan het werk had gezien!

Ze had in elk geval haar ritme aangepast aan dat van de vampiers – overdag slapen en bij het vallen van de avond opstaan. Ook al miste ze het daglicht, als ze de vampiers echt wilde leren kennen, leek ze geen keus te hebben. Ze dacht terug aan haar eerste dagen en nachten aan boord van de *Nocturne*, toen ze zich, met de deur van haar hut op slot, volledig afgesneden had gevoeld van het leven, de wereld. Het was goed om een ritme te hebben, ook al was dat niet het ritme van de gemiddelde sterveling.

Shanti lag te draaien en te woelen in het bed dat eigenlijk voor Grace bedoeld was geweest. Je zou toch denken dat ze op zijn minst het fatsoen zou hebben rustig te slapen, nadat ze Grace van haar bed had beroofd! Maar nee, ze lag te kreunen en te zuchten... Het leek wel alsof ze akelig droomde. Grace overwoog vluchtig haar wakker te maken, maar besloot dat een slapende Shanti hoe dan ook beter was dan een wakkere.

Ze legde haar hoofd weer op het kussen. Het was te laag, dus schoof ze haar rugzak eronder. Terwijl ze dat deed, zag ze het lint dat Shanti haar had gegeven. Ze nam het in haar hand en ging weer liggen. Met de rugzak onder haar kussen lag ze aanzienlijk beter. Al draaiend probeerde ze het zich zo gemakkelijk mogelijk te maken op de dunne deken. Losjes liet ze het lint tussen haar vingers door glijden. Haar oogleden werden zwaar, en ze voelde dat ze eindelijk wegzakte.

Het duurde niet lang of ze begon te dromen. De droom was heel levensecht, maar ondanks dat was ze zich er aanvankelijk scherp van bewust dat ze droomde. Ze lag languit op haar rug en keek omhoog naar de nachtelijke hemel, onbewolkt en bezaaid met sterren, als een baal stof die was uitgerold, zo ver het oog reikte.

Er drukte iets in haar nek. Toen ze haar hoofd optilde, zag ze dat ze een zadel had bij wijze van kussen. Verrast wreef ze over haar pijnlijke nek, toen ging ze weer liggen. Vlakbij klonk gehinnik. Ze draaide haar hoofd om. Een eindje verderop stond een paard aan een boom gebonden.

Toen ze zag dat alles goed was met het dier, liet ze glimlachend haar hoofd weer op het zadel zakken. Zo lag ze naar de sterren te kijken, volmaakt tevreden met het leven en de wereld.

Ineens voelde ze iets aan haar neus kriebelen. Haar eerste gedachte was dat het paard aan haar snuffelde.

'Whisky, hou op!' zei ze giechelend. Op de een of andere manier wist ze dat het paard zo heette. Maar het gekietel ging door, werd vochtiger. 'Whisky!' riep ze weer, en nu deed ze haar ogen open. Het paard stond nog steeds aan de boom gebonden. Het gekriebel werd veroorzaakt door sneeuwvlokken. Dikke, zware vlokken die majestueus uit de hemel neerdaalden. Om haar heen was de grond al helemaal wit. Merkwaardig genoeg had ze het niet koud, zo was ze betoverd door de schoonheid van de vallende sneeuw, die als bloesem op haar neerdaalde en haar bedekte met een zachte, witte deken.

Toen zat ze ineens op de rug van een paard – Whisky – en reed ze door de sneeuw. Ze was niet alleen. Een eind voor zich uit zag ze de vertrouwde gestalten van haar broer en haar vader, met achter hen andere mannen te paard en een kudde vee. Ze was zich bewust van het gevoel dat ze hier thuishoorde. Het was hetzelfde troostrijke gevoel dat ze had ervaren toen ze in de sneeuw lag. Ze had haar familie bij zich. En Whisky. Hier, op deze paardenrug, hoorde ze thuis.

'*Permanezca allí, Johnny!*' riep haar vader. '*Nosotros seguimos adelante.*'

Blijf daar, Johnny. Wij gaan verder.

Op de een of andere manier was het niet vreemd om Johnny te worden genoemd. Ze besefte dat ze een jongen was. Neerkijkend op haar handen die de teugels omklemden, zag ze inderdaad jongenshanden, bedekt met eelt van het jarenlange rijden. Maar dit was een droom. En in een droom kon alles. Ze verstond zelfs Spaans, en ze sprak het ook.

'*Sí, padre!*' riep ze, en ze ging nog steviger in het zadel zitten terwijl het paard door de sneeuw ploegde.

De weg klom snel, de sneeuw viel hoe langer hoe dichter en wervelde in een wilde vlokkenjacht om hen heen. Ze kon amper de mannen onderscheiden die aan weerskanten naast haar reden.

'Je rijdt goed, Johnny,' hoorde ze een bemoedigende stem zeggen. 'Je bent echt een zoon van je vader.'

Toen was het plotseling alsof de grond onder Whisky's hoeven in beweging kwam. Ze hoorde geroep, boven haar, achter haar, overal om haar heen. Menselijke kreten en het wilde geloei van de kudde. Whisky en zij werden van de ene naar de andere kant gedreven.

'Zorg dat je in het zadel blijft, Johnny! Hou je teugels in!'

Ze deed wat ze kon, maar het viel niet mee. De sneeuwjacht verblindde haar en sneed haar af van de anderen. Ze trok de teugels zo strak mogelijk aan, maar Whisky begon te bokken, alsof hij haar wilde afwerpen. Toen besefte ze ineens met een schok dat ze niet langer door de sneeuw reed. Hoog boven haar stond de middagzon brandend aan de hemel. Zweet gutste over haar voorhoofd, en ze reed in een soort omheind weiland op een paard – niet Whisky. In de verte raakte de rode aarde onder de hoeven van het paard de blauwste hemel die ze ooit had gezien.

'Kijk die Johnny eens!' riep een man van de andere kant van de omheining. Hij droeg een cowboyhoed. Net als zij, besefte ze.

'Als het Johnny niet lukt haar te breken, dan lukt het niemand,' riep een andere man. Samen keken ze toe terwijl zij het wilde paard bereed. Ze keek naar beneden en zag geen jongenshanden meer. Het waren de handen van een man die de leren teugels omklemd hielden.

Er klonk gejuich. De twee mannen langs de omheining schreeuwden het hardst. Maar toen ze opkeek, zag ze dat ze niet langer in de stille, omheinde wei was. In plaats daarvan reed ze in een soort arena, omringd door een juichende menigte. Terwijl ze het wilde paard strak aan de teugel hield, ving ze een glimp op van een spandoek: *... en omstreken, Zeventiende Jaarlijkse Rodeo.*

Het gejuich was zo oorverdovend dat ze begreep dat ze had gewonnen. Maar de overwinning stemde haar niet blij. Er ontbrak iets. Het troostrijke gevoel dat ze eerder had ervaren – terwijl ze naar de sterren keek, en later, toen ze door de sneeuw reed – was weg, en op de een of andere manier wist ze dat het nooit meer terug zou komen. Het is maar een droom, zei ze tegen zichzelf. Als ik dat wil, kan ik nú mijn ogen opendoen. Maar dat deed ze niet. Ze hield de teugels stevig vast en liet zich door de droom van de ene rodeo naar de volgende brengen.

Ineens ging het allemaal sneller. Ze reed maar door, steeds maar door. Maar nu trok ze door het land. Door sneeuw en zon, wind en regen. Soms alleen. Soms met een of meer reisgenoten. Soms met een kudde vee tussen haar en de volgende ruiter. Ze reed maar door. Ten slotte begon ze moe te worden. Nog even, en ze zouden moeten stilhouden om uit te rusten en om heel, heel lang te slapen.

Opnieuw sneeuwde het. Dikke, pluizige vlokken, net als in het begin van de droom. Maar deze keer bezorgde de sneeuw haar een verdrietig en eenzaam gevoel. Ondraaglijk eenzaam. Overal om haar heen was de wereld wit, op de donkergrijze silhouetten van kale bomen na. Met een bezwaard gemoed reed ze verder, het vee om haar heen had het zwaar door het winterse weer. De dieren leken grijs onder de donkere hemel. Alles was grijs – grappig hoe zuiver witte sneeuw zo snel grauw kon worden. In de verte hoorde ze mannen praten. Ze kon niet verstaan wat ze zeiden, maar iets in hun stemmen deed haar huiveren.

'Goed werk, Johnny!' werd er geroepen. 'Geweldig! Zo kennen we je!'

Ondanks de bemoedigende woorden nam een ijzige kilte bezit van haar. Het was alsof ze een voorgevoel had dat het einde nabij was.

Plotseling zat ze niet langer in het zadel, maar lag ze op de grond. In de sneeuw. Boven haar hoofd welfde zich de nachtelijke hemel, helder en bezaaid met sterren, net als die eerste keer, die inmiddels zo lang, zo heel lang achter haar leek te liggen. Ze besefte dat ze in snel tempo over de grond werd gesleept, vastgebonden aan een touw. Het was erg pijnlijk. Ze wenste dat het ophield, en plotseling gebeurde dat ook. Ze werd niet langer voortgesleept, maar het werd stil om haar heen, terwijl dikke sneeuwvlokken nog altijd op haar neerdaalden. Even genoot ze van de rust, en van de schoonheid van de vallende sneeuw.

Toen werd ze ruw vastgegrepen. Er werd tegen haar geschreeuwd, maar andere stemmen protesteerden, zodat ze door alle witte ruis aanvankelijk niet kon horen wat er werd gezegd.

'Knoop hem op! Naast de anderen!'

Ze voelde dat er iets om haar nek werd geschoven. Het was alsof ze van ruiter ineens paard was geworden. Maar deze teugels waren te strak. Veel te strak. Ze voelde dat haar keel werd dichtgesnoerd en deed haar mond open om te schreeuwen. Toen eindelijk sloeg ze haar ogen op.

'Shanti!'

Shanti's gezicht bevond zich vlak boven het hare. Er stond haat in haar ogen te lezen. Vurige, onverholen haat. Plotseling besefte Grace dat Shanti haar handen om haar hals had geklemd. Dat Shanti probeerde haar te wurgen!

'Wat... doe... je?' wist ze uit te brengen, voordat Shanti's greep nog verstikkender werd.

In pure doodsangst keek Grace in Shanti's ogen. De haat was eruit verdwenen. Ze stonden doods en leeg.

'Probeer maar niet je te verzetten,' zei Shanti met een stem zo koud en hard als metaal. 'Ik ben veel sterker dan jij. Dus je maakt het jezelf gemakkelijker door je gewoon over te geven.'

HOOFDSTUK 12

Zes woorden

'VLUG!' SNAUWDE BART TEGEN JEZ toen Molucco over het dek kwam aanlopen. 'In de reddingsboot!'

'Connor!' Kapitein Wrathe kwam snel dichterbij. Hij was gehuld in een fraai gewaad, doorweven met gouddraad en geborduurd met edelstenen die glinsterden in het maanlicht. Zijn haar zat zo mogelijk nog wilder dan anders en stak recht omhoog, als de masten van het schip. Het werd uit zijn gezicht gehouden door een sjaal. Tenminste, dat dacht Connor. Toen hij beter keek, zag hij dat het een oogmasker was. Dus blijkbaar was dit Molucco's nachtkleding, die in niets onderdeed voor de spectaculaire uitmonstering waarin hij overdag rondliep.

'Kapitein Wrathe! We dachten dat u zich voor de nacht had teruggetrokken in uw hut.'

'Dat had ik ook, beste jongen.' Molucco liet zijn blik rusteloos over het dek gaan. Connor durfde zich niet om te draaien, maar bad dat Jez veilig uit het zicht was. Ten slotte schudde Molucco zijn hoofd. 'Ik kan niet in slaap komen. Er spookt veel te veel door mijn oude hoofd.'

'Wilt u er misschien over praten?' Connor wenkte de kapitein naar de andere kant van het schip, weg van de reddingsboot. Wrathe knikte en liep met hem mee. Toen Connor haastig een blik over zijn schouder wierp, zag hij dat Bart zijn duimen omhoogstak. Dat was op het nippertje!

'Het was een hele schok om mijn broer en zijn gezin terug te zien,' zei Molucco.

'Dat kan ik me voorstellen,' viel Connor hem bij.

'Je weet toch dat Barbarro en ik een hele tijd geen contact hebben gehad?'

'Ja, dat had ik gehoord.' Zou Molucco hem de oorzaak van de vete tussen de broeders gaan vertellen?

'Maar door de dood wordt alles anders.' De kapitein keek Connor met brandende ogen aan. 'Jij staat nog maar aan het begin van je levensreis. Maar dat is een les die ook jij zult leren, knul. Door de dood wordt alles anders.'

Connor zei niets, maar dacht eraan hoe voor hem en zijn zuster alles al anders was geworden door de dood. Ze zouden nooit op zee zijn terechtgekomen als hun vader niet was gestorven. De kapitein en hij hadden intussen het midden van het schip bereikt. Connor liet zijn blik over de duistere uitgestrektheid van de oceaan gaan. Zijn gedachten gingen naar zijn familie die hij was kwijtgeraakt – naar zijn dode vader en naar zijn zuster, wáár ze ook mocht zijn.

Het geluid van voetstappen deed hem opschrikken uit zijn overpeinzingen.

'O, hallo Bartholomeus,' bulderde Molucco. 'Hoe is de wacht?'

'Erg rustig, kapitein.' Bart knikte geruststellend.

'Nou, laten we dan maar een glaasje rum nemen,' zei Molucco grijnzend. Hij wees naar de dichtstbijzijnde reddingsboot. 'Uit je privévoorraad.'

Er verscheen een schuldbewuste uitdrukking op het gezicht van Bart, maar Molucco begon te lachen. 'Die truc is zo oud als de piraterij zelf! Drank verstoppen in een reddingsboot. Om de kou uit je botten te houden en wat vuur in je buik te krijgen tijdens een lange nachtwacht. Kom op, Bartholomeus, hou op met blozen en schenk ons eens in.'

Bart tilde het zeildoek op en klom in de reddingsboot. Hij gaf Connor de fles en drie geëmailleerde kroezen. Glimlachend nam Molucco de fles van Connor over, en hij schonk een flinke slok rum in een kroes, die hij doorgaf aan Bart. Daarna deed hij hetzelfde met de andere twee kroezen die Connor hem voorhield.

'Kom mee,' zei de kapitein. 'Dan gaan we op het achterdek zitten.'

Ze liepen naar het houten baldakijn achter het roer. Er hing een lantaarn die een zacht schijnsel verspreidde. Terwijl Connor het zich gemakkelijk maakte in kleermakerszit, naast Bart en kapitein Wrathe, was hij zich bewust van het ontbreken van enige vorm van hiërarchie. Op dit moment waren ze gewoon drie piraten die genoten van een borreltje, terwijl hun schip dobberde op de rustige wateren van de oceaan.

'Een toost!' Molucco hief zijn kroes, en de anderen volgden zijn voorbeeld. 'Op een kort maar vrolijk leven!'

'Op een kort maar vrolijk leven!' herhaalden Connor en Bart. Ze tikten hun kroezen tegen elkaar. Het was een toost die Molucco al eerder had uitgesproken, herinnerde Connor zich. Daarmee vatte hij in slechts zes woorden het piratenleven samen.

Connor vertrok zijn gezicht toen hij voorzichtig van zijn rum nipte. Hij kon het nog altijd niet lekker vinden, maar hoopte dat de anderen niet in de gaten kregen dat hij er nauwelijks van dronk.

'Was u blij om uw broer weer te zien?' vroeg Bart.

Molucco knikte. 'Ja. Erg blij. We hebben veel te lang in onmin geleefd.' Hij glimlachte, maar de glimlach verbleekte snel, en hij nam nog een slok rum. 'Toch maakt het me ook verdrietig. De gedachte dat de drie gebroeders Wrathe nooit meer samen zullen zijn – tenminste niet totdat wij tweeën ons bij Porfirio voegen in de scheepskist van Davy Jones.'

Dat was de piratenterm voor de bodem van de oceaan, wist Connor. Hij stelde zich voor hoe de drie gebroeders Wrathe daar in de diepte zouden liggen, in een graf van koraal en algen, slechts bezocht door zee-egels en zeesterren. Het was een grimmig beeld, dus verdrong hij het meteen weer.

'Ik wou alleen dat Barbarro kon accepteren dat Porfirio er niet meer is. Dat hij het daarbij kon laten,' vervolgde Molucco.

'Kan hij dat dan niet?' vroeg Bart.

Molucco schudde zijn hoofd. 'Nee. Barbarro is geobsedeerd door het verlangen om wraak te nemen. Trouwens, Trofie ook. Ik snap het wel. Natuurlijk snap ik het. Ik had datzelfde verlangen. Maar ik heb ze verteld dat we al wraak hebben genomen. Ik zal die nacht nooit vergeten dat we achter het schip van Porfirio's moordenaars aan gingen... en het naar de kelder joegen.'

Het was een nacht die Connor ook nooit zou vergeten. En hij vermoedde dat hetzelfde gold voor alle piraten die hadden meegevochten.

'Ik heb het ze verteld,' vervolgde Molucco. 'Ik heb ze verteld, hoe jij, Mr. Tempest, met die briljante strategie kwam om de vijand met vuur te bestrijden. Hoe de vlammen hoog oplaaiden en al die monsters meevoerden naar waar ze thuishoorden. Naar de Hel!'

Bij zijn hartstochtelijke woorden moest Connor aan Jez denken. Door wat hij had gezegd, was het Connor duidelijk geworden dat de Hel een redelijk juiste beschrijving was van zijn huidige bestaan. Zijn oude makker had recht op een nieuw thuis. Een plek waar hij onder lotgenoten kon zijn. Als ze hem aan boord van het vampiratenschip konden krijgen en de hulp konden inroepen van de kapitein, zou er misschien een einde komen aan zijn lijden.

De stem van Molucco deed Connor opschrikken uit zijn overpeinzingen. 'Maar Barbarro en Trofie zijn er niet bij geweest, en ze begrijpen het niet. Ze willen weten waarom Porfirio werd gedood en wie de schurken waren, die hem en zijn bemanning hebben afgeslacht. Ik heb ze gezegd dat we waarschijnlijk nooit zullen weten waarom en door wie het is gebeurd. En zelfs als we dat wel te weten komen, dan hebben we Porfirio daar niet mee terug. Het enige wat ons rest, zijn de dierbare herinneringen die we aan hem hebben.'

'Inderdaad. U hebt groot gelijk,' zei Connor.

De kapitein en Bart keken hem aan, alsof ze verrast waren door de stellige overtuiging in zijn stem.

'Ik bedoel dat de strijd is gestreden. Er zijn geen vijanden meer om tegen te vechten.'

Molucco knikte en nam Connor doordringend op. 'Maar er zijn toch nog meer vampiraten? Je eigen zuster zit bij ze aan boord!'

Connor knikte. 'Dat is zo, maar die kunnen niet verantwoordelijk worden gesteld voor wat er is gebeurd. U kunt niet een hele groep veroordelen vanwege de acties van een paar enkelingen.'

'Ach, dat weet ik niet,' zei Molucco. 'Als je Barbarro hoort praten, zou hij alle vampiraten met liefde uitroeien. Tot de laatste man!'

Bart huiverde. 'Dat zou hem nog niet meevallen. Wij kunnen het weten!'

'Bovendien...' begon Connor, denkend aan Grace. 'Bovendien zou het niet eerlijk zijn. Je kunt ook niet alle piraten uitroeien vanwege... vanwege het verlies dat wij door Narcisos Drakoulis hebben geleden.'

Molucco keek hem opnieuw doordringend aan. 'Je hebt gelijk, knul. Jullie hebben allebei gelijk. We willen geen nieuw conflict met de vampiraten. Alleen, kon ik daar Barbarro maar van overtuigen! Hij is zo koppig als een ezel. En dan is Trofie er ook nog...'

'Wat zij nodig hebben, is afleiding!' zei Connor, maar misschien was het de rum die sprak.

'Afleiding?' Molucco's ogen begonnen te schitteren.

'Connor heeft gelijk,' zei Bart. 'We moeten iets bedenken waardoor alle gedachten aan dood en wraak naar de achtergrond worden gedrongen.'

'Dat zou ons allemáál goeddoen,' zei Molucco. 'Maar wat?'

Ze verzonken in diep nadenken, terwijl ze van hun rum dronken. Connor trok opnieuw een vies gezicht. Toen ineens wist hij het.

'Een rooftocht!'

'Dat is het!' Bart sloeg hem op de rug. 'Een ouderwetse piratenrooftocht!'

'Nee!' Molucco was net zo enthousiast en opgewonden als zij.

'Nee, jongens, niet zomaar een rooftocht. Dit moet de moeder van alle rooftochten worden. Natuurlijk, ik heb het! Je hebt me op een idee gebracht!' Hij leek bijna te stikken van opwinding. 'Vooruit, Bartholomeus, vul mijn kroes nog eens. En niet te zuinig! Ik voel een idee opkomen...'

HOOFDSTUK 13

Tussenfiguren

Droomde ze nog steeds? Dit leek bijna nog onwerkelijker dan haar droom, en bij het zien van de verwilderde blik in Shanti's ogen besefte Grace wat er aan de hand was. Dit was echt. Shanti had haar nooit gemogen en probeerde haar te vermoorden.

Terwijl Shanti haar handen op haar keel drukte, voelde Grace haar bewustzijn wegebben. Ik ga dood, dacht ze. Ik ga dood. Ze voelde zich verdrietig. Het leek zo oneerlijk om het leven nu al vaarwel te moeten zeggen. Na alles wat ze had doorgemaakt – en met alles wat ze nog vóór zich dacht te hebben – was het afschuwelijk wreed om door een gestoorde donor van het leven te worden beroofd.

Ze probeerde te schreeuwen, maar Shanti kneep haar keel stijf dicht. Nog even, dan was het voorbij. Ze moest zien dat ze geluid maakte, op welke manier dan ook. Dus begon ze met haar voeten op de grond te stampen. Omdat ze geen schoenen aanhad, maakte dat niet zo veel lawaai als ze wel zou hebben gewild. Was het genoeg? Ze bewoog haar benen heen en weer, in de hoop contact te maken met iets, wat dan ook. Bij voorkeur iets groots, iets breekbaars. Maar er was niets. Terwijl ze voelde dat haar kansen steeds kleiner werden, bleef ze met haar voeten op de planken roffelen. Pijn voelde ze niet, alleen een steeds sterker wordend besef van verdoving.

Plotseling vloog de deur open en werd Shanti naar achteren getrokken. Grace besefte dat twee paar handen de maniakale donor hadden gegrepen. Het duurde even voordat het tot haar doordrong dat Shanti haar had losgelaten, want het voelde nog steeds alsof haar keel werd dichtgeknepen. Ze slaakte een beverige zucht. Het had niet veel gescheeld of ze was dood geweest! Nu pas liet ze zich gaan en begon ze te beven. Nu pas voelde ze de pijn in haar hielen, van het roffelen op de vloer. Maar het had succes gehad!

'Ik wíst dat het verkeerd zou uitpakken!' Olivier trok de handen van Shanti achter haar rug.

'Laat me los!' grauwde ze, wild met haar hoofd zwaaiend. 'Laat me los of ik vermoord jou ook!'

'Jij vermoordt helemaal niemand,' zei Olivier. 'Hier, Dani, neem haar van me over. Dan kan ik controleren of met Grace alles in orde is.'

Oliviers metgezel kwam naar voren en deed een paar handboeien om Shanti's smalle polsen. De moordzuchtige donor bokte en krijste nog altijd als een wild dier.

'Is alles goed met je?' Olivier ging luchtig met zijn vingers over de hals van Grace.

'Au! Dat doet pijn.'

'Sorry. Je nek is een beetje rauw. Ze heeft je goed te pakken gehad.'

'Ja.' Grace knikte pijnlijk. 'Maar waarom? Ik begrijp het niet. Wat bezielt haar?'

Ze keken naar Shanti, die door Dani in bedwang werd gehouden, maar desondanks nog altijd woedend tekeerging met een stroom van de verschrikkelijkste scheldwoorden en beschuldigingen.

'Dat zal ik je vertellen.' Olivier liep naar Shanti toe. 'Je vriendin heeft iets meegenomen wat niet van haar was.' Hij maakte het lint los dat Shanti om haar paardenstaart had geknoopt. De gestoorde donor kalmeerde op slag. De wilde woede ebde weg uit haar ogen, ze hield op met slaan en schoppen, ze viel stil, en ze hing plotseling slap tegen Dani aan, als een marionet waarvan de touwtjes waren doorgeknipt.

Olivier wikkelde het lint om zijn pols. 'Zo, de rust is weergekeerd.'

Grace was verbijsterd. 'Kwam het door het lint? Heeft het línt haar hiertoe gedreven?'

Olivier knikte. 'Zoals ik al zei, het was niet van haar.'

Grace ging rechtop zitten. 'Dus Shanti wílde me helemaal geen kwaad doen? Het kwam door het lint. Of liever gezegd, door degene van wie het lint is?'

'Ik ben hier niet om antwoord te geven op je vragen,' zei Olivier. 'Alleen om ervoor te zorgen dat er niet opnieuw chaos uitbreekt.' Hij knikte naar Dani. 'Breng de donor naar de donorvertrekken.'

'Nee!' protesteerde Grace, maar Olivier keek Dani aan met een blik die er geen twijfel over liet bestaan wie ze moest gehoorzamen. Shanti liet zich gehoorzaam wegvoeren. Het was duidelijk dat de aanval haar volledig had uitgeput.

'Er zijn hier in de Wijkplaats machtige krachten aan het werk, Grace. Misschien begrijp je dat nu. En misschien begrijp je nu ook dat je de regels niet zomaar aan je laars kunt lappen. Dat je er verstandig aan doet te luisteren naar mensen zoals wij, omdat wij het nu eenmaal beter weten.'

Grace besefte dat hij gelijk had, maar ze was verontwaardigd over de toon die hij aansloeg. Hij klonk alsof hij zich bedreigd voelde. Waarom zou hij er anders zo op hameren dat hij alles beter wist?

'Dank je wel,' zei ze. 'Je hebt mijn leven gered.'

'Ja.' Hij glimlachte. 'Ja, dat geloof ik ook.'

'En nu?'

'Als je je daartoe in staat voelt, dan stel ik voor dat we gaan ontbijten. Ik wacht wel even op de gang terwijl jij je aankleedt.'

'Ontbijten?' vroeg Grace. 'Maar vampiers ontbijten toch niet?'

'Nee, maar jij en ik zijn, naar mijn beste weten, geen vampiers.'

'Ben jij geen vampier?'

'Als je doorgaat met vragen stellen, krijgen we nooit iets gedaan.' Hij zuchtte. 'Nee, ik ben geen vampier. Ik werk voor Mosh Zu. En voordat je het vraagt, ik ben ook geen donor. Ik ben net als jij, een tussenfiguur. Bij gebrek aan een betere term denk ik dat je ons zo zou kunnen noemen.'

'Een tussenfiguur,' herhaalde Grace. Niet echt een benaming om trots op te zijn.

'Precies,' zei Olivier. 'Ik wacht op de gang terwijl jij je aankleedt. Maar schiet een beetje op, want ik krijg altijd reuze trek van het redden van vrouwen in nood.'

'Hoelang ben je hier al?' vroeg Grace toen Olivier en zij gingen zitten om te ontbijten.

'Vragen, vragen en nog eens vragen. Een van de regels hier in de Wijkplaats luidt: Geen vragen.'

'Maar hoe kun je ooit iets leren als je geen vragen mag stellen?' vroeg Grace.

'Nou doe je het alweer! Voor jou is alles een vraag. Begrijp me goed, ik ben net zo nieuwsgierig en onderzoekend als jij. Ik honger naar kennis. Maar sinds ik hier ben, bij Mosh Zu, heb ik geleerd dat je beter kunt wachten tot mensen zich uit zichzelf en op hun tijd voor je openstellen. Op die manier krijg je alles te horen wat je wilt weten, en vaak nog meer.'

'Maar als mensen zich nou niet voor je wíllen openstellen?'

Olivier pakte glimlachend een sinaasappel uit de schaal die op tafel stond. Behendig liet hij zijn vingers over de schil gaan en begon hij de vrucht te pellen.

'Dat is gewoon een kwestie van handigheid. Je moet er slag van zien te krijgen om door de buitenkant heen te komen.'

'Maar... ben je niet...' begon Grace.

'Dat klinkt als het begin van weer een vraag.' Olivier verdeelde de vrucht in partjes.

Grace schudde zuchtend haar hoofd en pakte een pruim.

Ze aten de rest van de maaltijd in stilte. Ze waren de enigen in de ontbijtruimte, en Grace wilde al vragen of er nog meer 'tussenfiguren' in de Wijkplaats waren. Ze besefte echter dat ze met die vraag zou moeten wachten tot de tijd er rijp voor was.

'Je bent klaar,' zei Olivier.
'Ha!' zei Grace. 'Dat was een vraag.'
Olivier schudde zijn hoofd. 'Nee, dat was een constatering. Je bord is leeg. Het mijne ook. Dus het ontbijt is achter de rug, en ik ga je naar Mosh Zu brengen.'
'Hij wil me spreken.'
Olivier schonk haar een gefrustreerde blik.
Grace schudde haar hoofd. 'Dat was geen vraag, maar een constatering,' zei ze. 'Wij Australiërs klinken vaak vragend omdat onze stem omhooggaat aan het eind van een zin. Dat noemen ze de Stijgende Eindklank. Kijk, ik heb je informatie gegeven waar je niet om hebt gevraagd. Volgens mij begin ik de slag aardig te pakken te krijgen.'
Olivier schudde zijn hoofd. 'Ik weet nu al dat ik het zwaar met je ga krijgen.'
'Sorry.'
'Trek het je niet aan.' Er verscheen een zelfgenoegzame glimlach om Oliviers lippen. 'Ik hou wel van een uitdaging.'
Op dat moment werd er op de deur geklopt, en Dani kwam binnen. 'Het spijt me dat ik stoor, maar de kapitein staat op het punt te vertrekken.' Ze keek Grace aan. 'Hij wil je graag nog even zien voordat hij gaat.'
Grace stond verrast op. 'Natuurlijk!' Ze had niet verwacht dat de kapitein al zo snel weer zou vertrekken. Had hij inmiddels alles met Mosh Zu besproken waarover hij de goeroe had willen raadplegen? Of was er een andere reden waarom hij zo haastig terugging naar de *Nocturne*?

HOOFDSTUK 14

De *Typhon*

DE MIDDELSTE VAN DE DRIE Wensen was naar beneden gelaten om kapitein Wrathe en zijn metgezellen in staat te stellen van de *Diablo* over te stappen op de *Typhon*.

'Wat is een Typhon eigenlijk?' vroeg Connor.

'Een schepsel uit de mythologie,' antwoordde Cate. 'Een monster met honderd koppen en honderd slangen in plaats van poten. Het zou in staat zijn de verschrikkelijkste stormen te ontketenen.'

'Klinkt gezellig!' zei Connor.

Hij voelde zich een beetje ongemakkelijk in de formele kleding – een gesteven overhemd met een jasje en een das – die Molucco hem had geleend. Bart leek met hetzelfde probleem te worstelen, maar dat kwam misschien minder door de stijfsel in zijn overhemd dan door het feit dat zijn fluwelen jasje weliswaar smaakvol was, maar een tikje te krap voor zijn brede tors. 'Was het nou echt nodig om dit soort kleren aan te trekken?'

'Ik vind dat jullie er prachtig uitzien, en dat bad kon ook bepaald geen kwaad.' Cate grijnsde.

'Je lacht ons toch niet uit, hè?' vroeg Bart.

'Ik zou niet durven!' zei ze met een onschuldig gezicht. 'Het is gewoon leuk om jullie voor de verandering eens gladgeschoren te zien, geurend naar citroenen in plaats van naar zweet.'

Connor zag geamuseerd dat Bart begon te blozen. Cate had weliswaar geweigerd zich 'op te dirken' zoals Trofie had gevraagd, maar het ontging Connor niet dat ze haar haar had gewassen en een schone bandana om haar hoofd had geknoopt. Op dat moment keerde ze zich naar hem toe. 'Zorg dat die kist met kaarten droog blijft,' zei ze.

'Tot uw orders.' Connor salueerde quasiformeel met zijn vrije hand.

'Denk erom dat je niet brutaal wordt, Tempest,' zei Cate met een toegeeflijke glimlach.

In het verlengde van de Wens was over het dek van de *Typhon* een rode loper uitgelegd, waarop ze werden opgewacht door een butler in livrei.

'Goedenavond, kapitein Wrathe.' De zilvergrijze bediende maakte een discrete buiging. 'Welkom aan boord van de *Typhon*.'

'Dank je wel.' Molucco liep met grote stappen langs hem heen, de loper af. 'Nou, ik moet zeggen, mijn broer en zijn vrouw hebben het goed voor elkaar! Sjiekdefriemel! Het lijkt wel een cruiseschip in plaats van een piratenboot!'

Connor grijnsde terwijl Bart en hij Cate en de kapitein volgden over de rode loper. Toen hij opkeek, zag hij dat Barbarro en Trofie hen aan het eind van het dek stonden op te wachten, als vorsten op de rode loper. Een piratenkoning met zijn vrouw. Geheel volgens verwachting zagen ze er allebei schitterend uit. Barbarro in smoking, met een helderblauwe sjerp en een gouden medaille op zijn borst. Trofie deed denken aan een zwaan, in een strakke jurk van ragdunne stof die glinsterde in het licht van de maan en van de lantaarns die langs het dek stonden. Haar ketting deed denken aan een spinnenweb, met robijnen op alle verbindingspunten. Connor durfde zich nauwelijks af te vragen hoeveel het sieraad waard was.

'Goedenavond.' Molucco schudde zijn broer stralend de hand, en ook Schobbejak en Scherpent kwamen tevoorschijn om elkaar te begroeten. Toen de slangen daarmee klaar waren, keerde Molucco zich naar Trofie en hij kuste haar op beide wangen.

'Goedenavond, Molucco.' Over zijn schouder keek ze naar de

anderen. 'Wat leuk dat jullie zo veel werk van je kleding hebben gemaakt. Jullie krijgen vast en zeker niet vaak de kans om je mooi te maken voor het diner.'

'Eh, nee.' Connor sjorde aan zijn boord. De maaltijden aan boord van de *Diablo* waren doorgaans een simpele aangelegenheid. Als je alleen al de moeite nam om te douchen voor het eten, werd er de spot met je gedreven.

'Welkom! Allemaal hartelijk welkom!' zei Barbarro opgewekt.

Trofie knipte met haar vingers, waarop de butler zich tussen de gasten begaf met een blad vol glazen. 'Blieft u een glaasje champagne?' vroeg hij terwijl hij Connor het blad voorhield. Die reikte naar een glas.

'Hij mag niet drinken als hij dienst heeft.' Cate zette het glas terug.

'Kom, kom,' zei Molucco. 'Een paar belletjes, dat kan toch geen kwaad?'

'Natuurlijk niet,' zei Barbarro. 'Link is er gek op!'

Cate schudde haar hoofd terwijl Connor het verschil van mening tussen de kapitein en de onderkapitein negeerde en alsnog een glas pakte.

Barbarro keerde zich naar Trofie. 'Waar ís Link eigenlijk?'

'In zijn hut, neem ik aan.'

'Ik had hem gezegd op tijd te zijn!'

'Niet zo mopperen, *min elskling*. Je weet hoe hij is. Altijd druk met het een of ander...'

'Druk met niets doen, zul je bedoelen,' snauwde Barbarro.

Trofie hield haar gezicht zorgvuldig in de plooi. 'Niet waar onze gasten bij zijn, liefste,' fluisterde ze haar man toe. 'We zouden het gelukkige gezinnetje spelen, weet je nog?'

'Kan ik u plezieren met sashimi van kogelvis?' De butler stond opnieuw voor Connor, met een grote gouden schaal waarop kleine reepjes rauwe vis waren geschikt, als de bladeren van een bloem. In het midden lag een bergje glinsterende vissenschubben met een kleine limoen. Het geheel zou niet hebben misstaan in een kunstgalerie, dacht Connor. Maar hoe fraai het er ook uitzag, hij aarzelde ervan te eten.

'Is kogelvis niet giftig?' vroeg hij.

Trofie schaterde het uit. 'Ben je soms bang dat we proberen je te vergiftigen, *min elskling*? Denk je ook niet dat we dat wat subtieler zouden aanpakken?'

'Tast toe, knul,' zei Barbarro. 'Het is een zeldzame delicatesse.' Naast hem knikte Molucco bemoedigend.

Connor nam een paar gouden eetstokjes en bracht een reepje vis naar zijn mond. Het prikte op zijn tong. Even vroeg hij zich af of het misschien toch giftig was, toen besefte hij dat het kwam door de uitzonderlijke smaak van de vis, gecombineerd met de pittige marinade van limoen, uitjes en radijs.

Trofie glimlachte. 'Poeh! Je leeft nog,' zei ze. 'Volgende keer moeten we beter ons best doen.' Ze schonk hem een knipoog, maar Connor huiverde, zich afvragend of ze hem uit- of toelachte.

Een halfuur later, na een tweede glas champagne en nog een paar reepjes sashimi, ontspande hij en begon hij zich te koesteren in het gevoel van welbehagen dat de *Typhon* bij hem opriep. Het was duidelijk dat Barbarro en Trofie er goed van leefden, en ondanks Connors aanvankelijke twijfels, moest hij toegeven dat ze zich een warme, genereuze gastheer en gastvrouw betoonden.

Ten slotte verscheen Link aan dek. Het viel Connor op dat zijn ouders onmiddellijk op hem afstoven – Trofie om zijn strikje goed te doen, Barbarro om (niet bepaald zacht) te vragen waarom hij een halfuur te laat was. Connor kon het antwoord niet verstaan, want op dat moment werd er achter hem op een gong geslagen. 'Kapiteins, dames en heren, het diner is geserveerd,' kondigde de butler aan.

Barbarro draaide zich om en wenkte de anderen hem te volgen.

'Geweldig!' Molucco beende met grote stappen over het dek. 'Door die visreepjes heb ik trek gekregen in een fatsoenlijk bord eten.' Connor grijnsde. Je kon Molucco van de *Diablo* halen...

maar hij bleef overal en onder alle omstandigheden zichzelf.

'Zeg eens dag tegen je oom Molucco.' Trofie duwde Link in zijn richting.

'Hallo,' zei Link onverschillig, met zijn lange zwarte haar voor zijn ogen.

'En dit zijn Cate, en Bart, en... Connor. Die herinner je je ook nog wel, hè lieverd?'

Toen hief Link zijn hoofd op, en hij schudde het haar uit zijn gezicht. Met een verwilderde blik in zijn bloeddoorlopen ogen keek hij Connor aan.

'Reken maar dat ik me Connor herinner. Hoe gaat-ie?'

Hij stak zijn hand uit, dus Connor veronderstelde dat van hem hetzelfde werd verwacht. Vrijwel onmiddellijk voelde hij een brandende pijn in zijn handpalm. Was dat een rotgeintje van Link?

Toen ze elkaar loslieten, zag Connor dat zijn hand bloedde.

Hij keek op, benieuwd of een van de anderen had gezien wat er was gebeurd. Maar de lokroep van het diner had ervoor gezorgd dat Link en hij als enigen op het dek waren achtergebleven.

'Oeps,' zei Link. 'Ach, dat spijt me. Er is blijkbaar iets uit mijn mouw gegleden.' Hij hield een stervormige *shuriken* omhoog – een rond, gekarteld werpwapen. Een van de punten zag rood van Connors bloed.

'Waarom deed je dat?' Connor kon zijn woede en verwarring nauwelijks de baas.

'Om je geheugen op te frissen.'

'Mijn gehéúgen?' vroeg Connor. 'Waar héb je het over?'

'Hou je maar niet van de domme,' sneerde Link. 'Ik heb het over *Calle del Marinero*, dombo. Gaat er nu niet ergens een belletje bij je rinkelen?'

Calle del Marinero. De Straat van de Zeelui of *De Straat der Zonden*. Daar waren de meningen over verdeeld. Connor had er met Bart en Jez zijn verlof doorgebracht, ongeveer een maand nadat hij op de *Diablo* had aangemonsterd. Inmiddels spraken ze over dat verlof als over hun 'verloren weekend'. Sterker nog, het was uitgegroeid tot een legende aan boord van de *Diablo*. De drie boekaniers, zoals ze zichzelf noemden, waren op vrijdagavond van boord gegaan, en bij hun terugkeer, op zondagavond, hadden de drie jonge piraten zich niets meer kunnen herinneren van wat er in de tussenliggende achtenveertig uur was gebeurd. Nog vreemder was het, dat ze in hun ondergoed waren aangetroffen, met alle drie dezelfde raadselachtige tatoeage. Nu, twee maanden later, werden Connor en Bart er nog steeds mee geplaagd. En nog steeds konden ze zich niets van het verlof herinneren. Maar blijkbaar wist Link er meer van.

'Was jij daar dan ook?' vroeg Connor. 'Hebben we elkaar daar ontmoet?'

Link snoof minachtend en drukte een puistje uit op zijn neus. 'Nogmaals, Connor, hou je niet van de domme,' zei hij toen. 'Je weet heel goed wat er in *Calle del Marinero* is gebeurd. Dankzij jou en je vriendjes ben ik mijn lijfwachten kwijtgeraakt. Volgens pa bezorgde ik hem een slechte naam. Nou, ik zal hem eens wat laten zien... en jou! Mijn wraak zal verschrikkelijk zijn!'

Wraak? Was een *shuriken* in zijn hand al niet erg genoeg? Wat was Link nog meer van plan?

'Ach, wat leuk!' Trofie verscheen op de trap naar het benedendek. 'Hebben jullie vriendschap gesloten?'

'Ja, mam,' zei Link, met een stem zo zoet als een overrijpe meloen. 'Maar Connor heeft een ongelukje gehad.' Hij wees naar de snee in Connors hand.

'O, nee!' Trofie kwam naar hem toe om de wond te inspecteren. 'Je bloedt!'

'Het valt wel mee,' zei Connor.

'Kom mee naar beneden, dan pak ik de zee-egelzalf,' zei Trofie. 'Het prikt misschien een beetje maar het stelpt het bloeden. Hoe heb je dat voor elkaar gekregen? Ach, zeg ook maar niks!' Ze giechelde. 'Jongens!'

Ze loodste hen de trap af, een deur door naar een hal met tapijten en een enorme kroonluchter.

Connor keerde zich naar Link, met een blik van onverholen haat in zijn ogen.

'Doorlopen, drollenbak!' Link gaf hem een zet. 'Ik wil niet te laat komen voor de warme hap.'

HOOFDSTUK 15

Vertrek

'GRACE!' DE KAPITEIN STOND SAMEN met Mosh Zu in de gang. Ze keerden zich allebei om toen ze met Olivier kwam aanlopen. 'Ik ga terug naar de *Nocturne*,' vervolgde hij. 'Maar ik wilde natuurlijk wel even persoonlijk afscheid nemen.'

Terwijl Grace glimlachend naar hem opkeek, betrapte ze zich erop dat ze plotseling nerveus werd. Ze had niet verwacht dat hij al zo snel zou vertrekken. Er kon natuurlijk geen sprake van zijn dat ze met hem meeging en Lorcan achterliet, maar de *Nocturne* was haar nieuwe thuis geworden. Ze was geïntrigeerd door de Wijkplaats, maar ze voelde zich er niet op haar gemak. Tenminste, nog niet. En ze was onder de indruk van Mosh Zu, maar hij zou nooit de plaats van de kapitein kunnen innemen.

'Maak je geen zorgen.' Het was alsof er een glimlach over de mazen van zijn masker gleed. Hij legde in een bemoedigend gebaar een hand op haar schouder. 'Ik laat je in goede handen achter. Het liefst zou ik langer zijn gebleven, maar ik moet terug naar het schip.'

Grace knikte. Ze begreep het. Natuurlijk begreep ze het. Ze dacht aan wat Darcy had gezegd: *Het is héél zeldzaam dat de kapitein van boord gaat. Dat hij bereid is het risico te nemen, bewijst hoezeer hij zich het lot van luitenant Furey aantrekt.*

'Maakt u zich geen zorgen,' zei Mosh Zu. 'We zullen goed voor Grace en Lorcan zorgen.'

'Wilt u dat ik met u meega naar de voet van de berg?' vroeg Olivier. 'Ik kan een van de muildieren halen.'

De kapitein schudde zijn hoofd. 'Dat is erg aardig van je, maar ik geniet altijd van de wandeling. Bovendien, zoals gebruikelijk heeft Mosh Zu me veel gegeven om over na te denken.'

De goeroe glimlachte bescheiden.

'Dus dan moest ik maar eens...' begon de kapitein.

Op dat moment klonken er voetstappen, gevolgd door een kreet. Shanti kwam aanstormen door de gang. Ze wist nog net op tijd in te houden, voordat ze op het wachtende groepje botste.

'Shanti!' zei de kapitein. 'Wat leuk dat ik jou ook nog even zie. Ik sta op het punt om terug te gaan naar het schip.'

'Neem me mee!' riep ze.

'Maar Shanti...' begon de kapitein.

'Neem me mee! Alstublieft! U moet me meenemen! Ik vind het hier verschrikkelijk! Het is hier vreselijk!' Haar stem werd hoe langer hoe schriller.

'Shanti, probeer te kalmeren,' zei Mosh Zu. 'Wat is er aan de hand...'

'Zeg niet dat ik moet kalmeren!' krijste ze. 'Het is hier afschuwelijk, verschrikkelijk! Ik vind het vreselijk in het donorenblok. Denk maar niet dat ik daar blijf!'

De kapitein deed een stap naar voren. 'Shanti, ik vind het heel naar dat je zo van streek bent. Maar ik neem toch aan dat je hier wilt blijven, bij Lorcan.'

'Ik blijf hier geen minuut langer,' gilde ze hysterisch. 'Ik pieker er niet over!'

'Maar Lorcan heeft je nodig,' zei Grace. 'Ik weet dat je bang bent, maar je moet je angsten onder ogen zien. Ter wille van Lorcan.'

'Waarom?' Shanti keerde zich naar Grace, en behalve angst klonk er nu ook woede in haar stem door. 'Waarom moet ik me opofferen voor Lorcan? Het ging allemaal prima op het schip. Totdat jij kwam. Het is jouw schuld dat we hier zijn. Voor jou heeft hij het daglicht getrotseerd. En toen zijn de problemen begonnen. Of nee, dat zeg ik verkeerd. Ze zijn begonnen op de dag dat jij aan boord kwam!'

'Shanti!' zei de kapitein. 'Er is geen enkele reden om zo lelijk te doen tegen Grace.'

'O, dat geeft niet,' zei Grace. 'Ze heeft vanmorgen al geprobeerd me te vermoorden. Dus dit kan er ook nog wel bij.'

De twee meisjes stonden tegenover elkaar, Grace was inmiddels net zo boos als Shanti. 'Je bent zo'n egoïst!' zei ze. 'Het enige wat we van je vragen, is dat je hier blijft en ons helpt Lorcan zover te krijgen dat hij weer bloed neemt...'

'Niet zomaar bloed,' zei Shanti. 'Mijn bloed! Dus waar bemoei je je mee? Als je echt om Lorcan gaf, zou je hem je eigen bloed geven! Maar nee, je loopt met je verwaande neus in de wind alsof je heel wat bijzonders bent. En het ergste is dat ze je gelóven. Dat ze naar je lúísteren! Ze denken echt dat je bijzonder bent. En ik stel niks voor. Helemaal niks.' Ze begon te snikken.

Opnieuw deed de kapitein een stap naar voren. 'Shanti, natuurlijk stel je iets voor! Sterker nog, je bent van cruciaal belang voor Lorcans herstel.'

Shanti schudde haar hoofd. 'Het spijt me. Ik wens hem het allerbeste. Echt waar. Maar ik kan hier niet langer blijven. Dat is te veel gevraagd. Neem me mee, kapitein. Alstublieft! Neem me mee!'

Bij die woorden klampte ze zich aan de kapitein vast, en ze begon opnieuw zo hard te snikken dat haar tengere schoudertjes ervan schokten. Grace had nog nooit iemand gezien die zo van streek was.

De kapitein keerde zich naar Mosh Zu. 'Ik denk dat ik haar inderdaad maar beter kan meenemen.'

'U weet wat de consequenties zijn,' zei Mosh Zu.

De kapitein knikte. 'Ja, maar daar vind ik wel wat op.'

Mosh Zu fronste hoofdschuddend zijn wenkbrauwen. 'Denk aan wat ik heb gezegd! U belast uzelf veel te zwaar.'

'Ik zie geen alternatief,' zei de kapitein.

'Dus u neemt me mee?' vroeg Shanti. Haar ogen begonnen te stralen.

'Ja, kindje.' De kapitein knikte. 'Ga je spullen halen. We moeten gaan.'

'Laat die spullen maar zitten,' zei Shanti. 'Ik wil hier zo snel mogelijk weg.'

'Goed dan,' zei de kapitein, alsof hij een klein kind troostte. 'Goed dan. We gaan meteen.' Hij keek op naar de anderen. 'Olivier, zou jij de poort voor ons willen opendoen?'

Olivier knikte en liep voortvarend de gang uit, gevolgd door Shanti en de kapitein.

Grace kon haar oren niet geloven. Ze begreep dat Shanti bang was, maar hoe kon ze Lorcan in de steek laten? En waarom deed de kapitein daar niets tegen?

'Ik zie aan je gezicht dat je boordevol vragen zit,' zei Mosh Zu. 'Loop maar met me mee. Dan zal ik proberen ze zo goed mogelijk te beantwoorden.'

'Hoe kan ze Lorcan zo in de steek laten?' vroeg Grace.

Mosh Zu schudde zijn hoofd. 'Dat is niet wat je echt wilt vragen. Je maakt je zorgen over Lorcan. En je vraagt je af hoe hij kan blijven leven zonder zijn donor.'

'Ja.' Grace knikte. Dat was precies wat ze zich afvroeg.

'Daar weten we hier wel raad op,' zei Mosh Zu. 'Voorlopig moeten we Lorcan eerst zover zien te krijgen dat hij weer gaat drinken. Maar je hebt gelijk, als de tijd er rijp voor is, zullen we een andere donor voor hem moeten zien te vinden. In elk geval voor de tijd dat hij hier is, maar misschien ook op een meer permanente basis.'

Hij keerde zich naar Grace. 'De relatie tussen een vampier en een donor is complex. Daar kun je niet om de haverklap verandering in brengen.'

Terwijl ze verderliepen naar de meditatieruimte, herinnerde Grace zich haar aanbod aan de kapitein – dat zíj Lorcans donor zou worden. Het was een aanbod dat ze bepaald niet lichthartig had gedaan, en ze was opgelucht geweest toen er op dat moment geen noodzaak toe had bestaan. Maar misschien bestond die noodzaak nu wel. Zo ja, dan zou ze het doen. Tenslotte was ze voor Lorcan tot alles bereid. Zelfs daartoe.

Bij de meditatieruimte aangekomen duwde Mosh Zu de deur open, en hij gebaarde Grace hem te volgen. 'Ga zitten. Wil je misschien een kop thee om je zenuwen weer tot rust te brengen?'

Grace schudde haar hoofd. 'Nee, dat hoeft niet.' Ze was gaan zitten, maar sprong meteen weer op. 'Ik doe het!' zei ze. 'Ik word Lorcans donor. Want ik wil alles doen om hem te helpen.'

'Ja.' Mosh Zu knikte. 'Dat geloof ik.' Hij ging op de kussens zitten. 'Ik waardeer je aanbod, Grace. Ik weet dat het recht uit je hart komt, en dat je je bewust bent van de implicaties...'

'Ja,' zei ze. 'Absoluut.'

'Maar ik denk dat je veel meer te geven hebt, Grace. Ik heb je al eerder gezegd dat je over helende vermogens beschikt. Door Lorcans donor te worden, zou je jezelf te veel beperkingen opleggen.'

Grace schudde glimlachend haar hoofd. 'Hoe kan dat nou? Dan zou ik onsterfelijk zijn.'

Mosh Zu knikte. 'Je bent me elke keer net een stap voor. Inderdaad, je zou onsterfelijk zijn, maar dat wil niet zeggen dat je geen beperkingen hebt. Het is heel gecompliceerd.'

'U zei dat onsterfelijkheid een geschenk was. Misschien wel het grootst denkbare geschenk.'

Met zijn scherpe ogen nam Mosh Zu haar onderzoekend op. 'Voor een vampier. Maar voor een donor ligt het anders.'

'Hoe bedoelt u?'

'De relatie tussen een vampier en een donor is onderling afhankelijk. Dat begrijp je.'

Ze knikte. 'Zolang de vampier het bloed van de donor neemt, blijft de donor leeftijdsloos.'

'Precies. En je hebt gezien wat er gebeurt wanneer die band wordt verbroken.'

'U bedoelt, hoe snel Shanti bezig is te verouderen?'

'Ja. De kapitein heeft een verkeerd besluit genomen. Het zou beter zijn geweest als hij had geweigerd Shanti mee te nemen.'

'Maar u zei dat alles goed zou komen met Lorcan.' Grace dreigde weer in paniek te raken.

'Dat is ook zo. We vinden wel een andere donor voor hem. Maar ik ben bang dat Shanti's toekomst minder duidelijk is...'

Plotseling begreep Grace wat hij bedoelde. 'Zonder vampier die haar bloed neemt, blijft Shanti in snel tempo ouder worden. Totdat ze...'

Mosh Zu knikte. Door de Wijkplaats te verlaten, had Shanti haar eigen doodvonnis getekend. En de kapitein had het laten gebeuren.

'Hoe kon hij dat doen?' vroeg Grace.

'De beweegredenen van de kapitein waren, zoals altijd, buitengewoon nobel,' antwoordde Mosh Zu. 'Hij wilde niet dat Shanti zich zo van streek maakte. Dat wilden we geen van allemaal. En ik vermoed bovendien dat hij denkt dat Shanti's aanwezigheid hier tot meer spanningen voor Lorcan zou kunnen leiden. Hij weet dat we andere bronnen hebben om aan bloed te komen.'

'Maar dan begrijp ik nog steeds niet waarom hij haar mee terug naar het schip heeft genomen,' zei Grace.

Het gezicht van Mosh Zu stond heel ernstig. 'De kapitein wil iedereen redden. Dat is het probleem. Hij denkt dat hij iedereen kan redden, maar ik maak me zorgen over hem, Grace. Dit alles eist een zware tol van hem. Onze wereld verandert in snel tempo. Je bent getuige geweest van de rebellie. En dat was nog maar het begin. We moeten sterk zijn. We moeten ons voorbereiden. Maar de kapitein ziet dat niet. Hij is een en al goedheid, maar hij geeft te veel van zichzelf. Net op een moment dat hij sterker zou moeten worden, laat hij het gebeuren dat zijn krachten afnemen.'

Grace was verbijsterd. Ze had de kapitein altijd als een heldhaftige figuur gezien, zonder gebreken, zonder zwakten. Het was ontmoedigend te horen dat hij kwetsbaar werd genoemd.

'Denk erom dat je hierover niet met de anderen praat,' zei Mosh. 'Zelfs niet met Lorcan of Olivier. Met niemand.'

'Nee, dat begrijp ik.'

‘Ik praat met jou als genezers onder elkaar,’ zei Mosh Zu. ‘We hebben veel gemeen, jij en ik.’

Grace was verbijsterd en voelde zich plotseling heel nederig. ‘Maar ik moet nog zo veel leren,’ zei ze dan ook.

‘Dat moeten we allemaal,’ zei Mosh Zu. ‘En dat kunnen we maar beter zo snel mogelijk doen.’

HOOFDSTUK 16

De Keizer

'WE HEBBEN EEN VOORSTEL,' zei Molucco. 'Een voorstel voor een rooftocht.'

Barbarro was meteen alert. Hij prikte het laatste stukje biefstuk met ganzenlever en kaviaar aan zijn vork. 'Een rooftocht?' herhaalde hij belangstellend.

'Ja, een gezamenlijke operatie van jouw bemanning en de mijne,' vervolgde Molucco. 'De *Typhon* en de *Diablo*. Net als vroeger.'

Connor zag dat Trofie haar bestek had neergelegd en aandachtig luisterde. 'Heb je al een schip in gedachten?' vroeg ze.

Molucco glimlachte. 'Geen schip,' zei hij. 'Iets ongebruikelijkers.' Hij nam een grote slok wijn.

'Nou?' drong Barbarro aan.

Molucco keerde zich naar Cate en knikte. Dat was voor haar het teken om de kist open te maken die Connor voor haar had gedragen. Ze haalde er een grote kaart uit. Connor en Bart stonden op, hielpen haar met uitrollen en pakten de hoeken.

'Fort Avondstond,' kondigde Cate aan. 'In de Indiase deelstaat Rajasthan.' Met de punt van haar degen tikte ze luchtig op de kaart.

Link gaapte. Hij zat zich door een enorme pizza en een berg kippenvleugeltjes heen te werken. Het uitgelezen diner dat de anderen kregen, was aan hem niet besteed.

Trofie glimlachte liefjes naar Cate. 'Bedankt voor de les topografie, *min elskling*, maar volgens mij weten we allemaal waar Fort Avondstond ligt.'

'Mooi zo.' Cate knikte onbewogen. 'Dan weet u ook dat het rond 1640 is gebouwd, door prins Yashodhan, voor zijn vrouw Savarna.'

'Saaaaaaai!' mompelde Link. Toen slaakte hij een kreet – 'Au!' – alsof iemand hem onder de tafel had geschopt. Met een spottende grijns pakte hij het zoveelste kippenvleugeltje.

Trofie glimlachte opnieuw liefjes naar Cate. 'Ik zal het je nog sterker vertellen, Yashodhan heeft twéé paleisforten voor Savarna gebouwd,' zei ze. 'Een om naar de zonsopgang te kijken, en een voor de zonsondergang.'

Connor stak zijn hand op. 'Ja, Connor?' Cate keek hem aan.

'Vraagje. Waarom twee paleizen? Konden ze niet vanuit één paleis naar de zonsopgang én de zonsondergang kijken?'

Trofie lachte en schudde haar hoofd.

'Suk-kel,' mompelde Link, zo zacht dat alleen Connor het kon horen.

Barbarro grijnsde. 'Zo'n vraag kan alleen een jonge knul stellen. Een knul die de ware liefde nog niet heeft leren kennen.' Hij legde zijn hand op de gouden vingers van Trofie. 'Ik zou wel een paleis willen bouwen voor elk uur van de dag – nee, voor elke minuut! – als eerbetoon aan mijn lieve vrouw.'

Trofie straalde. 'Breng me maar niet op een idee, *min elskling*.' Ze kuste hem op zijn wang.

'Natuurlijk woont er inmiddels iemand anders in het paleis,' zei Cate. 'Fort Avondstond is allang geen voorouderlijk paleis meer. Het is eeuwenlang onbewoond geweest, en veel van de bijgebouwen zijn vervallen tot ruïnes. Maar het hoofdgebouw staat nog trots overeind, en tegenwoordig heeft het fort een nieuwe bewoner. Een man die zichzelf de Keizer noemt.'

'De Keizer?' Barbarro was duidelijk geïntrigeerd. 'De Keizer van wat?'

Cate schudde haar hoofd. 'Hij is geen keizer in de traditionele zin van het woord. Het fort is zijn rijk. Meer ambieert hij niet. Hij is niet geïnteresseerd in macht, zelfs niet in mensen. Het enige wat hij doet, is schatten verzamelen. Van over de hele wereld. Prins Yashodhan vulde zijn fort met schatten om uiting te geven aan zijn liefde voor de beeldschone Savarna. De Keizer houdt van niemand, alleen van zijn schatten. Hij heeft zijn hele leven gewijd aan het verzamelen ervan. Zoals ik al zei, over de hele wereld. De verzameling bevat dan ook talloze zeldzame en kostbare stukken. Kunstwerken waarvan werd aangenomen dat ze bij de Grote Overstroming waren verdwenen, zijn op de een of andere manier in de verzameling van de Keizer beland. Ooit werden ze tentoongesteld in musea, kunstgalerieën en in de huizen van de rijken. Nu zijn ze voor het oog van de wereld verborgen in de kluis van het fort...'

'Ik begrijp waar je heen wilt,' zei Barbarro. 'Een rooftocht met als doel het fort! Dat bevalt me wel!'

Cate knikte gretig. 'Inderdaad. Dat is precies waar ik heen wil. Dus zegt u het maar, wat wilt u eerst horen, het goede of het slechte nieuws?'

Barbarro dacht even na. 'Laten we maar beginnen met het slechte nieuws.'

Cate knikte. 'Oorspronkelijk stond Fort Avondstond, net als zijn evenknie, hoog op een berg. Maar door de overstromingen van vier eeuwen geleden steeg het waterpeil. Vandaar dat het fort tegenwoordig aan alle kanten wordt omringd door water. Vroeger was het een hele klim ernaartoe, nu ligt het bijna op zeeniveau.'

'Des te gemakkelijker is het per schip te bereiken,' zei Barbarro.

'In principe wel, ja,' moest Cate hem gelijk geven. 'Maar het is geen gemakkelijke reis. De wateren om het fort zijn ruw, en er doen zich regelmatig hoge, solitaire golven voor. Diverse piratenbemanningen hebben al geprobeerd het fort te veroveren, maar ze hebben bijna allemaal schipbreuk geleden.'

'Alleen de allersterkste schepen – en de kundigste zeelui – zouden in staat zijn dergelijke wateren te trotseren,' zei Molucco.

'Ik begrijp wat je wilt zeggen, broer!' Barbarro's ogen schitterden. 'Dit is duidelijk een klus voor de gebroeders Wrathe.'

Cate knikte. 'De wilde zee was het eerste slechte nieuws, maar dat is nog niet alles. Het is zo goed als onmogelijk de kluis van Fort Avondstond te forceren. Tenslotte wilde prins Yashodhan niet dat iemand er met de schatten van zijn dierbare Savarna vandoor zou gaan. Die kluis is dan ook een van de redenen waarom de Keizer voor het fort heeft gekozen. Bovendien wordt de kluis vierentwintig uur per dag, zeven dagen in de week, bewaakt door een exclusieve beveiligingseenheid van de Keizer.'

'Dus we moeten rekenen op gewapend verzet op grote schaal?' vroeg Barbarro. 'Ik weet niet of ik dit nog wel zo'n goed plan vindt.' De anderen keken hem verrast aan. 'Ik schrik niet terug voor een goed gevecht,' vervolgde hij haastig. 'Maar dit klinkt mij in de oren als een onmogelijke situatie. Zelfs als we het fort binnen weten te komen en als we – door geluk of door een slimme strategie – die beveiligingseenheid buiten gevecht weten te stellen, dan moeten we die kluis nog forceren en zien dat we de schatten aan boord krijgen.' Hij fronste zijn wenkbrauwen. 'Of mis ik iets?'

Cate glimlachte. 'U had me gevraagd het goede nieuws voor het laatst te bewaren. Hier komt het! We hoeven niet in te breken in het fort en we hoeven de beveiligingseenheid ook niet uit te schakelen. Integendeel, daar mogen we waarschijnlijk alle hulp van verwachten.'

'Dat begrijp ik niet,' zei Barbarro. 'Is er sprake van rebellie tegen de Keizer?'

'Hoelang gaat deze buitengewoon boeiende discussie nog duren?' Link kreunde en gooide het laatste kippenbotje over zijn schouder. Onmiddellijk schoot de butler toe om het op te rapen. 'En wanneer komt het toetje?'

'Hou je mond!' snauwde Barbarro, duidelijk gefrustreerd door het ergerlijke gedrag van zijn zoon. 'Ga door, Cate. We zijn een en al oor.'

'Sinds de laatste stijging van het zeeniveau is Fort Avondstond niet langer een veilige haven voor de Keizer en zijn schatten. De kluis verkeert in regelrecht gevaar onder te lopen. De Keizer heeft zich heel lang verzet tegen het ondernemen van actie. De geïsoleerde ligging van het fort is hem erg veel waard. Maar inmiddels ziet hij zich geconfronteerd met het gevaar dat één enkele solitaire golf zijn veilige haven en alles wat hem dierbaar is, van de aardbodem zal vagen.'

'En dus...' Trofie knipte met haar vingers. 'En dus heeft hij eindelijk besloten in actie te komen.'

'Precies.' Cate grijnsde.

'En ik durf te wedden dat ik weet waar hij heen gaat met zijn spullen,' zei Trofie weer. 'Naar Fort Ochtendgloren.'

'Bingo!' Cate knikte, haar ogen schitterden. 'Zoals u weet is Fort Ochtendgloren op hogere grond gebouwd. De Keizer en zijn schatten zouden daar veilig moeten zijn. In elk geval tot het eind van zijn dagen.'

'Ik begrijp het nog steeds niet,' zei Barbarro. 'Welke rol spelen wíj in dit alles?'

'Zie je dat dan niet, *min elskling*?' Trofie keerde zich naar haar man. 'De Keizer zal zijn spulletjes moeten overbrengen van Fort Avondstond naar Fort Ochtendgloren...'

Barbarro's gezicht drukte nog steeds onbegrip uit. 'Hij heeft een eersteklas bedrijf ingeschakeld om zijn goederen van A naar B te verschepen, of liever gezegd van Avondstond naar Ochtendgloren,' vervolgde Cate dan ook. 'En hij betaalt dat bedrijf een fortuin om de veiligheid van zijn kostbaarheden te garanderen.'

'Aha, nu begrijp ik het!' Barbarro glimlachte. 'En wíj gaan dat verschepingsbedrijf onderscheppen terwijl het de spullen van het ene fort naar het andere brengt.'

'Nee, dat is niet het plan,' zei Cate.

Nu was ook Trofie in verwarring gebracht. Barbarro en zij keken Cate verbijsterd aan.

Molucco kuchte zacht en stond op. Zijn gezicht straalde. 'We gaan het verschepingsbedrijf niet onderscheppen. We zíjn het verschepingsbedrijf.' Hij keerde zich naar Connor en Bart. 'Jongens, als jullie zo goed willen zijn...'

Ze bukten zich en zetten een kist van onyx op de tafel. Molucco haalde een sleuteltje uit zijn zak en stak dat in het slot. Met een zachte klik ging de kist open, en plotseling baadde de hut in licht. In de kist lag een bergje ronde, briljant geslepen diamanten, waarvan elk volmaakt facet het kaarslicht opving en weerkaatste.

'Ze zijn práchtig!' Trofie stak haar hand uit, alsof de kist haar als een magneet naar zich toe trok. Haar arm glansde als zilver in de gloed van de edelstenen.

'Indrukwekkend hè?' Molucco grijnsde. 'Dit is de eerste aanbetaling van de Keizer,' zei hij. 'We zijn officieel in dienst genomen!'

'Wat denk je?' De kapitein van de *Typhon* keerde zich naar zijn onderkapitein.

Trofie hoefde niet lang na te denken. 'Is de Keizer niet de eigenaar van die met diamanten bezette schedel?' vroeg ze. 'Ik heb er altijd van gedroomd die aan mijn verzameling toe te voegen.' Ze zweeg even. 'We doen het!'

Barbarro keerde zich weer naar Molucco. 'Het is een gewaagd plan, broer. We doen mee.' Hij knipte met zijn vingers. 'Bramschoot, trek nog eens een paar flessen champagne open. We moeten drinken op ons succes.'

Er heerste plotseling grote opwinding, en iedereen begon door elkaar heen te praten.

'Laten we hopen dat het beter afloopt dan de laatste keer dat Cate met een plan kwam.' Op de een of andere manier slaagde Link erin het lawaai te overstemmen.

'Kop dicht, Link,' snauwde Barbarro.

'Wat zei hij?' vroeg Molucco.

'Ik zei dat ik hoop dat de strategie van Cate deze keer succesvoller uitpakt dan bij jullie aanval op de *Albatros*.'

Cate werd vuurrood. Molucco leek met stomheid geslagen. Trofie fronste haar wenkbrauwen. Barbarro werd witheet van woede. 'Naar je hut!' bulderde hij.

Zelfs Link leek een beetje geschrokken van de woede van zijn vader. Trofie glimlachte poeslief. 'Dat is een goed idee!' kirde ze.

'Neem Connor mee, lieverd. Dan kun je hem al jouw prachtige verzamelingen laten zien.'

'Mij best.' Link haalde zijn schouders op en stampte driftig de hut uit.

Toen Connor zich omdraaide om hem te volgen, hoorde hij Trofie haar man iets in het oor fluisteren. 'We zouden ons presenteren als het gelukkige gezinnetje, weet je nog wel? Ik wil niet dat Molucco een slechte indruk krijgt van Link. Tenslotte is hij zijn en onze enige erfgenaam, *min elskling*.'

'Als je het me nu zou vragen, zou ik Molucco groot gelijk geven als hij zijn fortuin aan die knul van Tempest vermaakte,' grauwde Barbarro.

'Praat geen onzin,' fluisterde Trofie ijzig. 'Link is de rechtmatige erfgenaam. Die jongen van Tempest is niks van ons.'

HOOFDSTUK 17

Woorden van welkom

'HALLO! MAG IK BINNENKOMEN?' Grace duwde de deur open.

'Grace!' Lorcan rekte zich uit. Hij had lang geslapen. Het was inmiddels avond. 'Natuurlijk mag je binnenkomen.' Hij ging rechtop zitten. 'Hoe is het met je?'

'Prima.' Ze hoopte dat ze overtuigend klonk, want ze wilde hem niet van streek maken met wat zich voorafgaande aan het vertrek van de kapitein – en van Shanti – had voorgedaan. 'Hoe is het met jou?' vroeg ze opgewekt. 'Dat lijkt me veel belangrijker.

'Wel goed, eigenlijk,' antwoordde hij. 'Ik heb heerlijk geslapen. Veel beter dan in lange tijd. Misschien zit er hier iets in de lucht.'

'Over lucht gesproken,' zei ze. 'Misschien kunnen we straks even naar buiten gaan, om een eindje te wandelen.'

'Mag dat, denk je?' vroeg Lorcan verrast.

'De Wijkplaats is toch geen gevangenis? Je bent hier om te genezen. Ik weet zeker dat Mosh Zu het prima vindt als we een frisse neus gaan halen. Tenminste, als je dat wilt.'

'Misschien straks.'

Grace knikte en ging op het bed zitten.

'Wat is dit?' Ze trok een stuk karton onder zich vandaan. 'Er ligt hier een kaart. Wist je dat?'

'O ja! Die heeft Olivier daar neergelegd. Het is een welkomstboodschap. Hij wilde hem al voorlezen, maar ik was te moe.' Hij grijnsde. 'Bovendien had ik liever dat jij dat zou doen. Wil je dat?'

'Natuurlijk.' Grace glimlachte. Lorcan wist er altijd meteen voor te zorgen dat ze zich beter voelde. De gedachte aan Shanti werd naar de achtergrond gedrongen. Ze pakte de kaart en begon te lezen...

Welkom, dolende ziel. Welkom in de Wijkplaats.

Alles wat je denkt te weten, staat op het punt te veranderen.

Je denkt dat je een wezen met beperkingen bent. Maar je bent niet beperkter dan de hemel of de oceaan.

Je denkt dat er maar één pad is. Er zijn vele paden.

Je denkt dat je niet kunt veranderen. Je kunt wel degelijk veranderen.

Je denkt dat je te moe bent om je reis te vervolgen. Je staat op het punt de energie die je nodig hebt, te heroveren. Je zult nooit meer vermoeid zijn.

Je denkt dat je beste tijd achter je ligt. Je beste tijd ligt als een tuin voor je uitgespreid, mooier dan alle andere tuinen.

Je denkt dat je bestaan leeg is. We zullen je in staat stellen die leegte te vullen.

De tijd van dolen is voorbij. Tenminste, als je daarvoor kiest. De keuze ligt diep binnen in je. Het feit dat je de reis hierheen hebt gemaakt – een ongemakkelijke en ongebruikelijke reis – zegt me dat je wilt veranderen.

Je zult verbaasd zijn over de veranderingen die je hier kunt ondergaan. Op dit moment voel je je misschien nog geketend door een honger waaraan nooit een eind lijkt te komen. Een honger die alleen maar steeds meer vraagt. Dus misschien voel je je gevangen in een eindeloze cyclus van jagen en honger lijden. Deze cyclus produceert een dichte mist waardoor je niet in staat bent te zien wat daar voorbij ligt. Misschien ben je bang dat er geen andere weg is. Er is een andere weg. We zullen ervoor zorgen dat de mist optrekt en we zullen je de ogen openen. Bereid je erop voor dingen in de toekomst heel anders te gaan zien.

Je behandeling hier kent drie fases. Er staat geen vaste periode voor elke fase, of voor je behandeling als geheel. Er zijn geen verwachtingen waaraan je moet voldoen. Blijf zo lang als je wilt. Neem zo veel tijd als je nodig hebt. Maak je geen zorgen als je ziet hoe snel of hoe langzaam anderen de behandelingsfases doorlopen. Geef jezelf de ruimte om vorderingen te maken in het tempo dat voor jou het juiste is.

De poorten van de Wijkplaats staan altijd open. Ze verwelkomen iedereen die hier komt om hulp te zoeken. Maar je kunt ook op elk moment dat jij dat wilt, weer vertrekken. Wanneer je het moeilijk krijgt – en je zúlt het moeilijk krijgen – kom je misschien in de verleiding om hier weg te gaan. Je behandeling zal zware fysieke, mentale en emotionele eisen aan je stellen. Deze uitdagingen lijken misschien wel groter dan alles wat je hiervoor onder ogen hebt gezien – tijdens het leven, de dood of daar voorbij. Weet dat je tegen deze uitdagingen opgewassen bent. Omarm de strijd. Je zult er alleen maar sterker van worden. Wees ervan verzekerd dat er een einde aan de worsteling zal komen.

Misschien heb je het gevoel dat je heel ver weg bent van je menselijkheid. Hoelang het ook geleden is dat je overging, hou jezelf voor dat je ooit een mens bent geweest. Klamp je vast aan de beste van wat we menselijke eigenschappen zouden noemen, terwijl je leert te aanvaarden en te koesteren wat er van je is gebleven.

Er schuilt grootsheid in je. Leer die te herkennen.

Er huist vrede in je. Leer die te koesteren.
Er is een andere weg. Je staat op het punt die te ontdekken.

Velen komen hier met het gevoel dat ze een verschrikkelijke last te dragen hebben gekregen. We zullen je laten zien dat je geen last is opgelegd, maar dat je een prachtig geschenk hebt ontvangen. Misschien wel het mooist denkbare geschenk. Wees erop voorbereid om het uit te pakken.

Mosh Zu Kamal

Ontroerd zette Grace de kaart op Lorcans nachtkastje.

'Dat geeft ons een hoop om over na te denken,' zei Lorcan.

'Ja.' Grace knikte. Ze nam zijn hand in de hare. 'Dit is een vreemde plek, maar ik denk dat je hier de hulp zult vinden die je zoekt. Mosh Zu lijkt me een uitzonderlijk... iemand.'

Lorcan knikte.

'Als er iemand is die je kan helpen, dan is hij het,' zei Grace. 'Dat weet ik zeker.'

HOOFDSTUK 18

Het hol van Link

'MIJN HUT LIGT HELEMAAL ONDER in het schip,' zei Link, terwijl hij Connor voorging door de gang naar de centrale trap die afdaalde in het hart van de *Typhon*. 'Normaliter liggen de hutten voor de vips op het bovendek, maar ik wilde per se helemaal naar beneden. En ik krijg altijd mijn zin.'

Met die woorden klom hij op de trapleuning en hij liet los, waarop hij in steeds kleiner wordende cirkels naar beneden suisde. Connor keek hem na. In zijn donkere kleren zag hij eruit als een heks in snelle vlucht. Connor klom ook op de reling. De rit was kort maar opwindend. Toen hij op het benedendek sprong, zag hij dat Link al met grote passen vooruitliep naar een zwaar vergrendelde deur, die er met zijn vele hangsloten uitzag als een kerstboom. Links bleke handen draaiden de cijfercombinaties om de sloten open te maken.

'Mijn ouders staan erop dat we de boel zo goed mogelijk beveiligen,' zei Link. 'Bovendien hecht ik erg aan mijn privacy.'

Kijkend naar de berg hangsloten aan Links voeten, vond Connor het allemaal nogal extreem. Maar misschien was het terecht – als de geruchten juist waren dat Trofie ooit was ontvoerd. Zou hij Link ernaar durven vragen? Naar de waarheid omtrent zijn moeders gouden hand? Misschien nog niet.

Eindelijk ging de deur open en Connor werd overvallen door een bedwelmende mengeling van wierook, lichaamsgeur en iets dierlijks.

'Welkom in de Hel!' Link stapte grijnzend zijn hut binnen. 'En even voor alle duidelijkheid... Het feit dat ik je hier binnenlaat, betekent niet dat we vrienden zijn of zoiets stompzinnigs! Oké?'

'Oké,' zei Connor. 'Mij best.'

De hut was enorm – minstens zo groot als die van Molucco Wrathe op de *Diablo*. Een hut een prins waardig, en dat is Link waarschijnlijk ook, dacht Connor. Een piratenprins. Die gedachte was – zelfs zonder de kwalijke geur in de hut – genoeg om hem licht onpasselijk te doen raken.

De muren van de hut waren zwart geschilderd. In het midden stond een groot ijzeren hemelbed. In plaats van gordijnen had het metalen kettingen, die rinkelden wanneer het schip bewoog. Dat geluid zou alleen al genoeg zijn geweest om een mens hoofdpijn te bezorgen, ook zonder de dreunende thrash-shanty die Link op volle sterkte had aangezet.

Connor verafschuwde dit soort muziek, helemaal wanneer die zo hard werd gedraaid. De melodie – voor zover er sprake was van een melodie – klonk hem op de een of andere manier bekend in de oren. Maar dit soort muziek klonk allemaal hetzelfde, hield hij zichzelf voor.

Na het regelen van de muziek slofte Link naar een enorme flipperkast aan de andere kant van de hut. 'Piratenflipper,' zei hij over zijn schouder. 'Die heeft mijn vader voor me laten maken. Er is er maar een van.'

Connor haalde zijn schouders op. Uit alles wat Link vertelde en uit de overdaad in zijn enorme, lugubere hut kwam het beeld naar voren van een verwend joch dat in alles zijn zin kreeg.

Een van de muren in de hut was bedekt met planken. Op een daarvan stond een verzameling scheepsmodellen. Terwijl Link zich uitleefde op zijn Piratenflipper, liep Connor naar de plank om de modellen beter te kunnen bekijken. Ze waren indrukwekkend gedetailleerd en prachtig beschilderd. Connor stelde zich voor hoe een jongere, sympathiekere Link tot laat in de avond met de scheepjes aan het werk was geweest. Er was ook een replica bij van de *Typhon*. Daarnaast stond een iets groter schip. DIABLO, stond er in kleine rode letters op de romp. Connor reikte ernaar...

Link draaide zich abrupt om. 'Niet aankomen!' Hij keerde de flipperkast de rug toe en kwam met grote stappen op Connor af.

Fronsend zette die het scheepje terug op de plank. 'Sorry, maar deze is echt prachtig. Hoelang heb je daarover gedaan?'

Link glimlachte, en ineens was het alsof de donderwolken op zijn gezicht werden verdreven door de zon. 'O, dat schip heb ik samen met mijn vader gemaakt. We zijn er een heel weekend mee bezig geweest, en we hadden zo hard gewerkt dat we met onze kwast in de hand in slaap zijn gevallen. Toen is mijn moeder met dekens naar beneden gekomen...' Hij schudde dromerig zijn hoofd. 'Ach, dat waren nog eens tijden!'

Connor was verrast. Dit gaf een heel ander beeld van de relatie tussen Link en zijn vader.

Plotseling werd de gelukzalige glimlach echter weer verdreven door Links gebruikelijke grijns. 'Als je dat gelooft, ben je een nog grotere sukkel dan ik dacht, Tempest. Denk je nou echt dat piratenkapiteins de tijd hebben om scheepsmodellen te bouwen met hun zoons? Natuurlijk niet! Ik heb hem zelf gemaakt – met een beetje hulp van Bramschoot... Bramschoot, onze majordomus,' legde hij uit bij het zien van Connors niet-begrijpende blik. 'Onze eerste bediende, sukkel. Die vóór het eten met champagne en sushi rondging.'

'O, die.' Connor knikte.

'Ja, die,' zei Link. 'En denk nou maar niet dat we dikke vrienden zijn, of dat hij een soort tweede vader voor me is. Hij is me alleen maar lijm en verf komen brengen. En alleen maar omdat mijn moeder hem een dikke fooi had gegeven.'

Connor was niet onder de indruk. 'Dus je hebt een moeilijke jeugd gehad.' Hij liet zijn blik door de kamer gaan. 'Jammer voor je, maar niks aan te doen,' mompelde hij op gedempte toon. Arme kleine piratenprins, dacht hij. Maar als hij eerlijk was, moest hij bekennen dat hij geen medelijden met hem had.

Hij liet zijn blik opnieuw langs de planken gaan, via een verzameling zeldzame schelpen naar een rij boeken: *Beruchte Piratenlevens*. Op de rug van deel 16 las hij: *De Gebroeders Wrathe*. Hij stond op het punt het boek te pakken, toen hij een gepiep hoorde. Zo hard dat het boven de muziek uit klonk.

Toen hij zich omdraaide, zag hij dat Link een zwarte doek van een grote kooi haalde.

'Hallo liefjes,' zei Link zacht, bijna zangerig. Hij reikte in de kooi en tilde er twee ratten uit die, dankbaar voor hun vrijheid, over zijn armen en schouders begonnen te rennen. Link grijnsde. 'Ze heten Jutter en Drijfhout. Drijfhout is die met die witte vlek. Mooi beestje, hè?' Hij zweeg even. 'Het is een tweeling,' voegde hij er met een vreemde glimlach aan toe.

'O ja?' Connor wist nog steeds niet wat voor vlees hij met hem in de kuip had.

Even leek Link helemaal in de ban van zijn huisdieren. Terwijl de beestjes over zijn armen heen en weer kropen, maakte hij een bijna vredige indruk. Hij liet zich in een ronde stoel ploffen die aan een ketting aan het plafond hing.

'Wat voor jeugd had jíj?'

De vraag verraste Connor. Hij besloot gewoon eerlijk antwoord te geven. 'Een prima jeugd. Mijn vader was vuurtorenwachter. Mijn moeder hebben we nooit gekend. We waren met ons drieën – mijn vader, mijn zuster Grace en ik. We hadden niet veel, maar we waren gelukkig. We woonden in de vuurtoren...'

'Aha.' Link krabde Drijfhout onder zijn kin. Het viel Connor op hoe zorgvuldig en voorzichtig hij met de ratten omging. Toen hief de piratenprins zijn hoofd weer op. 'Gelukkige tijden in Crescent Moon Bay! Jammer dat pappie de pijp uit ging, hè? Aju, Dexter Tempest! Aju, Crescent Moon Bay!'

Ai! Die had Connor niet zien aankomen. Link was toch gemener dan hij had gedacht.

Maar er was iets anders waardoor hij nog dieper geschokt was. 'Hoe weet je dat allemaal?'

'We hebben ons huiswerk goed gedaan,' zei Link. 'Dat doen Trofie en ik altijd!'

Connor begon te beseffen dat er een vreemde band bestond tussen Link en zijn moeder.

'En hoe is het met die rare zus van je?' vervolgde Link. 'Trekt ze nog altijd op met de Vrienden van de Nacht?'

Connor schudde zijn hoofd. Hij was niet van plan zich door deze vreemde jongen op de kast te laten jagen.

'Blijkbaar heeft Gracie alle spannende genen van de familie geerfd,' vervolgde Link onverstoorbaar. 'Dat heb ik weer. Ik zit opgezadeld met de saaiste van de twee.'

'Ik ben zo weg als je dat wilt,' zei Connor, plotseling toch nijdig.

'Ja. Terug naar de *Diablo.* Naar je hangmat naast die sukkel van een Bart. Naar je lessen zwaardvechten en naar mijn oom, om weer lekker bij hem te slijmen. Maar je moet één ding goed onthouden, Tempest. Hij zegt misschien dat je een wonderkind bent. Hij noemt je misschien zelfs de zoon die hij nooit heeft gehad. Maar je bént zijn zoon niet. Ik ben de enige erfgenaam van het fortuin van de Wrathes. Alleen ik!'

'Mij best,' zei Connor. 'Ik geef niet om geld. Het gaat me niet om de centen, als je dat soms denkt.'

'O nee? Dus je bent hier alleen maar omdat je ome Luc inderdaad als een soort tweede vader beschouwt?' Hij schudde zijn hoofd en lachte hol. 'Nou moet je eens goed naar me luisteren. Molucco Wrathe is niet de brave borst, de ouwe zeebonk die hij lijkt. Hij is vlijmscherp, zo scherp als mijn *shuriken.* En hij gebruikt mensen. Hij laat ze geloven dat hij ze als familie beschouwt, en vervolgens stuurt hij ze de vuurlinie in. Zoals je vriend Jez...'

'Hou je bek! Waag het niet over Jez te beginnen!'

Link grijnsde. 'Ik zal wel moeten. Ik moet het over Jez Stukeley hebben om duidelijk te maken wat ik wil zeggen. Molucco Wrathe deed alsof Jez Stukeley een gewaardeerd lid van zijn bemanning was, maar hij liet hem wel duelleren met die beroepsvechter van Drakoulis...'

'Dat is niet waar!' snauwde Connor. 'Jez heeft zich aangeboden als vrijwilliger.'

'Dat doet er niet toe. Molucco heeft hem laten vechten, in de wetenschap dat hij niet kon winnen. Molucco heeft die arme Jez de dood in gestuurd. En ooit doet hij met jou hetzelfde, hoe hard hij ook roept dat je zijn verloren zoon bent.'

'Dat is niet waar!'

'Nou en of het waar is. Want zo zijn wij Wrathes. We gebruiken mensen. Ik doe het. Mijn ouders doen het. Mijn ome Luc doet het. Zelfs die goeie ouwe Porfirio deed het. We zijn allemaal hetzelfde. Om te krijgen wat we willen, vertellen we je precies wat je wilt horen. Maar als puntje bij paaltje komt, denken we alleen aan onszelf.'

'Dat is niet waar,' zei Connor weer. 'Dat geldt misschien voor jou en je ouders, maar Molucco is niet zo. Hij heeft mijn leven gered.'

Link begon te lachen. 'Hoelang zit je al in dit wereldje, Tempest? Drie maanden? Je weet níéts van deze wereld. Van deze familie. Maar maak je geen zorgen. Het zal niet lang duren, of je ziet het allemaal anders. Als ome Luc goed voor je is, dan is dat alleen omdat hij er nog niet uit is hóé hij je gaat gebruiken. Maar uiteindelijk doet hij dat. Zo gaat het altijd. Bij ons allemaal. Als je wilt weten hoe de Wrathes werkelijk zijn, dan moet je naar mij kijken. Het staat je misschien niet aan wat je ziet, maar ik ben de enige in deze krankzinnige familie die eerlijk is.'

Connor keek naar zijn pokdalige, door acne ontsierde gezicht. Naar het vurige paarse litteken. Hij bood inderdaad geen fraaie aanblik, maar wat hij over zijn familie had verteld, was ook weinig fraai. Plotseling werd de smerige lucht in de hut Connor te machtig. Het overdadige eten en de wijn speelden hem parten, en hij was ineens bang dat hij moest overgeven. Hij had frisse lucht nodig, en vlug!

Dus hij draaide zich om en haastte zich de hut uit. Met twee treden tegelijk stormde hij de trap op, bevend over zijn hele lichaam.

Misschien was er toch iets niet in orde geweest met die kogelvis. Nee, dacht hij. Het gif was afkomstig uit de mond van Link – het was het venijn van een eenzaam, jaloers kind dat zich bedreigd voelde. Het was niet waar wat hij had gezegd. Het waren allemaal leugens.

Achter zich hoorde hij Link zijn hut vergrendelen. Het ene na het andere slot werd rinkelend gesloten. Wat een walgelijk joch, met zijn ratten, in de stinkende duisternis van zijn enorme hut! Maar hoe Connor ook zijn best deed alles wat Link had gezegd te vergeten, toch bleef er iets van hangen. Het zaad van de twijfel was gezaaid.

HOOFDSTUK 19

Het lint

'KUN JE JE HOOFD IETS naar achteren houden?' vroeg Mosh Zu.

Grace deed wat hij vroeg, en hij boog zich over haar heen om haar hals te inspecteren. 'Dus Shanti is vertrokken, maar ze heeft wel haar sporen achtergelaten.' Glimlachend deed hij een stap naar achteren. 'Het valt best mee, maar ik kan me voorstellen dat het pijnlijk is. Dus ik zal een zalfje voor je maken, om het genezingsproces te versnellen.'

'Dank u wel.'

'Je bent opmerkelijk rustig,' vervolgde Mosh Zu. 'Anderen zouden erg geschrokken zijn als ze wakker waren geworden terwijl iemand probeerde hen te wurgen.' Al pratend pakte hij een stamper en een vijzel, gevolgd door potten met kruiden en oliën. Uit elke pot deed hij een beetje in de vijzel.

Grace keek toe. 'Ik wás ook geschrokken. Maar ik weet ook dat Shanti me niet écht kwaad wilde doen.' Ze zweeg even. 'Het kwam door het lint.'

Mosh Zu knikte. 'Ja, het kwam door het lint. Daar heb je gelijk in.' Hij begon de kruiden en de oliën tot een pasta te vermalen.

'Ik weet dat u het niet prettig vindt als ik voortdurend vragen stel...' begon Grace.

Mosh Zu keek verrast op. 'Waarom zeg je dat?'

'Omdat het volgens Olivier een van de regels is hier in de Wijkplaats.' Ze glimlachte. 'Maar ik ben bang dat ik het daar erg moeilijk mee ga krijgen.'

'Ja.' Mosh Zu legde de stamper neer en keek haar aan. 'Ik vóélde dat je ergens door geremd werd. Want ik had verwacht dat je een stortvloed aan vragen zou hebben, op je eerste dag in een intrigerend, onbekend oord.'

Grace knikte. 'Die heb ik ook. Maar volgens Olivier moet ik wachten tot mensen zich uit zichzelf voor me openstellen en mag ik geen vragen stellen...'

Mosh Zu knikte. 'Hoor eens, Grace, er zijn een paar dingen die je moet weten. Om te beginnen is Olivier een goed mens. Hij neemt zijn plichten hier heel serieus. Toen hij hier kwam, was hij niet veel ouder dan jij, en hij is bijna onmisbaar voor me geworden.'

Het viel Grace op dat hij *bijna* had gezegd. Dat vond ze merkwaardig. Het leek wel alsof hij haar daarmee iets wilde vertellen. Ze wist alleen niet wat.

'Verder heeft hij gelijk als hij zegt dat het beter is de mensen die hier komen, niet te snel met te veel vragen te bestoken,' vervolgde Mosh Zu. 'Ze komen hier omdat ze hun eigen vragen hebben, waarvan ze hopen dat wíj ze kunnen helpen die te beantwoorden.' Hij keek Grace glimlachend aan. 'Maar je mag míj alle vragen stellen die je wilt.'

Grace glimlachte. Zijn reactie betekende een enorme opluchting voor haar.

Mosh Zu pakte een glazen potje en deed de inhoud van de vijzel erin. 'Alsjeblieft.' Hij gaf haar het potje. 'Smeer een beetje zalf op de wond, en als de huid vanavond nog rauw is, doe je het weer voordat je gaat slapen.'

Grace schroefde het deksel van het potje en snoof. In het scherpe aroma herkende ze diverse geuren.

'Zit er rozemarijn in?'

Mosh Zu knikte. 'Ja. Je hoeft het niet echt dik aan te brengen. Gewoon een heel klein beetje, aan weerskanten.'

Grace smeerde wat zalf op haar hals en veegde haar vingers af aan een lap die Mosh Zu haar gaf.

'Zo, en dan nu een kop thee en een vragenronde?' Hij wees glimlachend op een kring van kussens in een hoek van het vertrek.

Hij schonk voor hen beiden een kop kruidenthee in en maakte het zich in kleermakerszit gemakkelijk op de kussens.

Grace sloeg hem verrast gade terwijl hij de mok thee naar zijn mond bracht. Ze had inmiddels lang genoeg onder vampiers verkeerd om alert te zijn op bepaalde tekenen. Als Mosh Zu thee dronk, betekende dat dan dat hij geen vampier was, maar ook een tussenfiguur, net Olivier, en net als zijzelf? Kon het zo zijn dat de vampiratengoeroe – om het woord van de kapitein te gebruiken – geen vampier was?

Mosh Zu knikte glimlachend. 'Ik zie dat je vol vragen zit. Waar zullen we mee beginnen?'

Grace aarzelde geen moment. 'Met de linten. Daar wil ik graag meer van weten.'

Mosh Zu nam nog een slok van zijn thee. 'Laten we het nog iets boeiender maken. Wat wéét je inmiddels van de linten?'

'Helemaal niets,' antwoordde Grace.

'Je weet meer dan je denkt.'

Grace schudde haar hoofd. 'Olivier heeft ons via de Gang der Linten naar onze kamer gebracht, maar hij wilde er niets over vertellen. Dat kon u beter doen, zei hij.'

Mosh Zu zette zijn mok met thee neer. 'Laten we eens nagaan wat we weten. Shanti heeft een lint meegenomen. In de overtuiging dat het niets meer was dan een mooie reep stof, heeft ze het van de lijn getrokken en het om haar paardenstaart gebonden. Met het lint in haar haar is ze in slaap gevallen, maar toen kreeg de energie die in het lint was opgeslagen, vat op haar.' Hij keek op naar Grace. 'Voordat je in slaap viel... is je toen iets vreemds opgevallen aan Shanti's gedrag?'

'Ze was erg onrustig,' zei Grace. 'Sterker nog, ze lag zo te draaien en te woelen dat ik haar bijna wakker had gemaakt. Ik dacht dat ze misschien akelig droomde...'

'Dat is niet zo ver bezijden de waarheid,' zei Mosh Zu. 'Inderdaad, het lint beheerste haar gedachten. De duistere energie die daarin was opgeslagen, drong haar hoofd binnen en veranderde haar gedachtepatronen.'

Grace zette grote ogen op. 'Wilt u daarmee zeggen dat het lint zelf het kwaad vertegenwoordigt?'

Mosh Zu schudde zijn hoofd. 'Denk eens aan degenen die hier komen – allemaal vampiers. En ze hebben het allemaal moeilijk. Sommigen zijn recent overgegaan en worstelen nog met de aanvaarding van hun nieuwe bestaan. De Nadood, zoals ik het noem. Maar er zijn er ook die al heel lang geleden zijn overgegaan en die nog steeds strijd moeten leveren.' Hij nam een slok thee.

'Wat is dat dan voor strijd?'

'O, dat kan van alles zijn. Sommigen worstelen met hun honger – daar kunnen we ze bij helpen – en anderen vinden het nog altijd moeilijk het licht af te zweren en de duisternis te omhelzen. Maar er zijn er ook die zich overweldigd voelen door de gedachte aan een eeuwig leven. Wij kunnen hen helpen met al die emoties in het reine te komen.'

'Maar wat is de functie van de linten?' vroeg Grace.

'Wanneer iemand naar de Wijkplaats komt, beginnen we de behandeling altijd op dezelfde manier, ongeacht zijn of haar probleem. We helpen zo iemand de pijn uit het verleden los te laten. Kun je me tot zover volgen?'

Ze knikte.

'Hoe meer pijn iemand kan loslaten, des te groter is de kans dat de behandeling aanslaat. Dus iedereen die hier komt, krijgt een lint. Daarmee gaan we aan de slag om alle akelige ervaringen – alle pijn tijdens het leven, de dood en daarna – af te leggen. Daarbij hoort ook de pijn die degenen die hier komen, anderen hebben aangedaan.'

'Dus die ervaringen worden overgebracht naar de linten?'

'Inderdaad. En wanneer de patiënt klaar is om door te gaan naar de volgende behandelingsfase, wordt het lint in de Gang der Linten gehangen. De patiënt is bevrijd van de pijn uit het verleden, maar de slechte energie blijft opgeslagen in het lint.'

'Is het niet gevaarlijk om de linten te bewaren?'

'Blijkbaar wel.' Mosh Zu wees op zijn hals. 'Maar de energie moet toch ergens heen. En hoe belangrijk het ook is dat onze patiënten zichzelf bevrijden van hun pijn, ik wil niet dat ze de weg die ze hebben afgelegd, helemaal vergeten. Soms is het nodig ze daaraan te herinneren. Trouwens, dat geldt voor ons allemaal.'

'Dus het lint dat Shanti had meegenomen, bevatte slechte energie?'

Mosh Zu knikte.

'Weet u van wie het lint was? En welke ervaringen erin waren opgeslagen?'

Mosh Zu knikte opnieuw.

'Maar u bent niet van plan me dat te vertellen?'

Hij glimlachte. 'Vertel me liever over het andere lint. Het lint dat ze aan jou heeft gegeven.'

'Dus dat weet u ook?' vroeg Grace.

'Olivier zag dat je het in je hand hield toen hij je te hulp schoot. Hij heeft het meegenomen en naar mij gebracht.'

Natuurlijk. Ineens besefte Grace dat ze door haar worsteling met Shanti het lint helemaal was vergeten. Mosh Zu opende zijn hand en legde het tussen hen in.

'Het spijt me.' Grace keek naar de smalle reep stof. 'Ze gaf het aan me toen we gingen slapen. Ik wist dat het verkeerd was wat ze had gedaan, maar ze bedoelde het goed. Ik was van plan ervoor te zorgen dat ze de linten terughing, maar daar is het nooit van gekomen.'

Mosh Zu schudde zijn hoofd. 'Ik ben niet boos op je. Trouwens, ook niet op Shanti. Je hebt gelijk. Ze wist niet wat ze deed. Maar vertel eens. Wat is er met jouw lint gebeurd?'

'Nou, ik heb er in elk geval geen moordneigingen van gekregen.'

Mosh Zu glimlachte. 'Nee, inderdaad. Dat is op zich al boeiend.'

'Mijn dromen!' zei Grace plotseling. 'Ik heb heel levendig gedroomd! Kwam dat door het lint? Heb ik op de een of andere manier de ervaringen die in het lint waren opgeslagen, in mijn dromen verwerkt?'

'Misschien. Wat héb je precies gedroomd?'

Grace concentreerde zich en dacht aan de jongen die op de grond naar de met sterren bezaaide hemel lag te kijken. Aan zijn paard, Whisky. En de jongen heette Johnny...

Ze vertelde Mosh Zu over de beelden die ze in haar dromen had gezien. Hij luisterde geduldig, moedigde haar aan alle tijd te nemen en zich elk deel van haar dromen zo duidelijk en uitvoerig mogelijk voor de geest te halen. Toen ze vertelde dat Johnny eerst op een wild paard in een omheind weiland had gereden en vervolgens op een rodeo was terechtgekomen, begon haar geheugen haar in de steek te laten.

'Als je hulp nodig hebt, kun je het lint pakken,' zei Mosh Zu.

Ze keek naar het rode lint dat opgerold in een houten schaal tussen hen in lag. Het zag er zo onschuldig uit, maar zodra ze het oppakte, werd ze zich bewust van de energie die het bevatte. Instinctief sloot ze haar ogen.

'Ga op zoek naar waar je was gebleven, Grace. Ga op zoek naar Johnny in het omheinde weiland.'

Grace knikte. 'Ik heb hem gevonden!'

'En wat zie je nog meer?'

'Hij is niet op een rodeo,' zei ze verward. 'Hij is bezig met paarden. Wilde paarden. Om ze te beleren. En nu zie ik hem weer ergens anders, met andere mensen. Hij begint aan een lange reis. Een reis door het hele land...'

Ze deed haar ogen weer open en liet het lint los.

'Ik begrijp het niet,' zei ze. 'In mijn droom zag ik de rodeo zo helder voor me. Het kan niet dat ik me dat allemaal heb verbeeld.'

Mosh Zu schudde zijn hoofd. 'Dat is ook niet zo. Maar de rodeo komt later. Na zijn dood.'

Grace begon te beven. 'Na zijn dood.' Natuurlijk!

'Dus hij begint aan een tocht door het land. Probeer daar de draad weer op te pakken.'

Grace ging verder met Johnny's verhaal, en als vanzelf vielen de beelden uit haar droom op hun plaats, tot het moment waarop ze uit de sneeuw werd getild en voelde dat er een touw om Johnny's hals werd geschoven.

'Toen werd ik wakker en bleek dat Shanti mijn keel dichtkneep. Het was net alsof droom en werkelijkheid bij elkaar kwamen.'

'Dat is niet zo vreemd,' zei Mosh Zu. 'Je vermogen om Johnny's verhaal te volgen is verbazingwekkend. Wat denk je? Ben je er klaar voor om te horen hoe het eindigt?'

Grace twijfelde. In haar droom had ze niet alleen de beelden gezien, maar ook Johnny's emoties en zijn pijn gevoeld – emoties en pijn die hij naar het lint had overgebracht.

'Misschien durf je die stap nog niet te zetten,' zei Mosh Zu. 'Misschien denk je dat je er nog niet klaar voor bent. Maar ik denk van wel.'

Ze wilde het weten. Ze kon het verhaal niet hier laten eindigen. Dus haalde ze diep adem en nam het lint opnieuw in haar hand. Weer werd ze zich bewust van een plotselinge golf van energie diep vanbinnen.

'De mannen van de burgerwacht doen het touw om mijn nek,' zei ze haperend. 'En om de nek van mijn twee *compadres*. Ik zeg dat het niet eerlijk is. Dat ik niets heb misdaan. Ik wist niet dat het veedieven waren, die twee. Ondanks alle leugens die ze me hebben verteld, zeggen ze nu tegen de burgerwacht dat ik de waarheid spreek. Dat ik geen veedief ben. Ze weten dat ze worden opgehangen, maar ze smeken de burgerwacht mijn leven te sparen. Het mag niet baten. Ik word opgetild. We hangen naast elkaar, als wasgoed aan de lijn. De lus wordt strakker aangehaald. Ik hang aan een boomtak en kijk uit over de prairie met daarboven de eindeloze uitgestrektheid van de met sterren bezaaide hemel. Dus het is afgelopen, denk ik. Na achttien jaar. Ik ben helemaal van Texas naar South Dakota getrokken, en hier eindigt mijn verhaal. Dan wordt alles zwart... Nee, leeg. Alles wordt leeg.'

Er brandden tranen in haar ogen toen Grace ze weer opendeed.

'Geef mij het lint maar,' zei Mosh Zu zacht.

Toen hij het van haar aanpakte, begon ze te huilen.

Door een waas van tranen zag ze dat Mosh Zu haar glimlachend aankeek.

'Je beschikt over zulke grote gaven. Besef je dat wel? Shanti haalde alleen de duisternis, het geweld uit het lint. Maar jij... jij bent in staat het hele verhaal te lezen.'

'Maar wiens verhaal was het?' vroeg Grace.

'Daar kom je snel genoeg achter.'

HOOFDSTUK 20

Een nachtelijke missie

'WAT MOETEN JULLIE IN HET holst van de nacht met die reddingsboot?' vroeg de piraat die de leiding had van de nachtwacht. Dat hebben wij weer, dacht Connor. Dat uitgerekend luitenant Bemoeiziek, beter bekend als Jean de Cloux, dienst heeft!

'Het gaat om een geheime opdracht van kapitein Wrathe,' zei Bart op gedempte toon.

'Wat voor opdracht?' vroeg De Cloux wantrouwend.

'Ja, als we je dat vertellen, is het geen geheim meer!'

'Dat kan ik dan maar beter even controleren bij de kapitein,' aldus De Cloux.

'Je doet je best maar,' zei Bart onverschillig. 'De kapitein is vast erg blij als je hem komt storen in zijn slaap omdat je zijn orders in twijfel trekt.'

'Tja...' De Cloux dacht even na. Het was algemeen bekend dat de kapitein spinnijdig kon worden als hij in zijn slaap werd gestoord, helemaal als het om iets onbenulligs ging. 'Goed dan,' zei hij ten slotte minzaam. 'Ik zal jullie helpen. Maar ik ga het morgenochtend wel navragen bij de kapitein.'

'Dat begrijp ik,' zei Bart. 'Dat begrijp ik volkomen. Máár... omdat het gaat om een geheime opdracht, heeft de kapitein nadrukkelijk gezegd dat we er met geen woord meer over mogen praten. Niet tegen hem, laat staan tegen iemand van de bemanning.'

Connor glimlachte om Barts brutaliteit. Zou De Cloux erin trappen?

'Heeft hij dat echt gezegd?' vroeg die.

'Ja.' Bart speelde zijn laatste troef uit. 'En hij heeft ons gevraagd om je dit te geven.' Hij haalde een klein pakje uit zijn zak, dat hij De Cloux in de hand drukte.

Die snoof eraan. 'Is dit wat ik denk dat het is?' Hij wurmde het pakje open. 'Chocolade? O, daar droom ik van. Donkerbruine, bittere chocolade...' Hij kon zich niet beheersen en brak een stukje af. Terwijl het smolt op zijn tong, verscheen er een uitdrukking van pure extase op zijn gezicht.

'Dat weet de kapitein,' zei Bart, wetend dat ze het pleit hadden gewonnen. 'Vandaar dat we je dit moesten geven. Om er zeker van te zijn dat je je mond houdt.' Hij zweeg even en legde een hand op de schouder van De Cloux. 'En ik zal het je nog sterker vertellen. Als jij laat zien dat je een geheim kunt bewaren, dan zóú er in de nabije toekomst wel eens een promotie in kunnen zitten.'

'Promotie?' Bij het licht van zijn lantaarn zag Connor dat de ogen van De Cloux bijna uit hun kassen puilden. Trouwens, Connor kon zijn oren ook niet geloven. Dit hadden ze niet afgesproken. Bart liet zich meeslepen door zijn verbeelding. Het was tot daaraantoe om collega's om te kopen met gesmokkelde chocolade, maar iemand een promotie in het vooruitzicht stellen, dat ging te ver!

Connor hoestte om de aandacht te trekken. 'We moeten ervandoor. De tijd staat niet stil.'

'Ja.' De Cloux knikte en stopte de rest van de kostbare chocolade in zijn zak. 'Stap maar in de boot, dan laat ik jullie zakken.'

Connor deed grijnzend wat hij zei, voorzichtig om niet op Jez te trappen, die zich nog altijd verborgen hield onder het zeildoek. Bart reikte Connor twee lantaarns aan en klom toen ook in de boot, waarop De Cloux hen liet zakken.

'En denk erom...' Bart stak zijn duim naar hem op. 'Mondje dicht!'

'Mondje dicht!' De Cloux schonk hem een vette knipoog.

Even later raakte het bootje onder luid gespetter het donkere water. Bart maakte de lijnen los die het met de *Diablo* verbonden en zette koers naar open water.

Ze waren nog maar net goed en wel op weg, toen een bleke hand het zeildoek wegduwde en het al even bleke gezicht van Jez verscheen. Connor vond zijn uiterlijk nog altijd schokkend, maar zijn lach was die van de oude Jez.

'Arme De Cloux,' zei Jez grinnikend. 'Die loopt tot Kerstmis te wachten wanneer de kapitein hem vraagt naar zijn hut te komen om over zijn toekomst te praten.'

Bart grijnsde. 'Hij zal nog veel langer moeten wachten. Maar zo houdt hij tenminste zijn mond.'

'Bedankt, mannen.' Jez ging naast hen zitten, want ze waren inmiddels uit het zicht van de *Diablo*. 'Ik vind het geweldig wat jullie allemaal voor me doen.'

'Allen voor een,' zei Bart. 'En een voor allen.' Hij keek Jez grijnzend aan. 'We hebben elkaar toch altijd geholpen? Omdat je nou toevallig dood bent, wil dat nog niet zeggen dat je niet meer bij de drie boekaniers hoort! Heb ik gelijk of niet, Connor?'

Die schudde glimlachend zijn hoofd. 'Nee, zo gemakkelijk kom je niet van ons af!'

Jez keek hen stralend aan. 'En ik dacht nog wel dat Brenden Gonzalez mijn plaats had ingenomen.'

'Gonzalez?' Bart bewoog het roer. 'Waarom dacht je dat?'

Jez haalde zijn schouders op. 'Ik heb jullie zien dansen, een paar dagen geleden, bij Ma Kettle's.'

'Was jij bij Ma Kettle's?' riep Bart verrast uit.

'Ja,' antwoordde Jez. 'Toen wilde ik al met jullie praten, maar ik durfde niet. Dus heb ik boven gezeten, in een van de nissen, met het gordijn dicht, en af en toe stiekem naar de dansvloer gekeken. Toen zag ik jullie samen met Gonzalez.'

Het bleef geruime tijd stil.

Ineens werd Bart bijna net zo lijkbleek als Jez. 'Wacht eens even... Dus jij was bij Ma Kettle's op de avond dat Jenny Stormvogel werd vermoord!'

'Jenny Stormvogel?' herhaalde Jez niet-begrijpend. Het was duidelijk dat de naam hem niets zei.

'Ja, een van Ma's serveersters. Je kent haar wel. Kleine Jenny. Een plaatje om te zien.' Bart fronste zijn wenkbrauwen. 'Ze hebben haar in een van de nissen boven gevonden. Niemand had iets gehoord. Waarschijnlijk door de muziek. Maar ze was... in haar borst gestoken... en doodgebloed.'

Jez schudde verdrietig zijn hoofd. 'Arme Jenny.'

'Je zegt net dat jij ook in een van de nissen zat,' vervolgde Bart. 'En je moet toch bloed drinken om in leven te blijven?' Hij slaakte een diepe zucht. 'Begrijp je dan niet wat ik wil zeggen?' Bart was duidelijk diep geschokt. 'Jij hebt het gedaan. Jij hebt haar vermoord!'

'Ik?' Jez keek hem aan alsof het idee volkomen absurd was, om niet te zeggen stuitend. 'Het zou kunnen,' moest hij ten slotte toegeven. Het bleef even stil. 'Maar ik kan me er niets van herinneren.'

'Hoezó, je kunt je er niets van herinneren?' vroeg Connor, vervuld van afschuw.

'Je hebt iemand vermóórd en je kunt je er niets van herinneren?' vroeg Bart.

'Nee. Dat komt door de honger,' antwoordde Jez bijna zakelijk. 'Wanneer de honger je in zijn greep heeft, heb je geen andere keus dan die te stillen. De honger zweept je op, en als het voorbij is, verdooft hij je. Dan zijn je zintuigen min of meer afgestompt en heb je tijd nodig om weer tot jezelf te komen.'

Connor kon zijn oren niet geloven, en voor Bart gold duidelijk hetzelfde. Toen ze met de reddingsboot waren vertrokken, was het weer even net als vroeger geweest. Maar hoe ze ook hun best deden om te doen alsof er niets was veranderd, om te doen alsof dit gewoon het zoveelste krankzinnige avontuur van de drie boekaniers was, de situatie was wel degelijk veranderd. Er was iets gebeurd waardoor Bart en hij van Jez waren vervreemd. Merkwaardig genoeg had het niet zo veel uitgemaakt dat hij dood was, of liever gezegd een levende dode, een vampier... hoe je het ook wilde noemen. Nu bleek hij echter ook een moordenaar te zijn, die bovendien geen greintje berouw toonde en zich zijn slachtoffer niet eens meer herinnerde.

'Ik weet wat jullie denken,' zei Jez. 'Ik ben niet achterlijk. Maar begrijpen jullie het dan niet? Ik vind het afschuwelijk wat er met me is gebeurd. Dat heb ik jullie gezegd! Ik heb hulp nodig. En ik ben tot alles bereid. Als ik dat meisje heb vermoord – en waarschijnlijk heb ik dat inderdaad gedaan – dan... dan is dat verschrikkelijk! Net zo goed als het verschrikkelijk is dat ik het niet meer weet. Maar jullie hebben geen idee hoe het is om te hongeren naar bloed. Dan ben ik geen baas meer over mijn lichaam, dan heb ik mijn gedachten, mijn behoeften niet meer in de hand.'

Zijn woorden stelden Connor enigszins gerust. Hij is geen monster, hield hij zichzelf voor. Tenminste, geen monster uit vrije wil. Hij heeft er niet voor gekozen om slecht te zijn. Het lukte hem zwakjes naar Jez te glimlachen. 'We brengen je naar de vampiratenkapitein. Die zal wel raad weten.'

Bart keerde zich naar Connor, plotseling een en al zakelijkheid. 'Oké. Laten we voortmaken. Hoe vinden we dat vampiratenschip?'

'Weet je waar het voor anker ligt?' vroeg Jez opgewonden.

Connor schudde zijn hoofd. 'Nee, maar ik heb de kapitein ontmoet. En hij zei dat ik het schip altijd zou kunnen vinden als dat nodig was.'

De kapitein heeft me nog een heleboel meer verteld, dacht Connor. Zoals hoe hij Jez moest doden – of het schepsel dat Jez was worden. Het was de kapitein die hem had gezegd dat ze de vampiers met vuur moesten bestrijden. Maar het vuur had Jez niet gedood, alleen Sidorio en de andere vampiraten. Hoe kwam het dat Jez die nacht gespaard was gebleven? Kwam het door een residu van menselijkheid dat hij als enige nog bezat? Maar dat was niet genoeg geweest om de moord op Jenny Stormvogel te voorkomen. Voordat hij weer een wreedheid beging, moesten ze zien dat ze hem op het vampiratenschip kregen en de kapitein om hulp vragen.

Hij nam zijn oude makker onderzoekend op. Jez keek terug, en plotseling begon zijn gezicht te veranderen. Zijn ogen verdwenen, alsof ze in een diepe, donkere put waren gevallen. Uit de donkere gaten kwamen twee vuurbollen tevoorschijn. De aanblik was zowel angstaanjagend als fascinerend. Toen was het vuur weer verdwenen. Jez knipperde met zijn ogen, en de blik waarmee hij Connor aankeek, was opnieuw de vertrouwde blik die Connor van hem kende.

'Wat is er, maatje?' vroeg Jez. 'Je kijkt alsof je een geest hebt gezien.' Hij grinnikte, maar Connor kon er niet om lachen.

'Je ogen waren verdwenen. Heel even maar.' Connor keerde zich naar Bart. 'Heb jij het ook gezien?' Bart knikte, zijn gezicht verkrampt van angst. 'Je ogen waren verdwenen,' herhaalde Connor. 'En in plaats daarvan brandde er vuur in de kassen.'

'O,' zei Jez, even nuchter als altijd. 'Dat betekent doorgaans dat ik bloed nodig heb.'

'*Dat je bloed nodig hebt?*' herhaalde Bart met schrille stem. 'We zitten midden op de oceaan, in het holst van de nacht, en jij krijgt plotseling trek in bloed! Wie heeft dit briljante plan ook alweer bedacht?'

Bart verkeerde duidelijk op de rand van hysterie, dus Connor nam het heft in handen. 'Hoe snel moet je het hebben?' vroeg hij aan Jez.

De ogen van Jez verdwenen opnieuw, de vuren van de Hel keerden terug. 'Nu! Ik moet nu bloed hebben!'

HOOFDSTUK 21

Het lintenritueel

GRACE KLOPTE.

'Binnen!' riep Mosh Zu.

Grace drukte Lorcans hand voordat ze de deur openduwde. Ze kwamen in een kleine, schaars gemeubileerde kamer.

In het midden daarvan zaten twee mensen – een man en een vrouw – met naast hen een lege stoel. Voor Lorcan, veronderstelde Grace. Terwijl ze hem naar de stoel leidde, keek ze naar de twee anderen.

De man was van top tot teen in het wit gehuld, zijn gezicht was net zo bleek als zijn kleren. De vrouw droeg een weelderige baljurk. Toen ze wat beter keek, zag Grace dat de jurk vol met scheuren zat. Om haar hals droeg de vrouw een collier van diamanten die glinsterden in het zachte lamplicht. Toen ze zag dat Grace naar haar keek, schonk de vrouw haar een vluchtige glimlach, terwijl ze met haar vingers over het halssnoer streek. De man had zich afgewend en keek strak naar de grond.

Toen Lorcan ging zitten, viel het Grace op dat er niet meer stoelen waren.

'Moet ik weg?' vroeg ze aan Mosh Zu.

'Nee, ik wil graag dat je blijft.' Hij keek de anderen aan. 'Tenminste, als jullie daarmee akkoord gaan.'

De vrouw haalde haar schouders op. '*Pourquoi pas?*'

De man zei niets, maar bleef naar de vloer kijken.

'Ga maar op de grond zitten, het maakt niet uit waar,' zei Mosh

Zu tegen Grace. Ze knikte en installeerde zich in kleermakerszit.

'We zijn compleet, dus we kunnen beginnen,' zei Mosh Zu. 'Om te beginnen wil ik jullie welkom heten in de Wijkplaats. Ik ben blij dat jullie de weg hierheen hebben weten te vinden. Blijf zo lang dat nodig is. Er is een einde gekomen aan jullie zoektocht.'

Grace liet haar blik over de drie vampiers gaan. De vrouw glimlachte niet langer, en de in het wit geklede man had zijn ogen opgeslagen en keek naar Mosh Zu.

'Ik weet hoe moe jullie zijn,' zei die. 'De Wijkplaats zal jullie helpen die vermoeidheid af te leggen.' Hij schonk hun een glimlach. 'We zullen er alles aan doen om de lasten van jullie schouders te nemen die jullie zo lang hebben gedragen.'

Zijn stem heeft iets ongelooflijk troostends, sussends, dacht Grace. En ook al had hij het niet tegen haar, ze voelde dat ook haar lasten hier verlicht zouden worden.

'Vandaag vraag ik nog niet veel van jullie,' vervolgde Mosh Zu. 'Want deze dag markeert het begin van een nieuwe reis. Een reis waarvan ik hoop dat die jullie vrede en een nieuw begin zal brengen. Beschouw de Wijkplaats als een plek waar jullie alles wat je kwelt, kunnen afleggen.'

Hij gaf hun de tijd zijn woorden tot zich te laten doordringen. Grace zag de opluchting op hun gezichten.

'Ik ga jullie vragen hoe jullie heten,' zei Mosh Zu. 'Waar en wanneer jullie zijn geboren, en waar en wanneer jullie zijn gestorven. Meer hoef ik op dit moment niet te weten.'

Hij knikte naar de vrouw, die nog altijd met haar vingers over het diamanten collier streek.

'Ik ben Marie-Louise, Princesse de Lamballe.' Ze zweeg even alsof ze waardering of herkenning verwachtte. Mosh Zu zei niets, maar knikte slechts. 'Ik ben geboren in Turijn, in 1749. En gestorven in Parijs, in 1792. Ik was de vriendin en de vertrouwelinge van...'

'Meer hoeven we op dit moment niet te weten, dank je wel,' kapte Mosh Zu haar vriendelijk af. Grace zag aan haar gezicht dat ze graag haar hele verhaal zou hebben verteld. Maar Mosh Zu knikte al naar de in het wit geklede man.

'Ik ben Thom Feather,' zei die. 'Geboren in Huddersfield, 1881. Overleden in Wakefield, 1916.'

Anders dan de prinses, gaf Thom Feather niet meer informatie.

'Dank je wel.' Mosh Zu keerde zich naar Lorcan, deed een stap naar voren en legde een hand op diens schouder. 'En nu jij.'

'Ik ben Lorcan Furey,' zei hij, terwijl Grace hem gespannen opnam. 'Geboren in 1803, in Connemara, overleden in 1820, in Dublin.'

'Dank je wel,' zei Mosh Zu. 'Ik dank jullie allemaal voor jullie besluit hier te komen.'

Grace vroeg zich af hoe de anderen van de Wijkplaats hadden gehoord. En hoe ze hierheen waren gekomen. Hadden ze, net als het groepje van de *Nocturne*, langs de berghelling omhoog moeten klauteren? Of was er een andere optie? Dat zou verklaren waarom de kleren van Thom Feather nog zo spierwit waren. Maar zo niet, hoe had de prinses de Wijkplaats weten te bereiken in zo'n onpraktische jurk? Dat was iets wat ze aan Mosh Zu zou moeten vragen.

'Ik heb iets voor jullie,' zei Mosh Zu. Hij pakte een houten kistje en gaf het aan de prinses. 'Pak er een lint uit.'

'Moet dat echt?' Tot verbazing van Grace begon de prinses te beven.

Mosh Zu knikte. 'Ja. Ik besef dat er akelige associaties aan zijn verbonden, maar het moet echt.'

Wat bedoelde hij? Grace zag dat de prinses verrast reageerde op zijn woorden. Toen pakte ze een groen lint uit het kistje en hield het tussen haar trillende vingers.

Het kistje werd doorgegeven aan Thom Feather. Hij keek erin en lachte hol. 'Ik neem aan dat het witte voor mij is.'

Ten slotte gaf Mosh Zu het kistje aan Lorcan. Grace keek toe terwijl Lorcan zoekend zijn arm uitstrekte. Mosh Zu wachtte geduldig. Toen Lorcan zijn wenkbrauwen fronste, legde Mosh Zu opnieuw een hand op zijn schouder. 'We hebben geen haast, Lorcan Furey. Neem rustig de tijd.'

Ten slotte raakten Lorcans vingers het kistje, en hij nam het laatste lint eruit. 'Mooi zo.' Mosh Zu sloot het kistje en deed weer een stap naar achteren.

'Nu wil ik dat jullie het lint in je hand nemen en een strakke vuist maken.' Hij keek ze beurtelings aan. 'Zo is het goed. En nu moeten jullie sterk zijn. Want ik ga jullie vragen je pijn los te laten. Ongeacht waar die pijn vandaan komt – uit je leven, je dood of de Nadood. Denk erom dat je niets forceert. Bij deze eerste keer zal het waarschijnlijk niet lukken veel van je pijn af te leggen. Maar we gaan dit ritueel elke avond herhalen, tot jullie zijn bevrijd van al het verschrikkelijks dat op jullie drukt.'

Hij glimlachte. 'Concentreer je op het loslaten van je pijn, hou het lint aan één kant goed vast en laat het hangen.'

Grace, die achter hem zat, keek geboeid toe terwijl ze zijn instructies opvolgden. Zou het lukken? Waren ze in staat hun pijn af te leggen en te laten wegvloeien in de linten? Hun gezichten stonden gespannen, en ook al waren Lorcans ogen niet zichtbaar, de trek om zijn mond verried zijn vastberadenheid.

Ten slotte hief Mosh Zu zijn rechterhand, en er gebeurde iets verbazingwekkends. De drie linten, die slap naar beneden hadden gehangen, richtten zich op en zochten zijn hand, alsof ze daardoor werden aangetrokken als door een magneet. De anderen zagen het ook en keken verbaasd toe.

'Denk erom, je moet je niet op mij richten,' zei Mosh Zu. 'Het is belangrijk dat je op jezelf gericht blijft. Leg je pijn af en laat die in het lint stromen.'

Grace zag hoe de linten steeds strakker kwamen te staan, alsof Mosh Zu ze naar zich toe trok. Langs de randen ontstond een poel van licht. Als ze nog bewijs nodig had van de kracht van de behandeling, dan kreeg ze dat toen ze weer naar de vampiers keek.

De prinses huilde. Ze had haar ogen gesloten, maar de tranen stroomden over haar wangen. Grace keerde zich naar Mosh Zu en besefte dat ook hij zich volledig op de linten concentreerde.

Toen klonk er een gruwelijk gekreun. Het was afkomstig van Thom Feather, besefte Grace. Ook hij hield zijn ogen gesloten. Het gekreun hield aan, diep, langgerekt. Hij was in 1916 gestorven, maar het leek alsof de pijn van zeshonderd jaar zijn lichaam verliet. Langzaam en geleidelijk. Aanvankelijk maakte het geluid haar van streek, maar terwijl het aanhield, stelde ze zich een steenpuist voor die diep binnen in hem openbarstte, zodat al het vuil er eindelijk uit kon stromen.

Toen het gekreun van Thom Feather ten slotte begon weg te ebben, keek Grace naar Lorcan. Ze zag geen tranen op zijn wangen en hij maakte geen geluid. Grace fronste haar wenkbrauwen. Dat was vast en zeker geen goed teken, dacht ze.

Ten slotte liet Mosh Zu zijn hand zakken, en de band met de drie linten werd verbroken.

Langzaam deed de prinses haar ogen open. Ze hield het lint nog altijd stijf omklemd. Met haar vrije hand haalde ze een kanten zakdoekje tevoorschijn om haar tranen te drogen.

Nu deed ook Thom Feather zijn ogen open. Er lag een geschokte uitdrukking op zijn gezicht, alsof hij ontwaakte uit een diepe slaap en verrast werd door zijn omgeving. Geleidelijk aan kwam hij echter weer tot zichzelf, en Grace besefte dat hij nu al een nieuwe vitaliteit uitstraalde.

Lorcan zat roerloos, maar blijkbaar voelde Mosh Zu dat ook hij had gedaan wat hij kon.

'Jullie hebben allemaal de eerste stap gezet,' zei de goeroe. 'Welke pijn je ook hebt meegebracht naar de Wijkplaats, je zult hem hier achterlaten. Of je nu worstelt met je honger, of vecht tegen oude of nieuwe verwondingen, of eenvoudig vermoeid bent – uitgeput – van het zwerven, hier zullen jullie een nieuw begin vinden.'

Zijn woorden stralen zo'n volmaakte rust en vrede uit, dacht Grace, als kleine golfjes die zachtjes aan de kust likken.

'Dan kunnen jullie nu gaan,' zei Mosh Zu. 'Terug naar je kamer, of de tuin in, als je behoefte hebt aan frisse lucht. Wie alleen wil blijven, moet dat vooral doen, maar als je behoefte hebt aan gezelschap, kun je elkaar beter leren kennen en de anderen die hier al langer zijn. Morgenavond zien we elkaar weer. Hou je lint altijd bij je en breng het morgenavond ook weer mee.'

Hij glimlachte en wendde zich af. De sessie was voorbij.

'Ik heb een vraag,' zei de prinses. Ze keek naar Grace, die zag dat ze huiverde.

Mosh Zu draaide zich naar haar om. 'Ja?'

'Bloed,' zei ze. 'Ik heb dringend behoefte aan bloed. En er is me gezegd dat u ons zou vertellen hoe dat hier is geregeld.'

Mosh Zu schonk haar een glimlach. 'Je krijgt hier geen bloed.'

'*Geen bloed?* Maar dat is belachelijk!'

Hij schudde zijn hoofd. 'Je hebt het niet nodig. Dat zie ik aan je. Waar het om gaat, is onderscheid te maken tussen behoefte en gewoonte.'

'Maar...'

Opnieuw kapte Mosh Zu haar af. 'Wanneer je echt bloed nodig hebt, dan helpen we je natuurlijk. Maar je moet leren leven met je begeerte. Sterker nog, je moet je honger bezit van je laten nemen, en hem dan ontkennen. Dan zul je zien dat de behoefte verdwijnt.'

'Maar dat kan ik niet...' begon de prinses. 'Daar ben ik te zwak voor.'

'Nee, dat ben je niet,' zei Mosh Zu. 'Je bent juist heel sterk. Dat geldt voor jullie allemaal. Jullie zijn sterker dan je beseft. Hier in de Wijkplaats zullen jullie jezelf beter leren kennen. Let maar eens op hoe snel dat gaat.'

Hij glimlachte. Toen liep hij de kamer uit en verdween in de doolhof van gangen.

HOOFDSTUK 22

De Bloedkroeg

'WAT GAAN WE DAARAAN DOEN?' vroeg Bart terwijl Connor en hij nerveus naar het vuur in de oogkassen van Jez keken.

De honger werd duidelijk sterker, maar Jez deed zijn best ertegen te vechten. 'Jullie hoeven niet bang voor me te zijn,' bracht hij schor uit. 'Ik doe jullie niks.'

'Hoor eens, makker, je hebt bloed nodig, en we zitten midden op zee, met niets anders dan een paar druppels rum in mijn fles,' zei Bart. 'Je hebt het zelf gezegd. Wanneer de honger bezit van je neemt, kun je je niet beheersen. Dus ik denk dat we alle reden hebben om bang voor je te zijn.'

'Breng me...' Elk woord leek Jez een enorme inspanning te kosten. 'Breng-me-naar-de-Bloedkroeg.'

Bart keek hem verward aan. '*De Bloedkroeg?* Waar heb je het over?'

Bij wijze van antwoord stak Jez zijn arm uit en schoof hij zijn mouw omhoog. Connor was opnieuw geschokt door zijn witte huid. Die leek wel doorzichtig, met bleekblauwe aderen net onder het oppervlak. Aan de binnenkant van zijn onderarm bevond zich de raadselachtige tatoeage van de drie kortelassen waarmee ze alle drie wakker waren geworden na hun verloren weekend in *Calle del Marinero*. Jez wees naar een plek daarboven, waar met versere inkt een paar woorden waren gekrabbeld.

Bloedkroeg
Limbo Kreek
Zwarte Deur
Lilith

'Breng me erheen,' herhaalde Jez. Zijn ogen stonden in brand, hij vertrok krampachtig zijn mond.

Huiverend keerde Connor zich naar Bart. 'Weet jij waar dat is? De Limbo Kreek?'

'Ja, dat is hier vlakbij.' Bart gooide het roer al om.

'Hoeveel tijd hebben we nog?' vroeg Connor aan Jez, die wanhopig zijn best deed zichzelf in bedwang te houden.

'Ik moet nu bloed hebben!' bracht hij moeizaam uit, met afgewend gelaat.

De nachtwind was in hun voordeel, en Bart stuurde de boot zo snel als hij kon naar de Limbo Kreek.

'Oké, we zijn er!'

Jez wiegde heen en weer, waardoor de kleine boot hetzelfde deed.

'We zijn er,' herhaalde Connor. Hij strekte aarzelend zijn hand uit naar Jez. Toen die opkeek, wendde Connor haastig zijn blik af. Met elk moment dat verstreek, leek Jez meer van zijn menselijkheid te verliezen.

'Ben je hier al eerder geweest?' vroeg Connor.

Jez deed zijn mond open, maar in plaats van antwoord te geven op de vraag herhaalde hij wat hij al eerder had gezegd. 'Ik moet nu bloed hebben!'

Bart slaakte een diepe zucht. 'Bespaar je de moeite. Je krijgt toch geen zinnig woord meer uit hem. We zullen die Bloedkroeg zelf moeten zien te vinden.'

Connor moest hem gelijk geven. 'Dus we zoeken een zwarte deur.'

'Het zou al geweldig zijn als we *een* deur zagen,' zei Bart danig gefrustreerd.

Ze voeren vlak langs de rotswand aan de rand van de kreek, maar er was geen spoor van bebouwing of bewoning te bekennen.

'Ik herinner me niet dat ik hier ooit een huis heb gezien of iets wat daarop lijkt,' zei Bart wanhopig.

Connor begon in snel tempo de moed te verliezen. Als ze er niet vlug in slaagden de Bloedkroeg te vinden, zou het wel eens slecht met ze kunnen aflopen. Dan zou de reddingsboot op de terugweg minstens één opvarende minder hebben, misschien wel twee.

'Wacht eens even!' Bart wees naar de rotswand. 'Zou dat daar een deur kunnen zijn?'

'Waar?' Connor zag niets.

'Geef me je lantaarn eens!' zei Bart.

Connor deed wat hij vroeg, en Bart hield de lantaarn omhoog naar de rotswand.

Er werd een richel zichtbaar, en daarboven, enigszins aan het oog onttrokken door de woekerende vegetatie, de omtrek van een deur.

'Dat móét het zijn!' zei Connor.

'Het is zwart en het is een deur!' Bart grijnsde. 'Daar doe ik het voor!'

Jez hief zijn hoofd op en deed zijn mond open. Die zag er inmiddels gezwollen uit. Het was Connor tot op dat moment niet opgevallen hoe groot de hoektanden waren. Het leek wel alsof ze groeiden. Het tandvlees bloedde en was opgezet. Connor was dan ook erg opgelucht toen Jez zijn mond weer dichtdeed.

'Er is nergens een plek om aan te leggen,' zei Bart. 'Dus ik zal in de boot moeten blijven als jij met hem naar binnen gaat.'

'Ik?' vroeg Connor.

Bart knikte en drukte bemoedigend zijn arm. 'Toe nou maar,

maatje. Hoe erg het ook is, het kan niet erger zijn dan het alternatief.'

Daar was Connor nog niet zo zeker van. Een kroeg waar bloed werd geschonken, kon niet anders dan verschrikkelijk zijn. Hij huiverde terwijl Bart de boot stillegde, zodat hij op de rotsachtige richel kon stappen. 'Kom.' Hij stak zijn hand uit naar Jez. 'We zijn er.'

Toen ze eenmaal op de richel stonden, zagen ze dat de woekerende vegetatie een soort prieel vormde dat naar de zwarte deur leidde. Ernaast hing een trekbel. Connor probeerde uit alle macht zijn zenuwen in bedwang te houden en gaf een ruk aan de bel.

Aanvankelijk gebeurde er niets, toen klonk het geluid van schuivend metaal, en er verscheen een kleine opening in de deur. Twee waterige, melkwitte ogen keken Connor aan.

'Ja?' klonk een stem van achter de deur.

'Is dit de Bloedkroeg?' vroeg Connor.

Er kwam geen antwoord. De waterige, melkwitte ogen staarden hem leeg aan. Connor vroeg zich af of het soms de ogen van een blinde waren.

'We zijn hier in de Limbo Kreek en dit is de enige zwarte deur. Dus dit moet de Bloedkroeg zijn. Wilt u ons alstublieft binnenlaten? Mijn... mijn vriend heeft bloed nodig... Het is erg dringend.'

De ogen verrieden geen zweem van begrip. Toen herinnerde Connor zich het laatste woord op de arm van Jez.

'Lilith!' zei hij. 'We zoeken iemand die Lilith heet.'

Daarop ging de deur knarsend op een kiertje open. Connor glipte naar binnen en trok Jez achter zich aan.

De portier was gehuld in een donker gewaad, zodat zijn melkwitte ogen leken te zweven in de duisternis. Zonder iets te zeggen gebaarde hij naar een gewelfde gang. Aan het eind daarvan kon Connor licht onderscheiden, en er klonken stemmen.

'*Bloed?*' smeekte Jez.

'Ja,' stelde Connor hem gerust. 'Bloed. Nog heel even geduld.'

Ze liepen de schemerige gang door tot ze in een kleine, vierkante hal kwamen. In het midden stond een glazen hokje – het deed Connor denken aan het kaartjesloket in de bioscoop van Crescent Moon Bay – met een vrouw erin. Ze had haar haren opgestoken tot een soort rommelige zwarte bijenkorf. Op haar oogleden zat een dikke laag smaragdgroene glitter, die zowel gezien de omgeving als gezien haar leeftijd een nogal ongerijmde indruk maakte, want ze was bepaald niet meer de jongste.

Er stond iemand vóór hen bij het loket. Toen de man in kwestie zich omdraaide, zag Connor tot zijn afschuw dat zijn oogkassen in brand stonden. Ook een vampier! Op de boot had Connor zich al slecht op zijn gemak gevoeld, terwijl Bart en hij daar in de meerderheid waren geweest. Hier voelde hij zich helemaal onveilig. In dit vreemde oord diep in de rots waren de vampiers ongetwijfeld in de meerderheid. Hij keek toe terwijl de vampier vóór hem een handvol munten uit zijn zak haalde. Een ijzige kilte bekroop Connor. Natuurlijk! Ze zouden moeten betalen voor het bloed. Waarom had hij daar niet eerder aan gedacht?

'Kamer drie,' zei de vrouw in het hokje, terwijl ze het geld van de vampier in haar kassala deed en naar een met rood fluweel beklede deur wees. De vampier knikte en verdween door de deuropening in de duisternis daarachter.

'Ja, de volgende!' riep de vrouw vanuit haar vergulde glazen kooi.

Angstig deed Connor een stap naar voren.

'We hebben wat bloed nodig.'

'Dan ben je hier aan het juiste adres. Hoeveel mag het zijn? Een halve liter, een kwart liter, of had je iets speciaals in gedachten?'

Connor keek naar Jez en keerde zich toen weer naar de vrouw. 'Ik weet het niet. Het is voor hem, niet voor mij.'

De vrouw nam Jez keurend op. 'Ik zou zeggen een halve liter,' zei ze ten slotte.

'Oké. Hoeveel is dat?' vroeg Connor met angstig bonzend hart.

Het was niet eens zo veel, maar meer dan hij bij zich had.

'Heb jij geld bij je, Jez?' vroeg hij.

Jez schudde zijn hoofd. '*Bloeoeoeoeoeoed!*' bracht hij kreunend uit.

'Geen geld, dan ook geen bloed,' zei de vrouw. 'Het spijt me, lieffie, maar het is hier geen liefdadige instelling. Zo, en nou wegwezen. Er staan klanten achter je.'

Als verdoofd wendde Connor zich af. Het kon toch niet waar wezen dat ze van ver waren gekomen, en dat alles voor niets bleek te zijn geweest?

'Wacht eens even!' zei de vrouw achter het loket. 'Dat medaillon van je... Dat is vast wel wat waard.'

Connor draaide zich weer om. 'Mijn medaillon?' Hij legde zijn hand erop. Het was het medaillon dat hij aan Grace had gegeven en dat ze bij haar vertrek voor hem had achtergelaten. Het was zijn talisman, waardoor hij toch een beetje het gevoel had dat ze bij hem was. 'Dat kan ik u niet geven,' zei hij dan ook. 'Echt niet.'

'O. Nou ja. Het was maar een idee. Wie is er dan?'

HOOFDSTUK 23

Een alternatief voor bloed

Olivier had diverse kamers tot zijn beschikking, maar voor zover Grace dat kon zien, waren ze even sober en kloosterachtig als alle andere vertrekken in de Wijkplaats. Doordat de deur naar zijn slaapkamer op een kier stond, zag ze dat die net zo schaars gemeubileerd was als die van Lorcan en de hare. Blijkbaar genoot de 'staf' in de Wijkplaats geen speciale privileges. Een andere deur gaf toegang tot een klein kantoor. Het verbaasde haar niet dat het er pijnlijk netjes was. Er stond een bureautje – zonder één stukje papier – met een stoel. Op een plank daarachter prijkte een keurige rij dossiermappen en ordners. Aan de muur hing een houten kastje met kaarten erin. Het zag eruit als iets wat je in een ziekenhuis of een bibliotheek zou verwachten. Grace wilde dat ze het van dichterbij kon bekijken, om te zien wat het precies was.

'Je vindt het wel leuk om rond te snuffelen, hè?' vroeg Olivier terwijl hij een schort omdeed over zijn lange gewaad.

'Neem me niet kwalijk!' Grace bloosde. 'Ik kan de verleiding nooit weerstaan als ik ergens voor het eerst kom.'

'Dat geeft ook niks. *Mi casa es su casa.*'

Grace keek hem niet-begrijpend aan.

'Dat betekent "mijn huis is ook jouw huis",' legde Olivier uit.

'Aha.' Grace liep weg van de deur naar het kantoor en ging bij het houten werkblad staan, waarop Olivier een vijzel met een grote ijzeren stamper neerzette.

Dit was het ruimste vertrek. Het hield het midden tussen een keuken en een apotheek en werd gedomineerd door het enorme werkblad. De muur erachter was van links naar rechts en van onder tot boven bedekt met planken, die kreunden onder het gewicht van een enorme hoeveelheid glazen potten met gedroogde kruiden, flessen met oliën, manden met verse kruiden, vruchten en groenten, stukken bast, noten en andere materialen, die Grace niet herkende. Aan de hoogste plank was een houten ladder bevestigd om overal bij te kunnen. De glazen potten waren stuk voor stuk voorzien van een etiket, maar Olivier leek intuïtief te weten waar alles stond. Ze moest onwillekeurig aan een pianist denken, terwijl ze Oliviers handen langs de planken zag gaan om vliegensvlug alle benodigde ingrediënten te pakken, die hij vervolgens op het werkblad zette, naast de vijzel en de stamper.

'Pak een kruk, Grace,' zei hij uitnodigend.

Ze deed wat hij zei. 'Wat gaat er allemaal in deze zalf?'

'Gemalen klimop... alsem... bijenwas, uit onze eigen korven... zonnebloemolie... groene vlier... smalle en ruige weegbree...'

Terwijl hij de ingrediënten opnoemde, maakte Olivier de verschillende potten open en deed hij van alles een beetje in de ijzeren schaal. Grace raakte al snel de draad kwijt van alles wat hij opsomde. Het fascineerde haar dat hij blijkbaar precies wist hoeveel hij van elk ingrediënt nodig had, zonder een weegschaal of maatlepels te gebruiken.

Plotseling keek hij op. 'Wat is er?'

'Maak je je medicijnen altijd zonder de hoeveelheden af te meten?'

'Die meet ik wel af,' zei hij. 'Alleen zonder apparatuur. Ik heb deze zalf al zo vaak gemaakt.'

'Ik ben echt diep onder de indruk,' zei Grace.

Hij haalde zijn schouders op. 'Zo moeilijk is het niet. Het is een vrij algemene remedie, met vlier als voornaamste ingrediënt. Ken je de magische vermogens van de vlier?'

Grace schudde haar hoofd.

'Die zal ik je dan eens vertellen.' Hij begon de diverse blaadjes en twijgjes te breken. 'In Rusland geloofden ze dat vlierbomen de kwade geesten verjoegen. En op Sicilië gebruikten ze de vlier om slangen en rovers af te schrikken! In Servië was vlier onmisbaar bij een huwelijksplechtigheid, want daar geloofden ze dat die het nieuwe paar geluk bracht. En in Engeland verzamelden de mensen vlierbladeren op de laatste dag van april en die hingen ze aan hun deuren en ramen om heksen buiten te houden. Hier in de Wijkplaats gebruiken we vlier voor het genezen van uitwendige verwondingen en kneuzingen, zoals die rond de ogen van je vriend.'

Hij begon het mengsel met de stamper te bewerken. Grace keek toe terwijl de ingrediënten zich geleidelijk aan samenvoegden tot een romige pasta. Ze had haar twijfels over de magische vermogens waarover hij haar had verteld, maar de manier waarop hij de zalf uit zo veel verschillende bestanddelen had gemaakt, bezat wel een zekere alchemie.

'Het ziet er smakelijk genoeg uit om op te eten,' zei ze toen Olivier de stamper neerlegde.

'Dat zou ik toch maar niet doen.' Hij glimlachte, pakte een kleine glazen pot en begon de zalf erin te lepelen. Toen hij klaar was, gaf hij de pot aan Grace. 'Alsjeblieft. Straks gaan we ermee naar je vriend. De eerste keer doe ik het, maar daarna is het jouw verantwoordelijk om het twee keer per dag op te brengen – wanneer hij wakker wordt en voordat hij gaat slapen. Maar als hij dat wil, kun je het ook vaker doen.'

Grace was blij dat ze concreet iets kon doen om Lorcans pijn te verzachten.

Olivier liep met de stamper en de vijzel naar een diepe gootsteen, waar hij ze in heet water in de week zette. Grace keek toe terwijl hij krachtig zijn handen schrobde. Toen liep hij naar een enorme koperen pan die op een gedoofde brander van het fornuis stond.

'Wat zit daarin?' vroeg Grace.

'Kom maar kijken.'

Ze liet zich van haar kruk glijden en liep om het werkblad heen.

De pan was nog warm en bleek een soort dikke, paarsrode soep te bevatten, waarop zich een dun vlies had gevormd. Olivier reikte naar de lepel, maakte het vlies kapot en begon te roeren. Terwijl hij dat deed, kwam er een vrij uitgesproken en niet echt aangename geur vrij.

'Wat ís het?' vroeg Grace.

'Proef maar.' Olivier lepelde een klein beetje in een mok en gaf haar die. Toen doopte hij een thermometer in de pan. 'Nog een beetje te warm. Zevenendertig graden Celsius is de beste temperatuur om het te drinken.'

Grace keek naar de inhoud van de mok. Die was dunner dan soep, maar dikker dan vruchtensap. De rode kleur had iets vertrouwds. Plotseling kwam er een gruwelijke gedachte bij haar op.

'Wacht eens even! Zevenendertig graden, dat is onze lichaamstemperatuur.' Ze fronste haar wenkbrauwen. 'Dit is toch niet wat ik denk dat het is, hè?'

'Proef het nou eerst maar eens,' zei Olivier. 'Het is inmiddels genoeg afgekoeld.'

Ze wist niet of ze het wel wílde proeven.

'Vooruit, Grace! Kom op!'

Ze bracht de mok naar haar lippen, trok een vies gezicht en nam een heel klein slokje. Het goedje had een vreemde, tamelijk bittere smaak. De structuur was ook heel opvallend. Het leek wel alsof het aan haar mond en haar tong bleef plakken. De meeste vloeistoffen lesten je dorst, maar deze had iets droogs en deed haar verlangen naar een glas water om haar mond te spoelen.

'Lekker?' vroeg Olivier.

Grace schudde haar hoofd. 'Nee, niet echt. Wat is het?' vroeg ze voor de derde keer.

'Bessenthee. Die maken we van zeven wilde bessensoorten. Sommige zijn heel zeldzaam, maar ze groeien allemaal hier op de berg.'

'Poeh, wat een opluchting,' zei Grace. 'Ik dacht dat het misschien...'

'Je dacht dat het bloed was.' Olivier toonde zich totaal niet verrast. 'Dit is wat de vampiers krijgen tijdens de eerste fase van hun behandeling. De structuur lijkt heel sterk op die van bloed, maar – en dat is nog belangrijker – dat geldt ook voor de biochemische samenstelling. Het percentage mineralen en andere voedingsstoffen is heel hoog.'

Grace dacht koortsachtig na. 'Dus jullie geven de vampiers een alternatief voor bloed? Raken ze niet verzwakt wanneer ze geen bloed krijgen?'

Olivier schudde zijn hoofd. 'Helemaal niet. Zoals je hebt kunnen zien aan boord van de *Nocturne*, hebben vampiers maar relatief weinig bloed nodig om te kunnen overleven. De kwaliteit van het bloed is het belangrijkste. De meeste vampiers die hier komen, hebben zich ongeremd te goed gedaan aan bloed van verschillende, in veel gevallen onbekende bronnen. De kwaliteit daarvan is vaak erg laag. Tijdens de eerste fase van hun behandeling moeten we dat bloed uit hun systeem zien te krijgen en hun een nieuwe opvatting bijbrengen over honger. Wanneer we het gebruik van bloed vervolgens herintroduceren, concentreren we ons op een beperkte consumptie, afkomstig van één bekende bron.'

'Hun donor,' zei Grace.

Olivier knikte.

Grace was verbijsterd. 'Ik dacht dat ze behalve bloed niets konden verteren.'

Olivier knikte. 'Jawel hoor. De spijsvertering van een vampier werkt natuurlijk anders dan die van een sterveling. Ze zouden bijvoorbeeld geen vast voedsel kunnen verteren. De fysiologische verklaring is nogal complex, maar bekijk het eens op deze manier. Na de dood kun je het lichaam vergelijken met de conditie van vlak na de geboorte. Je zou een pasgeboren baby geen biefstuk voorzetten.' Hij glimlachte. 'Zo kan een vampier ook alleen vloeistoffen verteren. En op de lange termijn moet dat bloed zijn. Maar het mooie van deze thee is dat hij er net zo uitziet als bloed en dat ook de structuur overeenkomt. Deze thee bevredigt hun directe behoefte. En zoals ik al zei, qua samenstelling vertoont hij ook een grote overeenkomst met bloed.'

Het duizelde Grace. 'Zouden ze hierop kunnen overleven in plaats van bloed?'

Olivier schudde zijn hoofd. 'Uiteindelijk niet, nee. Tenminste, we denken van niet. Het is een tussenmaatregel. Maar het is echt een wondermiddel. We gebruiken het voornamelijk om vampiers het nemen van bloed af te wennen, maar in het geval van Lorcan hoopt Mosh Zu hem zover te krijgen dat hij hierdoor juist weer bloed gaat nemen.' Hij doopte de thermometer nogmaals in de pan en las hem opnieuw af. 'Aha! Perfect.' Hij pakte een blad met metalen flessen en begon de deksels los te schroeven.

'Je zei dat de vampiers tijdens de eerste fase van hun behandeling deze thee krijgen. Wat gebeurt er daarna?'

Olivier begon de thee in de flessen te lepelen. 'De behandeling kent drie fases. De eerste fase is de initiatie en het doorbreken van de verslaving aan bloed. Daarbij speelt de thee een belangrijke rol, maar er moet ook op psychologisch gebied veel werk worden verzet. De honger naar bloed, de obsessie met de jacht, dat zijn net zozeer mentale en emotionele behoeften als fysieke.' Hij schroefde de dop op een fles en begon de volgende te vullen.

'De tweede fase is de herintroductie van het nemen van bloed, op een nieuwe manier en op beperkte schaal. In deze fase krijgen ze echt bloed, afkomstig van de hier aanwezige donors, maar er is geen daadwerkelijke fysieke interactie tussen vampiers en donors. De vampiers krijgen het bloed in flessen, net als deze.' Hij schroefde de dop op de tweede fles.

'Pas in de derde en laatste fase van de behandeling worden er paren van vampiers en donors gevormd. En dan begint het zogenaamde delen. Dat is de laatste voorbereiding op het aan boord gaan van de *Nocturne*.'

Grace knikte. 'Dus het uiteindelijke doel voor iedere vampier die naar de Wijkplaats komt, is een plekje op het vampiratenschip?'

Olivier knikte. 'Ja, natuurlijk.'

'Maar hoe kan het dat er geen ruimtegebrek ontstaat?'

'De *Nocturne* heeft genoeg plek voor iedereen die aan boord wil komen. Bovendien, niet alle vampiers voltooien hun behandeling. Sommigen vallen terug in hun oude manier van leven. Dat is teleurstellend, maar een feit. Niet iedereen haalt het.' Hij schroefde het deksel op weer een fles en ging verder met de volgende. 'En het gebeurt soms ook dat vampier en donor na de behandeling besluiten niet aan boord van de *Nocturne* te gaan.'

'Waar gaan díé dan heen?' vroeg Grace, opnieuw in verwarring gebracht. Deze optie was nooit bij haar opgekomen.

'Waar ze maar willen.' Olivier glimlachte. 'Ook al kiezen ze wel de moeilijkste weg door met hun geheim terug te gaan naar de gewone maatschappij...'

'Bedoel je dat er overal vampiers wonen met hun donor? In dorpen en steden? Tussen gewone mensen?' Grace zette grote ogen op.

'Ja, een intrigerende gedachte, hè?' Oliviers ogen twinkelden. 'Het zouden je buren kunnen zijn. Dat weet je maar nooit. Natuurlijk wordt een van de twee nooit ouder, en zie je de ander nooit eten. Maar de meeste mensen hebben zulke dingen niet eens in de gaten. Ze laten zich gemakkelijk afschepen met verhalen over diëten en schoonheidsbehandelingen.'

Grace veronderstelde dat er geen logische reden te bedenken viel waarom een vampier en een donor niet in de 'gewone' maatschappij konden leven. Toch was het een verbijsterende gedachte.

'Zo.' Olivier schroefde het deksel op de laatste fles. 'Klaar. In deze flessen blijft de thee nog een paar uur op temperatuur. We gaan straks de ronde doen, maar nu zijn er dringender zaken waar we ons mee bezig moeten houden.'

Hij begon nog meer potten en pannen op het werkblad te zetten. Grace schudde haar hoofd. Het leek wel alsof Oliviers werk nooit af was. 'Wat ga je nu maken?' vroeg ze.

'Nou, ik weet niet hoe het met jou is, maar ik rammel van de honger! Hoogste tijd om te lunchen.'

HOOFDSTUK 24

Kamer 4

CONNOR KEEK NAAR HET VUUR in de oogkassen van Jez. Het leek alsof de vlammen op het punt stonden zijn gezicht te verteren. 'Goed dan.' Hij rukte het medaillon van zijn hals. 'Goed dan. U mag het hebben. Als mijn vriend maar bloed krijgt!'

'Natuurlijk, lieffie.' De vingers van de vrouw sloten zich om het medaillon. 'Kamer 7.'

Connor loodste Jez naar de met rood fluweel beklede deur.

'Je kunt niet mee naar binnen!' riep de vrouw hem na. 'Jij moet hier blijven. Er liggen tijdschriften, en je kunt koffie nemen terwijl je wacht.'

Connor was eigenlijk wel opgelucht. Toen Jez zich in de deuropening omdraaide, was zijn gezicht heel even weer dat van de oude Jez. 'Bedankt!' Toen was hij verdwenen.

Het halfuur dat Connor in de wachtkamer zat, was een van de vreemdste in zijn hele leven. Aanvankelijk was er sprake van een gestage stroom vampiers die aan het loket hun geld betaalden en naar een kamer achter de met fluweel beklede deur werden gestuurd. Connor deed zijn best om oogcontact met de clientèle te vermijden, maar hij was zich ervan bewust dat iedereen die binnenkwam, hem onderzoekend opnam. Misschien voelden ze dat hij geen vampier was en vroegen ze zich af wat hij hier deed. Of misschien zagen ze hem simpelweg als een reusachtige portie bloed. Bij die gedachte dreigde paniek zich van hem meester te maken, en hij pakte een tijdschrift. Al bladerend merkte hij echter dat hij zich niet kon concentreren op de inhoud.

Vanuit zijn ooghoeken hield hij de klanten in de gaten. Blijkbaar bestond er onder vampiers een net zo grote verscheidenheid als onder gewone stervelingen. Hij zag mannen en vrouwen, blanken, zwarten, vampiers uit Azië en Latijns-Amerika. Jong, oud en alles daartussen. De overeenkomst was de gruwelijke honger die uit hun ogen sprak. Er waren er maar weinig die in zo'n extreme conditie verkeerden als Jez, maar op alle gezichten brandde hetzelfde vuur. Telkens wanneer hij het zag, moest Connor aan de woorden van Jez denken...

Dan ben ik geen baas meer over mijn lichaam, dan heb ik mijn gedachten, mijn behoeften niet meer in de hand.

Misschien had hij zijn oude makker te snel veroordeeld vanwege de moord op die arme Jenny. Jez had niet om dit bestaan gevraagd. Hij was een vroege dood gestorven als piraat. Connor wist niet wat hij na de dood kon verwachten, maar als daar vrede heerste, dan was die vrede Jez ontzegd. Door Sidorio. De kwaadaardige vampiraat had hem teruggehaald naar een nieuw bestaan, naar een gruwelijk verwrongen manier van leven. Inmiddels was Sidorio ten onder gegaan, en Jez was alleen achtergebleven, alleen met de zware last die hij te dragen had gekregen.

Connor dacht aan zijn zus en wenste dat ze bij hem was. Hoe was het mogelijk dat ze zo zich op haar gemak voelde tussen vampiers? Zijn zuster was een moedig mens. Sterker nog, haar moed ging zijn voorstellingsvermogen te boven. Verdrietig legde hij zijn hand op zijn hals, waar een halfuur eerder het medaillon nog had gehangen. Hij vond het afschuwelijk dat hij het zo goedkoop van de hand had gedaan. Dat gaf hem een gevoel alsof hij Grace had verraden. Maar hij had geen keus gehad.

'Wil je koffie?'

Hij keek op en zag dat de vrouw uit het glazen hokje naast hem stond. Ze was veel kleiner dan ze achter het loket, op haar kruk, had geleken.

'Koffie?' herhaalde ze. 'Ik heb pauze. En je ziet eruit alsof je wel een kop koffie kunt gebruiken.'

'Graag.' Connor knikte, verrast door het aanbod en door de glimlach waarmee het vergezeld ging.

Enkele ogenblikken later kwam ze terug met een blad en gaf ze hem een warme mok. 'Je moet er zelf maar melk en suiker in doen.' Ze pakte haar eigen mok, stak een sigaret op en ging naast hem zitten.

'Je bent anders, hè?' vroeg ze. 'Je hoort in deze wereld niet thuis.'

Hij schudde zijn hoofd. 'Nee. Ik ben hier alleen om een oude vriend te helpen.'

De vrouw knikte en blies een volmaakt kringetje van rook. 'Dat kan ik aan je zien. Je hebt iets schoons. Iets onschuldigs.'

Connor haalde zijn schouders op. Hij wilde het niet zeggen, maar hij voelde zich op dat moment verre van schoon. Iets in deze vreemde omgeving bezorgde hem een dringend verlangen naar een lange, hete douche.

'Wat gebeurt er?' vroeg hij. 'Achter de fluwelen deur. In de kamers. Wat gebeurt daar?'

Het bleef even stil terwijl de vrouw van haar koffie nipte en een trek van haar sigaret nam. 'Wat denk je dat er gebeurt, lieffie? De cliënten hebben bloed nodig. En mijn meisjes... en jongens... geven ze wat ze nodig hebben.'

Ondanks zichzelf was Connor geïntrigeerd. 'Uw meisjes en jongens... Wie zijn dat? Waar komen ze vandaan? Waarom doen ze dit werk?'

De vrouw legde haar sigaret op de rand van de asbak. 'Nou, ik denk niet dat ze als kind al dachten: Als ik later groot ben, dan word ik bloeddonor voor vampiers! Maar zo veel mogelijkheden om geld te verdienen zijn er in deze contreien niet. Tenminste, niet meer. Waarom doen we wat we doen, lieffie? Voor de poen. Om het hoofd boven water te houden.'

'Maar bloed geven, en dan op deze manier...' Connor huiverde.

'Wat doe jíj?' vroeg ze.

'Ik ben piraat.'

'Echt waar?' Ze lachte, maar het was geen aangename lach. 'Piraat! Nou, dat is nog eens een nobel beroep.' Toen werd de uitdrukking op haar gezicht zachter, en ze glimlachte. 'Ach, lieffie. Je denkt écht dat het een nobel beroep is, hè? Je bent nog zo groen.'

Hij begreep niet wat ze bedoelde.

'Hier!' Ze haalde het medaillon uit haar zak. 'Je krijgt het van me terug.' Ze drukte het in zijn hand.

'Nee,' protesteerde hij. 'Nee, dat wil ik niet. Het was een eerlijke ruil.'

'Sst.' Ze vouwde zijn vingers om het medaillon. 'Je bent een goed joch, dat zie ik aan je. Het zou niet juist zijn om het van je aan te nemen. Ik heb een goede avond gehad, dus ik kan het me permitteren.'

'Nou, oké dan,' zei hij. 'Bedankt.'

'O, kijk,' zei ze. 'Daar is je vriend weer.'

Connor keek op toen Jez door de met rood fluweel beklede deur naar buiten kwam. De oude, vertrouwde Jez, met een brede glimlach op zijn gezicht. Hij zag er goed uit, alsof hij was ontwaakt uit een lange slaap en vervolgens stevig had ontbeten.

'Voel je je weer wat beter?' vroeg Connor.

'Veel beter,' antwoordde Jez. 'Als nieuw! Laten we teruggaan naar de boot.' Hij liep de gang in.

'Ga maar, piraat,' zei de vrouw. 'Waar wacht je nog op?'

Connor stond op. 'Bedankt voor de koffie.' Hij zweeg even. 'Ik heet Connor,' zei hij. 'Connor Tempest. En u?'

'Ik ben Lilith.' Ze glimlachte, gaf hem een knipoog en gebaarde dat hij weg moest wezen. 'Vooruit, Connor Tempest. Ga terug naar zee. Daar hoor je thuis.'

Hij glimlachte terug, toen draaide hij zich om en volgde Jez de nacht in.

Zodra ze de deur achter zich hadden dichtgetrokken, hoorden ze een stem recht onder zich.

'Connor? Jez? Springen maar!'

Bart had de kleine boot recht onder de deur gemanoeuvreerd. Connor sprong lenig naar beneden, gevolgd door Jez. 'Op naar het vampiratenschip!' zei Bart, terwijl hij koers zette naar de monding van de kreek.

Onder dekking van de duisternis kwam uit het riet bij de rotswand nog een kleine boot tevoorschijn. De enige opvarende droeg een kaalgesleten leren jack. Hij grijnsde. 'Nee maar!' zei hij zacht. 'Het wordt hoe langer hoe interessanter!'

Toen zette Link Wrathe de achtervolging in, vastbesloten de reddingsboot ook op de volgende etappe van zijn merkwaardige reis niet uit het oog te verliezen.

Wat later die nacht zeilt een andere boot de Limbo Kreek binnen. Voor de enige opvarende is de kreek bekend terrein. Hij heeft geen kaart nodig om de zwarte deur te vinden en geeft een flinke ruk aan de trekbel. De waterige, melkwitte ogen verschijnen achter de spleet in de deur, maar hij ziet ze nauwelijks. 'Lilith,' is alles wat hij zegt.

Wanneer de deur opengaat, loopt hij met grote stappen naar binnen, rechtstreeks de gang door, naar de hal.

Ze zit in het hokje, haar nagels te vijlen. Wanneer ze hem hoort aankomen, kijkt ze op, aanvankelijk verrast. Dan glimlacht ze uitdagend. 'Ik hoorde dat je dood was.'

Hij beantwoordt haar glimlach. 'Goed zo. Dus het gerucht doet de ronde. Dat geeft me meer tijd.'

'Het gerucht doet de ronde, inderdaad.' Ze legt haar vijl neer. 'En ik hou het met alle plezier levend.'

'Doe dat.' Hij reikt in zijn zak en schuift een stapel biljetten het hokje in.

'De zaken gaan blijkbaar goed!' Ze houdt een van de biljetten tegen het licht.

'Ze zijn allemaal echt,' verzekert hij haar.

'Daar twijfel ik niet aan, maar ik moet het toch controleren.'

Er valt een korte stilte. 'Die makker van je was hier eerder op de avond. Dat jonkie.'

'Stukeley? Uitstekend. Dan verloopt alles volgens plan.'

'Wat bén je eigenlijk van plan?' Ze giechelt. 'Hoewel, zeg maar niks. Ik ben nou eenmaal een verschrikkelijke roddelaar.'

Hij knikt.

'Zeg het eens! Kom je alleen om te kletsen, of wil je wat bloed in die dikke aderen van je?'

'Ik heb honger.'

'Een halve liter? Twee halve liters...'

'Onbeperkt.'

'Dat gaat je een hoop centen kosten.'

'Dat weet ik.'

'Het lichaam moet worden geruimd, ik moet een nieuwe zien te vinden...'

Hij schuift nog een stapel biljetten het hokje in. 'Dat zou al het *ongemak* moeten compenseren.'

Ze pakt het geld aan, legt het op het stapeltje dat hij haar al eerder heeft gegeven, en denkt even na.

'Kamer 4,' zegt ze dan.

Hij knikt, draait zich om en loopt naar de met rood fluweel beklede deur.

'Probeer niet... probeer niet te veel rommel te maken!' roept ze hem na.

Hij grijnst. 'Leuk je weer gezien te hebben, Lilith.'

'Dat is geheel wederzijds, Sidorio.'

HOOFDSTUK 25

De recreatiekamer

GRACE KEEK TOE TERWIJL OLIVIER zorgvuldig de zalf aanbracht rond Lorcans ogen. Het deed haar nog altijd pijn om naar de vurige brandwonden te kijken, maar ze troostte zich met de gedachte dat door deze behandeling het herstel werd ingezet. Het zou het allemaal waard zijn – de dag dat Lorcan zijn ogen opendeed en haar weer kon zien. Dat hij weer naar haar kon kijken zoals hij dat vroeger had gedaan. In gedachten ging ze terug naar haar eerste dagen aan boord van de *Nocturne*, toen Lorcans kwajongensachtige charme en zijn twinkelende ogen ervoor hadden gezorgd dat ze niet krankzinnig was geworden.

'Zie je wel, Grace,' zei Olivier. 'Je hebt maar een heel klein beetje nodig. Het is sterk spul.' Toen richtte hij zich tot Lorcan. 'Ik doe ook wat op je oogleden, maar dat prikt wel een beetje, ben ik bang.'

Al bij de lichtste aanraking van Oliviers vingers vertrok Lorcan zijn gezicht.

'Het spijt me,' zei Olivier. 'Ik weet dat het een akelig gevoel is, maar dat wordt minder.'

Lorcan knikte vluchtig. 'Het geeft niet,' zei hij schor.

Grace nam zijn hand in de hare. 'Ik heb gezien hoe Olivier de zalf klaarmaakte. Het voornaamste ingrediënt is vlier. Hij heeft me verteld over de magische vermogens die de mensen de vlierboom toedichten. Zoals op Sicilië, waar ze vliertakken gebruiken om slangen en rovers af te weren!'

Lorcan glimlachte vluchtig. 'In Ierland is de vlier zo heilig dat je nog geen takje mag afbreken. De mensen denken er dat heksen vliertakken als toverpaarden gebruiken!'

'Zo,' zei Olivier. 'Klaar. Dat viel uiteindelijk nog wel mee, hè?' Hij haalde een rol schoon verband en een schaar uit zijn schoudertas. 'Eigenlijk moet jij dat maar doen, Grace. Je schijnt er erg veel handigheid in te hebben om Lorcans verband te verschonen.'

Grace knikte, nam het verband en de schaar van hem over en ging aan het werk.

'Uitstekend gedaan,' zei Olivier toen ze klaar was. 'Je mag wel blij zijn met zo'n verpleegster, Lorcan.'

'Dat besef ik maar al te goed.' Lorcan glimlachte opnieuw.

Het hart van Grace maakte een sprongetje van blijdschap. Hij had twee keer gelachen! Dat had ze hem al heel lang niet meer zien doen.

'Ik heb ook iets te drinken voor je meegebracht,' zei Olivier.

De glimlach verdween onmiddellijk.

'Ik heb geen dorst.'

'Het is niet wat je denkt dat het is,' zei Grace. 'Het is een vervanging voor bloed. Thee, gemaakt van zeven wilde bessensoorten die hier op de berg groeien, vol mineralen en andere voedingsstoffen.'

Olivier glimlachte. 'Dat klopt. We verwachten niet van je dat je alweer bloed neemt. Daar moet je eerst klaar voor zijn. Tot het zover is, helpt deze thee je weer op krachten te komen.'

Lorcan liet zich niet vermurwen. 'Ik ben moe,' zei hij ten slotte.

'Dat is ook niet zo verbazend,' zei Olivier. 'Als je moe bent, moet je rusten. Daarvoor ben je hier. Het hoort allemaal bij het genezingsproces.'

'Wil je dat ik hier blijf?' vroeg Grace.

'Ja.' Lorcan knikte. 'Tenminste, als je dat niet vervelend vindt.'

'Natuurlijk niet!'

'Dat laat ik jullie nu alleen,' kondigde Olivier aan. 'Ik zet de fles thee hier op je nachtkastje. Als je wat wilt, kun je Grace vragen het voor je in te schenken. Je moet je niet onder druk gezet voelen, Lorcan, maar zelfs een heel klein slokje zal je genezing al bespoedigen.'

'Ik wil eerst een poosje slapen,' zei Lorcan. 'Daarna zien we wel verder.'

'Afgesproken.' Olivier knikte en begon zijn spullen in zijn schoudertas te doen. Ten slotte richtte hij zich op, en hij liep naar de deur. 'Grace, kan ik je even spreken?' Hij gebaarde naar de gang.

'Laat hem maar slapen zolang als hij wil,' zei hij op gedempte toon. 'Maar wanneer hij wakker wordt, probeer hem dan zover te krijgen dat hij wat van de thee drinkt. Je moet het hem niet opdringen, maar als iemand hem aan het drinken kan krijgen, dan ben jij het.' Hij glimlachte. 'Ik denk trouwens dat je maar beter niet kunt vertellen wat jij ervan vond.'

Grace knikte.

'Ik kom straks nog wel even bij jullie kijken. O, dat vergat ik bijna! Ik heb iets voor je.'

Olivier haalde een boek uit zijn schoudertas.

'Wat is het?' vroeg ze, in de veronderstelling dat het informatie over de Wijkplaats bevatte, of misschien een verzameling recepten voor kruidenremedies. Maar toen ze het omdraaide, verscheen er een glimlach op haar gezicht.

'*De geheime tuin*! Dat is een van mijn lievelingsboeken.'

'Ik dacht dat je misschien wel iets zou willen lezen terwijl hij slaapt.'

'Bedankt.' Niet voor het eerst betrapte Grace zich erop dat ze haar mening over Olivier moest herzien. Haar eerste indrukken van hem waren helemaal verkeerd geweest. Hij bleek buitengewoon vriendelijk en voorkomend te zijn. Ze keek hem na toen hij de gang uit liep, met zijn tas over zijn schouder. Bij een van de deuren bleef hij staan, klopte, en verdween de kamer in, ongetwijfeld om de volgende vampier te bezoeken. Grace ging weer naar binnen en trok de deur achter zich dicht. Aan zijn ademhaling hoorde ze dat Lorcan al in slaap was gevallen. Ze ging in de stoel aan het voeteneind van het bed zitten en sloeg het boek open. Het was inmiddels jaren geleden dat ze het had ontdekt, maar sindsdien had ze het regelmatig herlezen. De vertrouwde openingszin was als balsem op haar gekwelde ziel.

Toen Mary Lennox naar Huize Misselthwaite werd gestuurd, om bij haar oom te gaan wonen...

Met een tevreden zucht ging Grace al spoedig helemaal op in het verhaal van de arme Mary Lennox en haar aankomst in het eenzame huis aan het moeras.

'Wat lees je?'

Grace keek op.

'Wat lees je?' klonk het nogmaals.

'Hoe weet je dat ik zit te lezen?'

'Daar hoef ik niet helderziend voor te zijn.' Lorcan grinnikte. 'Ik kan horen dat je de bladzijden omslaat.'

'Ben je al lang wakker?'

'Geen idee.' Hij haalde zijn schouders op en werkte zich overeind.

'Kom, dan zal ik je kussens even opschudden.'

'Dank je wel. Je bent echt een goede verpleegster. Het spijt me dat ik je zo veel last bezorg.'

'Onzin. Jij hebt vroeger voor mij gezorgd. Wat heet, je hebt me van de verdrinkingsdood gered! En daarna heb je me altijd beschermd aan boord van de *Nocturne*... Dus je kussens opschudden is wel het minste wat ik kan doen.'

'Dat kan allemaal best waar zijn, maar toch ben ik je erg dankbaar, Grace.' Hij pakte haar hand.

Vanuit haar ooghoeken zag ze de fles die Olivier op Lorcans nachtkastje had achtergelaten. Hij was zo opgewekt, dat dit misschien een goed moment was om de thee weer ter sprake te brengen. Ze nam al een aanloopje, maar hij was haar voor.

'Krijg ik nog antwoord, of is het een groot en duister geheim?'

'Wat?' Ze voelde zich schuldig, zonder te weten waarom.

'Wat je zit te lezen!'

'O!' Ze glimlachte. '*De geheime tuin*. Ik heb het van Olivier te leen gekregen. Het is een van mijn lievelingsboeken. Ken je het?'

'Ik heb er wel eens van gehoord, maar ik ben niet echt een lezer. Waar gaat het over?'

'Over een meisje, Mary Lennox.' Grace ging op de rand van het bed zitten. 'Ze woont in India, maar als haar ouders overlijden, moet ze terug naar Engeland, naar haar voogd. Hij woont in een reusachtig landhuis. Het is er prachtig, maar ook eenzaam. De vrouw van de voogd is nog niet zo lang geleden gestorven, en hij is nog in de rouw. Die vrouw had een ommuurde tuin, maar na haar dood heeft de voogd de tuin op slot gedaan en de sleutel begraven...'

'Het klinkt verdrietig,' zei Lorcan.

'Het ís ook heel verdrietig. Maar ik ben dol op verdrietige boeken. En het is ook erg mooi.'

'Misschien kun je het me voorlezen,' opperde Lorcan.

'Natuurlijk!' Ze ging weer in haar stoel zitten en sloeg het boek open op de eerste bladzijde.

'Ik geloof dat ik maar beter kan stoppen, want ik begin schor te worden.'

'Het is een prachtig verhaal,' zei Lorcan. 'En je leest heel mooi voor.'

'Dank je wel.' Ze keek glimlachend naar hem op.

Lorcan gaapte.

'Heb je slaap?' vroeg ze.

'Nee, integendeel. Ik ben klaarwakker. Ik zou wel even willen opstaan.'

'Echt waar?' vroeg Grace verrast.

'Ja. Zullen we een eindje gaan wandelen?'

'Natuurlijk. Mosh Zu zei dat we naar buiten konden als we dat wilden.' Toen bedacht ze zich. 'O nee, dat kan niet. Het is nog licht.'

‘Nou, dan gaan we hierbinnen op verkenning uit,’ stelde Lorcan voor.

‘Ja! Goed idee!’ Grace was dolgelukkig dat Lorcan wilde opstaan en een eindje wilde lopen. Het kon niet anders of dat was een goed teken. Dus ze deed haar boekenlegger tussen de bladzijden, klapte het boek dicht en stond op om hem uit bed te helpen.

‘Kom maar. Zwaai je benen over de rand en zet je voeten op de grond. Ze hebben een paar lekker zachte schoenen voor je neergezet.’

‘Dat zijn pantoffels, Grace. Laten we de dingen nou maar gewoon bij de naam noemen. Ik ben invalide, en dus hebben ze pantoffels voor me klaargezet. Het geeft niet. Als je ze voor me neerzet, trek ik ze aan.’

Ze deed wat hij vroeg en hij stak zijn voeten in de sloffen.

‘Zo, daar gaan we! Op ontdekkingstocht!’

Grace keek naar de fles thee op het nachtkastje. ‘Misschien kun je eerst proberen om een slokje thee te drinken,’ stelde ze voor.

Hij dacht even na, toen schudde hij zijn hoofd. ‘Ik heb geen dorst. Misschien straks, als we terugkomen.’

Grace voelde zich teleurgesteld, maar ze had het in elk geval geprobeerd. En Olivier had gezegd dat ze het Lorcan niet moest opdringen.

‘Oké,’ zei ze dan ook. ‘Ben je er klaar voor?’

Hij knikte. Ze deed de deur open en loodste hem de gang op.

‘Linksaf of rechtsaf?’ vroeg ze.

‘Jij mag het zeggen.’

Ze besloot rechtsaf te gaan. Lorcan was eerst nog wat onvast ter been, maar geleidelijk aan kreeg hij het ritme te pakken. De schemerig verlichte gang lag er verlaten bij. Alle deuren aan weerskanten waren gesloten. Het deed Grace denken aan de *Nocturne*, wanneer de vampiers sliepen. Of na het Feestmaal, wanneer ze zich met hun donors hadden teruggetrokken voor het delen.

De ene gang leidde naar de volgende. Grace wist niet zeker of ze een rondje konden maken of uiteindelijk, net als in een doolhof, in een doodlopende gang terecht zouden komen of zouden verdwalen.

'Het is erg stil,' zei Lorcan.

'Ja. Blijkbaar rusten de anderen.'

'Zo zie je maar...' Lorcan grijnsde zelfgenoegzaam. 'Zelfs nu heb ik meer fut en energie dan de rest.'

'Zeg dat wel!'

Toen de gang weer een bocht maakte, zag Grace een deur openstaan. Er viel licht door naar buiten. Blijkbaar was haar hapering Lorcan niet ontgaan. 'Wat is er?' vroeg hij. 'Waarom bleef je staan?'

'Een eindje verderop staat een deur open.'

'Nou, laten we poolshoogte gaan nemen!'

Grace knikte, dolgelukkig dat hij zo opgewekt en ondernemend was. Ze loodste hem de gang door naar de waaier van licht die vanuit de deuropening naar buiten viel.

'We zijn er,' fluisterde ze, en ze leidde hem aarzelend naar binnen.

'En... wáár zijn we?' vroeg Lorcan, ook fluisterend.

'In een vertrek dat groter is dan jouw kamer en de mijne.' Haar zenuwen bedaarden iets toen ze zag dat het een heel gewone ruimte was. 'Rechthoekig. Met een bank, en een lage tafel met wat stoelen eromheen. Aan een kant van de bank is een plank met boeken, en er staan dozen met spelletjes en...' Ze draaide zich om. 'O, sorry.'

'Wat is er?' vroeg Lorcan.

'Ik dacht dat we alleen waren, maar er is hier iemand,' zei Grace. Haar ogen ontmoetten die van de knappe jongen aan de tafel. Hij knikte naar haar. Zijn chocoladebruine ogen twinkelden toen hij haar glimlach beantwoordde. Hij zat achter een schaakbord. Te oordelen naar de stukken aan weerskanten van het bord was hij midden in een partij. Blijkbaar was zijn tegenstander even weggelopen. 'Sorry,' zei Grace nogmaals. 'We wilden je niet storen.'

'*No hay problema*. Het is leuk om te weten dat ik niet als enige wakker ben.'

'Hoe gaat je partij?' vroeg Grace.

'Behoorlijk gelijk op.' De jongen ging met een hand door zijn dikke krullen. 'Maar de spelers zijn dan ook volledig aan elkaar gewaagd.'

Hij was hetzelfde gekleed als Lorcan, zag Grace. Dus blijkbaar was hij hier ook in behandeling. Onder zijn lange gewaad ontdekte ze echter een rode halsdoek. Er kwam een vage herinnering bij haar op, maar hij deed haar opschrikken uit haar gedachten.

'Ik durf het nauwelijks te vragen, maar kan een van jullie soms schaken?' vroeg hij vol verwachting. 'Het is erg saai om altijd alleen te moeten spelen, hoe goed je ook bent.'

'Ik kan schaken.' Lorcan draaide zich om. 'Maar dat zal op dit moment niet meevallen.'

'O, sorry,' zei de jongen. 'Ik hoop dat je niet al te veel pijn hebt.' Hij keek met zijn ontwapenende bruine ogen weer naar Grace. Ze had het gevoel alsof hij een hand naar haar uitstak en haar naar zich toe trok. Ondanks zijn uitnodigende blik voelde ze zich slecht op haar gemak. Nee, het was meer dan dat. Ze was bang. Alsof haar instinct haar zei niet te dichtbij te komen.

'En hoe zit het met jou, jongedame? Kan ik je verleiden tot een spelletje?' Zijn fluweelzachte stem paste perfect bij zijn chocoladebruine ogen.

'Ik denk dat we beter terug kunnen gaan,' zei ze. 'We hebben allemaal slaap nodig...'

'Welnee,' protesteerden Lorcan en de onbekende als uit één mond.

'Nee,' zei Lorcan nogmaals. 'Ik heb geen zin om alweer terug te gaan naar mijn kamer.'

'En ik ben veel te blij dat ik eindelijk gezelschap heb,' zei hun nieuwe metgezel. 'Ga zitten, luitjes. Maak het je gemakkelijk. Ik verbaas me er echt over dat er maar zo weinig gebruik wordt gemaakt van deze recreatiekamer.'

Plotseling stak hij zijn hand uit. 'Sorry, maar jullie hebben me nog niet verteld hoe jullie heten.'

'Ik ben Grace. Grace Tempest.' Het viel haar op hoe krachtig hij haar de hand schudde, maar bovendien was ze zich bewust van een dikke laag eelt. In haar hoofd viel er een puzzelstukje op zijn plaats.

'Grace. Dat is een mooie naam.'

Het duizelde haar toen ze hoorde dat hij met een licht accent sprak. Wat had hij zo-even gezegd? *No hay problema.*

'En dit is Lorcan Furey,' zei ze, in een poging haar hoofd koel te houden.

Hij schudde Lorcan de hand. 'Leuk je te ontmoeten, Lorcan.'

'En wie ben jij?' vroeg die.

'Ik ben Johnny,' luidde het antwoord. 'Johnny Desperado.'

Natuurlijk! Dit was Johnny. De cowboy wiens lint ze in haar hand had gehouden. De jongen wiens herinneringen in haar dromen terecht waren gekomen, zodat ze getuige was geweest van zijn eenzame dood, hangend aan een boomtak boven de besneeuwde grond. Grace verstijfde, niet in staat haar blik van hem af te wenden. Het ontging hem niet. Glimlachend schonk hij haar een knipoog. 'Blijven jullie de hele avond in de houding staan?' zei hij toen, zonder zijn blik ook maar één moment van haar af te wenden. 'Ga zitten, zou ik zeggen, en vertel Johnny eens wat over jezelf!'

HOOFDSTUK 26

Verdwaald en verloren

'ZEG...' BEGON BART, TERWIJL ZE de Limbo Kreek steeds verder achter zich lieten. 'Die Bloedkroeg – is er daar maar een van? Of is het een keten?'

Connor vertrok zijn gezicht. 'Jij hebt gemakkelijk grappen maken! Want jij hoefde niet mee naar binnen!'

'Ik maak geen grap,' zei Bart. 'Het is een serieuze vraag.' Hij keerde zich weer naar Jez. 'Is er daar maar een van, of zijn er overal Bloedkroegen?'

Jez haalde zijn schouders op. 'Geen idee. Ik herinnerde me niet eens dat ik er al eerder was geweest. Pas toen ik binnen was, kwam het me bekend voor.'

'Hm,' zei Bart. 'En wat gebeurt daarbinnen dan precies?'

Connor zuchtte. Hij wilde niets liever dan de wereld van de vreemde 'kroeg' achter zich laten. Dus hij probeerde aan Ma Kettle's te denken. Zo hoorde een kroeg te zijn – een plek om te drinken en plezier te maken met je maten. Niet een plek waar je naartoe ging om andermans bloed te drinken.

'Of mag ik het soms niet weten?' vroeg Bart.

Jez schudde zijn hoofd. 'Nee, omdat jij niet de *cojones* had om met Connor en mij mee naar binnen te gaan, vertellen we je ook niks.' Hij zuchtte. 'Bovendien, ik wil er eigenlijk niet over praten. Ik had bloed nodig, en dat heb ik gekregen. Einde verhaal.'

'Akkoord, jij je zin,' zei Bart. 'Ik weet wanneer ik mijn mond moet houden.'

'Breng me nou maar naar het vampiratenschip,' zei Jez.

Bart keek zijn oude vriend nijdig aan. 'Ik weet eigenlijk niet of ik de nieuwe Jez wel zo leuk vind. *Breng me naar de Bloedkroeg... Breng me naar het vampiratenschip...* Niet om het een of ander, maar sinds je dood bent, ben je wel verschrikkelijk bazig geworden. Trouwens, waarom zo'n haast? Je bent toch onsterfelijk? Dus volgens mij heb je alle tijd van de wereld.'

Jez schudde meewarig zijn hoofd. 'Dat is het nou juist. Misschien ben ik nog niet onsterfelijk. Misschien ben ik nog niet helemaal een vampier. Als er een kans bestaat – misschien een heel klein kansje – dat de vampiratenkapitein het proces kan omkeren, dan wil ik dat hij dat doet. Dus daarom is tijd van het grootste belang.'

'Maar als de kapitein het proces omkeert, dan ben je toch weer dood?' vroeg Connor. In gedachten zag hij het gruwelijke beeld van Jez in de armen van Bart, lijkbleek en onder het bloed na het noodlottige duel.

Jez knikte. 'Ik ben liever dood dan zoals ik nu ben.'

'Is het zó erg?' vroeg Connor.

'Je hebt geen idéé.'

Barts gezicht was een en al somberheid. Toen hij het zwijgen verbrak, haperde zijn anders zo krachtige stem. 'Je kunt niet weer doodgaan. Dat is gewoon niet eerlijk... Niet eerlijk *tegenover ons*. We hebben je al een keer verloren. En dan kom je terug...'

Jez kapte hem af. 'Ik ben niet echt terug, maatje. Jullie zijn me kwijt, ik ben mezelf kwijt. Dat is nog steeds zo.' Connor was geschokt door de wanhoop in de ogen van Jez. Die joeg hem bijna nog meer angst aan dan het vuur dat daarin had gebrand toen Jez had gehongerd naar bloed.

'We moeten zien dat we je op dat schip krijgen,' zei hij dan ook. 'De kapitein kan je helpen. Dat weet ik zeker.'

'Niet om het een of ander...' Bart keek Connor aan. 'Maar ik heb nog steeds geen idee waar ik dat schip moet zoeken. Jij wel?'

Connor keek om zich heen. Ze voeren midden op zee. Er was

nergens meer land te zien, en er waren ook geen andere schepen in zicht. Ineens werd het hem duidelijk. 'Stop de boot!'

'Wat?' vroeg Bart.

'Je hebt me wel gehoord,' zei Connor. 'Hou op met sturen. Laat de boot uitdrijven.'

Bart schudde zijn hoofd. 'Ik weet het niet, maar volgens mij ben ik in een soort niemandsland terechtgekomen met twee zultkoppen!' Toch deed hij wat Connor had gezegd, en hij liet de boot uitdrijven.

'En nu?' vroeg hij, naar achteren leunend.

Prompt hoorde Connor de stem van zijn vader in zijn hoofd. Hij keerde zich naar Bart. 'Nu vertrouwen we op het getij!'

Bart nam hem nieuwsgierig op, maar Connor zei niets meer. Hij leunde met zijn rug tegen de zijkant van de kleine boot.

Zo bleven ze geruime tijd zwijgend zitten. Het enige geluid was afkomstig van het water dat tegen de zijkant van de boot klotste. De zee was ongebruikelijk kalm, de boot werd een wieg, die drie vermoeide kinderen teder in slaap wiegde.

Toen werd het water plotseling ruw, van het ene op het andere moment. Connors ogen waren langzaam dichtgevallen, maar nu sperde hij ze wijd open.

Bart was ook meteen alert en keek ongerust om zich heen. 'Het begint wel erg te spoken,' zei hij, niet in staat zijn ongerustheid te verbergen.

'Wacht nou maar rustig af,' zei Connor glimlachend. Op de een of andere manier had hij verwacht dat dit zou gebeuren.

Door de krachtige golfslag begon de boot in het rond te draaien. Eerst langzaam, maar geleidelijk aan steeds vlugger en uiteindelijk duizelingwekkend snel.

'Wat is er aan de hand?' riep Jez. 'Zijn we in een draaikolk terechtgekomen?'

Bart slaagde er niet in zijn paniek te verbergen terwijl hun kleine boot steeds sneller om zijn as draaide. 'Je weet wat ze zeggen. Dat er in de buurt van Limbo Kreek veel boten vermist raken...'

De boot draaide nu zo vlug in het rond dat hij bijna boven het water zweefde.

Connor schudde zijn hoofd. 'Het komt allemaal goed!' riep hij uitgelaten, zonder te weten waar hij het vertrouwen vandaan haalde. 'We moeten gewoon geduld hebben!'

'*Geduld?*' brulde Bart om boven het geraas van de golven uit te komen. '*Vertrouwen op het getij?* Weet je zeker dat ze in die bloedkroeg niet wat in je glas hebben gedaan?'

Connor schudde opnieuw glimlachend zijn hoofd. Zijn haar en zijn overhemd waren drijfnat, maar toen hij opkeek, merkte hij dat de duizelingwekkende beweging van de boot snel minder werd. Toen begonnen de golven die hen eerst in het rond hadden gedraaid, hen met dezelfde kracht naar voren te duwen.

'Wat zullen we nou krijgen?' vroeg Bart. 'Wat gebeurt er?'

'Dat doet de kapitein van de vampiraten,' zei Connor tevreden. 'Hij leidt ons naar zijn schip.'

Het was niet bepaald een rustige tocht over de donkere oceaan. Ze hoefden niet te sturen, maar ze moesten zich uit alle macht vastklampen om niet uit de kleine boot te worden geslingerd. Connor werd bestookt door herinneringen aan de storm die zijn leven zo ingrijpend had veranderd, maar tegelijkertijd voelde hij zich op een merkwaardige manier beschermd. Hij wist dat de vampiratenkapitein alles onder controle had. In gedachten ging hij terug naar dat vluchtige moment bij Ma Kettle's, toen hij de kapitein had ontmoet. Naar de vreemde sensatie op het moment dat de geschoeide hand van de kapitein de zijne had omsloten, toen hij zeker had geweten dat hij die hand eerder had geschud.

Plotseling kreeg hij het ijskoud. Huiverend keek hij op, maar er was niets te zien. Ze waren aan alle kanten omringd door mist. De boot leek langzamer te varen, maar misschien was dat gezichtsbedrog. De mist werd in snel tempo dikker. Zo dik dat hij zijn twee metgezellen amper kon zien. Ze waren niet meer dan zilverachtige gedaanten – een spookbemanning.

'Ik neem aan dat dit allemaal deel uitmaakt van het plan?' riep Bart.

'Ja,' riep Connor terug. Zijn stem weergalmde in de leegte. Hij betrapte zich erop dat hij glimlachte bij weer een andere herinnering. De eerste – en enige – keer dat hij het vampiratenschip had gezien, was het omringd geweest door mist. Dus blijkbaar waren ze er nu dichtbij.

De mist begon op te trekken, en hij besefte dat zijn zintuigen hem niet hadden bedrogen. De boot ging inderdaad langzamer. En dat was maar goed ook, anders zouden ze tegen het majestueuze galjoen zijn gebotst dat zich amper twintig meter verderop uit het water verhief.

'Daar is het!' riep Jez, plotseling weer duidelijk zichtbaar toen ze door de mist heen braken. 'Dat moet het zijn!'

Connor knikte. Daar, vóór hen, lag het vampiratenschip. Precies zoals hij dat diep vanbinnen had geweten. De kapitein had gezegd dat hij het schip altijd zou kunnen vinden wanneer hij het nodig had. En hij had de waarheid gesproken. Terwijl hun bootje dichterbij kwam, keek Connor omhoog naar de boeg van het schip, in de verwachting daar het prachtige houten boegbeeld te zien waarvan hij in de nacht van de storm een glimp had opgevangen. Toen had het geleken alsof haar geschilderde ogen hem aankeken, maar nu was ze nergens te bekennen. De plek waar ze had gehangen, was leeg. Connor grijnsde, denkend aan de verhalen van Grace. Het boegbeeld kwam bij zonsondergang tot leven. De zon was inmiddels allang onder. Geen wonder dat ze haar uitkijkpost had verlaten.

Opwinding maakte zich van Connor meester bij de gedachte dat hij Grace zou zien. Hij had het zo druk gehad met andere dingen, maar nu ze het schip hadden gevonden, besefte hij pas hoezeer hij ernaar verlangde zijn zuster in zijn armen te kunnen sluiten en met haar over vroeger te kunnen praten, toen alles nog gewoon was geweest.

Toen ze langszij kwamen, hoorde hij stemmen aan dek, en hij

zag het schijnsel van lantaarns. De uitgestrekte vleugelachtige zeilen van het schip klapperden langzaam heen en weer – in hun merkwaardige geaderde structuur lichtten af en toe kleine vonken op. Connor keerde zich naar de anderen. Barts gezicht stond verdwaasd. De ogen van Jez schitterden van gespannen verwachting. Connor wist dat het schip zijn laatste hoop vertegenwoordigde. Hij deed een schietgebedje dat de kapitein zijn verloren vriend zou kunnen helpen.

'Hoe denk je aan dek te komen?' vroeg Bart.

Connor tilde hun lantaarn op en wees naar een touwladder die langs de romp van het schip naar beneden hing.

'Natuurlijk! Ik had het kunnen weten,' zei Bart grijnzend. 'Na jou, maatje. Stront voorop!'

Connor schudde zijn hoofd en reikte naar de ladder van ruw twijndraad. Terwijl hij uit de boot klom, keerde hij zich grijnzend naar de anderen. 'Een voor allen!'

Bart legde een hand op de schouder van Jez.

'En allen voor een!' riepen ze terug.

Toen draaide Connor zich om en hij begon te klimmen, zonder zelfs maar aan de hoogte te denken. Hoewel de woeste golven in de diepte hoog opspatten, lag het schip merkwaardig stil. Het leek wel alsof het boven het water zweefde, dacht Connor. Net als toen hij het voor het eerst had gezien. Op dat moment hoorde hij een fluistering in zijn hoofd, zacht en sussend als sijpelende waterdruppels.

'Welkom, Connor Tempest. Je hebt wel erg lang op je laten wachten.'

HOOFDSTUK 27

De vaquero

NA ENIGE TIJD BESEFTE GRACE dat ze alleen zichzelf zat voor te lezen. Ze keek naar Lorcan en vroeg zich af hoelang hij al sliep. Nou ja, hij had zijn rust hard nodig. Daarvoor waren ze hier tenslotte. Ze had alleen niet verwacht dat ze zich zo eenzaam zou voelen in de Wijkplaats.

Ze reikte naar Lorcans nachtkastje, op zoek naar een boekenlegger, en klapte het boek dicht. Terwijl ze opstond, besloot ze het mee te nemen. Er lagen ongetwijfeld nog vele slapeloze uren vóór haar. 'Welterusten, Lorcan.' Ze boog zich over hem heen, kuste hem op zijn voorhoofd en glipte de kamer uit.

Omdat ze behoefte had aan frisse lucht, volgde ze de gang omhoog naar de binnenplaats. Daar liep ze door de centrale deuren naar buiten. Genietend ademde ze de koele, frisse lucht in. Het was een heldere avond. Misschien kon ze naar de poort lopen en langs de berghelling naar beneden kijken.

Maar net toen ze de binnenplaats wilde oversteken, werd ze geroepen.

'Hé, jongedame! Grace, was het toch?'

Zich omdraaiend zag ze Johnny Desperado op de muur rond de binnenplaats zitten. Anders dan bij hun vorige ontmoeting, toen hij het gewaad van de Wijkplaats had gedragen, droeg hij nu een spijkerbroek, een geruit overhemd met opgerolde mouwen, laarzen en een cowboyhoed. Terwijl hij zijn hand naar haar opstak, tilde hij zijn hoed op.

'Hallo Johnny!'

'Waar is onze Lorcan?' Hij hielp haar naast zich op de muur.

'Die slaapt.'

Hij knikte. 'Dus je voelde je een beetje eenzaam?'

'Ja, zoiets.'

'Ik had hetzelfde, dus het is maar goed dat we allebei behoefte hadden aan frisse lucht.'

Ze knikte. Neerkijkend op zijn handen zag ze opnieuw hoe eeltig ze waren. Aan de binnenkant van zijn onderarm ontdekte ze iets wat op letters leek, maar ze kon het niet goed zien.

'Waar kijk je naar?' vroeg hij.

'Wat is dat voor tatoeage?'

'O dat!' Hij strekte zijn arm.

'*We zijn er nog lang niet*,' las ze.

Johnny trok zijn arm terug en ging met zijn hand door zijn dikke, weerbarstige haar. 'Die tatoeage vat wel zo ongeveer mijn verhaal samen.' Hij keerde zich weer naar Grace en keek haar doordringend aan. 'Denk je ook niet, jongedame?'

'Wat bedoel je?' vroeg ze een beetje geschrokken.

'Nou, je weet toch alles van me? Je hebt mijn lint gelezen. Dat heeft Mosh Zu me zelf verteld.'

Grace voelde zich verschrikkelijk in verlegenheid gebracht, want ze besefte dat ze een enorme inbreuk had gemaakt op de vertrouwelijkheid. 'Het spijt me. Echt waar,' zei ze. 'Het was niet mijn bedoeling. Ik had dat lint van iemand gekregen.'

'Trek het je niet aan. Johnny is niet boos op je. Helemaal niet. Ik ben eigenlijk alleen maar verrast – en gevleid – dat je nog naast me wilt zitten nu je mijn verhaal kent.'

'Waarom zou ik níét naast je willen zitten?' Ze fronste haar wenkbrauwen.

'Nou... ik heb een paar slechte dingen gedaan. Maar dat hoef ik jou niet te vertellen. Dat weet je al.'

'Ik denk eerder dat andere mensen jou slechte dingen hebben áángedaan,' zei Grace.

Hij glimlachte. 'Meen je dat nou echt?'

Ze knikte glimlachend. Toen kwam er een idee bij haar op. 'Wil jij het me vertellen? In je eigen woorden?'

'Wat? Mijn verhaal?' Hij haalde zijn schouders op. 'Maar dat ken je al.'

'Nee,' zei ze. 'Ik heb alleen maar vluchtig een kijkje genomen in je leven... en je dood. Dus ik wil graag weten of ik het allemaal goed heb gezien. En bovendien zou ik nog veel meer over je willen weten.'

'O ja?'

Ze knikte. 'Ik wil dolgraag je verhaal horen.'

'Vooruit dan maar. Alles voor een beetje gezelschap! Maar dan kun je beter zorgen dat je gemakkelijk zit, jongedame, want ik heb heel wat te vertellen.'

Grace glimlachte en trok haar trui strakker om zich heen, terwijl Johnny van wal stak.

'Ik ben geboren in Texas, in 1869. Officieel heet ik Juan, maar de knechts op de ranch noemden me Johnny. Want ik ben opgegroeid op een ranch. Mijn vader en Rico, mijn broer, woonden er ook. En mijn moeder zal er ook wel ergens zijn geweest, maar die zag ik weinig. Ik werd altijd geplaagd. Dan zeiden ze dat ik dacht dat de paarden mijn echte ouders waren. Ik kon al paardrijden voordat ik leerde lopen. Dat zeiden ze ook. Want ik was niet zomaar een cowboy. Ik was een *vaquero*! Een cowboy uit Mexico. De beste cowboys die er zijn! Het rijden zat me in het bloed – net als bij mijn broer en mijn vader, en bij *zíjn* vader. Rico en mijn vader hebben me alles geleerd. Op mijn elfde reed ik voor het eerst mee met de kudde.

Toen kreeg ik meteen ook mijn eerste tegenslag te verwerken. Wanneer je meetrekt met de kudde, word je snel volwassen. Je raakt gewend aan smerig, onvoorspelbaar weer, aan kuddes die op hol slaan, aan de dood. Rico en mijn vader leidden de kudde. We waren van Texas al helemaal naar Denver getrokken, toen de dieren massaal op hol sloegen. Het sneeuwde verschrikkelijk. Het vee werd helemaal gek. Rico en mijn vader deden wat ze konden om de kudde in bedwang te houden. Maar we trokken net een berg op, en die stomme koeien begonnen zich van het klif te gooien.' Hij zweeg even. 'Die dag verloren we driehonderdeenenzestig stuks vee en twee paarden. Ze sloegen dertig meter in de diepte te pletter. En we verloren ook twee van onze mannen...'

'Je broer en je vader?'

Hij knikte. 'Je had hun lichamen moeten zien, Grace. Dat ben ik nooit vergeten. En ik zál het ook nooit vergeten.'

'Wat heb je toen gedaan?'

'Veefokkers zijn eigenlijk een soort familie, dus ook al verloor ik mijn vader en Rico – en kort daarop ook mijn moeder; ze zeggen dat ze stierf aan een gebroken hart – er werd goed voor me gezorgd. Ja, er werd goed voor de kleine Johnny gezorgd. Toen wisten ze al dat ik iedereen de baas was met mijn lasso. Ik was amper veertien, maar alle ranches in Texas wilden me wel hebben. Ik temde inmiddels bronco's. Weet je wat dat zijn? Wilde paarden. Een tijdje vond ik het geweldig dat ik mannen die twee, drie keer zo oud waren als ik moeiteloos de baas was. Maar paarden temmen is gevaarlijk werk, en het betaalt slecht. Bovendien verwachtte ik meer van het leven. Dat was mijn eerste fout. Ik had tevreden moeten zijn met wat ik had, ook al stelde dat niet zo veel voor.'

'Wat heb je toen gedaan?' vroeg Grace geboeid.

'Ik ben uit Texas weggetrokken, zonder doel of bestemming. En ik ben nooit meer teruggegaan. Ik reed het hele land door. Niet alleen om te werken. Ook om plezier te maken. Ik heb echt een krankzinnige tijd gehad. Met stierengevechten, hanengevechten, *fiestas* en straatmarkten.' Even sloot hij glimlachend zijn ogen, en ze wist dat hij het in gedachten weer allemaal voor zich zag. Toen hij zijn ogen opendeed, straalden ze. 'Het eten op die markten, Grace! Je hebt nog nooit zoiets lekkers geproefd – tamales, tortilla's en dan al die zoetigheden. En whisky! Een heleboel whisky!' Hij lachte. 'Grappig, want zo heette mijn eerste paard, besef ik nu.' Hij zweeg even, opnieuw in gedachten bij zijn reis.

'Dus zo zag mijn leven eruit. Ik trok door het land, verdiende wat, maar gaf het geld ook onmiddellijk weer uit. In die tijd heb ik ook de rodeo geprobeerd, maar dat was voordat die echt groot werd. Uiteindelijk besloot ik dat ik behoefte had aan ruimte, aan de weidsheid van het open land. En dat was mijn tweede fout.

Waarschijnlijk is mensenkennis gewoon niet mijn sterkste kant!' Hij schudde zijn hoofd. 'Ik was inmiddels achttien. De winter van 1887. Ik trok door de ruige streken van South Dakota. En dan hoor ik ineens dat twee veedrijvers een derde man zoeken, voor het opdrijven van een kudde. Een paardencowboy. Mijn stijl bevalt ze, en ze betalen goed. Echt goed. Wat kon er in 's hemelsnaam verkeerd gaan? Het leek de beste slag die ik ooit in mijn leven had geslagen. Uiteindelijk bleek het de slechtste te zijn.'

Hij zweeg opnieuw even. 'De winters van 1885 tot 1887 waren verschrikkelijk, met de ene sneeuwstorm na de andere. Het weer was zo meedogenloos dat miljoenen stuks vee omkwamen op de Grote Vlakten. Driekwart van de kuddes in het noorden van dat gebied bezweek onder de extreme omstandigheden. Het betekende het eind van een tijdperk. Ze noemden het de "Grote Sterfte". Het was voor het laatst dat kuddes over zulke grote afstanden werden gedreven. En het betekende voor mij ook het einde van een tijdperk.

Het werk was zwaar. Vee werd overal stervend achtergelaten. De dieren die je nog had, koesterde je. Zoals ik al zei, de kerels die me in dienst namen, hadden een forse kudde. Het probleem was alleen dat de dieren gestolen waren.'

Grace hield geschokt haar adem in.

'Dat wist ik niet. Echt niet. Toen ik met ze in zee ging, had ik daar geen flauw benul van. Ik kreeg het pas vlak voor het einde in de gaten. Toen vielen ineens alle stukjes van de puzzel op hun plaats. Toen begreep ik waarom ze zo veel betaalden. Ik heb voor die twee veedieven met mijn leven moeten boeten. Terwijl ik zwoegde en ploeterde om de kudde bij elkaar te houden, hadden we voortdurend burgerwachten achter ons aan. Op ons afgestuurd door de rechtmatige eigenaar van die kudde.'

Grace wist al wat er ging gebeuren. Ze hoopte dat hij niet al te veel in details zou treden.

'Uiteindelijk wisten de burgerwachten ons te pakken te krijgen. Ze hingen de twee veedrijvers op. Ik zei dat ik geen flauw benul had gehad dat het om een gestolen kudde ging. Dus er werd uitvoerig overlegd of ze me zouden laten gaan, maar uiteindelijk besloten ze dat ze die gok niet konden nemen. Eigenlijk kan ik het ze niet eens kwalijk nemen. Hoe dan ook, ik werd aan dezelfde boom opgehangen.'

De beelden in haar hoofd waren maar al te levensecht, net als toen ze Johnny's lint had gelezen. Alleen het perspectief was veranderd. Ze keek nu niet vanaf de boom om zich heen, maar ze zag Johnny hangen, naast de twee veedieven. Ze werd er misselijk van.

'Dus je bent op je achttiende gestorven? In 1887?'

Hij knikte. 'Het was een slechte winter. Voor het vee en voor een onnozele, goedgelovige *vaquero*.'

'En hoe ging het toen verder?' vroeg Grace. 'Hoe ben je overgegaan?'

Johnny keek haar glimlachend aan. 'Je bent gek op dit soort verhalen, hè?'

'Ja, vind je dat raar?'

Hij dacht even na, toen knikte hij. 'Ja, volgens mij ben je raar. Heel raar.'

Ze voelde zich tot in het diepst van haar ziel gekwetst, maar toen zag ze een brede grijns op zijn gezicht verschijnen. En ze lachte met hem mee. Hun vrolijkheid verjoeg de ongemakkelijke sfeer die even tussen hen in had gehangen.

'Volgens mij ben je gewoon geïnteresseerd in mensen,' zei Johnny. 'In wat mensen beweegt. Daar zouden we misschien allemaal wat meer aandacht aan moeten besteden. Als ik dat had gedaan...' Hij zweeg en streek in gedachten verzonken over zijn tatoeage.

'Ik vind overgangsverhalen fascinerend!' zei Grace, blij dat ze vrijelijk uiting kon geven aan haar enthousiasme. 'Sterker nog, ik ben begonnen ze op te schrijven. Dat doe ik nog niet zo lang. Maar ik heb het verhaal van Darcy – Darcy Flotsam, het boegbeeld van de *Nocturne*. Ze werkte als zangeres op een grote oceaanstomer toen die op een ijsberg liep. Tijdens de ramp werd haar ziel opgenomen in het boegbeeld van het schip.'

Johnny keek haar stralend aan. 'Wat een geweldig verhaal!'

'Ja, en ik heb ook het verhaal van Sidorio. Hij was piraat in de tijd van de Romeinen. Zijn thuishaven was Cilicia, het piratenbolwerk dat een bedreiging vormde voor het Romeinse Rijk. Samen met wat handlangers wist hij Julius Caesar te ontvoeren.' Ze zweeg even. 'Je weet wie Julius Caesar was?'

'Ja, natuurlijk weet ik dat!' zei Johnny. 'Toen ik nog leefde, waren de enige namen die ik kende, die van mijn familie en mijn vrienden. En misschien van een enkele rodeocowboy. Maar sinds ik ben overgegaan, heb ik veel gelezen.'

'Oké,' zei Grace. 'Hoe dan ook, Sidorio slaagde erin Caesar te ontvoeren toen die als jonge man op weg was naar de universiteit.'

'Gaaf!' zei Johnny, en Grace begreep dat hij gelijk had gehad met zijn bewering dat mensenkennis niet zijn sterkste kant was.

'Alleen wist Caesar de rollen om te draaien,' vervolgde ze. 'En dat was minder gaaf. Het kwam erop neer dat hij al zijn ontvoerders ter dood liet brengen.'

'Ach, als je dan toch de pijp uit moet, dan maar liever door een beroemde Romeinse keizer!'

Grace rolde met haar ogen. 'Inderdaad. Je had Sidorio moeten horen! Hij is er nog steeds razend trots op.'

'Vaart hij ook mee op de *Nocturne*?' vroeg Johnny. 'Ik zou hem graag ontmoeten.'

Grace schudde haar hoofd. 'Geloof me, die had je echt niet willen ontmoeten. Hij was door en door slecht. De kapitein had geen andere keus dan hem van boord te zetten, want hij weigerde zich beperkingen te laten opleggen bij het nemen van bloed. Hij wilde altijd meer. Uiteindelijk heeft hij zijn donor gedood.'

'Nee!' Johnny zette grote ogen op.

Van geschoktheid of bewondering, vroeg Grace zich af. 'Ja,' zei ze. 'Dus hij werd verbannen. Maar hij liet zich niet zomaar wegsturen. Anderen die er net zo over dachten, sloten zich bij hem aan, en ze trokken een spoor van geweld over de zeeën. Met als dieptepunt hun aanval op het schip van een heel beroemde piratenkapitein, de broer van de kapitein van het schip waarop mijn broer meevaart.'

'Zit je broer op een piratenschip?'

Grace knikte.

'Een broer die piraat is, en een zus die... Ja, wat doe jij eigenlijk?'

'Ik probeer zo veel mogelijk te leren. Je zei het net zelf. Ik wil graag weten wat mensen beweegt. Connor... Dat is mijn broer. Connor en ik zijn geboren in een heel klein plaatsje. We hadden geen idee van wat er in de wereld te koop was. Het is een lang verhaal hoe hij op dat piratenschip is terechtgekomen en ik hier, maar door alles wat er is gebeurd, heb ik de kans gekregen dingen te zien en mee te maken waarvan ik nooit had kunnen dromen.'

Johnny glimlachte. 'Dit kun je niet maken.'

'Wat niet?'

'Eerst laat je mij m'n hele levensverhaal vertellen, en dan doe je het jouwe af met een paar woorden.'

Ze haalde haar schouders op. 'Volgens mij is het jouwe een stuk interessanter.'

'Het gras is altijd groener...' zei hij grijnzend. 'Zo te horen hebben je broer en jij een uitzonderlijke tijd achter de rug. En jullie zijn nog niet eens dood!'

Ze haalde nogmaals haar schouders op.

'Ik mag jou wel, Grace, en ik wil graag alles over je weten. Dus voor de draad ermee! Ik heb je mijn verhaal verteld, nu wil ik het jouwe horen!'

'Goed dan,' zwichtte ze. 'Ooit zal ik het je vertellen. Maar niet vanavond. Eerst wil ik dat jij jouw verhaal afmaakt. Want we zijn pas bij je dood.' Haar ogen begonnen weer te stralen. 'Ik wil weten hoe je bent overgegaan.'

Johnny schudde zijn hoofd. 'Zal ik jou eens wat zeggen? Volgens mij was jij als kind dol op griezelverhalen voor het slapengaan.'

Ze knikte. 'Reken maar!'

'Ach, er valt niet zo veel te vertellen,' vervolgde hij. 'Tenminste, ik herinner me er niet veel meer van. Je weet dat ik met een gebroken nek aan die boomtak hing. Daar moet ik een dag of twee, drie gehangen hebben. En tegen die tijd was ik echt wel uitgekeken op het uitzicht. Het sneeuwde nog steeds, en dankzij de rigor mortis en de ijzige kou veranderde ik in een soort ijspegel. Hoe dan ook, uiteindelijk komt er een ruiter langs. Geen gewone ruiter. Niet het soort kerel dat je in die woeste verlatenheid zou verwachten. Inmiddels was ik natuurlijk echt volledig van de wereld, dus wat er toen gebeurde, weet ik alleen van hem. En hij heeft me verteld dat hij me van die boom heeft losgesneden en heeft meegenomen op zijn paard. Toen heeft hij me bij een kampvuur laten ontdooien en me de levenskus gegeven. Of de doodskus. Het is maar hoe je het bekijkt.'

'Waarom heeft hij uitgerekend jou uitgekozen?' vroeg Grace. 'Jullie hingen tenslotte met z'n drieën aan die boom?'

Johnny knikte. 'Dat heb ik hem ook gevraagd. Om te beginnen had ik iets wat hem aan zichzelf deed denken, zei hij. En bovendien had hij zo'n gevoel dat ik nog lang niet klaar was met het leven.' Johnny lachte. 'En daar had hij gelijk in. Sindsdien is het een stuk beter met me gegaan. Samen met Santos. Zo heette hij. Hij was tijdens zijn leven ook *vaquero* geweest. Santos en ik zegden het veedrijven vaarwel. Zoals ik al zei, de kuddes waren die winter gestorven. Net als ik. Maar de rodeo, die begon een hoge vlucht te nemen. Santos en ik hadden een geweldige tijd samen. We trokken van staat naar staat, wonnen prijzen, zetten de bloemetjes buiten met mooie vrouwen...'

Grace schudde haar hoofd. 'Je deed als *vampier* mee aan rodeo's?'

'Nou en of!' zei Johnny. 'Sommige van die wilde paarden hadden het door. Dat kon je voelen. Dieren zijn wat dat betreft nu eenmaal sterker ontwikkeld. Maar de cowboys, die sufferds... die hadden echt niks in de gaten.'

Johnny grijnsde opnieuw, toen boog hij zijn hoofd en verviel hij geruime tijd in stilzwijgen. Grace vroeg zich af of hij over de wrede omstandigheden van zijn leven – en zijn dood – nadacht. De stilte hing zwaar tussen hen in. 'Is alles goed met je?' vroeg ze ten slotte.

'Met mij? Ja, prima. Maak je geen zorgen. Ik zat gewoon aan die overgangsverhalen van je te denken. Vertel me er nog eens een.' Hij zweeg weer even. 'Vertel me het verhaal van Lorcan.' Zijn donkere ogen glinsterden in het maanlicht.

Grace haperde. 'Dat zal niet gaan... want... Lorcan heeft me zijn verhaal nooit verteld.'

'Wat?' Johnny keek haar wantrouwend aan. 'Dat kan ik me niet voorstellen. Jullie zijn zulke goede vrienden, maar zijn verhaal, dat ken je niet?'

Grace schudde haar hoofd. 'Ik heb het me natuurlijk vaak afgevraagd. Maar het enige wat ik van hem weet, is waar hij is geboren en waar hij is doodgegaan. De rest is blanco.'

Johnny schudde ongelovig zijn hoofd.

'En weet je? Als ik zijn verhaal kende, dan denk ik dat ik hem misschien beter zou kunnen helpen,' vervolgde Grace. 'Mosh Zu zegt dat er iets in Lorcans hoofd zit, een soort blokkade, die zijn genezing tegenhoudt. Als ik erachter zou kunnen komen wat die blokkade is, dan zou ik hem misschien kunnen helpen daarmee in het reine te komen. Zodat hij weer helemaal de oude kan worden.'

Johnny glimlachte toegeeflijk. 'Kijk eens aan, je bent een vrouw met een missie.'

'Ja.' Grace haalde haar schouders op. 'Maar het is niet zo simpel als het lijkt. Lorcan is altijd heel gesloten. En nu meer dan ooit. Dus ik zou het niet in mijn hoofd halen hem naar zijn verhaal te vragen.'

Johnny knikte. 'Maar dat hoef je ook niet te doen.'
'Wat bedoel je?' Ze keek hem niet-begrijpend aan.
'Je bent toch goed in het lezen van linten?'
Ze knikte en zag dat Johnny naar het boek keek, dat ze tussen hen in op de muur had gelegd. Lorcans lint stak eruit. Ze had het onbewust gebruikt als boekenlegger! Ineens begreep ze waar Johnny heen wilde. Haar hart begon wild te kloppen. Zou ze dan eindelijk in staat zijn het geheim van Lorcan Furey te ontsluieren? Zou ze het durven? Was het juist om dat te doen? 'Nee,' zei ze. 'Nee, dat zou niet goed zijn.'
Johnny grinnikte. 'Je toonde anders geen enkele terughoudendheid bij het lezen van míjn lint. Wat is het verschil?'
'Dat was per ongeluk,' zei Grace. 'Dat heb ik je verteld...'
Johnny duwde het boek van de muur. Toen het op de grond viel, bukte hij zich en pakte het lint. 'Oeps!' Hij nam het tussen zijn eeltige handen. Grace keek ernaar. Welke geheimen zou het in zich bergen?
Johnny nam het tussen zijn vingers en hield het haar voor. Ze schudde haar hoofd. 'Ik kan het niet. Echt niet.'
'Volgens mij heb je geen keus,' zei Johnny. 'Je wilt je vriend helpen, en het lint gaat je vertellen hoe je dat moet doen.' Met die woorden strikte hij het voorzichtig om haar hals. Toen sprong hij van de muur. 'Ik laat je alleen, Grace. Maar aarzel niet naar me toe te komen wanneer je klaar bent.'
Ze zei niets, maar huiverde toen ze voelde dat het lint zich tegen haar huid drukte.
'Kijk maar niet zo angstig,' zei Johnny. 'Het komt allemaal goed. Dat weet ik zeker.' Hij maakte een vluchtige buiging, zette zijn cowboyhoed op en liep met grote stappen de binnenplaats over.

HOOFDSTUK 28

De smekeling

HET WAS DRUK OP HET vampiratenschip, maar alle gesprekken vielen stil toen Connor, Bart en Jez aan dek verschenen. Zwijgend kwamen de vampiers naar hen toe. Als een roedel wolven die de gelederen sluiten om hun prooi te bespringen, dacht Connor. Voorop liepen twee mannen – de een klein en dik, de ander lang en dun – en een jong meisje.

'Wie zijn dat?' vroeg het meisje.

'Nieuwe donoren misschien?' zei de kleine dikke. Hij keek Bart aan en moest zijn hoofd opzijhouden om hem in zijn volle lengte te kunnen opnemen. 'Hij zou een érg goede donor zijn.' Toen hij zijn mond opendeed, zag Connor zijn scherpe hoektanden.

Zijn langere metgezel begon te lachen. 'Je kunt je donor niet zomaar inruilen.' Hij keek naar Connor, zijn ogen schitterden. 'Maar het is wel verleidelijk, hè? Ik heb vannacht zo'n honger.'

Connor voelde zich een stuk vlees, dat in de dierentuin voor de leeuwen was gegooid. Waren ze in gevaar? De kapitein zou hen toch wel beschermen?

'Wie zijn het?' herhaalde het meisje, en ze deed nog een stap dichterbij. Haar gezicht drukte een en al verwarring uit. 'Wie zijn het?' Haar kleine mond viel open, en Connor zag dat haar tanden zo scherp en puntig waren als naalden.

Toen klonk er een nog niet eerder gehoorde stem over het dek. 'Opzij! Laat me erdoor!' Er ontstond beweging in de meute. Een vrouw baande zich een weg door de menigte vampiers. Een vrouw die aan aanzienlijk alertere indruk maakte dan het verwarde meisje. Ze had grote, sprekende ogen en kort, donker haar, geknipt in een boblijn. Connor herkende haar.

'Darcy Flotsam!' Hij glimlachte en slaakte een zucht van verlichting. 'Ja toch? En ik ben...'

Ze beantwoordde zijn glimlach. 'Jij bent Connor Tempest. Ik herinner me je nog heel goed. Bovendien heb je dezelfde ogen als je zuster.'

Hij knikte. 'Is ze er?'

'Nee, ze is van boord gegaan, naar de Wijkplaats.'

'De Wijkplaats?'

'Daar gaan vampiers naartoe als ze genezing zoeken,' legde Darcy uit. 'Grace is met Lorcan Furey. Je kent Lorcan?'

Connor knikte. Hij kende Lorcan en wist dat er een hechte band bestond tussen hem en Grace. Sterker nog, Lorcan was de reden waarom ze naar het vampiratenschip was teruggegaan. Het leek wel alsof ze verliefd op hem was, maar het ging dieper, wist Connor. Hij had niets tegen Lorcan persoonlijk, maar hij wenste vurig dat de jonge vampier niet in het leven van zijn zuster was gekomen. Anderzijds, zonder Lorcan zou Grace zijn verdronken...

'Als je Lorcan kent, dan weet je misschien ook wat hem scheelt,' zei Darcy. 'Hij is blind geworden. Dus ze zijn naar de Wijkplaats, in de hoop dat hij daar kan worden genezen. De kapitein is met ze meegegaan. Maar die is inmiddels weer terug.'

Blind? Connor voelde zich meteen schuldig, en teleurgesteld over het feit dat hij Grace niet zou zien. Dat was het enige lichtpuntje aan een wel erg donkere horizon geweest. Nou ja, als ze er toch niet was, konden ze net zo goed meteen ter zake komen.

'Hoe graag ik Grace ook had gezien, we komen eigenlijk voor de kapitein,' zei hij dan ook, en hij wees op zijn reisgenoten. 'Darcy, dit zijn mijn vrienden. Dit is Bart...'

'Aangenaam kennis te maken.' Darcy maakte een kleine revérence en schudde Bart de hand. 'Volgens mij heb ik je al eens ontmoet. Je was met Connor mee toen die voor het eerst hier aan boord kwam.'

'Ja.' Connor knikte. 'Dat klopt. En dit is... dit is Jez.'

'Aangenaam kennis te maken.' Jez hield haar kleine bleke hand even in de zijne.

Darcy bloosde. 'Insgelijks. Jez?'

'Dat klopt.' Hij glimlachte naar haar. Het viel Connor op dat hij een nerveuze indruk maakte, en daar had hij ook alle reden voor.

Op dat moment klonk er weer een nieuwe stem, niet meer dan een fluistering. Connor herkende hem onmiddellijk.

'Breng ze naar mijn hut, Darcy.'

Bij het commando van de kapitein leek Darcy zichzelf tot de orde te roepen. Ze schraapte haar keel en keerde zich naar de hen omringende vampiers. 'Jullie hebben de kapitein gehoord. Hij wil dat ik de gasten naar zijn hut breng. Dus aan de kant, alsjeblieft. Vooruit, opzij!'

Het duurde even voordat de vampiers in beweging kwamen, maar uiteindelijk opende zich een pad tussen hun gelederen. Connor probeerde geen oogcontact te maken. Hij voelde zich buitengewoon slecht op zijn gemak, en het was hem een raadsel hoe Grace tussen dit soort schepselen kon verkeren. Hoe eerder Bart en hij Jez konden overdragen aan de kapitein en terug konden gaan naar de wereld van de levenden, hoe beter!

Terwijl ze achter Darcy aan over het dek liepen, hoorde hij het verwarde meisje voor de zoveelste keer vragen: 'Maar wie zíjn ze? Ik wil er een. Ik wil dat die jongste mijn nieuwe donor wordt.'

'Ik moet me verontschuldigen voor mijn medepassagiers,' zei Darcy op gedempte toon tegen de drie vrienden. 'Ze zijn vannacht wel heel erg. Morgen is het Feestmaal, dus ze zijn volkomen leeg en amper in staat tot het voeren van een fatsoenlijk gesprek.'

'Het Feestmaal?' herhaalde Jez niet-begrijpend.

'Ja,' zei Darcy. 'Dat is de nacht waarin de vampiers voldoende bloed voor een week tot zich nemen.'

Jez knikte. Connor vroeg zich af hoe Jez dacht over deze nieuwe wereld, met zijn vreemde rituelen.

Darcy hield stil voor een deur, die vrijwel onmiddellijk opening. 'Hier zijn uw gasten, kapitein.' Ze wenkte hen haar naar binnen te volgen.

'Dank je wel, Darcy,' klonk de fluisterstem van de kapitein. 'Dan kun je ons nu alleen laten.'

Ze was duidelijk teleurgesteld, maar terwijl ze de hut uit liep, streek ze even met haar hand over de arm van Jez. 'Leuk je ontmoet te hebben, Mr... eh... Jez!'

'Insgelijks.' Hij glimlachte. Connors zenuwen begonnen opnieuw op te spelen toen hij zich van Darcy naar de kapitein keerde. Er hing zo veel af van de beslissing van de kapitein. Voor Jez kon die beslissing het verschil tussen leven en dood betekenen, of tussen een levende dood en de vergetelheid.

Darcy liep de hut uit en deed de deur achter zich dicht. De drie vrienden waren plotseling in duisternis gedompeld. Connors hart ging als een razende tekeer. Maar ik ken de kapitein, zei hij tegen zichzelf. Ik heb hem eerder ontmoet. En hij heeft altijd goed voor Grace gezorgd. Ik heb niets te vrezen. En toch... en toch, dit was een schip met vampiers, en ze waren met de leider van de bemanning opgesloten in een donkere ruimte.

'Kom naar voren,' sprak de fluisterstem. Terwijl ze dat deden, betraden ze een deel van de hut dat verlicht was met kaarsen. Connor kon de plooien in de mantel van de kapitein onderscheiden. Hij stond met zijn rug naar hen toe. Kleine vonkjes dansten in de aderen van zijn cape. Het was iets wat Connor al eerder had gezien, maar hij besefte hoe angstaanjagend het moest zijn voor Bart en Jez. Het liefst zou hij hun moed inspreken, maar hij durfde niets te zeggen.

De kapitein keerde zich naar hen toe. Terwijl hij dat deed, hield Bart geschokt zijn adem in.

'Neem me niet kwalijk, Bartholomeus,' zei de kapitein. 'Ik vergat dat ik jóú weliswaar eerder heb gezien, maar dat het omgekeerd niet het geval is. Je hoeft niet te schrikken van mijn verschijning. Maak je geen zorgen. Je went eraan.'

'Niet om het een of ander, kapitein, maar u zegt dat u mij eerder hebt gezien?'

'Jazeker, in *Calle del Marinero*. Jullie hadden... wat problemen. En ik kon jullie helpen.'

Calle del Marinero... Hun verloren weekend? Connor was verbijsterd. 'Was u daar ook?' vroeg hij verward.

De kapitein knikte. 'Dat klopt. Maar daar hebben we het nog wel eens over. Connor, ik ben blij je weer te zien. Je ziet er goed uit.'

'Dank u wel, kapitein.'

'Je bent ongetwijfeld benieuwd naar je zuster.' De kapitein legde een geschoeide hand op Connors schouder. 'Ze maakt het goed. Het lijkt wel alsof ze elke dag sterker en wijzer wordt. We kunnen allemaal zo veel van haar leren.'

Connor bloosde van trots.

'Ik kan me voorstellen dat de keuze die ze heeft gemaakt, je nog altijd vreemd voorkomt,' vervolgde de kapitein. 'Maar we moeten in dit leven allemaal onze eigen weg gaan, en ik denk dat Grace heel goed weet wat die weg moet zijn.'

Connor knikte. 'Dat denk ik ook, kapitein.'

Die knikte, trok zijn hand terug en liep verder. Voor Jez bleef hij staan.

'Dit is Jez...' begon Connor.

'Je hoeft ons niet voor te stellen,' zei de kapitein. 'Ik weet wie ik voor me heb.' Hij zweeg even. 'Dit is de man van wie ik dacht dat je hem had vernietigd. De man die door Sidorio weer tot leven is gewekt.'

Alle warmte was uit zijn stem verdwenen. 'Ik voel een inktzwarte duisternis in je,' zei hij tegen Jez.

'Dat klopt,' zei die met zwakke stem.

'Wat kom je hier doen?'

'Ik wil mijn duisternis afleggen,' zei Jez. 'Ik wil niet langer zijn wat ik ben geworden.'

De kapitein nam hem aandachtig op. Terwijl hij dat deed, begonnen de tranen over het gezicht van Jez te stromen.

'Ik heb hier niet om gevraagd! Ik had mijn dood aanvaard. Maar hij heeft me gevonden, en zoals u zei, hij heeft me opnieuw tot leven gewekt.' Jez zweeg even om met de rug van zijn hand de tranen van zijn gezicht te vegen. 'Ik heb verschrikkelijke dingen gedaan. Soms omdat hij me daartoe dwong, soms gedreven door honger. Het is een vreselijke honger die ik niet kan beheersen.' Hij begon te beven.

'En je denkt dat ik je kan helpen?'

'Ik heb gehoord dat er een manier is om mijn conditie terug te draaien. Dat de mogelijkheid bestaat om mijn oude leven terug te krijgen.'

'Dat klopt,' zei de kapitein. 'Die mogelijkheid bestaat, maar het is een lange weg, boordevol obstakels. Ik ben niet van plan je daarbij te helpen. Ik kan je wel naar een ander...'

'Ik kom bij ú om hulp, kapitein,' zei Jez. 'Toen ik nog sterfelijk was, heb ik Connor over u horen praten. Hij vertelde hoe sterk en hoe genadig u bent. En hoe u onderdak verleent aan wanhopige zielen zoals ik...'

'Ik geef onderdak aan vampiers die hun honger onder controle hebben,' viel de kapitein hem in de rede. 'Het zou een te groot risico zijn om iemand als jij aan boord te nemen.'

Connor kon zijn oren niet geloven. Was alle moeite dan toch voor niets geweest. Grimmig herinnerde hij zich wat Jez tegen hen had gezegd, aan boord van de *Diablo: Ik wil dat jullie me helpen de weg terug te vinden. En als dat niet kan, dan wil ik dat jullie me doden. Maar deze keer voorgoed.* Hij moest iets doen.

'Kapitein, is er helemaal niets wat u kunt doen om Jez te helpen?'

'Ik heb niet gezegd dat ik hem niet kón helpen. Ik heb gezegd dat ik het niet wílde.' De kapitein deed een stap naar achteren. 'Je had hem moeten vernietigen toen je de kans had. Dat zou voor iedereen beter zijn geweest.'

'Maar, kapitein...'

'Nee, Connor. Ik heb het je al eerder gezegd. Hij is niet wie jij denkt dat hij is. Een echo, meer is hij niet. Hij mag dan klinken als je vriend en hij mag er ook zo uitzien, maar hij herbergt te veel duisternis in zich. En dat hebben we aan Sidorio te danken.'

Jez slaakte een kreet en liet zich op zijn knieën vallen. 'Ik smeek u, kapitein, help me, alstublieft! Sidorio is verdwenen. Net als iedereen die zich bij hem had aangesloten. Ik ben alleen. Helemaal alleen. Zelfs met mijn vrienden om me heen ben ik alleen. Er bestaat een afstand tussen ons die ik niet kan overbruggen... Ik smeek u, kapitein...' Zijn stem stierf weg.

Het bleef heel lang stil.

'Goed dan,' zei de kapitein ten slotte. 'Kom overeind. Vooruit, sta op!'

Jez deed wat hij zei.

'Ik ben bereid je een tijdje mee te nemen. En als blijkt dat je dat waard bent, zal ik je helpen te veranderen. Maar verwacht niet dat het gemakkelijk zal zijn. Het is heel hard werken, en je zult het allemaal zelf moeten doen.'

'Ja, kapitein... O, dank u, kapitein!'

'De beste manier om me te bedanken is door te bewijzen dat je de waarheid hebt gesproken. Als je me teleurstelt, ga je van boord. Voorgoed. Zonder de kans om ooit nog terug te komen. Is dat duidelijk?'

Jez knikte. 'Ja, kapitein.'

'Ik zal Darcy zeggen dat ze je een kamer moet wijzen. En dat ze een donor moet regelen. Ik denk dat ik wel iemand voor je heb.'

Connor verbleekte.

De kapitein schudde zijn hoofd. 'Niet jij, Connor. We hebben op dit moment een donor over. Ze heet Shanti. Ik denk dat jullie het wel goed kunnen vinden samen.'

Het humeur van de kapitein leek plotseling op te klaren. 'Connor, Bart, willen jullie dat ik voor jullie ook een hut in gereedheid laat brengen?'

'Nee!' zei Connor abrupt. 'Dat wil zeggen, ik bedoel...'

Bart kwam tussenbeide. 'Wat Connor probeert te zeggen, is dat we terug moeten naar de *Diablo* voordat we worden gemist.'

'Zoals je wilt,' zei de kapitein. 'Darcy!' zei hij toen. 'Wil je Jez alsjeblieft komen halen? En hem naar een van de leegstaande hutten brengen? Hij reist een tijdje met ons mee.'

Bijna onmiddellijk kwam Darcy de hut weer binnen. Ze straalde.

'Kom maar mee,' zei ze tegen Jez. 'Dan zullen we zorgen dat we een plekje voor je vinden.'

'Dank je wel, Darcy,' zei de kapitein.

'Dank ú, kapitein,' zei Jez. De opluchting was duidelijk van zijn gezicht af te lezen.

'Denk aan wat ik heb gezegd, Jez. Dit is je laatste kans.'

'Ja, kapitein!' Na die woorden omhelsde Jez zijn twee vrienden. 'Bedankt voor jullie hulp, mannen.'

Toen Connor hem losliet, vroeg hij zich af wat de toekomst voor Jez in petto had. Zouden ze elkaar ooit nog terugzien? Plotseling voelde hij zich leeg, uitgeput – door hun hereniging en door de terugkeer naar het vampiratenschip. Hij zou er graag meer over willen weten, maar tegelijkertijd wist hij dat dit niet zijn wereld was. Grace gedijde in alle mysteriën die het vampiratenschip omringden, maar hij gaf de voorkeur aan de nuchtere, harde werkelijkheid van het gewone piratenleven.

'Dus dan moeten we opnieuw afscheid nemen,' zei de kapitein.

'Ja,' antwoordde Connor. 'Voorlopig wel. Maar ik heb zo'n gevoel dat we elkaar zullen terugzien.'

Het was alsof er een glimlach over het maaswerk van het masker gleed. 'Dat zullen we zeker, Connor. En tot het zover is, houd ik je in de gaten.'

Die woorden zouden anderen misschien onheilspellend in de oren hebben geklonken, maar Connor ontleende er een merkwaardig soort troost aan. Hij schudde de gehandschoende hand van de kapitein. Terwijl hij dat deed, kreeg hij plotseling een visioen. Hij lag in het water, en de hand tilde hem eruit, bracht hem in veiligheid. Was dat wat er in *Calle del Marinero* was gebeurd? Hij probeerde het beeld vast te houden, maar het visioen verdween bijna onmiddellijk.

Terwijl Bart en hij terugliepen over het dek, duizelde het hem van de vragen over de vampiratenkapitein.

Bij de ladder naar hun bootje gekomen draaiden ze zich om. Jez en Darcy stonden te praten op het dek. Connor hoorde hen lachen.

'Ik denk dat Jez hier wel op zijn plaats zal zijn,' zei hij.

'Ik denk het ook,' zei Bart. 'Die Stukeley! De meiden waren altijd al gek op hem. Trouwens, de kapitein lijkt me een harde, maar wel eerlijk. En over kapiteins gesproken, we kunnen er maar beter de sokken in zetten, voordat de onze in de smiezen krijgt dat we 'm zijn gesmeerd.'

Connor knikte, klom over de reling en begon de ladder af te dalen. Terwijl hij dat deed, hoorde hij een vertrouwde stem.

'Maar wie zíjn het? Ik heb honger. Ik heb zó'n honger.'

Grappig, dacht hij. Ze zijn net zo nieuwsgierig naar ons als wij naar hen.

Toen hij in de kleine boot sprong, dacht hij aan de uitgestrektheid van de donkere oceaan – zo uitgestrekt dat die onderdak kon bieden aan zo veel verschillende soorten mensen. Toen Bart ook aan boord was, lichtte hij het anker, en ze voeren weg, bijgelicht door de zilveren sikkel van de wassende maan.

HOOFDSTUK 29

Lorcans lint

Het effect van het lint was duidelijk voelbaar. Vanaf het moment dat Johnny het om haar hals had gedaan, was er een zekere loomheid over Grace neergedaald. Ze liet zich van het muurtje glijden en besloot op zoek te gaan naar een comfortabeler plek. Het liefst zou ze naar haar kamer zijn gegaan, maar ze voelde dat ze daar niet genoeg tijd voor zou hebben. Ze kon het lint natuurlijk weer afdoen, maar nu het proces eenmaal had ingezet, was ze ongeduldig om ermee door te gaan. Ze had Olivier horen praten over een moestuin met een fontein, aan de andere kant van de binnenplaats. Dat klonk als een rustig plekje om even te gaan zitten.

De tuin was precies zoals Olivier die had beschreven. Om de fontein in het midden stonden drie banken. Het geluid van het stromende water had onmiddellijk een kalmerende uitwerking op haar. Grace ging op een van de banken zitten, maar besloot dat het nog comfortabeler zou zijn als ze ging liggen. Ze trok haar trui uit en vouwde die op tot een soort kussen. Terwijl ze zich uitstrekte en haar ogen sloot, voelde ze meteen dat ze werd meegevoerd, in vliegende vaart.

Het was donker waar ze terechtkwam. Het duurde even voordat ze besefte dat ze onder water was. Toen zag ze het lichaam van een meisje drijven. Ze huiverde bij het besef dat het haar eigen lichaam was, dat ze naar zichzelf keek terwijl ze dreigde te verdrinken. Het was fascinerend en gruwelijk tegelijk.

Ze zwom krachtig naar zichzelf toe en stak haar hand uit om het slappe lichaam mee te trekken naar de oppervlakte. Toen ze het in de koude nachtlucht uit het water tilde, voelde ze hoe krachteloos het was.

Ze legde het languit op het dek en keek op zichzelf neer. Natuurlijk, besefte ze. Dit was haar eerste ontmoeting met Lorcan, gezien door zijn ogen.

Hij kijkt verwonderd neer op het meisje dat op het dek ligt. Haar ogen zijn gesloten. Is ze dood? Hij wacht af. Ten slotte beginnen haar oogleden te trillen, en ze kijkt naar hem op. Ze kijkt naar hem op, maar ze ziet hem niet – ze is te druk bezig haar weg terug te vinden naar de wereld. Maar hij ziet haar wel. En haar aanblik betekent een schok voor hem. Haar ogen zijn groen als smaragden. Zulke ogen heeft hij eerder gezien. In drie gezichten. Is het waar? Kán het waar zijn?

'Je gaat me in de problemen brengen,' zegt hij.

Ze kijkt hem verward aan. Haar kastanjebruine haar hangt in slierten voor haar ogen. Hij bukt zich en strijkt het weg. De aanblik van haar haar roept opnieuw een herinnering op. Een herinnering aan precies zulk haar. Hij huivert wanneer hij eraan denkt wat dat zou kunnen betekenen. Maar dan maakt het meisje geluid, en hij schrikt op uit zijn overpeinzingen.

Ze huivert, de geluiden die ze maakt, zijn aanvankelijk onsamenhangend. Hij beseft dat ze is uitgedroogd. Dus hij pakt zijn fles en houdt die aan haar mond. Terwijl ze drinkt, gebruikt hij zijn vrije hand om zijn jasje uit te trekken en het onder haar hoofd te leggen.

'Wie ben je?'

Eindelijk kan hij verstaan wat ze zegt. Haar woorden roepen opnieuw een stortvloed van gedachten en herinneringen op. Hij begint in paniek te raken, maar tegelijkertijd is hij geïntrigeerd, voelt hij zich opgewonden. Dit moment is een geschenk dat hij nooit had gedacht te zullen ontvangen.

'De naam is Lorcan,' zegt hij. 'Lorcan Furey.'

Ze wil weten waar ze is, hoe ze daar is gekomen. Hij beantwoordt haar vragen zo goed mogelijk, zorgvuldig zijn woorden kiezend. Dan vraagt ze naar haar broer. Ze noemt zijn naam.

'Connor! We zijn een tweeling...'

Een tweeling! Nu is er geen enkele twijfel meer mogelijk. Hij kijkt haar aan en hoopt dat ze de angst in zijn ogen niet ziet. Hij is dankbaar, verschrikkelijk dankbaar als hij de fluisterstem van de kapitein hoort die hem roept.

'Word eens wakker! Hé! Wakker worden!'

Het visioen wordt beverig. Het beeld van het meisje verdwijnt. Het dek lost op in nevelen van mist.

'Word eens wakker!'

Ze voelde een vinger in haar borst prikken. 'Au!' Grace deed haar ogen open en keek in het gezicht van een vrouw. Ze had even tijd nodig om tot zichzelf te komen, om te beseffen dat ze in de tuin van de Wijkplaats was en dat ze het vrouwengezicht eerder had gezien.

'U bent de prinses!' Ze ging rechtop zitten.

'Dat klopt,' zei de vrouw, die Grace had ontmoet tijdens het lintenritueel. 'Ik ben Marie-Louise, Princesse de Lamballe.'

Grace zette haar voeten op de grond. 'Wat doet u hier?' vroeg ze.

'Het spijt me, maar ik wist niet dat dit jouw privétuin is,' snauwde de prinses. Ze wees naar de hals van Grace. 'Wat moet dat voorstellen?'

Het duurde even voordat ze besefte waarop de prinses doelde. Toen het tot haar doordrong dat die naar het lint wees, voelde ze zich onmiddellijk schuldig. 'Dat is van mijn vriend...' begon ze.

De prinses kapte haar af. 'Het doet er niet toe van wie het is.' Ze snoof verontwaardigd. 'Ik maak ernstig bezwaar tegen het feit dat je het om je hals draagt.'

Grace fronste haar wenkbrauwen. Waar hád ze het over?

'Doe me een plezier...' De prinses maakte aanstalten de strik los te maken. 'En doe dat ding af. Nu meteen!'

'Goed, goed, zoals u wilt.' Grace begon het lint voorzichtig los te maken, rolde het op en sloot haar vingers eromheen.

'Zo mag ik het zien.' De prinses klonk op slag een stuk kalmer. Ze ging naast Grace zitten en schikte haar gescheurde rokken. Het was duidelijk dat ze niet van plan was meteen weer te vertrekken. Grace voelde zich ongeduldig, gefrustreerd door het feit dat de prinses haar visioen had verstoord. Het was fascinerend geweest om zichzelf te zien door de ogen van Lorcan en ze voelde dat ze op het punt had gestaan iets belangrijks te ontdekken.

'Het spijt me dat ik zo nijdig deed,' zei de prinses wat vriendelijker. 'Want je kon natuurlijk niet weten dat ik zou schrikken van dat lint om je hals. Sterker nog, je weet niet eens wie ik ben.' Ze boog zich naar Grace en streek een verdwaalde lok haar achter haar oor. Het gebaar was verrassend teder.

'Ooit was ik heel machtig,' vervolgde ze. 'Als vriendin en vertrouwelinge van Marie Antoinette, de koningin van Frankrijk.' Toen ze haar hoofd omdraaide, werd Grace even verblind door de schittering van haar collier. 'Ik neem aan dat je wel weet wie Marie Antoinette was?'

'Ja.' Grace knikte. 'In het laatste jaar op school hebben we de Franse Revolutie behandeld...'

'Aha!' De prinses glimlachend. 'Dus je weet wel wie ik ben?'

Grace schudde haar hoofd. 'Ik weet een beetje over uw vriendin, de koningin.'

De prinses fronste haar wenkbrauwen. 'Misschien had je wat meer over het onderwerp moeten lezen. Ik weet toevallig dat ik in de meeste bétere geschiedenisboeken wel degelijk voorkom. Behalve dat ik haar vriendin was, had ik ook de supervisie over het koninklijke huishouden. Ik heb dit collier van haar gekregen.' De prinses bracht haar hand naar haar hals. De fijngeslepen diamanten glinsterden in het maanlicht. 'Mooi, hè? Maar ik draag het niet alleen omdat het zo mooi is.' Ze keek Grace doordringend aan, toen reikte ze naar haar hals, en ze maakte het collier los. De diamanten regenden in haar hand, en Grace hield geschokt haar adem in. Rondom de hals van de prinses liep een vurig, rafelig litteken.

'Dit is mijn eeuwige collier.' De prinses streek teder met haar vingers over het litteken. 'De misleide meute heeft me mijn hoofd afgehakt, het op een paal gezet en is ermee de kroegen langs gegaan, waar iedereen het glas hief op mijn dood. Maar wat nog veel erger was, ze zijn er ook mee langs het balkon van de koningin geparadeerd. Kun je je dat voorstellen? Kun je je voorstellen hoe vernederend dat voor mij was? En hoe gruwelijk voor haar?'

Grace schudde haar hoofd, verbijsterd door de bijna zakelijke manier waarop de prinses sprak over het verschrikkelijke geweld dat haar was aangedaan. Dat maakte dat Grace haar in een heel nieuw licht zag.

'Hun wreedheid, hun barbarisme kende geen grenzen,' zei de prinses. 'Er was zelfs een man die het hart uit mijn lichaam rukte en het opat.' Grace hield opnieuw geschokt haar adem in, maar de prinses schudde haar hoofd en lachte verbitterd. 'Ik heb hem behoorlijk de stuipen op het lijf gejaagd door twee nachten later bij hem te komen spoken. Volgens mij was hij erg verrast door het feit dat ik alle stukken van mijn lichaam weer bij elkaar had weten te krijgen... Tenminste, bijna alle. De koninklijke naaister heeft me weer opgelapt. Niemand was zo kundig met naald en draad als zij. Ze had tranen in haar ogen, maar haar hand met de naald beefde niet.'

Grace schudde haar hoofd, opnieuw verbijsterd door een overgangsverhaal van een vampier. 'Maar waarom maakte mijn lint u zo van streek?' vroeg ze.

'In de tijd dat ik werd gedood, bestond er een ritueel,' legde de prinses uit. 'Elke avond hielden de aristocraten die gespaard waren gebleven, een groots bal. Heel overdadig en verkwistend. Je kunt je nauwelijks een voorstelling maken van de drank, het eten, de jurken. Ze waren vastbesloten te dansen tot de dageraad, want ze wisten dat het eind van het feest naderde. Je kon zo'n bal alleen bezoeken als de meute een van je dierbaren had afgeslacht. Iedereen die naar het bal kwam, droeg een lint om de hals.'

'Maar deden ze dat niet om hun vrienden en hun familieleden te eren?' vroeg Grace. 'Was het geen teken van respect?'

'Eer? Respect? Het mocht wat! Ze hadden moeten véchten, in plaats van dánsen. Als er minder bals waren geweest, zou het voor mij – en voor velen van ons – misschien anders zijn afgelopen.' Ze deed het diamanten collier weer om haar hals en stond op. 'Ik ben moe. Het gebrek aan bloed put me verschrikkelijk uit.' Toen ze Grace aankeek, was de honger in haar ogen duidelijk zichtbaar. Grace vroeg zich af of ze gevaar liep. Maar de prinses pakte alleen haar hand – de hand waarin ze het lint geklemd hield.

'Ik weet van wie dit lint is,' zei de prinses.

'O ja?'

'Ja, het is van die jongen. Die blinde jongen. Volgens mij ben je een beetje verliefd op hem...'

Grace bloosde.

'Wees voorzichtig,' waarschuwde de prinses.

'Wat bedoelt u?'

'Ik weet dat je op zoek bent naar antwoorden in dat lint.'

'Ja, want ik denk...' begon Grace, maar de prinses kapte haar af.

'Pas op. Ik heb veel langer geleefd dan jij, en er is één belangrijke les die ik heb geleerd.'

'Wat dan?'

'Stel geen vragen als je nog niet klaar bent voor het antwoord,' antwoordde de prinses. '*Comprenez vous?*'

Grace knikte.

'Ik weet waar ik het over heb, kindje. Ik ben een goede vertrouwelinge. Volgens de koningin was er geen betere dan ik.'

'Dank u wel,' zei Grace. 'Heel erg bedankt voor uw goede raad.'

'*Mon plaisir*,' zei de prinses. 'Dag, kindje. Ik loop nog even door de tuin, en dan ga ik naar bed.' Met die woorden liep ze in de richting van de fontein. Terwijl ze in de schaduwen verdween, verbleekten haar vurige littekens, en haar gescheurde rokken leken gemaakt van het fijnste kant. Ze bewoog zich sierlijk, elegant, als een echte dame.

Toen ze weer alleen was, voelde Grace dat haar hand steeds warmer werd. Ze keek naar het lint. Vroeg het haar om verder te gaan? Maar misschien had de prinses gelijk. Zou het gevaarlijk zijn om terug te keren naar het visioen? Stond ze inderdaad op het punt iets te ontdekken waar ze nog niet klaar voor was? Ze aarzelde. Misschien moest ze er voor die dag mee stoppen en het lint terugbrengen naar Lorcans nachtkastje.

Maar het was te verleidelijk. Het eerste visioen had haar al verteld dat de band tussen haar en Lorcan hechter was dan ze ooit had beseft. Misschien school daarin een aanwijzing omtrent zijn ziekte, en dus omtrent zijn genezing. Ze moest meer te weten zien te komen. Ook al betekende het dat ze zich op gevaarlijk terrein moest begeven, ze moest het doen. In zijn belang. En het hare.

Ze ging weer op de bank liggen, nam het lint in haar hand en sloot haar ogen. Onmiddellijk werd de visionaire reis hervat. Het was weer donker, mistig. Grace vroeg zich af of ze hetzelfde deel van het verhaal opnieuw te zien kreeg. Maar nee, deze keer was ze niet onder water. In plaats daarvan lag ze op het dek van een schip... de *Nocturne*. Ze draaide zich om en zag zichzelf de nacht in rennen. Ze besefte dat ze opnieuw door Lorcans ogen keek. En op hetzelfde moment wist ze welk punt ze hadden bereikt. Nu zou ze echt iets belangrijks te weten komen!

'Connor!' hoort ze de andere Grace roepen. Dan ziet ze Connor, maar niet zoals een zuster de broer ziet die ze haar leven lang bijna dagelijks om zich heen heeft gehad. Ze ziet hem door Lorcans ogen. Hij kijkt naar hem met dezelfde verwondering als waarmee hij keek toen Grace haar ogen opendeed terwijl ze op het dek lag. Connor is langer, breder dan zij, zijn haar een tint donkerder. Maar ze hebben dezelfde smaragdgroene ogen. Lorcan kijkt toe terwijl ze elkaar omhelzen. Het is een gelukkige hereniging, maar Lorcans geluksgevoel wordt overschaduwd door pijn en angst.

Hij wendt zijn blik af, zich ervan bewust dat de dageraad de nacht begint te verjagen. Zijn tijd begint op te raken, als korrels zand in een zandloper. Paniek dreigt bezit van hem te nemen. En niet alleen vanwege de tijd. Hij beseft dat de jongen niet uit de lucht is komen vallen, maar afkomstig is van een schip. Een schip dat op dat moment zichtbaar wordt in de mist. Langs de reling staat een horde mannen en vrouwen, gewapend met zwaarden. Welk spel wordt hier gespeeld? Welk gevaar dreigt er? Hij moet Grace beschermen! Hij moet hen allebei beschermen! Dat heeft hij lang geleden beloofd.

De Ochtendklok luidt. Hij hoort Darcy roepen dat hij naar binnen moet gaan. Dat weet hij, maar hij voelt zich als verlamd. Hij kan niet naar binnen gaan. Niet zonder haar. Niet zonder haar en de jongen.

Hij voelt zich gedesoriënteerd door het beginnende daglicht en ziet net op tijd een piraat op zich afkomen. Dus trekt hij zijn kortelas. De piraat pareert met een slagzwaard. De meisjes gillen het uit. Darcy smeekt hem naar binnen te gaan. Grace schreeuwt dat hij niets heeft misdaan, maar inmiddels beseft Lorcan dat ze allemaal in gevaar zijn. Hij zal moeten vechten. Dus raapt hij al zijn energie bij elkaar en laat zijn kortelas neerdalen op de arm van de piraat. Er klinken nog meer kreten, maar Lorcan weet wat hem te doen staat.

'Ik heb gezegd dat ik Grace zou beschermen, en dat zal ik doen ook!' Hij zal haar beschermen, hij zal hen beiden beschermen. Net zoals hij dat al eerder heeft gedaan. Tot zijn laatste snik zal hij de tweeling beschermen. Wat is zijn belofte anders nog waard? Maar inmiddels raken oude beloften vermengd met nieuwe emoties. Gevoelens die hij niet wil toegeven, niet eens tegenover zichzelf. Dat is te gevaarlijk.

Het daglicht wordt hem te machtig. Hij moet zijn ogen sluiten. Opnieuw haalt hij uit met zijn zwaard, maar het is zinloos. Er wordt gezegd dat er geen sprake is van een aanval. Maar hij gelooft het niet. Tenminste, niet meteen. Pas wanneer de jongen, Connor, het zegt, gelooft hij het. De stem van de jongen klinkt zo krachtig.

Het is geen verrassing dat hij zo veel kracht heeft geërfd. Eindelijk overtuigd gaat Lorcan naar binnen.

Van achter de deur kijkt hij naar hen. Het is pijnlijk. In diverse opzichten. Hij is zich bewust van een overweldigend gevoel van verlies. Terwijl hij zijn ogen sluit, ziet hij het beeld voor zich van twee baby's, gewikkeld in zachte doeken. Ze worden aan hem gegeven, een in elke arm. Hij kijkt op ze neer, van de een naar de ander en weer terug. Ze zijn elkaars evenbeeld.

Nu ziet hij ze weer, ze omhelzen elkaar. Ze gaat mee met haar broer. Ze móét met hem meegaan. Weg van hier. Naar waar ze veilig zijn, weg van dit schip en zijn bemanning. En toch... toch wil hij niet dat ze weggaat. Is het zo verkeerd om dat toe te geven? Is het zo verkeerd om iets, om íémand voor zichzelf te willen? Om haar te willen?

Plotseling valt het beeld in stukken, en hij kijkt weer neer op het meisje op het dek. Ze doet haar ogen open. Er straalt een verblindend, smaragdgroen licht uit.

Dan wordt zijn gezichtsvermogen weer helder. De tweeling omhelst elkaar nog steeds.

Het volgende moment houdt hij de baby's in zijn armen. Met de kinderen stapt hij in een kleine boot, en hij maakt zich gereed om weg te varen.

'Ze mogen het nooit weten,' zegt hij tegen zichzelf. 'Ze mogen het nooit weten.'

Dat is het einde van het visioen. Alles wordt zwart. En stil.

Grace deed haar ogen open. Er brandden tranen in. Wat was ze te weten gekomen? Te veel, en toch niet genoeg.

HOOFDSTUK 30

Schuld en boete

Molucco Wrathe ijsbeerde door zijn hut. Hij was woest. Connor had hem nog nooit zo kwaad gezien. 'Kan iemand me misschien vertellen wat hier aan de hand is?' Hij keek Connor en Bart razend aan. Onder het slaken van een verwensing bleef hij ten slotte naast Cate staan. Haar gezicht stond ondoorgrondelijk en vormde een schril contrast met dat van Molucco.

Connor wierp een ongemakkelijke blik op Bart, die nerveus terugkeek. Voordat een van hen de moed had iets te zeggen, barstte Molucco los in een nieuwe tirade. 'Ik zal het jullie wat gemakkelijker maken, heren! Ik weet dat jullie er met een van de reddingsboten vandoor zijn gegaan. En ik weet dat jullie naar het een of andere vreemde oord zijn geweest waar ze BLOED verkopen, en vandaar naar dat schip van... van de VAMPIERS!'

Connor was met stomheid geslagen. Hoe wíst de kapitein dat allemaal? Niemand had hen gezien. Ze waren heel voorzichtig geweest. Hij zag aan Barts gezicht dat die hetzelfde dacht. Ze konden echter moeilijk opheldering aan Molucco vragen. Dat zou hem alleen maar nog woedender maken.

'Nou?' drong die aan. Cate fronste haar wenkbrauwen. Zelfs Scherpent leek angstig in elkaar te krimpen toen de kapitein verder raasde. 'Vertel op! Wat hebben jullie in 's hemelsnaam uitgevoerd?'

Het was uiteindelijk Bart die antwoord gaf. 'We hebben het gedaan om Jez te helpen, kapitein,' zei hij zacht.

'Harder!' bulderde Molucco oorverdovend.

'We hebben het gedaan om Jez te helpen, kapitein... Jez Stukeley,' herhaalde Bart iets luider.

'Jez Stukeley?' Molucco keek hem in opperste verwarring aan. Blijkbaar had zijn geheimzinnige informant niets over Jez gezegd. 'Maar Jez is dood!'

'Ja, kapitein,' zei Bart. 'Hij is dood, maar hij is er nog.'

'Dat begrijp ik niet.' Molucco rimpelde zijn voorhoofd in een diepe frons.

Connor nam het van Bart over. 'We zijn er allemaal getuige van geweest dat Jez stierf bij het duel op de *Albatros*. We hebben hem in zee begraven. Maar daarna is hij gevonden door een van de vampiraten, Sidorio, en toen is hij ook een vampier geworden.'

'Ja, ja, dát weet ik allemaal,' zei Molucco dreigend. 'Jez was een van de vampiers die mijn broer en zijn bemanning hebben vermoord...'

'Nee!' riep Connor, feller dan hij had bedoeld. 'Oké, hij is erbij geweest. Omdat hij geen keus had. Maar hij wist niets van de aanval – die gruwelijke, wrede aanval – tot het zover was. Hij is niet eens bij uw broer aan boord gegaan. Dus hij heeft niet echt meegedaan...'

'Je praat ineens wel heel anders, Tempest!' snauwde Molucco. 'Die nacht dat we de vampiers vernietigden, zei je dat hij een van de schuldigen was. Sterker nog, jij leidde de aanval. Je hebt brandende fakkels naar hun schip gegooid en je hebt Jez hoogstpersoonlijk voor de tweede keer de dood in gejaagd.'

'Ja.' Connor knikte. 'Of eigenlijk, nee.'

'Wat is het nou, ja of nee?' donderde Molucco.

'Ik dácht dat we hem hadden vernietigd, maar dat was niet zo. Hij heeft het overleefd.' Hij zweeg even. 'Hij is de enige die de brand heeft overleefd.'

'En hij lijdt op een gruwelijke manier,' zei Bart. 'Hij voelt zich verschrikkelijk schuldig over zijn aandeel in wat er is gebeurd...'

'Dat mag ik hopen!' zei Molucco.

'En hij verafschuwt het schepsel... de vampier, die hij is geworden. Hij heeft ons gesmeekt hem te helpen, en we konden hem niet aan zijn lot overlaten.'

Molucco zweeg en wachtte met zijn armen over elkaar op de rest van hun verhaal. Cate knikte Connor toe dat hij door moest gaan.

'We hebben hem naar het vampiratenschip gebracht,' vervolgde die. 'Het schip dat destijds mijn zuster heeft gered. De kapitein is een genadig ma... een genadig wezen. Niet zo'n bloeddorsteling als Sidorio. We denken dat hij Jez kan helpen.'

'Ach, dat is fijn,' zei Molucco op een verzoenlijker toon. 'Hoe noemen jullie jezelf ook alweer? De drie boekaniers?'

Connor knikte. Bart glimlachte.

'En jullie hadden als het ware een laatste reünie in het belang van jullie oude makker?'

'Ja!' Connor knikte, opgelucht dat de kapitein het eindelijk had begrepen.

'Precies!' zei Bart.

Het bleef even stil, toen barstte Molucco weer los. 'Jullie hebben geen idee van de schade die jullie hebben aangericht! Ik had mijn broer net zover dat hij het idee om de moord op Porfirio te wreken, had laten varen. Ik had hem ervan overtuigd dat wij al wraak hadden genomen en met de moordenaars hadden afgerekend! Maar dankzij die actie van jullie weet hij nu dat een van Porfirio's moordenaars nog springlevend is...' Hij zweeg. Zijn gezicht zag zo rood dat Connor bang was dat hij erin zou blijven.

'Neem me niet kwalijk, kapitein,' zei Connor. 'Maar hoe weet Barbarro dit allemaal?'

'Snap je dat dan niet?' snauwde Molucco. 'Jullie zijn gevolgd.'

'Het spijt me,' zei Connor somber. 'Het spijt me dat we u zo veel last hebben bezorgd.'

'We probeerden alleen maar een oude vriend te helpen,' zei Bart.

'Val me niet in de rede!' brulde Molucco. 'Gebruik nou toch

eens je verstand! Jez Stukeley is gesneuveld op het dek van de *Albatros.* Einde verhaal. Ik ben niet van plan me bezig te houden met al die onzin over zombies die levend dood zijn. We hebben Jez verloren bij dat duel op het schip van Drakoulis.' Hij zweeg even. 'Dat is verschrikkelijk, maar zulke dingen gebeuren nu eenmaal. En het kan me niet schelen wat er met Jez is gebeurd nadat we hem met kist en al in zee hebben gegooid! Ik wil niks weten over die vampiraten! En ik wil ze vooral nooit meer zien! Zolang jullie deel uitmaken van mijn bemanning – *en bij mijn weten hebben jullie voor de rest van je leven bij mij getekend* – wil ik het woord *vampier* – of *vampiraat* – aan boord van dit schip uit jullie mond niet meer horen. Is dat duidelijk?'

'Ja, kapitein,' zeiden ze zacht.

'Het spijt me, maar ik kan jullie niet verstaan.'

'Ja, kapitein Wrathe,' verklaarden ze iets luider.

'Dan is de zaak daarmee afgedaan,' zei Molucco. 'En dan moeten we nu alles in het werk stellen om de situatie te redden en mijn broer ervan te overtuigen dat hij zich moet concentreren op onze expeditie naar India.' Hij keerde zich naar Cate. 'Ik ga naar Barbarro,' zei hij, aanzienlijk beheerster. 'En ik laat het aan jou over om te zorgen dat dit tweetal zijn gepaste straf krijgt.'

Hij keerde zich weer naar Connor en Bart. 'Jullie hebben me diep teleurgesteld, allebei.' Connor kon het nauwelijks verdragen de kapitein aan te kijken terwijl die vervolgde: 'Jullie waren als zoons voor me. Maar nu weet ik het niet meer. Ik weet het echt niet meer. Ik vertrouw erop dat jullie in de toekomst niet vergeten bij wie jullie loyaliteit ligt.' Toen verhief hij opnieuw zijn stem voor een laatste commando: 'Ingerukt!'

Cate kwam naar voren en loodste Connor en Bart de hut van de kapitein uit. Ze zagen er allemaal moegestreden uit toen ze aan dek verschenen. De zon stond als een stralende, onwelkome gast aan de hemel en verblindde hen.

'Wat is er aan de hand?' Link Wrathe kwam tevoorschijn van achter de mast. 'Jullie zien eruit alsof jullie van een begrafenis komen.'

'Niet nu, Link,' zei Cate.

'Zou je me niet *luitenant Wrathe* noemen?' vroeg die.

'Ik ben onderkapitein van de *Diablo*,' zei Cate streng. 'Je bent hier op mijn terrein.'

Link trok een wenkbrauw op. 'Je hebt wel een erg kort lontje, Catie. Ben je soms bang dat je niet tegen me op kunt?'

'Oké, Linkmiechel,' zei Bart. 'Zo kan die wel weer. Opgesodemieterd!'

Link grijnsde, volstrekt niet onder de indruk. 'Je ziet een beetje bleek, Connor,' vervolgde hij. 'Misschien zou je eens een bezoekje moeten brengen aan de Bloedkroeg.'

Even waren Connor en Bart met stomheid geslagen.

'Dus jij was het!' riep Connor ten slotte. 'Jij hebt ons gevolgd! En vervolgens heb je ons verlinkt bij kapitein Wrathe. Ik had het kunnen weten!'

Bart haalde uit met zijn vuist, maar Cate was sneller en blokkeerde zijn arm. 'Niet doen! Hij is het niet waard, Bart. Je hebt al genoeg problemen met kapitein Wrathe. Maak het niet nog erger.'

Link grijnsde. 'Goed gesproken, Catie. Blijkbaar heeft een van jullie drie *amigos* tenminste nog énig verstand.'

'Zo, en hou nou verder je kop!' snauwde Cate. 'Wegwezen! En je mag blij zijn dat ík je geen pak op je sodemieter heb gegeven!'

Link deed zijn mond alweer open, maar leek zich te bedenken. Hij slenterde langs hen heen en bleef halverwege het dek staan. 'Tot ziens!' Hij stak groetend zijn hand op. 'Ben ík blij dat ik niet in jullie schoenen sta!' Lachend vervolgde hij zijn weg.

Toen hij eenmaal verdwenen was, keerde Bart zich naar Cate. 'Bedankt. Ik had met liefde zijn gezicht verbouwd, maar ik ben blij dat je daar een stokje voor hebt gestoken.'

Cate glimlachte zwakjes. 'Graag gedaan,' zei ze. Toen slaakte ze een diepe zucht. 'Allemachtig, wat een toestand!'

'Wat voor straf ga je ons geven?' vroeg Connor somber.

Cate legde haar hand op zijn schouder. 'Ach, volgens mij hebben jullie het al zwaar genoeg gehad. Trouwens, dat geldt voor ons allemaal. Dus het is de hoogste tijd om die ellendige kwestie achter ons te laten en de draad weer op te pakken.'

'Jij zou Jez toch ook hebben geholpen?' vroeg Bart. 'Onze ouwe makker?'

Cate slaakte een diepe zucht. 'Ik zou álles hebben gedaan om Jez te helpen. Ongeacht wát hij is geworden. Het is mijn schuld dat hij is gesneuveld. Omdat ik fouten heb gemaakt met onze aanvalsstrategie. Ik had moeten beseffen dat er iets niet klopte. Dat we met valse inlichtingen naar dat schip werden gelokt...'

'Nee,' zei Bart. 'Het was niet jouw schuld.'

Cate schudde haar hoofd. 'Het is aardig dat je me probeert op te beuren, Bart. Maar ik ben onderkapitein op dit schip. Ik had onze aanval beter moeten voorbereiden. Als ik niet schuldig ben aan de dood van Jez, wie dan wel?'

'Dat zal ik je vertellen!' Barts ogen waren donker van woede. 'Als er geen oud zeer had bestaan tussen Molucco Wrathe en kapitein Drakoulis, hadden ze ons niet naar de *Albatros* gelokt. En toen de situatie eenmaal duidelijk was, heeft kapitein Wrathe niet bepaald olie op de golven gegooid, of wel soms? Nee, zoals gebruikelijk maakte hij het allemaal nog veel erger.'

'Hij had het duel niet kunnen voorkomen,' zei Cate. 'Dat had Drakoulis zich nooit uit zijn hoofd laten praten.'

'En hetzelfde gold voor Jez,' viel Connor haar bij. 'Hij heeft zich vrijwillig aangeboden.'

'Dat mag dan allemaal waar zijn,' zei Bart. 'Maar toch had íémand hem moeten tegenhouden. Het ging om oud zeer tussen de twee kapiteins. Zíj hadden dat duel moeten uitvechten. Alleen, kapitein Wrathe staat erom bekend dat hij bij voorkeur anderen het vuile werk laat opknappen.'

'Bart, zulke dingen moet je niet zeggen!' zei Cate streng. 'Sterker nog, je mag ze niet eens dénken...'

'Het spijt me, Cate,' zei Bart koppig. 'Maar ik ben niet van plan nog langer om de hete brij heen te draaien. Er is er maar één verantwoordelijk voor de dood van mijn makker Jez. Ik ben het niet, en jij al helemaal niet. De enige verantwoordelijke is Molucco Wrathe!'

HOOFDSTUK 31

De blokkade

'Waar is Mosh Zu?' vroeg Grace.

'Jij ook goedenavond.' Olivier keek op van het fornuis, waar hij een verse hoeveelheid bessenthee stond klaar te maken.

'Sorry,' zei Grace. 'Goedenavond, Olivier. Ik ben op zoek naar Mosh Zu, maar ik kan hem nergens vinden.'

'Hij mediteert, en dan mag hij niet gestoord worden.' Olivier roerde in de pan. 'Maar zodra ik hem zie, zal ik zeggen dat je naar hem op zoek bent.'

Het duizelde Grace na de visioenen die ze aan Lorcans lint had ontleend. Ze wilde nu niets liever dan er met Mosh Zu over praten.

'Is alles goed met je?' Olivier keek haar onderzoekend aan. 'Je ziet eruit alsof je van streek bent. Wat is er aan de hand?'

'O, niks,' zei ze, maar ze besefte dat hij wist dat ze loog. 'Niks... Echt niet. Ik wilde gewoon even met Mosh Zu praten.'

'Weet je, Grace...' Olivier draaide het vuur laag en kwam naar haar toe. 'Als je dat wilt, kun je ook met mij praten. Over alles. Als genezers-in-opleiding onder elkaar.'

Ze overwoog de mogelijkheid vluchtig, maar haar ervaringen met het lint waren te persoonlijk. Ze voelde zich niet genoeg met Olivier op haar gemak om hem in vertrouwen te nemen.

'Dank je wel. Dat is aardig van je,' zei ze dan ook. 'Maar ik wacht wel tot Mosh Zu weer beschikbaar is.'

Olivier bleef haar aankijken. Ze zag aan zijn gezicht dat hij onaangenaam was getroffen door haar antwoord. 'Zoals je wilt,' was echter alles wat hij zei.

'Bedankt.' Grace glipte de deur uit.

Ze wist niet waar ze heen moest. Na haar ervaringen met het lint was ze doodmoe, maar met alle gedachten die door haar hoofd spookten, wist ze zeker dat ze niet zou kunnen slapen. Ze kon weer naar buiten gaan en proberen haar rusteloosheid kwijt te raken door een eind te lopen. Of ze kon op zoek gaan naar Johnny, om er met hem over te praten. Diep vanbinnen wist ze echter dat er maar één optie was waardoor ze zich weer beter zou voelen.

Ze duwde de deur open. 'Lorcan?' zei ze zacht. 'Lorcan, slaap je?'

'Wat?' mompelde hij.

'Ik ben het, Grace. Ben je wakker?'

'Nu wel.' Hij klonk niet écht onaangenaam verrast.

'Neem me niet kwalijk. Het was niet mijn bedoeling je wakker te maken.'

'Dat geeft niet. Je klinkt een beetje van streek, Grace. Is er iets?'

'Ja,' antwoordde ze met een diepe zucht.

'Wat dan?' Ineens was hij weer de oude Lorcan, de Lorcan die voor haar had gezorgd in die eerste dagen aan boord van de *Nocturne*. 'Kom bij me zitten en vertel. Wat is er?'

Ze trok de stoel dichter naar zijn bed en ging zitten. 'Je trilt,' zei hij toen hij haar hand pakte. 'Wat is er in 's hemelsnaam gebeurd?'

De aanraking van zijn hand had een geruststellende uitwerking op haar. 'O Lorcan,' begon ze. 'Ik heb iets heel ergs gedaan.'

'Jij?' Hij glimlachte. 'Grace Tempest, die iets ergs doet? Dat kan ik me nauwelijks voorstellen.'

'Lorcan, ik heb je lint gelezen.'

'Wát?' Hij liet haar hand los en schoot verrast naar achteren.

'Ik weet dat ik het niet had moeten doen, maar ik had het per ongeluk meegenomen. Het zat tussen mijn boek, en Johnny dacht dat het een goed idee was.'

'Johnny?' vroeg Lorcan. 'Is dat die vent in de recreatiekamer? Wat heeft die ermee te maken?'

'Het spijt me,' zei Grace. 'Ik vertelde hem dat ik zo bezorgd om je was, en dat ik je zo graag wilde helpen maar niet wist...'

'Je hielp me al. Heel goed zelfs,' kapte hij haar af. 'Dat had je niet moeten doen, Grace.'

'Dat weet ik. Echt. Dat zie ik nu ook wel in. Ik hoopte alleen dat ik wat antwoorden zou vinden in het lint.'

'En, heb je die gevonden?'

Grace knikte, maar besefte dat hij haar niet kon zien. 'Ja,' zei ze dan ook. 'Ja, die heb ik gevonden.'

'Dan lijkt het me verstandig dat je me alles vertelt. Wat heb je gezien?'

'Ik had twee visioenen,' zei Grace. 'Van jou en mij. Het eerste van die nacht toen je me redde van de verdrinkingsdood...'

Ze vertelde hem wat ze had gezien, hoe zij die nacht door zijn ogen had beleefd. Hij zat roerloos, als een standbeeld. Toen ze was uitgesproken, bleef het even stil. 'En wat was het tweede deel van het visioen?' vroeg hij ten slotte.

'Dat was van de nacht dat je blind werd. De nacht dat Connor aan boord kwam van de *Nocturne* en dat jij dacht dat we in gevaar verkeerden...' Opnieuw vertelde ze hem wat ze had gezien.

'En dat is alles wat je hebt gezien? Alleen die twee momenten?' vroeg hij toen ze haar verhaal had gedaan.

'Ja,' antwoordde ze. 'Daarna kon ik het niet opbrengen door te gaan. Dus ik heb het lint teruggelegd. Het ligt op je nachtkastje.'

Lorcan stak tastend zijn hand uit. Zijn gekromde vingers deden haar denken aan een witte spin, die zoekend zijn draad uitwierp. Zodra hij het lint had gevonden, stopte hij het onder zijn kussen. 'En daar blijft het,' zei hij.

'Het spijt me zo,' zei Grace. 'Het laatste wat ik wilde, was je van streek maken.'

Hij zuchtte. 'Hoe zou jij je voelen als iemand rondneust in je diepste gedachten?'

'Ik probeerde je alleen maar te helpen,' zei ze. 'Ik weet dat het verkeerd was. Maar ik deed het in de hoop dat ik je daardoor zou kunnen helpen beter te worden.'

'Hoezo, beter?' vroeg hij.

'Mosh Zu zei dat je verwondingen maar ten dele uitwendig zijn,' antwoordde ze. 'Dat je op een dieper niveau ook een beschadiging hebt opgelopen. En door je lint te lezen, dacht ik dat ik je zou kunnen helpen die blokkade te vinden.'

'Een blokkade...'

'Ja.' Ze voelde zich weer op iets vastere grond. 'Als we weten wat je tegenhoudt, kunnen we die blokkade neerhalen.'

'Kunnen *we* de blokkade neerhalen,' herhaalde hij met een bittere klank in zijn stem.

'We kunnen het in elk geval proberen.'

'Grace, ik heb het je al eerder gezegd, je al eerder gewaarschuwd. Dit is niet jouw wereld. Er is zo veel wat je niet begrijpt.'

'Dat weet ik. Deze wereld is helemaal nieuw voor me, maar ik wil hem zo graag begrijpen.' Ze zweeg even. 'Ik wil jóú begrijpen.'

'Dat weet ik. Echt. Maar er zijn nu eenmaal dingen die ik je niet kan vertellen.'

'Over jezelf? Of over mij? Over jou en mij?'

Hij pauzeerde. 'Over dat allemaal.'

Ze voelde zich hevig gefrustreerd door het feit dat hij opnieuw een muur om zich optrok en haar buitensloot.

'Maar Lorcan, als het over mij gaat – of in elk geval ook over mij – heb ik dan niet het recht het te weten? Ik zit met zo veel vragen.'

'Dat weet ik. Maar ik ben er nog niet klaar voor om daar antwoord op te geven. Dat wilde ik op mijn eigen manier doen, op het moment dat ik de tijd er rijp voor achtte. Maar dat wordt nu wel erg moeilijk.' Hij schudde zijn hoofd.

'Je kende me.' Ze kon zich niet langer inhouden. 'Toen je me redde... Toen je zag wie ik was... Het was niet de eerste keer dat je me zag. Je wist wie ik was. En Connor kende je ook. Je had ons gezien als baby's. Maar hoe kan dat?'

Haar vraag bleef in de lucht hangen.

'Alsjeblieft, Lorcan. Ik moet het weten.'

Hij schudde zijn hoofd. 'Niet van mij. En niet nu.'

Grace dacht dat haar hoofd zou barsten. 'Alsjeblieft!' zei ze nogmaals.

'Ik begrijp hoe je je voelt, Grace. Want ik ken je inderdaad. Ik weet hoe je denkt. Je kunt de vragen waar je mee worstelt, niet van je afzetten. Daarom heb je mijn lint meegenomen. Maar het is net als met de doos van Pandora. Je hebt iets ontketend wat niet meer te stoppen is. En wat voor ons allemaal verschrikkelijke gevolgen zal hebben.'

Wat bedoelde hij, vroeg ze zich af. Alles wat hij zei, lokte alleen maar meer vragen uit. Vragen die nog veel verder gingen.

'Alsjeblieft, Grace. Laat me met rust.'

'Dat kan ik niet. Ik kan het nu niet meer loslaten. Je moet me vertellen wat er aan de hand is.'

'Nee. Nee, dat hoef ik helemaal niet. Ga alsjeblieft weg.'

'Je mag me niet buitensluiten.'

'Ik moet wel. In het belang van ons allemaal.'

Ze beefde toen ze opstond en naar de deur liep. Toch kon ze het niet opbrengen te vertrekken zonder nog een laatste poging te hebben gedaan. 'Maar ik weet toch hoeveel je om me geeft! Dat heb ik gelezen in het lint.'

Lorcan zuchtte. 'Had je daar echt het lint voor nodig? Om dat aan de weet te komen? Ken je me dan zo slecht?'

'Ik dacht dat ik je kende.' Ze draaide zich om, duwde de deur open en rende de gang op, zodat hij haar snikken niet zou horen.

'Hé.' Johnny keek op van het schaakbord toen Grace in de deuropening van de recreatiekamer verscheen. Bij het zien van haar betraande gezicht stond hij op en kwam naar haar toe. Hij strekte zijn armen uit, omhelsde haar en duwde de deur achter haar dicht.

Grace voelde zich iets gesterkt door zijn omhelzing, maar toen haar tranen eindelijk droogden, was ze zich bewust van de ironie van de situatie. Het was Johnny geweest die haar had aangespoord Lorcans lint te lezen, en nu was hij het tot wie ze zich wendde om troost.

'Je hebt het gedaan?' Hij liet haar los en deed een stap naar achteren. 'Je hebt het gedaan, en het is helemaal verkeerd gegaan. O Grace, wat spijt me dat. Ik had je nooit op het idee moeten brengen om...'

Ze schudde haar hoofd. 'Nee, het is niet helemaal verkeerd gegaan. Ik heb bepaalde dingen gezien... en daar wilde ik met Lorcan over praten. Maar toen werd hij boos op me.'

'Tja, dat was waarschijnlijk te verwachten,' zei Johnny. 'Ik begrijp dat het je hoog zit, maar waarschijnlijk had je het hem beter nog niet kunnen vertellen.'

'Ik moest wel,' zei ze. 'Wat ik te weten ben gekomen... dat was zo persoonlijk. Over hem en mij.'

'Aha!'

'Het is erg ingewikkeld,' vervolgde ze. 'En ik denk niet dat het goed zou zijn om er met jou over te praten.'

Johnny schudde zijn hoofd. 'Nee, dat respecteer ik. Natuurlijk respecteer ik dat. Maar mocht je nog van gedachten veranderen, dan weet je me te vinden.'

Ze knikte.

'Kom, laten we je tranen drogen.' Hij haalde een rode zakdoek met witte stippen tevoorschijn. Bij het zien daarvan glimlachte Grace onwillekeurig.

'Kijk! Johnny heeft je alweer aan het lachen gemaakt!' Hij drukte haar de zakdoek in de hand. 'Hou die voorlopig maar bij je. Voor het geval dat het vanavond nog vaker gaat regenen.'

Ze stopte de zakdoek weg. Hij trok een stoel voor haar bij en ging naast haar zitten.

'In één opzicht had je gelijk,' zei ze.

'O?' Hij trok een wenkbrauw op.

'Door zijn lint te lezen, ben ik erachter gekomen waarom

Lorcan maar niet beter wordt. En het is mijn schuld. Het is allemaal mijn schuld.' Ze voelde weer tranen in haar ogen branden en haalde haastig de zakdoek tevoorschijn. Johnny wachtte geduldig af terwijl ze diep inademde en een zucht slaakte.

'Lorcans blindheid is niet te genezen met alleen een fysieke behandeling. Mosh Zu heeft me verteld dat er nog een ander aspect aan zit, een aspect dat waarschijnlijk sterker is dan het lichamelijke. Het is psychosomatisch, zegt hij. Zijn blindheid wordt veroorzaakt door spanningen en angst, en daar is Lorcan tot op zekere hoogte zelf verantwoordelijk voor.'

Johnny fronste zijn wenkbrauwen. 'Bedoel je dat hij ervoor kíést om niet te kunnen zien?'

'Nou, niet bewust. Het is niet zo dat hij denkt: Ik ben liever blind. Maar ergens, op een bepaald niveau heeft hij een blokkade opgeworpen waardoor hij niet beter wordt.'

Johnny schudde zijn hoofd. 'Zoiets heb ik nog nooit gehoord.'

'Mosh Zu zegt dat het wel vaker voorkomt,' aldus Grace. 'En dat hij met Lorcan aan de blokkade kan werken.'

'Nou, dat is dan toch goed nieuws?'

Grace schudde haar hoofd. Ze wist amper meer wat ze moest denken.

'Grace, ik weet dat je wilt dat hij zo snel mogelijk beter wordt, maar ik denk dat je hem de tijd moet geven. Vergeet niet dat we aan deze kant van de scheidslijn alle tijd van de eeuwigheid hebben.'

'Het komt door mij,' zei ze. 'Ik ben verantwoordelijk voor Lorcans blindheid. Als hij mij niet had willen beschermen, zou hij zijn ogen nooit aan het daglicht hebben blootgesteld. Ik heb altijd geweten dat ik verantwoordelijk was voor zijn fysieke blindheid...'

Johnny viel haar geduldig in de rede. 'Zelfs als dat zo zou zijn, je zegt net zelf dat zijn fysieke verwonding bezig is te genezen.'

Ze knikte. 'Ja, maar inmiddels weet ik dat ik ook de oorzaak ben van zijn diepere verwonding. Ik had al zo'n vermoeden. Maar nu ik het lint heb gelezen, weet ik het zeker. De reden dat hij weigert om beter te worden – de blokkade – heeft met mij te maken.' Ze had het gezegd! En ze voelde zich meteen beter nu ze die afschuwelijke gedachte had uitgesproken. Het was nog altijd verschrikkelijk, maar het voelde iets minder erg.

'Zoals ik al zei, je moet hem de tijd geven,' zei Johnny. 'Lorcan is bij Mosh Zu in goede handen. We hebben het hier over de goeroe van de vampiraten! Hij is een beroemdheid! Als iemand Lorcan hierdoorheen kan helpen, dan is hij het.'

'Maar stel nou eens dat hij het níét kan?' Grace werd opnieuw overspoeld door een ijzige golf van angst. 'Stel nou eens dat Lorcan ervoor kiest om blind te blijven? Je had hem moeten horen, Johnny! Hij wijst me af, sluit me buiten. Stel je nou eens voor dat ik alles kapot heb gemaakt door zijn lint te lezen?'

'Hé, kop op!' Johnny sloeg een arm om haar schouders. 'Luister nou maar naar je ouwe vriend Johnny. Dit is een les die ik heb geleerd tijdens de lange tochten met de kuddes. Je moet nooit proberen meer dan één rivier tegelijk over te steken.'

HOOFDSTUK 32

De tocht naar India

CONNOR KEEK EEN BEETJE VERDRIETIG naar de mast van de *Diablo*, waar de vertrouwde vlag met doodskop en knekels werd neergehaald. Zonder de vlag bood de mast een naakte aanblik.

'Het is maar tijdelijk,' zei Cate, terwijl Gonzalez de opgevouwen vlag weglegde en een andere hees. 'Het maakt allemaal deel uit van onze dekmantel, Connor. We mogen niet het risico lopen dat de Keizer, of iemand van zijn mensen, ook maar half het vermoeden krijgt dat dit wel eens een piratenschip zou kunnen zijn. Op de *Typhon* doen ze hetzelfde. Daarnaast zijn er nog wat veranderingen – natuurlijk louter en alleen voor de schijn, niets wat onze gebruikelijke werkwijze kan hinderen. De kapiteins worden buiten beeld gehouden. Hun gezichten zijn te bekend!'

Connor keek weer omhoog terwijl Bart, hoog in het kraaiennest, zorgde dat de nieuwe vlag zich kon ontvouwen. Hij was diepblauw met een wit logo – een paar uitgestrekte handen die een schip droegen. Daaronder stonden drie letters: IVM

'Wat vind je ervan?' vroeg Cate.

'Wat moet het voorstellen?'

'Het logo wordt geacht betrouwbaarheid en degelijkheid uit te stralen. De letters staan voor Internationale Verschepings Maatschappij.' Ze keek hem aan. 'Dat zijn wij!'

Ze stak haar duim op naar Bart. 'Goed gedaan! En nu vlug naar beneden, dan beginnen we met onze gevechtstraining.'

In de aanloop naar de rooftocht had Cate de frequentie van de gevechtstraining opgevoerd. Er werd dagelijks geoefend. De reputatie van Cate was van dien aard dat Barbarro en Trofie een deel van hun bemanning voor de duur van de tocht naar de *Diablo* hadden gestuurd.

'Om deze operatie tot een succes te maken, is het belangrijk dat onze twee bemanningen als een eenheid opereren,' had Barbarro gezegd.

Vandaar dat de bemanning van de *Diablo* tijdelijk met vijfentwintig koppen was uitgebreid. De bemanningen trainden samen, aten in dezelfde eetzaal en sliepen in dezelfde slaapzalen. Het zijn voor het merendeel goeie kerels, dacht Connor toen hij aan dek arriveerde, klaar voor de gevechtstraining van die dag.

'Hé, Tempest! Hoe gaat het?' Twee van zijn nieuwe maten gaven hem een high-five toen hij zich bij hen voegde voor de warming-up.

Bart arriveerde net voor Cate. Connor was blij om te midden van alle veranderingen zijn beste makker naast zich te hebben.

'Oké,' kondigde Cate aan. 'Laten we beginnen met de warming-up. Met volledige bewapening drie rondjes over het dek!'

Connor hoorde dat er achter hem werd gelachen. 'Het lijkt wel een gymnastiekjuffrouw!' mompelde een onaangenaam klinkende stem.

Toen Connor over zijn schouder keek, zag hij dat Link Wrathe stond te gniffelen met een van zijn hielenlikkers. Hij wierp Connor een kwaadaardige blik toe, voordat hij zich omdraaide en in beweging kwam voor de opwarmingsronden. Connor en Bart deden hetzelfde.

'Volgens mij is die etter van een Link vandaag weer in topvorm,' zei Bart, al rennend.

'Ja,' viel Connor hem bij. 'Hoe is het in vredesnaam mogelijk dat hij bij de aanvalseenheid is terechtgekomen?'

Bart lachte. 'Dat lijkt me duidelijk! Maar heb ik je verteld wat ik Barbarro tegen Molucco hoorde zeggen?'

'Nee.' Connor schudde zijn hoofd.

‘Hij zei... dat hij wenste dat Link een beetje meer van jou had. En dat hij wat meer lef en spierkracht moest ontwikkelen, wilde hij ooit een échte piraat worden.’

‘Wow!’ Connor voelde zich gevleid en verrast.

‘Natuurlijk heeft Trofie Wrathe heel andere redenen om mammies kleine schat aan boord te krijgen,’ zei Bart terwijl ze over het voordek stampten. ‘In haar ogen is dat ongetwijfeld zijn recht, als erfgenaam van het Wrathe-imperium.’

‘Dat zal best. Het is alleen jammer dat hij niet beter zijn mannetje staat met zijn zwaard.’

Bart knikte. ‘Ik ben het helemaal met je eens, maatje. Jammer genoeg! Hij is zo kwaadaardig als de pest, maar je kunt er de oorlog niet mee winnen!’

‘Oké, dat ging geweldig!’ zei Cate, toen de hele aanvalseenheid zich uiteindelijk weer op het centrale dek had verzameld. ‘Dan splitsen we ons nu op in de vaste paren en gaan we werken aan een reeks aanvalsmanoeuvres.’

Dit was het moment dat Connor had gevreesd. Want natuurlijk was hij gekoppeld aan Link. ‘Maar waarom?’ had hij zich na de eerste training bij Cate beklaagd. ‘Alleen omdat we de jongsten zijn? Ik ben langer dan hij en ik heb veel meer ervaring.’

‘Dat weet ik, Connor,’ had Cate gezegd. ‘Maar ik heb geen keus. Het verzoek, of misschien moet ik zeggen het commándo, kwam van hogerhand. Barbarro Wrathe heeft heel specifieke instructies uitgevaardigd dat jij en Link werden gekoppeld.’

Je zou gevleid moeten zijn, had Cate hem nageroepen toen Connor hoofdschuddend was weggelopen. ‘Kapitein Wrathe denkt blijkbaar dat zijn zoon iets van je kan leren.’

Dat was allemaal goed en wel, maar bij de dagelijkse training met Link als tegenstander bleek dat de piratenprins niet van zins was ook maar iets te leren. In plaats daarvan leek hij erop gebrand alles op zijn eigen unieke en onvoorspelbare manier te doen.

‘Zo!’ Cate klapte in haar handen. ‘Laten we verdergaan met de manoeuvre waar we gisteren mee zijn begonnen. Ik hoop dat jullie tussen het werk door een beetje hebben geoefend!'

Connor en Bart waren de vorige avond tot in de kleine uurtjes bezig geweest. Vanuit zijn ooghoeken zag Connor hoe Bart en zijn tegenstander van de *Typhon* de diverse aanvals- en verdedigingsmanoeuvres perfect uitvoerden.

'Eh... *kuch, kuch!*' hoorde hij Link aanstellerig roepen. 'Kun je je misschien éven losmaken van je dierbare Bart? Dan kunnen we aan het werk!'

Connor keerde zich naar hem toe. 'Ik ben er klaar voor!'

Link stortte zich met zijn zwaard op Connor, die de aanval moeiteloos wist te blokkeren. Ze slaagden erin een paar basale pareermanoeuvres uit te voeren, maar het werd al spoedig duidelijk dat Link, zoals gebruikelijk, veruit de mindere was.

'Je hebt helemaal niet geoefend, hè?' vroeg Connor toen ze de voor de vierde keer de reeks aanvals- en verdedigingsmanoeuvres inzetten.

'Ik was het wel van plan,' zei Link. 'Maar ja, ik heb het gisteravond erg druk gehad.'

Daar kon Connor zich alles bij voorstellen. Link had als enige van de gastbemanning toestemming om 's avonds terug te keren naar de *Typhon*. De gedachte een hut te moeten delen ging de piratenprins duidelijk te ver. Dus hij had ongetwijfeld een verrukkelijk vijfgangendiner genoten met pa en ma en was vervolgens naar zijn kerker vertrokken om Piratenflipper te spelen en zijn ratten te vertroetelen.

'Bovendien, het duurt nog wéken voordat we echt in actie moeten komen!' zei Link. 'Dus we hebben alle tijd om te oefenen.'

Maar terwijl de dagen en weken verstreken, vertoonde Links schermkunst nauwelijks enige verbetering. Op sommige dagen kon hij ermee door, maar op andere leek het wel alsof hij het allemaal voor het eerst deed. Aan kwaadaardigheid had hij geen gebrek, dat bleek uit de schrammen en littekens waarmee Connor bedekt was. Door zijn ervaringen met zijn makkers op de *Diablo* wist Connor dat het werken als een team van cruciaal belang was in het heetst van het gevecht. Anders ontaardde de strijd – met vijftig mannen en vrouwen in je eenheid – maar al te gemakkelijk in totale chaos.

Op een avond tijdens het eten nam hij Bart in vertrouwen over zijn angsten en twijfels.

'Hij is een ongeleid projectiel,' aldus Connor. 'Het valt volstrekt niet te voorspellen wat zijn volgende zet zal zijn.'

'Ik weet het, maatje,' zei Bart. 'En ik geef je groot gelijk. Maar wanneer we eenmaal in actie komen, doet het er niet meer toe. Als de hele operatie volgens plan verloopt, hoeven we ons zwaard niet eens te trekken. Het wordt meer dringen dan vechten, vermoed ik. We zullen alleen moeten vechten als we door de mand vallen. En er is zo veel tijd en inspanning in de voorbereidingen gestoken, dat ik dat niet zie gebeuren. Echt niet.'

Connor schudde zijn hoofd. 'Dat weet ik allemaal wel. Maar je weet wat Cate altijd zegt. *Verwacht het onverwachte!* Ik maak me niet alleen zorgen over Link. Ik ben bang dat ik ook bezig ben mijn techniek te verliezen. Simpelweg omdat ik geen fatsoenlijk weerwerk krijg.'

'Met andere woorden, je wilt na het eten graag een robbertje vechten met ondergetekende?'

Connor knikte. 'Dat zou geweldig zijn! Tenminste, als je daar zin in hebt.'

Bart knikte. 'Natuurlijk. Als jij nog een biertje voor me haalt, ben ik je man.'

Connor fronste zijn wenkbrauwen. 'Je moet niet drinken en vechten,' zei hij, denkend aan de regels van Cate.

Bart lachte. 'Ik zit ver onder mijn limiet, maatje. Geef me even de kans om mijn keel te smeren, dan komt het allemaal goed!'

Na het eten vochten ze nog drie kwartier samen aan dek, terwijl om hen heen de hemel zich rood en oranje kleurde door de ondergaande zon. Bij Connors laatste manoeuvre stortte hij zich van de mast, op Bart. In een aanvalssituatie zou hij zijn scheepsmaat de lucht uit zijn longen hebben geslagen, maar hij gaf hem op tijd een teken, zodat zijn vriend kon wegduiken. Terwijl ze het stof van hun kleren klopten, sloeg Bart Connor op de rug.

'Je hoeft je nergens zorgen over te maken! Er is niks mis met je techniek! Echt helemaal niks!'

Met nog maar een paar dagen te gaan tot de overval, werd zeemanschap de grootste uitdaging. Terwijl de twee galjoenen door de wateren naar Fort Avondstond ploegden, ontmoetten ze de ruwste zeilcondities waarmee Connor ooit op de *Diablo* te maken had gekregen. Voor gevechtstraining was geen gelegenheid, want alle hens werden ingezet om door de turbulente wateren te navigeren.

Benedendeks klonken braakgeluiden en somber gemompelde voorspellingen dat ze hun bestemming waarschijnlijk niet eens zouden bereiken, omdat de oceaan hen zou verzwelgen.

Cate riep Connor naar haar hut. Ze zat achter haar bureau, doodkalm genietend van een glas melk en een boterham met kaas.

'Ben je helemaal niet misselijk? Zelfs niet een heel klein beetje misselijk?' vroeg hij.

Cate schudde haar hoofd. 'Ik heb het geluk dat ik nooit zeeziek word.'

Terwijl ze het zei, klonk er in de aangrenzende hutten een gekreun waaruit bleek dat anderen niet zo gelukkig waren.

'En, hoe denk je over de aanval?' vroeg Cate. 'Ben je er klaar voor?'

Connor knikte. Bart en hij hadden nog een paar keer getraind, voordat de zee te ruw werd. Zijn vertrouwen in zijn eigen capaciteiten was teruggekeerd. De adrenaline joeg door zijn lichaam, en hij popelde van ongeduld om in actie te komen. Dat zei hij dan ook tegen Cate.

'Mooi zo.' Ze tikte op het rooster dat ze voor zich had liggen. 'Ik ben bezig met de definitieve samenstelling van de paren, en ik heb jou gekoppeld aan Link Wrathe.'

Connor kreunde.

'Ik weet dat je daar zelf niet voor zou hebben gekozen, maar het kan geen verrassing voor je zijn. Je hebt de afgelopen weken steeds met hem getraind. Hij voelt zich bij je op zijn gemak, en jij kent als geen ander zijn sterke en zwakke punten. Als puntje bij paaltje komt, zul jij hem van ons allemaal het best kunnen beschermen.'

'Beschérmen?' vroeg Connor. 'Ik dacht dat we een overval gingen doen? Dat we een vette buit gingen binnenhalen?'

Cate schudde haar hoofd. 'Connor, ik zal open kaart met je spelen. Je bent een buitengewoon gewaardeerde collega – en een goede vriend. Natuurlijk, het doel van deze operatie is met zo min mogelijk bloedvergieten het fort binnen te komen en met een zo rijk mogelijke buit te vertrekken. Maar laat er geen misverstand bestaan over wat ik van jou verwacht. Mocht er alsnog gevochten moeten worden, dan is het jouw taak ervoor te zorgen dat Link niets overkomt.'

Connor schudde zijn hoofd. 'Waarom heb je me dat niet eerder verteld?'

'Omdat je dan elke dag aan mijn kop was komen zeuren om op mijn besluit terug te komen,' zei Cate. 'Maar nogmaals, het kan toch niet echt een verrassing voor je zijn? Waarom denk je anders dat ik een van mijn sterkste zwaardvechters heb gekoppeld aan mijn zwakste?'

Connor fronste. 'Dus al die lariekoek over Barbarro die nadrukkelijk naar mij had gevraagd...'

'Dat was geen lariekoek. Dat heeft hij wel degelijk gezegd. Ik denk niet dat hij ook maar enige illusie heeft over de vechterscapaciteiten van zijn zoon.'

'Dus nog even voor alle duidelijkheid,' zei Connor, 'mijn voornaamste rol bij deze hele operatie is dat ik op Link moet passen?'

Cate schudde haar hoofd. 'Niet je voornáámste rol, Connor. Je énige rol. Het enige waar jij voor moet zorgen, is dat Link Wrathe veilig en wel weer aan boord komt.' Ze nam nog een hap van haar boterham.

‘Zo,’ zei ze, kauwend op een mondvol gorgonzola en zeewier. ‘Dan ga ik nu hiermee verder. Ik moet mijn strategie vanavond nog voorleggen aan de kapiteins, voor hun goedkeuring.’

Connor liep hoofdschuddend haar hut uit. *Het enige waar jij voor moet zorgen, is dat Link Wrathe veilig en wel weer aan boord komt.* Wat een onrechtvaardigheid! Hij kon er met zijn verstand niet bij.

Toen hij de trap naar de kantine afdaalde, liep hij uitgerekend Link tegen het lijf. De piratenprins zag zo mogelijk nog bleker dan anders.

‘Voel je je wel goed?’ vroeg Connor. Net op dat moment ging er een siddering door het schip. Link verloor zijn evenwicht, maaide wild met zijn armen en dreigde van de trap te vallen.

Connor kreeg hem op tijd te pakken. ‘Rustig maar. Ik heb je goed vast.’

Link schonk Connor een merkwaardige blik. Hij deed zijn mond open, alsof hij iets wilde zeggen, maar in plaats daarvan kotste hij Connor volledig onder.

Die stond verstijfd van ongeloof, terwijl het half verteerde avondeten van Link – kerrieschotel, dacht hij – over zijn gezicht en zijn borst droop.

‘Sorry,’ mompelde Link, en het klonk alsof hij het meende. Toen schoot het hoofd van de piratenprins opnieuw naar voren, en hij spuugde Connor een verse golf braaksel recht in zijn gezicht.

HOOFDSTUK 33

De bessenplukkers

De deur naar Oliviers kamer stond op een kier. Toen Grace binnenkwam, keek hij op en glimlachte. 'Ik heb je boodschap gekregen,' zei ze. 'Wat is er voor dringends? Is alles in orde?'

'Alles is prima in orde, Grace. Alleen, ik moet op pad, en ik dacht dat je misschien wel meewilde.'

Grace schudde haar hoofd. 'Je moet op pad? En dáárvoor haal je me uit mijn slaap?'

Opgewekt wees Olivier naar de stapel manden op het werkblad. 'Ja, we gaan bessen plukken! Die manden moeten mee, en misschien is het ook verstandig een jack aan te trekken. Het kan gemeen koud zijn op de berg.'

Na wat gerommel in een van de opslagruimtes aan de rand van het buitenste erf kwam Olivier tevoorschijn met een kleine handkar. 'Zet de manden hier maar in,' zei hij. 'Ze zijn nu nog licht, maar tegen de tijd dat we klaar zijn, ben je blij dat we een karretje bij ons hebben.'

'Hoevéél bessen gaan we eigenlijk plukken?' vroeg Grace.

'Een heleboel!' antwoordde Olivier terwijl ze wachtten tot de zware poorten van de Wijkplaats voor hen werden geopend.

'Ga je elke dag de berg op?' vroeg Grace.

Hij knikte. 'Ik zal wel moeten. De vampiers gebruiken heel veel bessenthee. Maar ik vind het niet erg. Tenslotte ben ik een sterveling, net als jij. Hoe we ook ons best doen om te wennen aan het donker, we hebben toch af en toe behoefte aan een beetje licht.'

Het was vroeg in de middag. De zon stond hoog aan de hemel en het was warm op de berghelling, hoewel het gras hier en daar nog bedekt was met sneeuw. Grace merkte dat ze het heerlijk vond in de buitenlucht te zijn en het landschap om de Wijkplaats bij daglicht te kunnen zien. De berg zag er zo anders uit dan ze zich herinnerde van de inspannende klim naar boven. Ze probeerde erachter te komen welke route ze hadden gevolgd.

'Kom op, slome!' mopperde Olivier. 'Als je nu al buiten adem bent, heb ik niks aan je.'

Grace schudde haar hoofd en zette het op een rennen om hem in te halen. 'Ik ben niet buiten adem. Ik probeerde alleen te ontdekken via welke route we naar boven zijn gekomen.'

Olivier lachte. 'Daar zou ik me maar niet in verdiepen.'

'Waarom niet?'

'De berg is erg veranderlijk. Hij ziet er elke dag weer een beetje anders uit dan de vorige.'

'Hoe kan dat nou?' vroeg Grace.

'Het is gewoon zo. Iedereen moet zijn eigen weg naar boven vinden. Voor sommigen is de reis erg uitputtend, voor anderen een ontspannen wandeling.'

Grace dacht over zijn woorden na terwijl ze het kronkelende pad volgden. Olivier trok het hobbelende karretje. Ze liepen naar een gebied dat werd ingesloten door dichte struiken. Eenmaal daar bracht Olivier het karretje tot stilstand. 'Dit is de eerste plek waar we gaan plukken.'

Grace zag dat de donkergroene struiken zwaarbeladen waren met vruchten.

'Let op,' zei Olivier. 'Er zijn zeven manden. Een voor elke bessensoort. Het is van het grootste belang dat ze niet door elkaar raken.'

Grace knikte. 'Dat snap ik,' zei ze. 'Maar hoe zorg ik daarvoor?'

Olivier nam het deksel van de eerste mand. Aan de binnenkant was een gedetailleerde afbeelding van een bessenstruik bevestigd. Een prachtige, zorgvuldige tekening.

'Heb jij die gemaakt?' vroeg ze.

Hij knikte. 'Om het je een beetje gemakkelijker te maken.'

'Ik wist helemaal niet dat je zo prachtig kon tekenen.'

Hij haalde zijn schouders op. 'Ach, het kan hier in de Wijkplaats wel eens wat eenzaam zijn voor ons, tussenfiguren. Als ik niet kan slapen, of als de dag me lang valt, dan vind ik het leuk om wat te tekenen.'

Hij begon de andere manden open te maken, en Grace zag dat ze allemaal waren voorzien van net zo'n gedetailleerde tekening als de eerste.

Olivier zuchtte. 'Kom,' zei hij glimlachend. 'Genoeg over mijn tekentalent. Laten we zorgen dat we onze manden vol krijgen. Als we niet meteen beginnen, zijn we hier met zonsondergang nog.'

Uiteindelijk waren ze inderdaad tot zonsondergang op de berghelling. Niet omdat Grace te langzaam was, maar omdat ze het zo naar hun zin hadden. Terwijl de zon hun rug verwarmde, kwam Olivier steeds meer los, en ze praatten ontspannen over de Wijkplaats, over Mosh Zu en de *Nocturne*, en over zijn plezier in tekenen. Al pratend liepen ze van struik naar struik, met de kar achter zich aan, terwijl de manden een voor een gevuld raakten.

'Zo, dit is de laatste. Als die vol is, gaan we terug,' zei Olivier ten slotte.

'Oké.' Grace knikte. Ze was moe en begon trek te krijgen, maar het was heerlijk geweest om een hele middag buiten te zijn, dus in zekere zin vond ze het jammer om terug te moeten.

'Kijk maar niet zo somber,' zei Olivier. 'Je hebt me geweldig geholpen. Als je dat wilt, kun je elke dag mee om te plukken.'

Dat was een opbeurende gedachte. Dus ze begon glimlachend aan de laatste portie bessen. Terwijl ze daarmee bezig was, liep Olivier langs haar heen. 'Er is iemand op de berg.'

'Waar?' Ze richtte zich op maar zag niemand.

'Hij liep daar, maar inmiddels heeft hij zich verscholen achter dat groepje bomen. Merkwaardig, want we verwachten vannacht geen nieuwkomers. Ik zal eens even een praatje met hem gaan maken.'

'Ik ga mee.' Grace zette de mand neer.

'Nee, maak jij het hier maar af. Ik ben zo terug.'

'Ik begrijp het niet. Je zei net dat iedereen op eigen kracht de weg naar boven moest zien te vinden!' riep ze hem na.

'Je hoeft het ook niet te begrijpen!' zei hij een beetje scherp. 'Maak die mand nou maar vol!' Met grote stappen liep hij het pad af.

Hij vindt het uitzicht van de berghelling altijd intrigerend. Telkens wanneer hij hier komt, wordt hij bestormd door herinneringen. Herinneringen die hem ver terugvoeren, helemaal naar het begin van zijn verhaal. Maar de bergen waar zijn verhaal ooit begon, waren niet begroeid met gras en hei, en er lag geen sneeuw. Het Taurusgebergte was een verzameling dorre, door de zon verweerde pieken. Zo hoog en met zo'n extreem klimaat, dat er amper iets kon overleven.

Cilicia Tracheia – 'Woest Cilicia' – werd het genoemd. Hij herinnert zich nog dat hij zijn eerste, wankele stapjes zette naar de rand van de landerijen van zijn vader – zijn ijzeren bewijsdrang slechts gehinderd door de beperkte vermogens van zijn tweejarige beentjes. Zelfs toen was hij al een en al ambitie geweest. Half lopend, half kruipend was het hem gelukt de rand van het klif te bereiken. Nog steeds herinnert hij zich het moment dat hij voor het eerst naar beneden keek, naar de turkooisblauwe oceaan, heel ver in de diepte. Nog steeds herinnert hij zich hoe hij zijn mollige armpjes uitstak en zou zijn gevallen, als de sterke handen van zijn vader hem niet net op tijd bij de afgrond hadden weggetrokken.

De ene herinnering roept de volgende op. Hij is niet langer een peuter, maar een indrukwekkende, rijzige verschijning, net man geworden. Ferm en resoluut staat hij op hetzelfde, rotsachtige klif. Inmiddels heeft hij kennisgemaakt met de wreedheid van de wereld. Als hij hier blijft, zal het harde, onherbergzame land de laatste druppel levenssap uit hem persen, weet hij. En uiteindelijk zal hij naast zijn vader en zijn moeder in hun hete, dorre graf belanden. Terwijl hij neerkijkt op de glinsterende zee in de diepte, beseft hij hoezeer dit hete hoogland hem heeft uitgedroogd. Hij heeft dorst, zo'n dorst...

'Hallo! Hallo!'

Hij draait zich om. Iemand komt haastig de helling af en wuift naar hem. Hij herkent de persoon in kwestie en grijnst. De eerste keer had hij hem voor een jonge vrouw aangezien, vanwege zijn lange gewaad. Nu kent hij het gezicht van de man. En zijn naam.

'Goedenavond.' Olivier steekt zijn hand naar hem uit. 'Wat leuk om u hier weer te zien!'

Sidorio schudt hem de hand, maar zegt niets terug.

'Hoe gaat het? En hebt u nog nagedacht over mijn voorstel?'

'Uw voorstel? Wat was dat ook alweer?' vraagt Sidorio. Ze hebben dit spel al eerder gespeeld.

Olivier kijkt glimlachend omhoog naar de top van de berg. 'Om naar de Wijkplaats te komen! We zouden zo veel voor u kunnen doen.'

'Tja, dat zegt u elke keer.' Sidorio schudt zijn hoofd.

Olivier antwoordt niet meteen. 'Ik wil u helpen,' zegt hij ten slotte. 'En ik denk dat u op zoek bent naar hulp.' Hij zwijgt opnieuw even, maar dan vat hij moed. 'Waarom komt u anders elke avond de berg op?'

Sidorio grijnst, zijn twee gouden hoektanden glinsteren in het maanlicht. 'Misschien wel gewoon om van het uitzicht te genieten.'

'Helemaal boven is het uitzicht nog mooier.' Olivier wijst omhoog.

Sidorio haalt zijn schouders op. 'Ik vind het hier mooi genoeg.'

'Probeer het!' dringt Olivier aan. 'Wat hebt u te verliezen?'

'Niks, en ik heb ook niks te winnen,' zegt Sidorio.

'Misschien. Maar waarom zou u niet met me meegaan? U bent al halverwege!'

Sidorio glimlacht, maar zijn ogen lachen niet mee. 'Halverwege naar boven, of naar beneden?'

Olivier beantwoordt zijn glimlach, en wanneer hij over zijn schouder kijkt, ziet Sidorio dat hij vanavond niet alleen is. Een eindje verderop is zijn metgezel druk bezig manden in een karretje te laden. Het is een meisje. En niet zomaar een meisje. Het is dát meisje! Hoe is het mogelijk dat hun wegen elkaar telkens weer kruisen, vraagt Sidorio zich af.

'Grace!' roept Olivier over zijn schouder. *Grace!* Dat klopt. Zo heet ze, het meisje dat niet bang voor hem is. Het meisje dat hem heeft gevraagd naar zijn verhaal. Sidorio wendt zich af. Het is beter als ze hem niet ziet.

'Ga maar vast terug. Met de kar!' roept Olivier. 'Ik kom zo achter je aan!'

'Oké!'

Sidorio heeft nu ook haar stem herkend. 'Wie is dat meisje?' vraagt hij als ze weg is.

'Dat? O, dat is Grace,' antwoordt Olivier. 'Hoezo?'

'Wat doet ze hier?'

'Hetzelfde als ik,' zegt Olivier. 'Ze assisteert Mosh Zu Kamal, de beroemde vampiratengoeroe.'

'Echt waar?' Sidorio's ogen worden groot. 'Is ze daar niet een beetje jong voor?'

'Ja. Ja, ze is nog jong.' Olivier kan niet helpen dat er een zweem van verbittering in zijn stem doorklinkt. 'Maar ze bezit helende vermogens.' Hij zwijgt even. 'Tenminste, volgens mijn meester.'

'Maar daar bent u het niet mee eens?' Sidorio kijkt Olivier doordringend aan.

Die beantwoordt zijn blik, plotseling verlangend zich uit te spreken, omdat hij de indruk heeft dat hij Sidorio kan vertrouwen. 'Hebt u ooit het gevoel gehad dat u werd ingeruild?' vraagt hij dan ook.

Sidorio knikt. 'Vertel. Wat is er aan de hand?'

En Olivier vertelt hem alles. Het is heerlijk om eindelijk zijn hart te kunnen luchten. Er is in de Wijkplaats niemand die hij in vertrouwen kan nemen, niemand aan wie hij onwelkome gedachten zoals deze kan vertellen. Maar hier, op de berghelling, is hij vrij om zich uit te spreken. De vreemdeling kan goed luisteren. Wanneer Olivier is uitgesproken, knikt de vreemdeling, en hij legt bemoedigend een hand op Oliviers schouder.

'Als ik u was, zou ik er iets aan doen,' zegt hij.

'O ja?' Iets in Olivier – is het intuïtie? – zegt hem dat het verkeerd is wat hier gebeurt. Maar wanneer hij opnieuw in de ogen van de vreemdeling kijkt, is dat broze, intuïtieve gevoel verdwenen.

'U móét er iets aan doen,' zegt Sidorio. 'Voordat het uit de hand loopt.'

Hij heeft gelijk. Olivier knikt. Natuurlijk, hij heeft volkomen gelijk. 'Wat stelt u voor?' Hij kijkt de onbekende gretig en onderzoekend aan.

Sidorio trekt een peinzend gezicht. 'Daar moet ik over nadenken. We zien elkaar morgenavond weer. Op deze zelfde plek. Dan praten we verder.'

Olivier is teleurgesteld omdat hij tot de volgende dag moet wachten.

Sidorio loopt weg.

'Wacht even!' roept Olivier hem na. 'Hoe heet u? Ik weet helemaal niet hoe u heet.'

Sidorio blijft staan en draait zich om. 'Tot morgen, m'n vriend.'

Olivier blijft verlangend achter, door wat er is gezegd, maar ook door wat ongezegd is gebleven. 'Nog één ding voordat u weggaat...'

Sidorio blijft opnieuw staan en trekt vragend een wenkbrauw op.

'Ik hoop dat u mijn voorstel in overweging wilt nemen,' roept Olivier. 'Om op een nacht naar de Wijkplaats te komen.'

'Dat doe ik zeker.' Sidorio knikt bemoedigend. 'En die nacht komt steeds dichterbij.'

Er verschijnt een glimlach op Oliviers gezicht. Eindelijk, een doorbraak! Hij voelt zich beter dan in lange tijd wanneer hij met grote stappen het pad op loopt, zich haastend om Grace in te halen.

Olivier had zich weer in zichzelf teruggetrokken, merkte Grace, terwijl ze terugliepen naar de Wijkplaats. Op de berghelling was hij uiteindelijk spraakzaam en bijna gezellig geworden, alsof de zonneschijn hem milder had gemaakt. Maar nu ze de poorten naderden, was hij weer even gesloten als altijd. Nee, dacht ze. Nee, het was begonnen na zijn ontmoeting met de vreemdeling.

'Wie was dat eigenlijk?' vroeg ze.

'Gewoon een reiziger,' zei Olivier.

'Een vampier?' vroeg Grace. 'Op zoek naar hulp? Waarom heb je hem niet meegenomen?'

'Je vraagt te veel.' Olivier fronste zijn wenkbrauwen.

'Wat bedoel je?'

'Precies zoals ik het zeg. Ik heb geprobeerd geduld te hebben, echt waar. Maar ik zal je eens wat zeggen, als je zo getalenteerd bent dat jij eerste assistent van Mosh Zu wordt, dan zul je toch zelf de antwoorden moeten bedenken!'

'Eerste assistent van Mosh Zu?' vroeg Grace verbijsterd. 'Waar heb je het over? Jij bent zijn eerste assistent.'

'Nog wel, ja,' zei Olivier. 'Maar dat duurt niet lang meer. Mosh Zu is bezig jou op te leiden om het van me over te nemen. Of liever gezegd, hij laat je opleiding aan mij over. En als ik mijn werk eenmaal heb gedaan, word ik gedegradeerd en neem jij mijn plaats in.'

'Nee,' zei Grace. 'Daar geloof ik niks van. Trouwens, dat wil ik ook helemaal niet.'

Olivier lachte hol. 'Het doet er niet toe wat wij willen. Jij bent uitverkoren. Zo simpel is het.'

Ze hadden de poorten bereikt. Olivier gaf het teken om ze te openen. Grace liep erdoorheen, met stomheid geslagen door wat ze zojuist had gehoord.

HOOFDSTUK 34

Geen plaats voor helden

Op de ochtend van de overval verzamelde de vijftigkoppige aanvalseenheid zich op het dek van de *Diablo*. Connor keek de gelederen langs. Ze waren allemaal gelijk gekleed, in nepuniformen – overalls en honkbalpetten met het IVM-logo. Hun uniform was zodanig gemaakt dat ze daaronder hun wapens konden verbergen. Met één vloeiende beweging had iedere piraat zijn standaardwapenrusting van kortelas, rapier, degen of dolk onder zijn bereik. Kosten noch moeite leken gespaard, maar, zoals Cate had gezegd: 'De kost gaat voor de baat uit. Als alles volgens plan verloopt, zijn we aan het eind van deze operatie erg rijk. Wat heet, schatrijk!' Er waren echter nog geen afspraken gemaakt hoe die rijkdom tussen de kapiteins, hun onderkapiteins en de bemanningen zou worden verdeeld.

Connor keek op toen Molucco en Barbarro en hun onderkapiteins, Cate en Trofie, aan dek verschenen. Achter hen verhief zich het majestueuze Fort Avondstond, dat nu steeds dichterbij kwam.

Molucco sprak het openingswoord, maar maakte al snel plaats voor Cate om de strategie nog een laatste keer door te nemen. 'Jullie hebben lang en hard getraind,' besloot ze. 'Ieder van jullie is een sieraad voor onze schepen en voor jullie kapitein.' Connor keek naar Link. Zonder zijn gebruikelijke zwart leren uitmonstering en in hetzelfde uniform als iedereen leek hij jonger, en merkwaardig kwetsbaar. Nu het uur van de waarheid bijna had geslagen, besefte hij misschien eindelijk hoezeer hij tekortschoot voor de taak die voor hem lag.

Connor richtte zijn aandacht weer op Cate. 'Als jullie vasthouden aan onze strategie, zou dit een simpele operatie moeten worden. Dus blijf gedisciplineerd, geconcentreerd, en hou elkaar goed in de gaten!' Haar ogen zochten die van Connor.

De aanvalseenheid beloonde Cate met applaus. Iedereen was zich ervan bewust dat ze net zo hard had gewerkt als alle anderen om deze aanval voor te bereiden. Aan boord van de *Diablo* was ze altijd al populair geweest, maar inmiddels had ze ook respect en genegenheid afgedwongen bij de bemanning van de *Typhon*.

Terwijl het applaus wegstierf, stapte Barbarro Wrathe naar voren. 'Ik wilde alleen maar zeggen – namens mezelf, mijn lieve vrouw en mijn dierbare broer – hoe trots we op jullie zijn. Op jullie allemaal. Het is voor het eerst sinds heel lang geleden dat de gebroeders Wrathe weer gezamenlijk optreden, maar ik vertrouw erop dat het niet voor het laatst zal blijken te zijn!'

Was hij niet een beetje voorbarig, vroeg Connor zich af.

'Ik heb weinig meer toe te voegen aan wat mijn collega's vanochtend al hebben gezegd,' vervolgde Barbarro. 'Inderdaad, dit zou een simpele, recht-toe-recht-aan operatie moeten zijn. *Hou je aan het plan!* Ik kan het niet genoeg benadrukken. We zitten niet te wachten op mensen die daar de held gaan uithangen!' Hij wees naar het fort. 'Helden hebben we niet nodig. Alleen goede strijdmakkers, die de strategische aanwijzingen van hun leiders opvolgen en die een oogje op hun kameraden houden en hun zo nodig te hulp schieten.'

Opnieuw keerde Connor zich naar Link. De woorden van Cate klonken nog altijd in zijn hoofd. *Het enige waar jij voor moet zorgen, is dat Link Wrathe veilig en wel weer aan boord komt.* Uitgerekend op dat moment draaide Link zijn hoofd om, en zijn ogen ontmoetten die van Connor. Tot zijn eigen verbazing had Connor ineens medelijden met hem. Er kon veel van Link worden gezegd, maar niet dat hij dom was. Ook al wist hij misschien niets van

Connors instructies, het kon niet anders of hij begreep dat iemand opdracht had gekregen om hem te beschermen.

Hij schrok op uit zijn gedachten toen de aanvalseenheid zich splitste en de helft met Barbarro en Trofie terugging naar de *Typhon.* Molucco ging met hen mee, om de aanval samen met zijn familie vanuit een van de luxe hutten te volgen. Van het kader zou alleen Cate daadwerkelijk bij de overval betrokken zijn. Zij zou optreden als het gezicht en aanspreekpunt van de Internationale Verschepings Maatschappij, en als zodanig zou ze haar team verschepingsspecialisten het fort binnenleiden.

Connor was verbaasd over de schoonheid van het fort toen ze eenmaal voldoende dichtbij waren om het goed te kunnen zien. Het laatste stuk water was zo stil als een molenkolk, in schril contrast met de ruwe zeeën die ze de dagen en nachten daarvoor hadden bevaren. En die ze spoedig opnieuw zouden moeten trotseren, hielp hij zichzelf herinneren.

Toen Fort Avondstond door prins Yashodhan was gebouwd, had het niet zoals nu aan het water gestaan. Integendeel. Het had zich majestueus op een hoge heuvel verheven. Toen al moet het een buitengewoon indrukwekkende aanblik hebben geboden, dacht Connor, maar op de een of andere manier vergrootte de nabijheid van het water de schoonheid van het bouwwerk, doordat het elk glas-in-loodraam, elk torentje weerkaatste, waardoor je twee forten zag die elkaars spiegelbeeld waren.

Nadat de galjoenen hadden aangelegd, ging Cate haar mensen voor, over een van de Wensen naar het ponton in de haven.

Het bleek dat de Keizer in hoogsteigen persoon naar de haven was gekomen om hen te ontvangen. Een kleine man, geflankeerd door twee kleerkasten, van wie Connor veronderstelde dat ze verantwoordelijk waren voor de beveiliging.

'Goedemorgen!' Cate schudde de Keizer stralend en opgewekt de hand – met in haar andere hand een officieel uitziend IVM-klembord. 'Ik voel me vereerd dat u ons hoogstpersoonlijk komt begroeten.'

'Ach, ik overtuig me er altijd graag van dat een karwei goed wordt uitgevoerd,' sprak de man die zichzelf de Keizer noemde, met dunne, ijle stem. 'Bovendien bent u de laatste gasten die ik in Fort Avondstond verwelkom,' vervolgde hij somber.

'Inderdaad.' Cate knikte. 'Maar we zijn ook uw eerste gasten in Fort Ochtendgloren.'

'Ja, daar hebt u gelijk in.' Er gleed een vluchtige glimlach over zijn gezicht. 'U hebt de kaart, hè?'

'Jazeker.' Cate bladerde door de vellen papier op haar klembord en tikte op een gekleurde navigatiekaart. 'U hoeft zich nergens zorgen over te maken. We hebben alles wat we nodig hebben, en ik heb de zaak volledig onder controle.'

'Dat is ook de reden waarom we voor de IVM hebben gekozen,' zei een van de twee mannen die de Keizer flankeerden. 'Uw referenties zijn uitstekend.'

'Ik ben blij dat u ze hebt nagetrokken,' zei Cate glimlachend. 'Alles wat uw vertrouwen sterkt in onze dienstverlening en daardoor misschien iets wegneemt van de spanning op een dag als vandaag, is alleen maar toe te juichen.'

Ze doet het geweldig, dacht Connor. Ontspannen, efficiënt, klaar om in actie te komen, maar zonder een verdacht gretige of gehaaste indruk te maken.

'Nou, dan neem ik aan dat u aan de slag wilt?' opperde de Keizer.

'Absoluut!' zei Cate. 'Ik zou willen voorstellen dat u voorgaat en me laat zien hoe alles georganiseerd is. Op basis daarvan kan ik mijn mensen instrueren.' Ze draaide zich om en wees naar de vijftig mannen en vrouwen achter zich in hun blauw-met-witte uniformen.

'Wat zijn het er veel!' zei de Keizer.

'Ach, de boedel waarmee we te maken hebben, is erg groot,' zei Cate. 'En we wilden er zeker van zijn de kunstschatten met de grootste zorg te kunnen omringen.'

'Daarom hebben we immers ook het uitvoerigste dienstenpakket besteld,' hielp een van de beveiligingsmannen zijn baas herinneren. De Keizer haalde zijn schouders op en ging het gezelschap voor over de groene helling naar de ingang van het fort.

'Laat hem maar,' fluisterde de andere beveiligingsman tegen Cate. 'Hij is erg gespannen vandaag. Mooi uniform, trouwens. Zo nautisch.'

'Ja.' Cate glimlachte.

Connor en Link beklommen het pad naar het fort, met vóór en achter hen de diverse andere paren 'verschepingsspecialisten'.

Eenmaal in het fort werden ze langs de weelderige woonvertrekken naar de uitgestrekte opslagruimten geloodst waar de schatten werden bewaard. Connor dacht aan wat Cate hun had verteld. Dat de zeldzame schatten van de Keizer amper het daglicht zagen. Dat besef maakte dat hij zich minder schuldig voelde over de aanzienlijke herverdeling van rijkdom waarvoor ze gingen zorgen.

'Ik heb je geloof ik al verteld over de grootste opslagruimte, is het niet, Catherine?' hoorde hij de beveiligingsman van de Keizer zeggen. 'Die ruimte was oorspronkelijk het badhuis dat prins Yashodhan voor prinses Savarna had laten bouwen.'

'Ja, dat weet ik nog.'

'Nou, daar zijn we dan!'

Voorafgegaan door de Keizer en zijn twee assistenten betraden ze de reusachtige opslagplaats. Connor keek zijn ogen uit. Het gebouw had weinig aan grootsheid ingeboet en leek een schepping uit een sprookje.

Het bassin bevatte geen water meer, maar was gevuld met genummerde kratten. Het zou een zware klus worden om ze naar boven te halen en naar de schepen te dragen. Maar dat was dan ook de reden dat Cate hen in de aanloop naar de overval had gedwongen zo keihard aan hun conditie te werken.

'Het merendeel van de verzameling van de Keizer is verdeeld tussen het badhuis en de muziekgalerie aan de andere kant van de binnenplaats,' zei de beveiligingsman. 'Ik blijf hier om jullie te helpen, en Alessandro doet hetzelfde aan de andere kant.'

'Dank u wel,' zei Cate. 'Daar ben ik erg blij mee, Mr. Esposito.'

'Zeg maar gewoon Salvatore. Dan voel ik me beter op mijn gemak.'

'Goed, Salvatore. Zoals je weet, doet de IVM er alles aan om te zorgen dat onze cliënten zich op hun gemak voelen.'

'Ik denk dat ik het verder maar aan jullie overlaat.' De stem van de Keizer klonk, zo mogelijk, nog ijler dan daarvoor. 'Ik word er alleen maar nerveus van als ik moet toekijken hoe er met mijn schatten wordt gesjouwd.'

'Dat lijkt me een uitstekend idee,' zei Salvatore. 'Ik stel voor dat we u naar het hoofdcomplex terugbrengen. Daarna komen we weer hierheen, om Catherine en haar mensen te helpen.'

De Keizer knikte en stak een benige hand uit naar Cate. 'Zeg alstublieft tegen uw mensen dat ze voorzichtig zijn.'

Cate schudde hem luchtig de hand, voorzichtig om niets te breken. 'U kunt erop rekenen dat uw schatten met de grootste zorg worden omringd. Sterker nog, we zullen ze behandelen als onze kostbaarste erfstukken.'

'Dat is een erg geruststellende gedachte,' zei hij. Toen stak hij zijn armen uit, en hij liet zich wegvoeren door Salvatore en Alessandro.

'Oké.' Cate keerde zich naar de verzamelde aanvalseenheid. Zonder ook maar één moment uit haar rol te vallen, tikte ze op haar klembord. 'Ik hoop dat iedereen er klaar voor is.'

'Ja, baas,' klonk het goed gerepeteerde antwoord.

'Uitstekend. Dan splitsen we ons nu op in twee teams. Team A gaat hier aan de slag. Mochten er vragen zijn, dan kun je bij Bart terecht. Team B gaat met mij mee naar de muziekkamer...'

Drie uur later was het werk nog altijd in volle gang. Het was een zinderend hete dag. Onder zijn overall zweette Connor als een pakpaard. Voor Link gold hetzelfde. Connor besefte dat de piratenprins het zwaar had. Hij deed zijn best, dat moest gezegd worden, maar anders dan de breedgeschouderde, gespierde Connor, was Link mager en pezig. Connor zag aan hem dat de inspanningen, gecombineerd met de hitte, hun tol eisten.

'Ik val er zowat bij neer!' vertrouwde hij Connor toe.

'Zouden je mensen niet even willen pauzeren om iets te drinken?' vroeg Salvatore, die zijn verzuchting had gehoord.

Cate bladerde glimlachend door de papieren op haar klembord en leek even na te denken. 'Dat is erg aardig, maar we zijn bijna klaar. Dus ik denk dat we beter kunnen doorwerken.'

'Zoals je wilt,' zei Salvatore. 'Maar we maken verse limonade, en ik sta erop dat je mensen wat drinken voordat ze vertrekken. Ze hebben keihard gewerkt, en de hitte is moordend.' Hij wuifde zichzelf koelte toe.

'Nogmaals, dat is erg aardig,' zei Cate. 'Ik weet zeker dat verse limonade erg in de smaak zal vallen.'

'Uitstekend!' zei Salvatore. 'Dan ga ik het nu regelen.'

Terwijl hij haastig het badhuis uit liep, keerde Cate zich naar Connor en Link. 'Alles in orde met jullie?' vroeg ze. Haar stem verried niets, maar Connor las de bezorgdheid in haar ogen.

'Alles is prima in orde,' zei Connor.

'Ik heb het zo heet,' zeurde Link.

'Dat geldt voor ons allemaal,' zei Cate voortvarend. 'Maar we zijn bijna klaar. Na dit krat hoeven jullie volgens mij nog maar één keer te lopen. Dan zit het erop.'

'Ja, baas,' zei Connor met een knipoog.

'Doorgaan, vooral doorgaan!' Cate weigerde ook maar één moment uit haar rol te vallen. 'Het is bijna gebeurd!' riep ze over haar schouder terwijl ze wegliep.

De teams verschepingspiraten droegen de laatste kratten met kostbaarheden vanuit de beide opslagruimtes naar de schepen. De operatie was strikt volgens plan verlopen. Alle krachttraining en verdere voorbereidingen – van de nepuniformen tot de nepreferenties – hadden hun vruchten afgeworpen.

Vanaf de voorkant van het fort keek Cate toe terwijl Salvatore op de met gras begroeide helling naar het ponton een tafel opzette met glazen limonade.

'Nogmaals, dat is erg aardig van je,' zei ze.

'Welnee.' Hij keek haar glimlachend aan. 'Je mensen hebben zich halfdood gewerkt. En het is ruim een uur varen naar Fort Ochtendgloren. Dus dit is wel het minste wat we kunnen doen.'

Cate verzamelde haar vijftigkoppige team op het ponton. 'Jullie hebben uitstekend werk geleverd, mensen,' zei ze. 'De hitte was moordend, dat zullen jullie met me eens zijn. Maar de IVM heeft wel voor hetere vuren gestaan. We gaan zo het water op, richting Fort Ochtendgloren, waar we de kostbare lading van de Keizer weer uitladen. Maar voordat we vertrekken, is Mr. – ik bedoel, Salvatore – zo goed geweest te zorgen voor verse limonade. Dus pak een glas, en daarna gaan we meteen weer aan boord, zodat we op schema blijven.'

'Limonade!' riep Bart uitgelaten. 'Wat heerlijk!'

Andere leden van de bemanning reageerden dienovereenkomstig, in hun rol als verschepers. Connor zag een licht nerveuze trek op het gezicht van Cate. Hij wist dat ze iedereen het liefst zo snel mogelijk terug wilde hebben op de schepen, en buiten gevaar.

Terwijl de bemanning naar voren kwam om een glas te pakken, keerde Cate zich weer naar Connor. 'Alles in orde?'

'Ja, baas,' zei hij, tussen twee slokken door.

'Waar is Link?'

'Hier...' Connor keek om zich heen. 'Naast me...'

Maar toen ze zich omdraaiden, bleek Link te zijn verdwenen.

'Waar is hij?' vroeg Cate nogmaals, en ze deed haar uiterste best luchtig te blijven klinken.

'Geen idee,' antwoordde Connor met een geforceerde grijns. Zijn hart begon als een razende tekeer te gaan.

'Connor, het was jouw taak op hem te letten,' zei ze op gedempte toon. 'Ga hem zoeken! Vlug!'

'Is alles naar wens?' Salvatore kwam naast Cate staan.

'Ja, prima,' zei ze. 'Die limonade is heerlijk! Je moet me het recept geven.'

Salvatore glimlachte. 'Muntblaadjes, dat is het geheim!' zei hij met een knipoog.

Connor liep weg om Link te zoeken. Waar kon dat jong zijn gebleven? Ze waren samen teruggekomen van de *Diablo*. Dus daar kon hij niet zijn. Hij moest ergens in het fort rondzwerven, maar waar? Connor liet zijn blik over de verzamelde bemanningen gaan, maar doordat iedereen hetzelfde uniform droeg, was het lastig zoeken. Waar zát dat joch?

Op dat moment werd zijn vraag beantwoord. Er ontstond commotie boven aan de met gras begroeide helling, waar Alessandro verscheen, terwijl hij Link met zich meetrok. Connors eerste gedachte was dat de piratenprins was bezweken onder de hitte. Toen besefte hij echter dat Alessandro hem niet ondersteunde, maar voortsleurde.

'Wat is er aan de hand?' riep Salvatore naar zijn *compadre*.

'Ja,' zei Cate, die nog altijd naast hem stond. 'Wat is er in hemelsnaam aan de hand?'

'Ik ben bang dat zich een ongelukkig incident heeft voorgedaan,' zei Alessandro.

Alle ogen keerden zich naar Link, en van hem naar Alessandro. 'Het lijkt erop dat ons vertrouwen in de IVM misplaatst is geweest,' zei de veiligheidsman met dreigend gefronste wenkbrauwen.

HOOFDSTUK 35

Meidenpraat

GRACE KON NIET IN SLAAP komen. Of het kwam doordat haar normale dagelijkse ritme geweld werd aangedaan, of door de gebeurtenissen van de afgelopen nacht, dat wist ze niet. Wat ze wel wist, was dat ze alleen maar wakkerder werd, ondanks het feit dat ze krampachtig probeerde in slaap te vallen.

Dus ze besloot op zoek te gaan naar afleiding.

Ze stond op en ruilde haar nachthemd voor haar gewone kleren. Het was doodstil in de gang. Ze wilde een kijkje bij Lorcan gaan nemen, om te zien of hij wakker was. Zo ja, dan konden ze wat praten, of misschien kon ze weer een stuk voorlezen uit *De geheime tuin*. Ze waren gekomen bij het moment dat Mary de sleutel van de afgesloten, ommuurde tuin had gevonden. Grace hoopte vurig dat Lorcans boosheid vanwege het lint inmiddels was gezakt.

Bij zijn deur gekomen, besloot ze dat het niet eerlijk zou zijn te kloppen en hem wakker te maken als hij sliep. Dus ze duwde heel zachtjes de deur open en liep de donkere kamer binnen. Zijn ogen waren nog altijd verbonden, precies zoals ze hem een paar uur eerder had achtergelaten. Hij lag roerloos. Toen ze dichterbij kwam, besefte ze dat hij in diepe rust was.

Wat een pech! Nachtenlang had ze geworsteld met Lorcans slapeloosheid, en nu zij een keer niet kon slapen, was hij heerlijk onder zeil. Nou ja, ze was blij voor hem. Dat was ongetwijfeld een goed teken voor zijn genezingsproces. Ze pakte *De geheime tuin* van zijn nachtkastje. Eigenlijk vond ze het niet leuk om zonder hem verder te lezen, maar ze moest toch wat!

Terwijl ze verder liep door de gang, zag ze nog altijd niemand. Uiteindelijk kwam ze bij de afslag naar de recreatieruimte. Misschien was Johnny er en konden ze een beetje kletsen, of misschien een potje schaken. Maar toen ze de hoek om kwam, voelde ze al dat de recreatiekamer er verlaten bij lag. Ze stak haar hoofd om de deur. Johnny's schaakbord was er wel, maar hij niet.

Zuchtend ging ze zitten en sloeg ze haar boek open. Ze begon te lezen, maar merkte dat ze er niet voor in de stemming was. Ze legde de nieuwe boekenlegger – een veer die ze had gevonden tijdens het bessen plukken met Olivier – weer op zijn plaats en deed het boek dicht.

De partij op het schaakbord was halverwege afgebroken. Johnny speelde soms tegen zichzelf, wist ze, uit pure verveling. Dat kon zij natuurlijk ook doen. Ze inventariseerde de positie van de stukken op het bord.

'Volgens mij moet het Paard naar C4.'

Grace schrok bij het horen van de stem. Ze was zo geconcentreerd geweest op het schaakbord dat ze niet had gemerkt dat er iemand was binnengekomen. Maar toen ze om zich heen keek, lag de recreatiekamer er nog altijd verlaten bij.

'Of misschien kun je met je Loper de Toren in het nauw brengen.'

Toen ze de stem herkende, draaide Grace zich glimlachend om. 'Darcy! Darcy! Wat heerlijk om je te zien!'

Darcy Flotsam kwam van achter Grace tevoorschijn en keek haar stralend aan. Grace wilde haar knuffelen en strekte haar armen uit, maar Darcy schudde haar hoofd. 'Het spijt me, Grace. Ik ben er niet echt. Ik ben weer op zo'n astrodinges!'

'Een astrale reis?' opperde Grace behulpzaam.

'Ja, precies! Net als toen ik naar je toe kwam op het piratenschip.'

Grace knikte. 'Ja, dat weet ik nog.' Het gaf niet dat ze Darcy niet kon aanraken. Het was gewoon geweldig om haar hier te hebben en met haar te kunnen praten. Ze ging weer zitten, grijnzend van oor tot oor, en wees op een stoel.

'Ik hoop dat je het niet erg vindt dat ik op deze manier ben gekomen.' Darcy zweefde een eindje boven de stoel. 'Ik kon niet slapen, en er was niemand om mee te praten. Bovendien miste ik je, Grace. Ik mis onze meidenpraatjes.'

Grace knikte. 'Ik weet precíés wat je bedoelt. En je had geen beter moment kunnen uitkiezen. Ik kon ook niet slapen. Lorcan is niet aanspreekbaar, want die slaapt...'

'Hoe ís het met hem?' vroeg Darcy, haar stem en haar ogen een en al bezorgdheid.

'O, dat gaat steeds beter,' zei Grace. 'De uitwendige verwondingen beginnen te genezen. Het heeft alleen wel tijd nodig. Maar Olivier – dat is een van de assistenten van Mosh Zu – heeft een speciale zalf voor hem gemaakt, en die helpt geweldig. Helaas zijn de verwondingen niet alleen uitwendig. Mosh Zu denkt dat Lorcans blindheid ook psychosomatisch zou kunnen zijn. Tenminste, voor een deel.'

'Cyclosowat!' Darcy keek bijna scheel.

Grace glimlachte. 'Psychosomatisch. Dat maakt de conditie niet minder echt, maar het betekent dat die eerder door geestelijke dan door lichamelijke factoren wordt veroorzaakt. De meest gebruikelijke oorzaak zou stress zijn, dus Mosh Zu denkt dat Lorcan aan grote spanningen lijdt.'

'Dat moet dan wel iets enorms zijn dat hij er blind van is geworden,' zei Darcy.

Grace knikte, denkend aan de ontdekking die ze had gedaan bij het lezen van Lorcans lint. Het liefst zou ze Darcy in vertrouwen nemen. Die had zich altijd een begripvolle luisteraar getoond. Grace besefte echter dat ze er alleen maar somber van zouden worden. Dus ze besloot te wachten tot een andere gelegenheid. Op dit moment was ze in de stemming voor luchtig gekwebbel.

'Vertel,' zei ze dan ook. 'Hoe gaat het op de *Nocturne?* Is er nog iets gebeurd sinds ik ben vertrokken?'

Darcy's ogen puilden bijna uit hun kassen. 'O, van alles! Je zult je oren niet geloven!'

'Vertel!' drong Grace ongeduldig aan. 'Ik wil niet dat je naar het schip wordt teruggeroepen voordat ik althans íéts van al die leuke nieuwtjes heb gehoord.'

'Maak je geen zorgen,' zei Darcy. 'Volgens mij word ik steeds beter in dat astrale gereis. De kapitein heeft me een paar aanwijzingen gegeven. Maar... hou je vast...' Ze zag eruit alsof ze op springen stond. 'O Grace, volgens mij ben ik verliefd!'

'Verliefd? Wow! Wat gewéldig! Wie is de gelukkige?'

'Nou, Jacob natuurlijk,' zei Darcy grijnzend. 'Je weet toch dat ik mijn hele leven al op de Ware Jacob wacht?'

Grace knikte. 'Ja, maar je hebt toch niet echt iemand leren kennen die Jacob heet?'

Darcy schudde haar hoofd en stopte haar haren achter haar oren. 'Nee, natuurlijk niet. Maar heel diep in mijn hart – of tenminste, op de plek waar vroeger mijn hart zat – heb ik altijd geweten wat voor man mijn Ware Jacob zou zijn. En volgens mij is hij nu aan boord gekomen.'

'O ja? Hoe heet hij?' vroeg Grace opgewonden.

'Hij heet Stukeley,' zei Darcy, plotseling met een dromerige klank in haar stem. 'Jez Stukeley.'

'Jez Stukeley,' herhaalde Grace.

'Wat is er?' vroeg Darcy.

'Niks.' Grace schudde haar hoofd. 'Helemaal niks.'

'Je moet wel eerlijk tegen me zijn, Grace. Ik mag dan op een astraal bezoek zijn, maar ik heb alles door. En ik hoor iets in je stem. Een waarschuwing.'

'Nee,' zei Grace. 'Ik ben alleen verrast, dat is alles. Ik heb ooit een Jez Stukeley gekend. Hij was een goede vriend van Connor, aan boord van de *Diablo*. Een paar maanden geleden is hij gesneuveld.'

'Ja, dat weet ik. En dit is dezelfde Jez Stukeley. Ik bedoel, het is tenslotte geen naam die je vaak tegenkomt! Trouwens, mijn Jez is helemaal bijzonder. En Connor heeft hem naar het schip gebracht.'

'Is *Connor* op de *Nocturne* geweest?'

'Ja! Samen met die grote gespierde vriend van hem... Ik ben zijn naam vergeten.'

'Bart,' zei Grace glimlachend.

'Precies! Bart. Connor en Bart hebben Jez naar de *Nocturne* gebracht, zodat de kapitein hem kon helpen. Want Jez is overgegaan tijdens een duel.'

'Ja, dat weet ik,' zei Grace, die begon te begrijpen wat er aan de hand was. 'Ik was op dat moment aan boord van de *Diablo*. Dus ik was bij zijn begrafenis.'

'Ach ja, natuurlijk,' zei Darcy. 'Neem me niet kwalijk, dat was ik vergeten.'

Grace schudde haar hoofd. 'Dat geeft niet. Ga door!'

'Nou, het schijnt dat Sidorio zijn kist uit het water heeft gevist en Jez weer tot "leven" heeft gewekt, om zijn luitenant te worden of zoiets. Hoe dan ook, Jez is nu een vampiraat, net als ik.'

'Jez is een vampier geworden?' herhaalde Grace. Dit was inderdaad groot nieuws.

'Nee, gekkie. Geen vampier. Een *vampiraat!* Net als ik.'

'O,' zei Grace verstrooid. Het duizelde haar nog altijd van het nieuws dat Connor een bezoek had gebracht aan de *Nocturne*. Hoe had hij het schip weten te vinden? Had hij er dezelfde band mee als zij? Dat was een enorme verrassing. 'Dus Connor en Bart hebben Jez naar het schip gebracht, in de hoop dat de kapitein hem kon helpen. In welke vorm dan?'

'Nou, je weet toch dat Sidorio wordt vermist en dat ze denken dat hij dood is? Dat is in veel opzichten een zegen. Wat mij betreft natuurlijk vooral omdat hij Jez volledig in zijn macht had.' Opnieuw puilden Darcy's ogen bijna uit hun kassen. Grace huiverde bij de gedachte aan Sidorio.

'Toen Sidorio spoorloos verdween, was Jez helemaal alleen op de wereld. Hij heeft verschrikkelijke dingen gedaan, maar dat kon hij niet helpen! Het is heel moeilijk om je aan te passen aan de Nadood. En hij had niemand om hem te helpen. Niet zoals wij, aan boord van de *Nocturne*. Wij hebben de kapitein. En hier hebben ze Mosh Zu. Jez was zo verloren dat hij... Nou ja, hij wilde niets liever dan er een eind aan maken.'

Grace keek haar met grote ogen aan. 'Kan dat dan?' vroeg ze. Ze wist zo goed als niets over de dood van vampiers – of van wat hun wachtte na de dood.

'Ik weet het niet,' zei Darcy. 'Maar volgens mij is er een eindeloze hoeveelheid manieren in deze wereld om jezelf te kwellen. En dan heb ik het zowel over jouw wereld als de mijne.'

Instinctief stak Grace haar hand uit naar Darcy, ook al gleed die door de pols van haar astrale verschijning. 'We leven in dezélfde wereld, Darcy.'

'Ja, akkoord,' zei Darcy. 'Maar je begrijpt wat ik bedoel.'

'Hoe gaat het met Jez sinds hij aan boord is van de *Nocturne?*'

'O, een stuk beter. Volgens mij is hij echt gelukkig. Sterker nog, het is alsof er een frisse wind aan boord is gaan waaien.'

'En hij doet ook mee met het Feestmaal? Heeft hij een donor?'

Darcy fronste haar wenkbrauwen. 'Waarom moet je nou uitgerekend daarover beginnen?'

'Sorry,' zei Grace. 'Heeft hij moeite met zijn donor?'

Darcy schudde haar hoofd. 'Hij niet. Ik! De kapitein heeft hem Shanti als donor toegewezen.'

'*Shanti?*'

'Ja, toen ze met de kapitein terugkwam van de Wijkplaats, had ze natuurlijk geen vampier die met haar deelde. En dat deed haar bepaald geen goed. Dus het is ongetwijfeld de voor de hand liggende oplossing. Maar ik had er heel wat voor overgehad als het anders was geweest. Echt, Grace, dat meen ik. Ze is zo jaloers op Jez en mij. We weten allemaal dat er een speciale band bestaat tussen vampier en donor. Dat geldt ook voor mij en mijn Edward.

Maar dat is toch iets heel anders dan mijn relatie met Jez. Iets heel anders dan een liefdesrelatie.'

'Wat vindt Jez ervan?' vroeg Grace.

'O, die zegt dat ik het me allemaal maar verbeeld. Dat er helemaal niks is tussen hen. Alleen een strikt zakelijke relatie. Maar je weet hoe Shanti is. Je hebt gezien hoe bezitterig ze was ten aanzien van Lorcan.'

'Ja.' Grace knikte. 'Nou, wees in elk geval voorzichtig, Darcy. Ik weet dat je denkt dat je verliefd bent, maar ik zou het afschuwelijk vinden als je bezeerd raakte.'

'Ik dénk niet dat ik verliefd ben, Grace. Ik wéét dat ik het ben. Ik voel het. Jez is mijn Ware Jacob. Dat wist ik meteen, op het moment dat hij aan boord stapte.'

Daar was Grace nog niet zo zeker van. Voor zover ze daartoe in staat was, zou ze een oogje op de situatie moeten houden. Ze wilde Darcy's plezier echter niet bederven. 'Ik vind het geweldig om je zo gelukkig te zien,' zei ze dan ook. 'Hij heeft blosjes op je wangen getoverd.'

'Nee, dat is mijn nieuwe rouge!' Darcy glimlachte. 'Je mag hem van me lenen wanneer ik je de volgende keer echt zie... Ja, hallo. Wie is daar?'

Grace keek haar verward aan. 'Sorry, wat zei je?'

'O, ben jij het, lieverd! Een ogenblikje. Ik ben even bezig... Grace, ik moet ervandoor. Hij staat al voor mijn deur. Het spijt me, maar ik moet dit astrale bezoekje afbreken. Ik vond het heerlijk je te zien.'

'Ik ook!' Grace stond op om dag te zeggen, maar Darcy's verschijning was al verdwenen, opgelost in de lucht. Typisch Darcy, dacht Grace. Zodra ze een man heeft gevonden, verdwijnt ze uit beeld. Ze ging weer zitten en liet somber haar blik over het schaakbord gaan.

'Heb je met mijn stukken geschoven?'

Ze hief haar hoofd op. 'Johnny!'

Hij stond grijnzend op haar neer te kijken, gehuld in een badstoffen kamerjas, met zijn gebruikelijke bandana losjes om zijn nek geknoopt. 'Ik kon niet slapen.'

'Ik ook niet.'

Hij ging op de stoel naast haar zitten. 'Zat je met iemand te praten? Nu net, vlak voordat ik binnenkwam?'

Grace schudde haar hoofd en koos voor een leugentje om bestwil. 'Nee, ik zat wat in mezelf te mompelen.'

Johnny liet zijn vinger ronddraaien naast zijn hoofd. 'Als je raar gaat doen, blijven we geen vrienden, hoor.'

'Bedankt voor de waarschuwing, cowboy. Ga zitten en doe een zet. Jij speelt met zwart.'

HOOFDSTUK 36

Complicaties

Alle ogen bleven op Alessandro en Link gericht. Terwijl Cate een stap naar voren deed, kon Connor bijna voelen wat ze dacht. Het was van cruciaal belang haar mensen duidelijk te maken welke houding ze van hen verwachtte. Het leek erop dat ze alsnog in de gevarenzone waren beland, maar een gevechtssituatie kon nog steeds worden voorkomen.

Met Link nog in zijn greep keerde Alessandro zich naar Cate. 'Hij vroeg of hij naar de wc mocht. Natuurlijk was ik niet te beroerd hem de weg te wijzen. Maar op de terugweg is hij via de persoonlijke vertrekken van de Keizer gelopen, en dat niet alleen, hij heeft een paar souvenirs achterovergedrukt.'

De beveiligingsbeambte reikte in de zak van Link en haalde er een handvol voorwerpen uit. Connor stond als aan de grond genageld, net als de rest van de ploeg. Blijkbaar was een fascinatie voor saffieren een familietrek bij de Wrathes.

Link deed niet eens een poging te ontkennen. Hij keek alleen maar nijdig omdat hij was betrapt. Connor vroeg zich af of hij wel besefte wat hij had aangericht. Dat hij niet alleen zichzelf in gevaar had gebracht, maar ook Cate en de hele aanvalseenheid.

'Het spijt me verschrikkelijk,' zei Cate. 'En het spreekt vanzelf dat ik de boosdoener grondig onder handen zal nemen. Maar ik kan je verzekeren dat het gaat om een op zichzelf staand incident.'

Alessandro liet zich echter niet zo gemakkelijk vermurwen. 'Eerlijk gezegd hadden we hogere verwachtingen van de IVM.'

'Dat begrijp ik volledig,' zei Cate. 'En in dit stadium kan ik je alleen mijn oprechte verontschuldigingen aanbieden. Maar ik verzeker je dat er ook een beduidende korting op de prijs zal worden gegeven.'

Alessandro schudde zijn hoofd. 'Zo simpel is het niet. Er is gespot met de beveiliging, met als gevolg dat ik niet langer vertrouwen kan hebben in je diensten. Dus ons contract is verbroken. We verwachten een volledige teruggave van de aanbetaling. En ik eis dat de verzameling van de Keizer onmiddellijk weer aan land wordt gebracht.'

'Weer aan land gebracht?' Cates gezicht verried hoe geschokt ze was, maar haar stem bleef vast en kalm. 'Kunnen we hier niet even over praten? Ik wil de ernst van de overtreding geenszins bagatelliseren, maar de rest van mijn mensen heeft zich volledig professioneel van zijn taak gekweten.'

Alessandro haalde zijn schouders op. 'Dat zeg jij, en we zullen je op je woord moeten geloven. Maar zoals ik al zei, je geloofwaardigheid is ernstig aangetast.'

Connor hield zijn adem in. Wat ging er gebeuren? De gedachte dat ze alle spullen weer uit de scheepsruimen zouden moeten halen en terugbrengen naar het fort, was onverdraaglijk. Hij kon zich niet voorstellen dat Cate daarmee zou instemmen.

'Als je ontevreden bent, dan moeten we natuurlijk doen wat we kunnen om te zorgen dat je weer tevreden wordt.'

'Alex...' Salvatore deed een stap naar voren. 'Denk je ook niet dat je wat al te overijld te werk gaat? Dat er één niet deugt, zegt toch niets over de rest?'

'Nee, Salvatore, dat ben ik niet met je eens. Er is misbruik gemaakt van ons vertrouwen. Dus het valt niet te voorspellen wat we nog meer aan wangedrag kunnen verwachten.'

Er klonk geroezemoes op uit de gelederen. Connor was onder de indruk van het acteertalent van de bemanning, die volledig in haar rol bleef als onrechtvaardig behandelde verschepingsexperts.

'Echt, ik begrijp dat jullie teleurgesteld zijn, verschrikkelijk teleurgesteld door het optreden van dit...' ze keek Link doordringend aan, zoekend naar het juiste woord, 'van dit ene lid van mijn ploeg. Maar ik accepteer het niet dat de rest van mijn mensen... die onvermoeibaar en volledig betrouwbaar hun werk hebben gedaan... dat die worden belasterd.'

'Ik doe een beroep op je begrip,' zei Alessandro. 'Het gaat hier niet om jouw, of om jullie gevoelens. Het gaat erom dat het aanzienlijke persoonlijke fortuin van de Keizer ernstig in gevaar is gebracht. Dus ik zou je willen verzoeken je bemanning opdracht te geven de limonadeglazen op de tafel te zetten en terug te gaan naar de schepen om de lading weer aan land te brengen, het fort in.'

Cate zag eruit alsof ze elk moment in tranen kon uitbarsten – gespeeld of niet, dat wist Connor niet. 'Goed,' zei ze. 'Zoals je wilt. Even luisteren, allemaal! We gaan doen wat ons wordt gevraagd. Iedereen gaat terug naar zijn of haar schip en begint met het uitladen van de kostbaarheden. En doe het voorzichtig! Willen jullie me even excuseren?' vroeg ze aan Alessandro en Salvatore. 'Ik moet overleggen met mijn tweede man.' Ze liep naar Bart. Connor kon horen wat ze zei toen ze hem haastig en nauwgezet instructies gaf.

'Zorg dat iedereen aan boord gaat,' zei ze. 'En breng de schepen onmiddellijk in gereedheid om weg te varen. Is dat duidelijk?'

Bart knikte. 'Ja, baas!'

'Ik neem Link voor mijn rekening en kom later. Maar verder gaat er niemand meer van boord. Is dat duidelijk?'

'Ja, baas!' herhaalde hij. Toen begon hij kalm opdrachten te geven om te zorgen dat de ploegen weer aan boord van de twee galjoenen gingen.

Enkele ogenblikken later stonden alleen Alessandro en Salvatore, Link en Cate nog op het grasveld. Verder niemand, op één bemanningslid na.

'Connor?' zei Cate toen ze hem in de gaten kreeg. 'Waar wacht je nog op? Ga terug naar het schip en voeg je bij je team. Het is alle hens aan dek als we de kostbaarheden weer aan land moeten brengen.'

'Maar baas, Link is mijn werkmaat.' Connor knikte zonder blikken of blozen naar de piratenprins. 'Ik kan die kisten niet alleen tillen.'

Cate keerde zich naar Salvatore. 'De dief is gepakt, en jullie kunnen er zeker van zijn dat hij streng zal worden gestraft. Buitengewoon streng. Maar waar het nu om gaat, is het leeghalen van de scheepsruimen. Met twee man minder gaat dat langer duren. Dus zou je willen overwegen de dief los te laten, zodat hij samen met zijn makker aan het werk kan, terwijl wij drieën tot overeenstemming komen over een gepaste afwikkeling van deze rampzalige situatie?'

Salvatore knikte. 'Ja, dat lijkt me alleszins aanvaardb...'

'Nee.' Alessandro ging tussen hen in staan. 'Nee, daar ben ik het niet mee eens.'

Op dat moment nam Link een besluit. Hij duwde Alessandro met kracht opzij en zette het op een rennen. Alessandro viel tegen Cate en Salvatore, waardoor ze alle drie tegen de grond sloegen.

Ondertussen had Link de flap van zijn overall opengerukt, zijn favoriete wapens tevoorschijn gehaald en begon hij de veiligheidsbeambten met *shuriken* te bestoken. De actie was typerend voor de piratenprins: instinctief, impulsief, kwaadaardig.

De twee veiligheidsbeambten stonden al snel weer overeind. 'Ik heb het je gezegd!' schreeuwde Alessandro, terwijl hij achter Link aan rende. 'Ik heb het je gezegd, Salvatore. We zijn bedrogen!' Hij wees naar het water, waar beide schepen het anker lichtten.

Even stond Salvatore er verslagen bij. Toen haalde hij een met juwelen bezette dolk tevoorschijn en stortte hij zich op Cate. Van zijn aanvankelijke gemoedelijkheid was niets meer over. Hij gooide de dolk recht naar haar hart. Cate had vliegensvlug haar degen getrokken en wist de worp behendig te pareren. Voordat Salvatore de kans kreeg opnieuw toe te slaan, stak ze haar degen tussen zijn ribben. Verbijsterd, met stomheid geslagen, zakte hij in elkaar. 'Zó lekker was je limonade nu ook weer niet!' zei Cate, op hem neerkijkend.

Ondertussen zag Connor dat Alessandro de piratenprins had ingehaald en tegen de grond werkte. Net als zijn gevelde collega was hij gewapend met een dolk, die hij op de nek van Link richtte. 'Zo, mannetje, het zal me een ware vreugde zijn je je strot door te snijden!'

'Nee!' Connor schoot naar voren, stortte zich op Alessandro en dreef de kling van zijn rapier tussen de schouderbladen van de beveiligingsman. Onmiddellijk stroomde het bloed uit de wond, waardoor zich op het overhemd van de bewaker een steeds groter wordende rode cirkel vormde, als een ondergaande zon. Alessandro zakte op Link in elkaar, waardoor de piratenprins tegen de grond werd gedrukt. De kling van de dolk, die enkele momenten eerder nog een zekere dood had betekend, had zich in het keurig onderhouden gazon van de Keizer geboord.

'Haal hem van me af!' krijste Link. 'Haal hem van me af!'

Connor was boven op Alessandro gevallen, met zijn hand nog om het rapier. Nu richtte hij zich op van het levenloze lichaam van zijn slachtoffer. Tot op zekere hoogte wist hij precies wat hij had gedaan. Cate had hem opdracht gegeven Link tegen elke prijs te beschermen, dus toen hij de bewaker zijn met juwelen bezette dolk had zien trekken, hadden Connors instinct en zijn training in volmaakte samenwerking de controle overgenomen.

Connor besefte dat hij Alessandro had gedood en Link had gered. Maar het besluit om te doden had hij niet bewust genomen. Daar had hij geen tijd voor gehad. Net zomin als hij de tijd had gehad om zich af te vragen of hij Link kon redden door Alessandro alleen maar te verwonden. Sterker nog, het was alsof hij van een afstand naar zichzelf keek, toen hij zijn rapier tussen Alessandro's schouderbladen stak. Alsof iemand anders het wapen uit zijn handen had gegrepen en het smerige karwei had geklaard. Allerlei gedachten tolden door zijn hoofd. Dit is niet waar. Ik heb het niet gedaan. Ik ben geen... ik ben geen... Maar in zijn handen hield hij het onbetwistbare bewijs van de waarheid: het met bloed besmeurde rapier.

'Haal hem van me af!' krijste Link opnieuw.

Het was alsof alles zich tot op dat moment in slow motion had voltrokken en de tijd nu op hol sloeg. Plotseling stond Cate naast Connor. Ze stak haar handen uit en hielp hem het dode lichaam van de piratenprins te trekken. Alle drie overlevenden waren inmiddels bedekt met Alessandro's bloed. Link lag roerloos, in een grote rode plas.

'Rennen!' Cate trok hem overeind. 'Zo vlug als je kunt! Naar het schip!'

Daarop keerde ze zich om en gaf Connor een zet. 'Jij ook! Rennen!'

Connor stond echter als verlamd. 'Ik heb hem gedood,' stamelde hij, kijkend naar het bloed dat Alessandro's witte overhemd karmozijnrood had gekleurd. De werkelijkheid begon in snel tempo door te dringen. 'Ik heb hem gedood.'

'Ja,' zei Cate. 'Ik de een en jij de ander. Wat wil je, een medaille? Terug naar het schip. Nú!'

Ze gaf hem opnieuw een zet, en samen renden ze naar het ponton. Connors hart ging uitzinnig tekeer, door een gruwelijke combinatie van adrenaline en angst. Hij sprong over de Wens, terwijl de *Diablo* haastig de haven uit begon te varen.

Terwijl hij strompelend over het dek liep, raakte hij hoe langer hoe meer in verwarring over wat er was gebeurd. Het liefst zou hij de klok terugdraaien, niet zozeer om het gebeurde ongedaan te maken, maar om het zich langzamer te zien voltrekken, zodat hij het zou begrijpen. Het was echter onmogelijk de klok terug te draaien. Voor hem. En voor de twee gesneuvelde beveiligingsbeambten, die op het groene gazon voor het fort lagen dat snel uit het zicht begon te verdwijnen.

Connor keek langs zijn lichaam naar beneden. Hij hield zijn rapier nog altijd in zijn hand geklemd. De kling was bedekt met bloed. Bloed dat nog maar enkele ogenblikken eerder door de aderen van Alessandro had gestroomd. Hoelang was het geleden dat Alessandro nog had geleefd? Vijf minuten? Tien? Precies even lang als Connor een moordenaar was.

Hij had geweten dat de dag zou komen waarop hij een tegenstander zou doden. Maar hij had gedacht dat die dag nog ver in de toekomst lag. Dat hij de tijd zou krijgen zich erop voor te bereiden. Dat was echter niet wat het leven in petto had voor Connor Tempest. Zonder enige voorbereiding was hij scheep gegaan op een reis waarvan hij nooit meer kon terugkeren. In slechts enkele ogenblikken had de reis hem van piraat tot moordenaar gemaakt.

Terwijl het schip zich wegspoedde over de oceaan, wierp Connor een laatste blik op de beveiligingsmannen, languit op het grasveld. Toen keek hij weer naar zijn met bloed besmeurde wapen. Zijn hand begon te beven, het rapier viel op het dek. Toen hij het wilde oppakken, zag hij plotseling niet het rapier voor zich, maar Alessandro die daar lag en naar hem opkeek, terwijl het bloed nog altijd uit hem stroomde.

'Je hebt me vermoord!' riep hij half verrast, half boos. 'Je hebt me vermoord! Waarom?'

'Ik heb alleen mijn orders maar opgevolgd,' zei Connor.

Alessandro keek hem vol weerzin aan. 'Daar kun je wat je hebt gedaan, niet mee rechtvaardigen.'

'Jawel,' antwoordde Connor. 'Ik moest mijn kameraad in bescherming nemen.'

'Hém?' Alessandro wierp een verachtelijke blik naar de andere kant van het dek. Connor draaide zijn hoofd en zag dat Link zijn met bloed bedekte overhemd stond uit te trekken en naar een handdoek reikte. De woorden van Alessandro schalden in Connors oren. 'Je vindt hem niet eens aardig! Sterker nog, je hebt een pesthekel aan hem!'

Connor keerde Link de rug toe. 'Het spijt me, maar ik heb gedaan wat ik moest doen.'

Alessandro schudde zijn hoofd. 'Ik ga nu, maar denk maar niet dat je me ooit vergeet. De eerste keer dat je iemand doodt, is iets wat je altijd bijblijft.'

Plotseling was het beeld van de bewaker verdwenen en hurkte Connor op het dek, neerkijkend op zijn zwaard. Hij raapte het op en veegde het af aan zijn broek. Even was het bloed verdwenen, toen was het er weer. Hij veegde het rapier opnieuw af, en weer bleef het even schoon. Connor slaakte al een zucht van verlichting, toen de kling opnieuw met bloed besmeurd was.

'Nee!' riep hij uit. Eerst een dode die tegen hem praatte, en nu speelde zijn eigen rapier een gruwelijk spel met hem.

HOOFDSTUK 37

Stukeleys Feestmaal

STUKELEY GRIJNST VAN OOR TOT OOR. Hij geniet van zijn vierde Feestmaal aan boord van de *Nocturne*! De kapitein – pardon, Sidorio, want hij heeft inmiddels een nieuwe kapitein, ook al bewijst hij hem alleen maar lippendienst – had hem nooit iets verteld over al dit heerlijks. Die had natuurlijk ook geen waardering gehad voor dit soort dingen. Het ritueel had hem ongetwijfeld alleen maar verveeld – je mooi aankleden voor een formeel diner, waarbij je zelf geen hap at, want je had immers geen behoefte aan dat soort voedsel. En misschien was Sidorio nog wel het meest verveeld geweest door de noodzaak om gezellig te babbelen met zijn donor. Maar alles wat zijn meester had verveeld, is voor Stukeley een bron van verrukking. Van de smoking en het geklede overhemd met zijn gesteven witte boord tot de gloed van de kaarsen die over de volle lengte van de lange tafel staan; van de revérence die Shanti voor hem maakte tot de manier waarop hij naar haar boog toen ze hun plaatsen aan de lange tafel innamen. Ja, om al deze dingen, en om nog veel meer, had Stukeley niet gelukkiger kunnen zijn.

Shanti ziet eruit alsof ze ook gelukkig is. Ze kwettert er opgewekt op los, ervan overtuigd dat hij aan haar lippen hangt. Hij knikt en maakt af en toe zachte geluidjes, hij glimlacht wanneer zij dat doet. Op die manier weet hij haar in de waan te brengen dat ze zijn volle aandacht heeft, maar in werkelijkheid is hij met zijn gedachten heel ergens anders. Hij heeft veel om over na te denken. Haastig waagt hij het een blik langs de tafel te werpen. De rijen vampiers en donoren strekken zich aan weerskanten bijna eindeloos uit. Hij herinnert zich zijn opdracht.

'Neem me niet kwalijk, lieve,' zegt hij tegen Shanti. Dan reikt hij naar voren en pakt haar glas.

Ze slaat hem nieuwsgierig gade terwijl hij haar ongebruikte mes in de andere hand neemt. (Shanti eet alles met haar vork en haar vingers. Erg ondamesachtig, maar hij vergeeft het haar.) Stukeley staat op van zijn stoel en tikt met het mes tegen het glas – een, twee, drie keer.

'Dames en heren,' begint hij. 'Dames en heren, mag ik misschien even uw aandacht?'

'Ga zitten, Stukeley!' Hij hoort de fluisterstem in zijn hoofd en glimlacht toegeeflijk naar de kapitein, maar gaat door.

'Dames en heren, ik zal het kort houden. Ik wil alleen maar zeggen...'

'Ga zitten en hou je mond!'

'Ik wil alleen onze genereuze gastheer, de kapitein, bedanken. Uit de grond van mijn hart. Dit is mijn vierde Feestmaal aan boord van de *Nocturne*, en ik geniet met volle teugen.'

'Ga zitten, Stukeley! Nú!'

'Vergeef me als ik misschien wat onhandig lijk. Dit is nog allemaal nieuw voor me. Ik besef dat het geen traditie is om tijdens de maaltijd toespraken te houden. Trouwens, dit is ook niet echt een toespraak. Meer een toost. Als u een glas voor u hebt, dan verzoek ik u dat te heffen. En voor degenen die geen glas hebben, wij zullen deze toost later uitbrengen, op onze eigen manier.'

Hier en daar klinkt gelach.

'Maar of u een glas hebt of niet, sluit u zich bij me aan in een toost van dankbaarheid op de kapitein. Dankbaarheid jegens degene die ons allen een veilige haven biedt. Op de kapitein!'

Hij heft zijn glas. De donoren volgen zijn voorbeeld. Sommige vampiers heffen, geamuseerd door het afwijken van de regel, een denkbeeldig glas. 'Op de kapitein!' roepen donoren en vampiers in koor.

'En dan zou ik nu willen vragen of u zich bij me zou willen aansluiten voor een dansje.' Bij deze woorden wordt de zachte percussiemuziek die gebruikelijk is bij het Feestmaal, luider en sneller. Stukeley knikt naar de muzikanten in de hoek.

'Ga zitten, Stukeley!' zegt de kapitein nogmaals, maar Stukeley heeft Shanti al zwierig meegetroond naar het midden van de ruimte. Daar begint hij haar in de rondte te wervelen. De muziek wordt luider.

'Kom!' roept Stukeley naar de anderen, zonder acht te slaan op de protesten van de kapitein, die roerloos toekijkt terwijl Stukeley en Shanti om hem heen dansen. 'Sluit u aan! Deze avond geeft ons alle reden om feest te vieren.'

'Nee,' zegt de kapitein opnieuw. Deze keer is Stukeley niet de enige die hem hoort. En niet de enige die hem tart. Andere vampiraten leiden hun donoren naar het midden van de eetzaal en beginnen te dansen. Van hun gezicht is een combinatie van angst, verrukking en opstandigheid af te lezen.

Hoofdschuddend baant de kapitein zich een weg tussen hen door. Met grote stappen verlaat hij de eetzaal, gevolgd door een flink aantal vampiers en hun donoren die hun kapitein trouw blijven.

Maar veel anderen voegen zich bij de dansers, geïntrigeerd door de verandering in het ritueel van de Feestavond. Met oprechte bewondering kijken ze naar Stukeley. Hij is als een frisse wind op het schip. Handen reiken over de tafel. Voeten haasten zich naar de dansvloer.

De manier van dansen verschilt per paar. Dansstijlen uit verschillende tijdperken wervelen om elkaar heen. Niet alle paren bestaan uit een man en een vrouw. Er zijn ook mannen die met mannen dansen, en vrouwen die andere vrouwen in de rondte draaien.

'O Jez,' zegt Shanti, wanneer ze voor de zoveelste keer rondwervelen. 'Dit is nogal ongebruikelijk, om het maar voorzichtig uit te drukken.'

'Ach, het leek me leuk om de boel eens een beetje wakker te schudden.'

'O ja?' Terwijl ze het zegt, beseft ze dat er naar haar wordt gekeken. Ze draait zich haastig om en ontmoet de blik van Darcy Flotsam. Darcy heeft haar donor bij de hand en staat op het punt om de eetzaal te verlaten. Natúúrlijk, Shanti had niet anders verwacht. Maar tegelijkertijd leest ze iets in Darcy's ogen... Misschien het verlangen om te blijven? Maar ook een verlangen naar iets anders. In verlegenheid gebracht draait Darcy zich om en verlaat ze de eetzaal, nagekeken door Stukeley.

'Ik heb een hékel aan dat boegbeeld!' Shanti trekt Jez dichter naar zich toe.

Die lacht. 'Kom, kom, ze heeft je toch niks misdaan?'

'Wat voor spelletje speelt ze eigenlijk?'

'Hoe bedoel je?'

'Ze heeft haar zinnen op jou gezet,' zegt Shanti, terwijl hij haar weer in het rond draait.

'Darcy en ik zijn gewoon goede vrienden. Meer niet.'

'Goede vrienden?'

Stukeley begraaft zijn neus in Shanti's hals. 'Ze kan me niet geven wat ik nodig heb.' Hij kijkt haar in de ogen. 'Dat kun jij alleen maar.'

'Inderdaad, en je doet er verstandig aan dat goed te onthouden,' zegt Shanti.

Enige tijd later zijn ze alleen in zijn hut. Eindelijk kan hij zijn toost uitbrengen en drinken op de kapitein. En dat doet hij, genietend van haar bloed.

'Stop!' zegt ze. 'Hou op!'

Hij kijkt op, een toonbeeld van onschuld, zijn lippen nat van haar bloed. 'Wat is er?'

'Je neemt te veel! Je hebt genoeg gehad!'

'Onzin.' Hij glimlacht. 'Trouwens, je bloed smaakt verrukkelijk.'

'Je hebt genoeg gehad,' herhaalt ze, en ze duwt hem weg.
'Hoe weet je dat?'
'Omdat ik dit al jaren doe. Ik ben geruime tijd de donor van luitenant Furey geweest, voordat ik naar jou werd doorgestuurd.' Hij hoort dat ze gekwetst is omdat ze van een luitenant is gedegradeerd naar een matroos zonder rang.
'Ik denk niet dat de brave luitenant veel dorst had. Hij was nog maar een jonkie, heb ik gehoord. Ik ben een volwassen vent.'
'Hij had een heel gezonde dorst, totdat hij... Nou ja, totdat hij problemen kreeg.'
'Precies,' zegt Stukeley hatelijk. 'En nu heeft hij helemaal geen trek meer in je bloed.'
'Dat komt niet door mij.'
'Ik had gedacht dat je me dankbaar zou zijn,' zegt hij. 'Je zag eruit als een verschrompelde, oude pruim toen ik aan boord kwam.'
'Nou, ik bof maar! Ik mag mijn handen dichtknijpen! Niet om het een of ander, Stukeley, maar zoals ik al zei, je hebt me nodig!'
'Inderdaad, Shanti, en omgekeerd geldt hetzelfde. Zonder elkaar zijn we niets.'
Hij buigt zich weer over haar borst, en hoewel ze zich verzet, voelt ze zijn mond opnieuw op haar huid.

Het dek ligt er zo goed als verlaten bij. Stukeley is naar buiten gegaan, omdat hij behoefte heeft aan frisse lucht. Dankzij het verse bloed in zijn aderen heeft hij het gevoel dat hij zweeft! Shanti's bloed is net zo vurig als zijzelf. Ze vormen een volmaakt koppel. Hij geniet van het kat-en-muisspel dat hun relatie is.
Dan ontdekt hij een vertrouwde gedaante, geleund tegen de reling.
'Hallo schoonheid!'
Darcy Flotsam draait zich om en kijkt hem met haar grote ogen aan. 'Hallo,' begroet ze hem, maar de terughoudendheid in haar stem ontgaat hem niet.
'Ik heb je teleurgesteld.' Hij gaat naast haar aan de reling staan.

'Teleurgesteld?'

'Ja, vanwege dat dansen,' vervolgt hij. 'Het was impulsief van me. Dat besef ik. Maar ik voelde me zo uitgelaten. Nog niet zo lang geleden was ik zo wanhopig. Maar sinds ik hier ben, is alles anders.'

Darcy knikt. 'Dat begrijp ik, maar je moet voorzichtig zijn. En daarbij hoort dat je je uitgelatenheid af en toe een beetje moet beteugelen. Uit respect voor de kapitein.'

Hij lacht. 'Maar de kapitein wil toch alleen maar dat we gelukkig zijn?'

'De kapitein wil wat voor ons het beste is,' zegt Darcy. 'We moeten zijn wensen respecteren.'

'Wensen?' vraagt Jez. 'Of regels?' Hij ziet dat hij er beter over kan ophouden, want hij wil haar niet van streek maken. 'Wat een verrukkelijke avond, hè?' Zijn stem klinkt nu veel zachter. 'Bijna zwoel. En moet je al die sterren eens zien!'

Samen kijken ze omhoog naar de met sterren bezaaide hemel.

'Maar zal ik je eens wat zeggen?' Stukeley kijkt Darcy verdrietig aan. 'Zal ik je eens wat zeggen? Er ontbreekt vanavond een ster aan de hemel.'

Ze zucht. 'Kom alsjeblieft niet aanzetten met dat goedkope cliché.'

'Wat bedoel je?' vraagt hij, even onschuldig als altijd.

'Nou, je weet wel... dat ik uit de hemel ben gevallen.'

'Nee.' Hij houdt haar zijn gesloten vuist voor. 'Jij niet. Dit.'

Hij opent zijn vuist, en daar ligt, in de palm van zijn hand, een glinsterende diamanten broche in de vorm van een vallende ster.

'Voor jou,' zegt hij.

Aarzelend houdt ze haar adem in. 'Hij is prachtig, echt waar. Maar... maar je moet me geen...'

'Wat moet ik niet?'

'Je moet me geen cadeautjes geven.'

'Waarom niet?'

'Nou, om te beginnen wordt Shanti dan jaloers.'

'Shanti? Waarom zou Shanti jaloers worden? Ik ben haar dankbaar. Natuurlijk ben ik haar dankbaar, heel erg dankbaar, voor wat ze voor me doet. Maar zij kan maar een van mijn behoeften vervullen. Terwijl jij... Nou ja, ik weet niet goed hoe ik het moet zeggen. Mag ik... mag ik deze broche op je jurk spelden?'

Darcy buigt haar hoofd. 'Goed dan. Als je erop staat.'

Hij doet een stap naar haar toe, strekt zijn handen uit en speldt de broche zorgvuldig op haar lijfje. 'Zo!' Voldaan doet hij een stap naar achteren. 'Prachtig!'

'Dat is hij zeker. Dank je wel.'

'Ik had het niet over de broche.'

Darcy schudt haar hoofd. Eerst het dansen, nu dit. Jez is als een natuurkracht. Niet te stuiten. Ze schudt nogmaals haar hoofd. 'Wat móéten we toch met je, Jez... Wat móéten we toch met je?'

HOOFDSTUK 38

De held van de dag

Connors makkers op het schip verkeerden in jubelstemming. De overval op Fort Avondstond was in alle opzichten een groot succes geworden. Zowel de *Diablo* als de *Typhon* was geladen met meer kostbare schatten dan beide galjoenen ooit aan boord hadden gehad. En dat alles zonder dat er levens te betreuren vielen – tenminste, niet onder de bemanningen. Het was duidelijk dat niemand eraan twijfelde aan wie de overwinning te danken was.

'Je was geweldig, man!' Gonzalez sloeg Connor op de rug. 'Hoe je die vent neerstak! We hebben het allemaal gezien! Vanaf het dek!'

'Zonder jou zou de hele boel op een mislukking zijn uitgelopen,' zei een van de bemanningsleden van de *Typhon*. 'Die idioot van een Link had bijna de hele operatie om zeep geholpen, maar jij hebt de zaak gered.'

'Goed werk, Connor!' zei Cate, die bij hem was gebleven toen ze aan boord waren teruggekeerd. 'Je hebt precies gedaan wat er van je werd verwacht.'

Hij keek haar aan en probeerde een zin te formuleren, maar merkte dat hij onbeheerst beefde. Opnieuw deed hij een poging om iets te zeggen. 'Ik heb... ik heb hem... ik heb hem verm...'

Cate schudde haar hoofd en sloeg een arm om zijn schouders. 'Je hebt je plicht gedaan, Connor. Als je die bewaker niet te grazen had genomen, zou Link Wrathe nu dood zijn. Dus je hebt niet meer gedaan dan je plicht.'

Maar het lukte Connor niet er op die manier naar te kijken. In gedachten zag hij zichzelf met uitgestrekte handen, als de twee kanten van een weegschaal. Op de ene hand zat Link, op de andere Alessandro. Het was onmogelijk te zeggen wie van de twee het leven – of de dood – meer verdiende.

'Waar ís Link?' vroeg hij.

'Hij moet hier ergens zijn,' antwoordde Cate. 'O ja, daar is hij! Link! Kom eens hier!'

Néé, dacht Connor. Hij wilde hem helemaal niet zien, maar het was al te laat. Link Wrathe kwam over het dek naar hem toe slenteren. Hij had zijn nepuniform al uitgetrokken en verruild voor zijn gebruikelijke strakke spijkerbroek met een T-shirt.

'Hé! Bedankt... voor... nou ja, je weet wel.'

Connor probeerde te glimlachen. 'Dat zit wel goed.'

'Nee, ik meen het echt,' zei Link. 'Die beveiligingsgozer was een rotzak. Tof van je.' Hij knipte met zijn vingers, toen draaide hij zich om en hij slenterde weer weg.

Tof van je. Was dat alles wat hij erover te zeggen had? Hij was bijna dood geweest! Door zijn idiote actie had hij zowel Connor als Cate in levensgevaar gebracht. Hij had bijna de hele overval doen mislukken. En Connor had om hem te redden een man moeten doden. Maar daar kon de piratenprins zich niet druk over maken. Hij had zich gewassen, schone kleren aangetrokken en zou het incident vervolgens moeiteloos achter zich laten.

'Ik weet wat je denkt,' zei Cate. 'Ik zie het in je ogen. We hebben het allemaal meegemaakt. Het kost tijd om ermee in het reine te komen. Maar uiteindelijk lukt het je, Connor. Echt.' Ze omhelsde hem opnieuw.

Nog meer leden van de aanvalseenheid kwamen hem bedanken en gelukwensen. Hun woorden en gezichten begonnen te vervagen. Het was alsof er een mist neerdaalde, die hem van hen scheidde. Zijn makkers schudden hem de hand, stompten hem tegen de schouder, maar ondanks dat voelde Connor zich moederziel alleen, koud, kwetsbaar. Hij bleef maar rillen, kon er niet mee ophouden.

'Hé!' zei Cate. Toen Connor zich omdraaide, besefte ze dat ze het niet tegen hem had maar tegen Bart, die erbij was komen staan.

'Hé, hoe gaat-ie?'

'Met Connor niet zo goed,' zei Cate. 'Maar dat is ook niet zo vreemd gezien de omstandigheden.'

'Nee,' viel Bart haar bij. Hij ging aan Connors andere kant zitten en sloeg een arm om zijn schouders. 'Dit is iets waar we allemaal doorheen zijn gegaan. En jou krijgen we er ook wel doorheen. Het is zwaar, maar het gaat lukken.'

'Hij verdiende het niet om te sterven,' zei Connor. 'En het had ook niet hóéven gebeuren. Als Link niet zo stom was geweest...'

'Zo moet je niet denken,' zei Cate. 'Je kunt het jezelf niet aandoen om je het hele gebeuren weer voor de geest te halen. Het is nu eenmaal zo gegaan. We hebben gedaan wat we moesten doen, hoe betreurenswaardig dat ook is. Maar je hebt gezien hoe gretig die twee hun dolk trokken. Dit is de wereld waarin zij leven, en de wereld waarin wij leven. Een wereld waarin het zwaard beslist over leven en dood.'

Dus dat was Cates filosofie? Connor kon er geen troost uit putten. Plotseling voelde hij zich uitgeput en loodzwaar, alsof alle adrenaline uit hem was gestroomd en hij elk moment in elkaar kon zakken.

'Ik ben zo moe...' Het lukte hem amper de woorden over zijn lippen te krijgen.

'Kom, dan breng ik je naar je kooi,' zei Bart. 'We zorgen dat je weer schoon wordt, en daarna ga je een poosje liggen. Vanavond wordt er feestgevierd, en jij bent de held van de dag!'

'Geen feest.' Connor schudde zijn hoofd. 'Er valt niets te vieren. Ik ben een moorde...'

'Néé!' zei Cate. 'Zo mag je niet denken. Natúúrlijk wordt er vanavond feestgevierd. En je doet jezelf een plezier door erbij te zijn. Dus vooruit, ga je wassen en zorg dat je wat rust krijgt. We zien je bij het avondeten.' Toen keerde ze zich naar Bart. 'Breng hem maar naar mijn hut,' zei ze. 'Daar kan hij de deur achter zich dichttrekken. Dan krijgt hij meer rust. En als je denkt dat het helpt, blijf je bij hem.'

'Kom mee, Connor,' zei Bart geduldig. 'Dan gaan we naar beneden.' Hij hielp hem overeind. Hoewel Connor ongedeerd was gebleven, moest hij op Bart steunen.

Terwijl ze over het dek liepen, werd hem van alle kanten lof toegezwaaid.

'Goed gedaan, maatje!'

'Man, jij hebt nog eens *cojones!*'

'Die Link... die heeft zijn leven aan jou te danken!'

De woorden spoelden over hem heen, maar ze betekenden niets voor hem. In gedachten zag hij zijn hand naar zijn rapier reiken en het tussen de schouderbladen van Alessandro steken. En dan het bloed... het bloed dat opwelde uit de wond... het bloed dat Alessandro's kleren en de zijne doorweekte, waardoor ze met elkaar verbonden raakten. Het eeuwige verbond tussen de moordenaar en zijn slachtoffer.

'Connor! Connor! Connor!' Bart draaide hem naar het drukbevolkte dek, waar de bemanningsleden een spreekkoor aanhieven. Connor liet zijn blik over het dek gaan. Het scanderen van zijn naam had iets koortsachtigs. En in zijn hoofd ondergingen de woorden en de gezichten plotseling een gruwelijke verandering. De ogen schitterden van boosheid, en in plaats van zijn naam riepen zijn makkers: 'Moordenaar! Moordenaar! Moordenaar!'

'Hou op!' riep hij. 'Zeg dat ze ophouden!'

'Kom,' zei Bart. 'We moeten hier weg.'

Connor was weer in de vuurtoren. Hij was zeven en werd wakker uit een diepe, zorgeloze slaap. Toen hij met moeite zijn ogen opendeed, zag hij dat er cadeautjes op het voeteneind van zijn bed lagen. Het leek wel alsof hij jarig was, of misschien was het Kerstmis – nee, alles tegelijk! Overal lagen cadeautjes – kleurige pakjes, dichtgebonden met lint. Bijna de hele vloer van zijn kamer was ermee bedekt!

Op de een of andere manier wisten zijn vader en zijn zusje zich door de zee van cadeautjes een weg te banen naar zijn bed.

'Kijk, hij is wakker!' zei Grace. Ze had een glas milkshake bij zich, met daarbovenop een dikke bol ijs met chocoladevlokken en gekleurde spikkeltjes. Zorgvuldig zette ze het glas op Connors nachtkastje.

Zijn vader kwam aanlopen met een groot bord vol lekkers – dikke, in chocolade gedoopte brokken cake, bestrooid met zachte witte kokos. Zijn lievelingskostje!

'Die hebben we speciaal voor jou gemaakt!' zei Grace.

'Om je te helpen met feestvieren!' voegde zijn vader er glimlachend aan toe. 'We zijn zo trots op je.'

Ze bogen zich allebei naar voren. 'Gefeliciteerd met je eerste moord!' zeiden ze.

Terwijl hun gezichten dichterbij kwamen, schreeuwde Connor het uit. Met een ruk deed hij zijn ogen open. Hij herkende zijn omgeving niet, en het duurde even voordat hij besefte waar hij was. Ik ben op een piratenschip. De *Diablo*. Dit is de hut van Cate. Ik ben piraat. Ik ben...

Hij kon het niet zeggen, zelfs niet in gedachten.

Toen hij rechtop ging zitten, zag hij het, op de deken naast hem. Een stukje houtsnijwerk in de vorm van een man. Hij pakte het op. Toen hij het naar zijn gezicht bracht, zag hij dat het figuurtje, op de plek van het hart, was bedekt met bloed.

Connors eigen hart begon opnieuw uitzinnig te bonzen. Plotseling had hij het gevoel alsof zijn hoofd zou barsten. Wat moest dit voorstellen? Wie was er de hut binnengekomen terwijl hij lag te slapen? Wie had dit hier neergelegd? Wat had het te betekenen?

HOOFDSTUK 39

De Bloedkapitein

Connors handen begonnen te beven terwijl hij naar het ruw gesneden figuurtje keek. Hoe primitief ook, het moest duidelijk een mens voorstellen. En er kon ook geen enkele twijfel over bestaan dat de rode vlek zich bevond op de plek van het hart. Terwijl Connor als verlamd naar het figuurtje keek, kwam hij tot de stellige overtuiging dat de rode kleurstof bloed was. Bloed veranderde van kleur wanneer het opdroogde. In gedachten zag Connor opnieuw Alessandro's bloed op zijn overall spuiten. Die kleur zou hij nooit vergeten. Bevend omklemden zijn vingers het houten figuurtje. Hij moest alert blijven. Er dreigde gevaar. Iemand had hem een boodschap gestuurd. Dit was voodoo, of een ander soort vloek. Iemand had gezworen wraak te nemen en had zijn bedoelingen niet alleen onmiskenbaar duidelijk weten te maken, het was hem ook gelukt aan boord te komen van de *Diablo*, om zelfs toegang te krijgen tot zijn hut! Misschien was de vijand op ditzelfde moment nog aan boord... Toen er een hand op zijn schouder werd gelegd, verstijfde Connor.

Het duurde maar een fractie. Toen haalde hij uit naar achteren en stompte zijn tegenstander recht in het gezicht. Er klonk een kreet van pijn, de hand verdween van zijn schouder, en dreunend viel er een lichaam op de houten vloer. Toen hij zich omdraaide, kreeg hij de schrik van zijn leven. Want daar lag Bart. Bloed stroomde uit zijn neus.

'O, wat erg!' riep Connor uit.

Bart schudde zijn hoofd. 'Trek het je niet aan, maatje. Ik had beter moeten weten dan je van achteren te besluipen.' Hij drukte zijn mouw tegen zijn neus om het bloeden te stelpen. 'Je zat te bibberen, en ik wilde je troosten. Stom. Ik had beter na moeten denken.'

Connor schudde langzaam zijn hoofd. Hij kende zichzelf niet meer. Alles was verwrongen, uit het lood. De adrenaline pompte door zijn aderen. Hij voelde zich een vreemde in zijn eigen lichaam, alsof hij er geen enkele controle meer over had. En hij had Bart op een afschuwelijke manier tegen de grond geslagen. Wat stond hem nog meer te wachten? Had het plegen van zijn eerste moord een bloeddorst in hem doen ontwaken, waarvan hij zich tot op dat moment nooit bewust was geweest?

'Wat is dat?' Bart wees naar het houten figuurtje dat Connor in zijn hand hield.

'Ik weet het niet.' Connor liet zich op zijn hurken zakken en hield het figuurtje dichter bij Barts gezicht. 'Het lag op de deken toen ik wakker werd. Kijk, er zit bloed op. Het is voodoo of zoiets.'

'Geef eens hier.' Bart reikte naar het figuurtje, maar op hetzelfde moment viel zijn hoofd opzij en zakte hij terug op de houten planken.

'Bart! Bart!' Connor liet zich op zijn knieën vallen en begon zijn vriend op de wangen te kloppen. 'Bart, Bart, word eens wakker!'

'Wááát?' Langzaam deed Bart zijn ogen weer open. 'Wat gebeurde er?'

'Je viel flauw. Gelukkig maar heel even.' Connor keek om zich heen, op zoek naar iets om onder Barts hoofd te schuiven zodat zijn kameraad wat prettiger lag. Hij reikte naar een van Cates kussens. Terwijl hij dat onder Barts hoofd legde, gingen zijn gedachten terug naar zijn eerste nacht aan boord van de *Diablo*. Die nacht had Bart zijn bed aan hem afgestaan en zelf op de grond geslapen, met zijn knapzak als kussen. Connor beefde. Dat was inmiddels amper vier maanden geleden, maar er was sindsdien zo veel gebeurd. Toen was hij nog een jongen geweest. En wat was hij nu? Een man? Daar was hij nog niet zo zeker van. Werd je door te doden automatisch een man? Zo voelde het niet. Sterker nog, hij voelde zich meer een wild dier. Er was zo veel veranderd.

'Ik ga hulp halen,' zei Connor.

'Nee, maak je geen zorgen,' zei Bart. 'Ik blijf gewoon nog even liggen. Geef me mijn waterfles eens aan, alsjeblieft.'

Connor pakte de fles en schroefde de dop eraf.

'Bedankt.' Bart begon gretig te drinken. 'Zo, dat is beter.'

'Het spijt me echt,' zei Connor, met een blik op zijn makker.

'Dat weet ik toch.' Bart slaagde erin te grijnzen. 'Je hebt het even niet gemakkelijk. Dat begrijp ik best.' Hij stak zijn hand uit en greep die van Connor. 'Wat jij doormaakt... dat is het moeilijkste waar je ooit mee in het reine moet zien te komen. Maar we hebben het allemaal meegemaakt. Dus we kunnen je helpen.'

Zijn woorden lieten geen ruimte voor onduidelijkheid. Hij had ook gewoon kunnen zeggen: Van nu af aan ben je een moordenaar. Dat zijn we hier op het schip allemaal. Maar als je het eenmaal één keer hebt gedaan, is het de volgende keer gemakkelijker. En de keer daarna nóg weer gemakkelijker. Dus nog even, en je draait je hand er niet meer voor om.

'Een voor allen,' zei Bart.

Connor was verloren in zijn gedachten.

'Een voor allen,' herhaalde Bart.

Connor keek naar hun in elkaar grijpende handen. Hij kon Bart niet in de ogen te kijken, omdat hij niet wilde dat die de combinatie van angst en plotselinge weerzin in de zijne zou zien.

'Allen voor een,' mompelde hij.

'Zo is het,' zei Bart. 'We zorgen voor elkaar. Zoals we dat altijd hebben gedaan. Zoals we ook voor Jez hebben gezorgd, tijdens zijn leven en daarna.'

Plotseling had Connor de dringende behoefte zich los te maken van Barts greep. Hij wilde weg uit de benauwde hut. Zich bewust van het houten figuurtje in zijn andere hand nam hij haastig een besluit. 'Ik moet ervandoor,' zei hij. 'Ik moet met de kapitein praten.'

'Natuurlijk.' Met een laatste kneepje liet Bart Connors hand los, toen ging hij weer liggen en hij deed zijn ogen dicht. Hoe was het mogelijk dat hij zo gemakkelijk dacht over de dood? Zover was Connor nog niet, en hij wist ook niet of hij ooit zover wilde komen.

De deur naar de hut van kapitein Wrathe stond open. Connor liep haastig naar binnen, langs de inmiddels vertrouwde verzameling schatten die de kapitein op zijn reizen en rooftochten had verzameld.

Achter in de hut klonken stemmen, waaronder die van Molucco. En inderdaad, achter de met juwelen bezette olifant trof hij de kapitein en Cate aan, omringd door verse buit, genietend van een glas wijn. Scherpent kronkelde zich loom rond een beeld van Michelangelo, alsof hij bezig was de kwaliteit van de goederen te testen.

'Aha!' Molucco keek grijnzend op. 'De held van de dag! Een glas wijn, Connor?' Hij hief een zilveren karaf, maar Connor schudde zijn hoofd.

'Wat is er?' vroeg Cate. 'Je beeft helemaal.'

'Wat is dit?' Connor hield hun het houten figuurtje voor.

Molucco pakte het van hem aan en draaide het om en om in zijn handen.

'Waar heb je dit gevonden?' vroeg hij.

'Het lag op mijn deken. Ik heb in de kooi van Cate geslapen, en toen ik wakker werd, lag het er. Blijkbaar is er iemand binnen geweest terwijl ik sliep...' Hij haperde. 'Het is echt bloed, hè?'

Molucco bracht het figuurtje dichter naar zijn ogen en knikte. 'Ja, het is echt bloed.'

'Het is voodoo,' zei Connor. 'Iemand wil wraak op me nemen voor wat ik heb gedaan. Omdat ik die bewaker heb gedood. Hoe hebben ze me weten te vinden? En hoe is het ze gelukt aan boord te komen?'

'Rustig aan, Connor,' zei Cate.

Rustig aan? Hoe kon ze zeggen dat hij rustig moest blijven, wanneer er een vijand aan boord was? Wanneer misschien niet alleen hij, maar ook de rest van de bemanning gevaar liep?

'Ga zitten, Connor,' zei Molucco.

'Maar...'

'Ga zitten!' bulderde de kapitein.

Connor liet zich op een van de vloerkussens vallen, maar het lukte hem niet zijn benen stil te houden.

Molucco omvatte het houten figuurtje met twee handen. 'Ik weet wat dit is. Ik weet waar het vandaan komt en van wie dat bloed afkomstig is.' Hij glimlachte. 'Kom...' Hij pakte opnieuw de karaf wijn en schonk een klein beetje in een glas. 'Drink op. Dat is goed tegen de zenuwen.'

Connor pakte het glas aan. Eén blik op de bloedrode vloeistof was genoeg om hem een gevoel van misselijkheid te bezorgen. Hij besefte echter dat Molucco een weigering niet zou accepteren. Dus hij nam een heel klein slokje en zette het glas toen neer.

'Oké?' vroeg Molucco.

Connor knikte.

'Akkoord. Een figuurtje zoals dit heet een Bloedkapitein. Het is niet bedoeld om een vloek op te roepen. Integendeel. Het is een geschenk, een eeuwenoude piratentraditie die op sommige schepen nog in ere wordt gehouden. Wanneer een jonge piraat voor het eerst een tegenstander heeft gedood, krijgt hij of zij een Bloedkapitein. Zoals je kunt zien, moet het een man voorstellen, maar...' Hij keek in de richting van Scherpent. 'Het is duidelijk geen Michelangelo! Het bloed is echter wel degelijk echt, en afkomstig van de kapitein van het schip.'

Connor fronste. 'Is dit úw bloed? Heb ik dit van ú gekregen?'

Molucco schudde zijn hoofd. 'Nee, ik hou de traditie niet meer in ere. Dit komt van mijn broer. Het is Barbarro's bloed dat erop zit.'

'Maar waarom?' vroeg Connor.

'Het is een eer,' zei Cate. 'Kapitein Wrathe en zijn vrouw geven uiting aan hun waardering voor je dapperheid en ze bedanken je omdat je het leven van hun zoon hebt gered.'

Connor schudde zijn hoofd. 'Ze bewijzen me eer omdat ik iemand de dood in heb gejaagd?'

'Zo simpel is het niet, Connor. Je hebt niet zomaar een bewaker gedood. Je optreden getuigde van ware moed en dapperheid. Je hebt alleen maar gedaan wat je moest doen om je kameraad te redden...'

'Link?' Ondanks zichzelf begon Connor te lachen. 'Ik vind hem niet eens áárdig. Sterker nog, ik kan hem niet uitstaan!'

'Des te meer reden om je dankbaar te zijn,' zei Molucco. 'Omdat je je – volkomen begrijpelijke – persoonlijke gevoelens opzij hebt gezet en alleen aan het belang van de bemanning hebt gedacht.' Hij hield Connor het houten figuurtje voor. 'Neem mee en hou het bij je, knul. Dat zal je herinneren aan de dag dat je een echte piraat bent geworden.'

Het duizelde Connor. Hij had zulke romantische ideeën gehad over de piraterij. Hij had ervan gedroomd kapitein te zijn op een eigen schip. En in die dromen was er uitbundig gevochten. Hij was dol op vechten, op het dappere tentoonspreiden van atletische vermogens en schermkunst. Maar in zijn dromen had hij nooit, niet één keer, een tegenstander gedood. In al zijn dromen had hij nooit toegekeken terwijl er een donkere stroom bloed uit het lichaam van een medemens gutste. Dit was niet wat hij had gezocht. Het was niet wat hij wilde.

Hij keek naar het houten figuurtje, met daarop het bloed van Barbarro Wrathe. Een geschenk. Nou, aan zulke geschenken had hij geen behoefte! Het boosaardige figuurtje zou hem dagelijks herinneren aan een van de verschrikkelijkste dingen die hij in zijn jonge leven had gedaan. Terwijl hij het in zijn hand hield, voelde hij hete tranen branden achter zijn ogen. Hij kon niet huilen, niet waar Molucco en Cate bij waren. Dus hij sloot zijn ogen. En terwijl hij dat deed, zag hij plotseling haarscherp het gezicht van zijn zusje voor zich. Ze keek hem aan zoals alleen zij dat kon, doordringend, alsof ze in zijn ziel kon kijken. Het was een blik waaraan geen ontsnappen mogelijk was.

'Het spijt me,' zei hij. 'Ik heb iets verschrikkelijks gedaan. Ik heb je teleurgesteld.'

Er sprak geen genade uit de ogen van Grace. Ze ontmoetten de zijne als ijzige, smaragdgroene poelen. 'Ja.' Ze knikte. 'Ja, je hebt me teleurgesteld.'

HOOFDSTUK 40

Twee brieven

Beste kapitein Wrathe,

Het spijt me, maar ik moet weg. Ik weet dat ik daarmee contractbreuk pleeg, maar ik zie geen andere mogelijkheid. Ik heb tegen u en tegen al mijn vrienden op de Diablo gelogen. Niet bewust. Ik dacht dat ik uit het juiste hout was gesneden om piraat te worden, maar nu besef ik dat ik mezelf van meet af aan voor de gek heb gehouden.

Na wat er in het fort is gebeurd, doet iedereen alsof ik een held ben. Maar dat ben ik niet. In geen enkel opzicht. Ik weet wat ik wel ben, maar ik kan me er niet toe brengen het op te schrijven. Ik kan het zelfs niet opbrengen het te zeggen. Volgens Cate en Bart kom ik er uiteindelijk mee in het reine, en misschien is dat ook wel zo. Maar op dit moment voelt het als een onmogelijkheid. Als ik bleef, zou u niets aan me hebben, dus het is beter dat ik vertrek en op de een of andere manier probeer hiermee verder te leven.

Ik weet niet waar ik naartoe ga. Waarschijnlijk is dat ook precies het probleem.

Bedankt voor alles.

Hoogachtend,
Connor Tempest

PS: Cate en Bart, bedankt voor alles wat jullie voor me hebben gedaan. Jullie zijn de beste vrienden die ik ooit heb gehad. Ik had jullie ook allebei een brief moeten schrijven, maar daar heb ik geen tijd voor. Ik moet nu *weg. Ik hoop dat jullie het begrijpen. En dat jullie weten wat jullie voor me betekenen. C.*

Connor liet zijn blik over de brief gaan, toen vouwde hij hem dubbel, deed hem in een envelop en schreef daarop 'Aan kapitein Molucco Wrathe'. Daarop pakte hij zijn tweede brief en las ook die een laatste keer over.

Lieve Grace,

Ik weet niet waarom ik je schrijf. Want ik heb geen idee hoe ik ervoor moet zorgen dat je deze brief ontvangt. Maar op de een of andere manier is er iets wat me dwingt dit op papier te zetten. Dus vandaar.

Je hebt mijn carrière als piraat nooit goedgekeurd, maar ik wilde het zo graag dat ik geen acht heb geslagen op je bezorgdheid. Zoals altijd had je gelijk. Ik denk dat ik het talent bezit om mijn kop in het zand te steken, om alleen het hier en nu te zien. Jij kijkt verder vooruit. En ik neem aan dat je zag hoe het me zou vergaan – waar de weg die ik had gekozen, toe zou leiden – lang voordat ik dat zelf zag.

Nou, je hebt je zin gekregen. Ik laat de Diablo achter me en ga niet meer terug. Van nu af aan ben ik geen piraat meer.

Wat ben ik dan wel? Op dit moment heb ik maar één antwoord op die vraag, en dat kan ik zelf niet eens onder ogen zien, laat staan dat ik het met jou durf te delen.

Ik ga weg, zonder te weten waarheen, of voor hoelang. De oceaan is groot, en ik weet vast wel een plekje te vinden waar ik me kan verstoppen.

Ik hoop dat het goed met je gaat – in elk geval beter dan met mij. Trouwens, diep vanbinnen weet ik dat het zo is. Misschien heb jij een betere weg gekozen. Want zoals ik al zei, ik kijk niet verder dan mijn neus lang is. Jij was altijd al wijzer dan ik. Nogmaals, ik weet niet waarom ik je deze brief schrijf. Want ik heb geen adres waar ik hem naartoe kan sturen.

Denk alsjeblieft niet te slecht over me, en pas goed op jezelf!

Je broer,
Connor x

Hij vouwde de brief in drieën, deed hem in een envelop en schreef de naam van zijn zusje erop. Met de twee brieven in zijn hand hees hij de rugzak op zijn schouders en zette hij koers naar het hoofddek. Het was er rustig. Iedereen bereidde zich voor op de festiviteiten van die avond. De *Diablo* lag naast de *Typhon* afgemeerd in een kleine haven. De reddingsboten waren naar beneden gelaten.

Connor liep zachtjes over het dek. De deur van Molucco's hut was dicht. Hij schoof de envelop onder de deur van de kapitein door en haastte zich toen zo snel mogelijk het dek over. Nog altijd ongezien begon hij de ladder naar het ponton af te dalen.

Het was alsof de reddingsboot voor hem was klaargelegd. Hij had zich in zijn brief voor de diefstal moeten verontschuldigen. Maar daarvoor was het nu te laat! Misschien sjokte kapitein Wrathe op ditzelfde moment wel naar de deur van zijn hut om de envelop op te rapen. Connor sprong in de kleine boot en begon de touwen los te maken. Even later voer hij geruisloos de haven uit.

De tranen stroomden over zijn gezicht toen hij zich omdraaide naar de twee piratenschepen. Een daarvan had hij eens als zijn thuis beschouwd. Maar daarin had hij zich vergist. Het was allemaal één grote vergissing geweest.

Terwijl hij koers zette naar open zee, had hij nog een laatste taak te verrichten. Hij pakte de brief voor Grace en scheurde hem doormidden. Toen nog eens, en nog eens, tot brief en envelop als kleine stukjes confetti over de zijkant van de boot in het water dwarrelden. Hij keek toe terwijl zijn woorden vervaagden, niet wetend of dat kwam doordat het zeewater de inkt oploste of door de tranen in zijn ogen.

Grace liep door de gang toen ze werd getroffen door een schokkende ervaring. Ze sloot haar ogen en zocht steun tegen de muur. Plotseling was haar hoofd gevuld met een woeste uitgestrektheid van water. Met haar ogen dicht probeerde ze zich te concentreren, zodat het beeld helderder werd. Dat lukte.

Het water bleek niet zo wild als het aanvankelijk had geleken. Wat ze zag, was geen razende storm, maar simpelweg de oceaan.

Er bewoog iets in het water. Er dreven stukjes papier op. Toen ze de tekentjes daarop zag, meende ze te begrijpen wat er van haar werd verwacht.

Ik moet ze aan elkaar leggen, dacht ze. Het is een soort test die ik moet afleggen. Misschien afkomstig van Mosh Zu. Met haar ogen stijf dicht begon ze het water af te speuren, op zoek naar de stukjes papier. Telkens wanneer ze er een vond, trok ze dat naar het centrum van haar geestesoog. Na een tijdje slaagde ze er niet in nog meer stukjes te vinden. Blijkbaar was dat het, dacht ze. Tijd om de puzzel in elkaar te gaan leggen!

Dat was moeilijker dan ze had gedacht. Het stormde dan wel niet, maar het water was voortdurend in beweging. Net wanneer ze een stukje papier op zijn plek had liggen, dreigde de stroming het weg te trekken. Nee! Dat zou ze niet laten gebeuren. Ze wist dat het al haar energie ging kosten, maar ze was vastberaden de test tot een goed einde te brengen. Toen ze twee stukjes tegen elkaar legde, herkende ze het handschrift. Ineens begreep ze dat het geen test was. Dit was echt!

Haar hoofd deed pijn van de inspanning. Het was zo verleidelijk om haar ogen open te doen en even verlichting te zoeken voor de pijn. Maar als ze dat deed, was ze het visioen misschien voorgoed kwijt. Ze was er bijna. De puzzel van papiersnippers was zo goed als compleet. Nu moest ze zorgen dat de stukjes op hun plaats bleven, zodat ze de brief kon lezen.

Lieve Grace

Alleen al het zien van haar naam in het handschrift van haar broer ontroerde haar. Hij schreef bijna nooit brieven. Dus ze wist dat het ernstig moest zijn.

Terwijl ze las over de intense gevoelens waar hij mee worstelde, werd het steeds moeilijker het visioen vast te houden en te voorkomen dat de stukjes uit elkaar dreven. Maar ze kon nu niet opgeven. Daarvoor was het te belangrijk.

Denk alsjeblieft niet te slecht over me.

Ze was bijna aan het eind van de brief aangeland, de pijn in haar hoofd was verschrikkelijk. Bovendien werd ze beheerst door een stijgende angst door wat hij had geschreven.

Ten slotte werd de pijn haar te machtig, en ze liet de stukjes van de brief uit elkaar drijven. De stroming voerde ze mee, zodat er in haar gedachten slechts water achterbleef. Het geluid ervan werd steeds luider, het water donkerder. Ze had het gevoel alsof ze verdronk.

Wat ze voelde, gebeurde op ditzelfde moment met Connor, besefte ze. Hij had haar de brief geschreven, en daardoor was zij in staat gesteld in een visioen te zien wat hem overkwam. Maar ze had geen idee waar hij was. Er was niets wat ze kon doen om hem te helpen!

Het visioen van het water werd geleidelijk vager. Plotseling werd alles rustig. Volmaakt rustig en pikzwart. Het eind.

Grace deed haar mond open en schreeuwde het uit.

'*Nee!*'

HOOFDSTUK 41

Een bootje op het water

'HOE VOEL JE JE NU?' vroeg Mosh toen Grace de meditatieruimte binnenkwam.

'Wat rustiger,' zei ze. 'Het spijt me van zo-even. Ik had mezelf niet meer in de hand.'

Mosh Zu schudde zijn hoofd. 'Je hebt nu eenmaal een erg hechte band met Connor. Wanneer hij lijdt, dan lijd jij met hem mee. Dat is ook een van de redenen waarom je zo'n krachtige genezer bent. Maar we moeten aan de slag, zodat je je vermogens kunt gebruiken om hem te helpen in plaats van bijna aan zijn problemen te bezwijken.'

Ze voelde zich een beetje in verwarring gebracht door zijn woorden, terwijl hij haar wenkte bij hem te komen zitten.

'Bekijk het eens zo. We weten dat Connor ergens mee worstelt. Iets wat met gevoelens, emoties te maken heeft. Het is een zware last waaronder hij gebukt gaat. Stel je eens voor dat hij probeert iets zwaars op te tillen. Waar denk je dan aan?'

Grace keek het vertrek rond, op zoek naar inspiratie. 'Een tafel?' vroeg ze schouderophalend.

'Heel goed!' Mosh Zu knikte. 'Laten we ons voorstellen dat Connor zucht onder het gewicht van een tafel. Je broer is een sterke vent, maar het is geen gewone tafel. Hij is gemaakt van heel zwaar hout. Misschien zelfs van nog zwaarder materiaal. Steen bijvoorbeeld. Dus het is logisch dat hij er moeite mee heeft dat ding te sjouwen.'

Grace knikte.

'Jij wilt hem helpen,' zei Mosh Zu. 'Waar of niet?'

Grace knikte nogmaals.

'Wat is dan volgens jou de beste manier om hem te helpen die tafel te dragen?'

'Door een van de uiteinden op te tillen,' zei ze instinctief.

'Precies! Door zijn last te delen. Niet door de tafel van hem over te nemen en zelf de hele last op je schouders te nemen.' De ogen van Mosh Zu stonden heel helder. 'Begrijp je wat ik bedoel?'

'Ja. Dat begrijp ik. Dat is de verstandigste manier.'

'Het is een van de belangrijkste dingen die we moeten leren als genezer,' zei Mosh Zu. 'We kunnen niet de lasten van anderen op ons nemen. Soms is het verleidelijk dat te proberen, maar daardoor raken we als het ware verlamd. Wanneer we ons dompelen in de emoties van anderen, bestaat het gevaar dat we erin verdrinken.'

'Dus wát kunnen we doen om Connor te helpen?' vroeg Grace.

'O, een heleboel.' Mosh Zu stond op en liep naar een groot werkblad. Even later kwam hij terug met een brede, ondiepe schaal van geslagen koper, die hij tussen hen in op de grond zette. De schaal was gevuld met water, zag Grace. Vervolgens haalde Mosh Zu een klein flesje uit zijn zak, waarvan hij de inhoud in de schaal goot.

'Inktvisseninkt.' Hij doopte zijn vingers in de schaal en roerde de inkt losjes door het water. 'Om het wateroppervlak zo donker en spiegelend mogelijk te maken,' legde hij uit.

Grace sloeg hem geïntrigeerd gade.

'En nu heb ik je hulp nodig.' Mosh Zu droogde zijn handen af. 'We moeten ervoor zorgen dat deze kaarsen worden weerspiegeld in het water. Kun je me helpen ze zo neer te zetten dat we dat bereiken?'

Samen liepen ze met de hoge kaarsen heen en weer, net zo lang tot de vlam van elke kaars inderdaad werd weerspiegeld in de poel donker water. Toen ze ernaar keek, leed Grace even aan een soort zinsbegoocheling, waardoor het leek alsof ze in een schaal met vuur staarde.

'En nu gaan we zitten.' Mosh Zu liet zich vlak bij de schaal op de grond zakken. 'Jij gaat hier zitten.' Hij gebaarde naar Grace. 'Maar zorg er wel voor dat je je eigen spiegelbeeld niet in het water kunt zien.'

Ze knikte en deed wat hij zei.

'Akkoord. Dan richten we onze blik nu op het wateroppervlak, en we halen diep adem. In... en uit. In... en uit. In... en...' Terwijl hij zacht en ritmisch doorging met instructies geven, voelde Grace dat haar ademhaling steeds dieper werd. Ze wist dat ze in een staat van totale ontspanning raakte. Dat was op zich een prettige gewaarwording, maar geen doel op zich, besefte ze. Dit was slechts het begin van een van de reizen van Mosh Zu.

'Heel goed, Grace. Hou je ogen half gesloten. Je moet niet al te scherp, te geconcentreerd kijken. Je houdt je blik op het water gericht, maar dat mag best een beetje vaag worden.' Ze gaf gehoor aan zijn aanwijzingen. 'En nu moet je simpelweg ontspannen, dan merken we wel wat we te zien krijgen.'

Ze had elk gevoel voor tijd verloren en wist niet meer hoelang ze daar al zat, met haar blik niet al te strak op het water gericht. Plotseling keek ze echter niet langer naar een donker oppervlak waarin zich kaarsvlammen spiegelden, maar naar een zwarte zee met daarop een deinend, schommelend bootje. Blijkbaar had ze geglimlacht, want Mosh Zu zei: 'Ja, ik zie het ook. Probeer ontspannen te blijven. Dan nemen we een kijkje van wat dichterbij.'

Terwijl hij het zei, werd het bootje steeds groter, alsof ze door de lens van een inzoemende camera keken. Nu konden ze zien dat er maar één opvarende was.

'Connor!' fluisterde Grace. 'Alles is goed met je!' Er trok een golf van opluchting door haar heen.

'Ja,' zei Mosh Zu. 'We hebben hem gevonden.'

'En nu?' vroeg Grace. 'Kunnen we iets doen, of alleen maar naar hem kijken?'

'Voorlopig wel, ja,' zei Mosh Zu. 'Blijf rustig doorademen en probeer nog altijd niet te scherp te kijken.'

Ze gehoorzaamde en merkte dat het beeld van Connor kristalhelder werd. Ze kon zijn gezicht zien. Sterker nog, ze kon het lezen als een open boek. Hij zag er vermoeid en afgetobd uit. Zijn voorhoofd was doorgroefd met zorgelijke lijnen, onder zijn ogen lagen donkere kringen. Hij zag eruit alsof hij nachtenlang niet had geslapen. De blik in zijn ogen was leeg, ver.

'Hij ziet eruit alsof hij pijn lijdt, vind je niet?' vroeg Mosh Zu. 'Erg veel pijn.'

'Ja.' Grace knikte, maar hield haar hoofd toen weer angstvallig stil. 'Waar is hij? Zit hij echt op dat bootje?'

'Absoluut.'

'Maar waarom zit hij niet meer op de *Diablo*? Wat is er gebeurd?'

'Sst,' zei Mosh Zu. 'Dat zijn niet de vragen die we moeten stellen als we hem willen helpen. Laten we in plaats daarvan eens wat nauwkeuriger kijken naar de reden waarom hij lijdt.'

'Oké,' gaf ze toe. 'Maar hoe doen we dat?'

'Ik doop mijn hand in het water. Heel voorzichtig. En ik wil dat jij hetzelfde doet. Maar denk erom: heel voorzichtig. Probeer het oppervlak zo min mogelijk in beweging te brengen.'

Grace keek toe terwijl Mosh Zu zijn hand in het water stak. Hij veroorzaakte nauwelijks een rimpeling op het donkere oppervlak. Voorzichtig stak ze haar hand uit en volgde zijn voorbeeld. Het was moeilijker dan het leek. Er vormden zich wat luchtbellen. Ze aarzelde.

'Dat geeft niet, Grace. Je doet het prima. En je bent er bijna.'

Aangemoedigd door zijn woorden liet ze haar hand iets dieper in het water zakken.

Terwijl ze dat deed, werd ze zich plotseling bewust van heftige sensaties.

'Heel goed, Grace. Nu gaat het erom je hand zo stil mogelijk te houden. Blijf doorademen, maar probeer geen vin te verroeren. Wees sterk, maar laat de sensaties over je heen spoelen, alsof je een rotsblok bent, omspoeld door de zee.'

En inderdaad, ze had het gevoel alsof er een golf van emoties over haar heen spoelde.

'Voel je ze, Grace?'

'Ja.' Ze probeerde uit alle macht zich niet te verroeren, terwijl ze werd bestookt door de ogenschijnlijk uit het niets opduikende emoties.

'Vertel me wat je voelt,' zei Mosh Zu.

'Ik voel me boos, verraden, gedesillusioneerd.'

'Ja...' Er klonk opwinding in zijn stem door. 'Ja... En wat voel je nog meer?'

'Ik ben leeg, zo moe en... Nee, wacht! Ik voel me schuldig. Het schuldgevoel is sterker dan alle andere emoties. Ik heb iets verschrikkelijks gedaan, en daar voel ik me zó ontzettend schuldig over.'

'Je doet het echt uitstekend,' zei Mosh Zu.

Ze was hem dankbaar voor zijn lovende woorden, maar haar dankbaarheid werd overschaduwd door haar bezorgdheid. 'Zijn dat de gevoelens die Connor heeft?'

'Ja. Je hebt ze perfect gelezen!'

Ze lezen was één ding, maar Grace werd beheerst door een heel andere gedachte. 'Ik wil hem hélpen!' zei ze. 'Hoe kan ik dat doen?'

'Daar komen we straks op,' zei Mosh Zu. 'Ik ga mijn hand terugtrekken, zodat de jouwe meer ruimte krijgt. Hou je hand onder water, afgesproken?'

Grace knikte.

'Dan wil ik dat je je hand nu onder het bootje brengt. Heel voorzichtig. Je schuift je hand onder Connors bootje, alsof je het kunt oppakken en uit het water kunt tillen. Maar wees voorzichtig. Stel je voor dat het een glibberig stuk zeep is dat je uit de badkuip wilt pakken. Probeer het zo voorzichtig mogelijk te doen. Het zal niet meevallen.'

Ze bracht haar hand onder het bootje.

'Ja? Ben je er klaar voor? Til dan nu de boot uit het water.'

Grace tilde haar hand op en zag tot haar verbijstering dat het beeld van Connor in zijn bootje omhoogkwam uit de diepten van het water en van twee- in driedimensionaal veranderde terwijl het als een levend stuk speelgoed in haar handpalm rustte.

'Blijf je hand verder uit het water tillen,' instrueerde Mosh Zu.

Ze gehoorzaamde.

'Akkoord. Heel goed. Hou je hand zo.'

Grace keek verwonderd naar Connor, in het bootje in haar hand. Hij was klein, maar het was onmiskenbaar haar broer.

'Vraag hem wat hij wil,' zei Mosh Zu. 'Vraag hem hoe je hem kunt helpen. Je hoeft het niet hardop te zeggen. Kijk hem gewoon in zijn ogen en stel je vraag.'

Opnieuw volgde ze zijn instructies op. *Connor, wat wil je?* vroeg ze. *Hoe kan ik je helpen?*

Hij gaf geen duidelijk antwoord. Ze kon zijn stem niet horen. Maar iets dwong haar aandacht naar het zwaard in zijn hand.

'Wat zegt hij?' vroeg Mosh Zu.

'Dat is niet duidelijk,' antwoordde ze.

'Nee, en dat is ook niet zo vreemd. Blijf luisteren. Blijf je gevoel afstemmen op zijn antwoord.'

Ze luisterde opnieuw. 'Het heeft te maken met het zwaard,' zei ze ten slotte.

Mosh Zu wachtte af. 'Als het nog steeds niet duidelijk is, moet je het hem gewoon vragen. "Connor, hoe kan ik je helpen met het zwaard?"'

Opnieuw keek ze haar broer in de ogen. Toen stelde ze de vraag.

Het antwoord trof haar als een elektrische schok.

'Hij wil het loslaten,' zei ze. 'Hij wil het loslaten, maar op de een of andere manier kan hij dat niet. Het lijkt wel alsof het aan zijn hand is vastgekleefd.'

'Akkoord,' zei Mosh Zu. 'Dan probeer je met je andere hand het zwaard los te wringen. Heel voorzichtig. Trek het niet helemaal weg. Wring het alleen maar los.'

Heel, heel voorzichtig hief Grace haar andere hand op, en met haar duim en haar wijsvinger trok ze het kleine zwaard zachtjes naar zich toe.

'Dat is waarschijnlijk al genoeg,' zei Mosh Zu. 'Wacht maar even af. Dan vertelt hij het je wel.'

'Ja,' zei ze. Op het moment dat ze het zwaard had bewogen, had ze een huivering diep vanbinnen gevoeld, gevolgd door het wegebben van een zekere spanning. Was dat gevoel afkomstig van Connor?

'Je doet het geweldig, Grace. Laat je hand nu maar zakken, om het bootje met Connor weer in het water te zetten. Zodra de boot veilig in het water ligt, kun je je hand weghalen.'

Grace liet haar hand net zo voorzichtig zakken als ze hem had opgetild en zette Connor met zijn bootje terug op het water in de schaal. Toen het bootje het oppervlak raakte, werd het weer tweedimensionaal, net als Connor.

'Haal nu je hand uit het water,' instrueerde Mosh Zu. 'Blijf doodstil zitten en wacht af wat er gebeurt.'

Op de donkere uitgestrektheid van de oceaan was Connor zich plotseling bewust van een golf van energie die bezit van hem leek te nemen. Hij had geen idee waar die vandaan kwam. Hij was zo moe geweest, zijn gedachten hadden als wilde honden in een kringetje rondgedraaid. Maar nu was hij ineens vervuld van besluitvaardigheid en wist hij wat hem te doen stond.

Hij liep naar de zijkant van de boot en hield zijn zwaard hoog boven zijn hoofd. Uit zijn keel welde een jammerklacht op, een kreet die uit zijn ziel leek te komen, en terwijl het geluid wegvluchtte over de oceaan, gooide hij het zwaard van zich af. Hij keek het na in zijn baan langs de donkere hemel, zag hoe het zich in het wateroppervlak boorde en verdween in de leegte daaronder.

Met een diepe zucht staarde hij vervolgens naar zijn lege hand. Door zijn rapier weg te gooien, had hij de verschrikkelijke daad die hij ermee had gepleegd, niet ongedaan gemaakt. Toch voelde hij zich lichter, alsof hij meer had weggegooid dan alleen zijn zwaard. En voor het eerst sinds hij Alessandro had gedood, kon hij zich voorstellen dat zijn reis hem uiteindelijk naar een nieuwe bestemming zou brengen.

'Hij heeft het zwaard weggegooid!' zei Grace opgewonden.

'Ja.' Mosh Zu knikte. 'Omdat jij hem daartoe in staat hebt gesteld. Ik denk niet dat hij het zonder jou had kunnen opbrengen. In elk geval niet op dit punt.'

'Het is niet te geloven!' verzuchtte Grace.

Mosh Zu glimlachte. 'Je beschikt over helende vermogens, Grace. En er zijn vele manieren om een mens te helen. Maar je hebt het goed gedaan! Echt goed!'

Hij richtte zich op en reikte naar de schaal met water.

'Kunnen we niet nog wat langer blijven kijken?'

'Nee, dat lijkt me beter van niet,' zei Mosh Zu. 'Voorlopig moeten we hem zijn eigen reis laten maken. Weet je nog wat ik heb gezegd over die tafel?'

Grace knikte. Ze begreep het. Maar toch. Plotseling had ze een gevoel van verlies toen Mosh Zu met de koperen schaal naar de gootsteen liep om hem leeg te gooien. Terwijl ze water en inkt door het putje hoorde verdwijnen, dacht ze onwillekeurig aan haar broer in die kleine boot, helemaal alleen op de donkere, donkere zee.

Waar ben je? Ze móést het vragen. *Waarom ben je niet langer op de* Diablo? *En waar voel je je zo verschrikkelijk schuldig over?*

Maar deze keer kwamen er geen antwoorden. Ze begreep nog altijd niet hoe de band met haar broer tot stand was gekomen, maar inmiddels was hij weer verbroken.

Behouden vaart! zei ze, zonder haar mond open te doen. Toen krabbelde ze overeind, en ze hielp Mosh Zu de kaarsen weer op hun plaats te zetten.

HOOFDSTUK 42

Een nacht vol magie

'ACH, DAAR BEN JE! Ik heb je overal gezocht!'

Bij het horen van zijn stem draaide Darcy zich om, en ze glimlachte toen ze Jez – háár Jez – over het dek zag aankomen. Ze zuchtte. Het leek wel alsof hij elke nacht knapper werd. Ze was voor hem gevallen op het moment dat hij aan boord van de *Nocturne* stapte, maar achteraf bezien was hij toen nog maar een schaduw geweest van de man die nu voor haar stond. Onder de betovering van haar liefde was hij opgebloeid. En zij – daar twijfelde ze niet aan – onder die van de zijne.

'Waar denk je aan?' vroeg hij met zijn onweerstaanbare, brutale glimlach.

Ze lachte koket. 'Dat zou je wel willen weten, hè?'

'Natuurlijk! Ik wil alles van je weten, Darcy. Al je geheimen! Wat ik ook moet doen om ze te ontraadselen.'

'Schei uit!' zei ze, ook al kreeg ze nooit genoeg van zijn verrukkelijke onzinpraatjes. Nee, daarmee deed ze hem geen recht. Dit waren geen onzinpraatjes. Dit was échte liefde. Dat wist ze zeker. Hij was de man op wie ze had gewacht – haar Ware Jacob! Het had lang geduurd voordat hij haar had gevonden, maar het was het wachten waard geweest.

'Je straalt vannacht!' Hij keek haar bewonderend aan.

Ze haalde charmant haar schouders op, draaide zich om en leunde tegen de reling, zodat de verrukkelijke, verkoelende oceaanbries langs haar gloeiende huid streek. De bries kreeg vat op de dunne sjaal van chiffon die ze om haar hals had gewikkeld.

'O!' zei ze verschrikt, toen de sjaal losraakte en door de wind werd meegevoerd.

Zonder ook maar één moment te aarzelen sprong Jez op en plukte hij hem uit de lucht. Toen wikkelde hij hem weer om haar hals, blank als porselein, en keek haar in haar ogen.

'Je maakt me zo gelukkig,' zei ze.

'En jij mij.' Hij grijnsde. 'Ik had nooit gedacht dat ik weer gelukkig zou kunnen zijn. Jij hebt me tot leven gekust, Darcy Flotsam. Echt waar!'

'O ja?' Ze boog zich naar hem toe en drukte een vlinderkusje op de punt van zijn neus. Hij nam haar in zijn armen en trok haar dicht tegen zich aan, terwijl ze zich omdraaide en uitkeek over zee. Starend naar de donkere, met sterren bezaaide hemel slaagde ze er niet in haar opwinding te verdringen. Dit was een nacht vol magie. Er zat iets in de lucht. In nachten als deze werden vragen gesteld en antwoorden gegeven, waardoor levens onherroepelijk veranderden.

'Wat ben je stil geworden.' Zijn zachte stem deed haar opschrikken uit haar gedachten.

'Ach, ik stond zomaar wat te denken.'

'Wat zou je ervan zeggen als ik je ook iets gaf om over na te denken?' vroeg hij.

Er ging een huivering door haar heen. 'Ik ben benieuwd,' zei ze.

'Ik wil je iets vragen.'

'Vragen staat vrij, m'n liefje.'

Hij glimlachte, zoals altijd wanneer ze hem zo noemde. 'Ik vroeg me af of je misschien ooit zou willen overwegen de *Nocturne* te verlaten en met me mee te gaan.'

Dit was het. Dit was het beslissende moment, het keerpunt waarvan ze zo lang had gedroomd. Niets overhaasten, Darcy, zei ze tegen zichzelf. Geniet van elk moment, van alles wat je voelt.

'Je aarzelt erg lang. Dus ik neem aan dat het antwoord nee is.'

Met zijn getuite lippen en de teleurgestelde blik in zijn ogen zag hij eruit als een hulpeloos jong hondje. Nog nooit had ze hem zo aantrekkelijk gevonden. Ze kon het niet over haar hart verkrijgen hem nog langer te kwellen.

Ze schudde haar hoofd. 'Liefje, m'n liefje, met jou ga ik overal heen, waar je maar wilt. Alleen wij tweetjes. Ik had nooit gedacht dat ik afscheid zou kunnen nemen van de *Nocturne*, maar sinds jij in mijn leven bent gekomen, is alles anders geworden.' Ze keek hem vol verwondering aan. 'Ik denk dat ik je zou volgen tot het eind van de wereld.'

'Ach, we zouden niet helemáál alleen met ons tweetjes zijn. Tenminste, niet meteen.'

'O nee?'

'Nee. Kijk maar niet zo verschrikt, lieve Darcy. Het zit zo, ik heb nu even wat dingetjes te regelen. Maar denk je... Zou je beréíd zijn om vannacht al te vertrekken?'

'Vannacht?' Dat was wel erg snel! Kreeg ze niet de tijd om plannen te maken, om te genieten van de voorpret, van alle verrukkelijke verwachtingen die ze koesterde? Nou ja, als het dan moest, dan moest het maar. *C'est la vie!* Hij was zo romantisch, zo onstuimig. En ze had al zo lang op hem gewacht. 'Ja,' zei ze dan ook. 'Ik ga mijn spullen pakken, en we vertrekken vannacht!'

'Brave meid!' Hij reikte in zijn zak. 'Dit is voor jou.'

'Toch niet weer een cadeautje? Dat zou je echt niet moeten doen!' Maar toen liet hij zich op een knie vallen – ze kon haar ogen nauwelijks geloven – en hij haalde een klein, met satijn bekleed doosje tevoorschijn dat hij openmaakte en haar voorhield. Door haar tranen heen kon ze de ring nauwelijks zien. Maar ze wist zeker dat hij prachtig was. Dat waren al zijn cadeaus.

'Wat doe jíj hier? Je hoort niet naar mijn hut komen. Dat is tegen de regels.'

Jez grijnsde bij het horen van de nijdige klank in haar stem. 'Is dat nou een manier om me te verwelkomen?'

'Het is het enige welkom dat je krijgt,' zei Shanti. 'Ik vind het inmiddels meer dan genoeg om je één keer per week te zien.' Hem welbewust negerend ging ze verder met het inspecteren van haar garderobe.

Hij schudde zijn hoofd. '*Touché*, schat. Maar wat is er tussen ons veranderd? Er was een tijd dat je geen genoeg kon krijgen van je lieve Jezzie.'

Shanti fronste haar wenkbrauwen, gooide een bloes opzij en pakte een andere. 'Je bent gestoord.'

'Helemaal niet.' Hij kwam vlak achter haar staan. 'Ik ben me maar al te zeer bewust van de overeenkomst tussen ons, lieffie. Jij hebt me gered toen ik er wanhopig aan toe was, en daar zal ik je altijd dankbaar voor zijn.'

Ze trok een lelijk gezicht naar hem terwijl ze een bloes voorhield en zichzelf keurend bekeek in de spiegel. Ze zag er echt schitterend uit, al zei ze het zelf. Haar vroegere kleur was teruggekeerd, en haar huid was opnieuw zo glad als zijde.

'Echt waar, Shanti, ik zal je altijd dankbaar blijven. Maar laten we eerlijk zijn, onze overeenkomst was niet alleen in mijn belang. Toen de kapitein je mee terugbracht van de Wijkplaats, was je een verschrompelde, oude donor, hollend op weg naar de vergetelheid. Je Jezzie heeft ervoor gezorgd dat je weer bent opgefleurd. Weet je nog hoe oud en rimpelig je er toen uitzag? Heel anders dan nu! Je straalt helemaal!' Ze was nog altijd verdiept in haar spiegelbeeld. 'En daar zou je best wat meer dankbaarheid voor mogen tonen.'

'Als je op zoek bent naar dankbaarheid, moet je bij dat boegbeeld zijn met haar onnozele glimlach,' zei Shanti zonder zich om te draaien. 'Het is gewoon zielig om te zien, hoe dankbaar ze is voor elke blik die je haar waardig keurt. Maar ja, als ik zo'n verrot stuk oud hout was, zou ik waarschijnlijk net zo zijn... Au!'

Ze schreeuwde het uit toen hij haar arm pakte en die wreed achter haar rug trok. 'Hou op!' beet hij haar toe, met zijn mond vlak bij haar oor. 'Ik wil niet je dat je zo over mijn mooie Darcy praat. Een splinter van haar is al meer waard dan jij!'

Ondanks de pijn begon Shanti te lachen. 'O, je gaat me toch niet vertellen dat het allemaal echt was! Ik heb al die tijd gedacht dat je een spelletje met haar speelde! Maar als ik het goed begrijp was het ware liefde. Is meneer de vampier tot over zijn ooooren?' Ze lachte opnieuw – koud, wreed. 'Nou, mijn zegen hebben jullie. Ik weet zeker dat jullie samen heel gelukkig worden.'

'Dat worden we inderdaad,' zei hij. 'Alleen jammer dat jij daar geen getuige van zult zijn.'

'Wat?' Zijn woorden deden haar schrikken, en plotseling werd ze bang. Ook al probeerde ze instinctief het te verbergen, hij kon het duidelijk voelen.

'Er staan hier grootse dingen te gebeuren,' fluisterde hij in haar oor. 'Vannacht verandert alles. Dramatisch. Ik ga weg. En Darcy gaat met me mee. Trouwens, er zijn ook anderen die van boord gaan. Onze plannen zijn klaar.'

'Fijn voor je! Ga dan maar gauw, schát! Op naar je nieuwe schip. Maar als het jou hetzelfde is, blijf ik lekker hier.'

'Natuurlijk blijf jij hier.' Zijn ene hand sloot zich om haar hals, met zijn andere draaide hij haar naar zich toe. 'Natuurlijk!' Hij scheurde haar lijfje open. 'Je mag niet eens mee.'

Darcy stond aan dek, met een klein kistje aan haar voeten, haar favoriete avondmantel eroverheen gedrapeerd. Het merendeel van haar mooie kleren had ze in de kast laten hangen. Uiteindelijk had het zinloos geleken meer dan een paar spulletjes in te pakken. Haar kleren vormden te veel een deel van haar leven hier – haar oude leven. Ze stond op het punt een nieuwe start te maken, met allemaal nieuwe spullen. Móóie nieuwe spullen. Daar zou haar Ware Jacob wel voor zorgen.

'Darcy!'

Ze keek op en zag de kapitein aankomen. Toen hij de zeilen van het schip passeerde, waren er vluchtig wat vonkjes in te zien, maar ze waren vrijwel meteen weer in duisternis gehuld. De kapitein maakte een vermoeide indruk. Sterker nog, de laatste tijd leek hij elke keer dat ze hem zag aan kracht te hebben ingeboet.

'Kapitein,' zei ze huiverend, want dit was het moment dat ze had gevreesd.

'Ik zie dat je je koffer hebt gepakt,' zei hij. 'Ga je op reis?'

Ze knikte en voelde dat ze tranen in haar ogen kreeg. 'O kapitein,' zei ze snotterend. 'U bent altijd zo goed voor me geweest. Maar er is iets gebeurd, iets heerlijks. Dus het moment is aangebroken dat ik mijn eigen weg moet gaan.'

Achter het masker leek hij te glimlachen. 'Waarom huil je dan, kindje? Zo te horen zou je juist blij moeten zijn.'

'Ja, ja, dat ben ik ook!' Ze knikte heftig. Hoe kon ze ooit aan de kapitein hebben getwijfeld? Natuurlijk was hij blij voor haar! Tenslotte had hij altijd goed voor haar gezorgd.

'Het spreekt vanzelf dat we je zullen missen. Je bent altijd veel meer geweest dan ons boegbeeld, en dat weet je.'

Op dat moment werd zijn fluistering overstemd door een kreet, gevolgd door een tweede, en een derde. De kreten gingen in elkaar over, als een gecompliceerde symfonie. Er klonk een vierde, een vijfde, een zesde, gevolgd door dreunende voetstappen.

De kapitein en Darcy draaiden zich om en zagen dat het dek plotseling werd overspoeld door een angstige menigte. De donoren!

'Kapitein!' bracht een van hen hijgend uit. Zijn kleren waren gescheurd, zijn ontblote borst zat onder het bloed. 'Hoe hebt u dit kunnen laten gebeuren?' Zodra hij het had gezegd, zakte hij in elkaar op het dek, met zijn hand op de wond in zijn bebloede borst gedrukt.

In paniek stroomden zijn metgezellen over hem heen, in de richting van de kapitein.

'We worden aangevallen!' riep een andere donor. Zijn gezicht drukte pure doodsangst uit. Ook zijn kleren waren gescheurd en zaten onder het bloed. Zijn huid zag melkwit.

Opnieuw klonk er geschreeuw, en er kwamen nog meer donoren het dek op stormen. Ze zagen er allemaal uit alsof ze rechtstreeks van het slagveld kwamen. Hun kleren waren gescheurd, hun borst verried duidelijk de sporen van scherpe tanden. Hun bebloede gezichten en armen verrieden dat ze zich uit alle macht hadden verzet.

'We worden niet aangevallen!' riep een van de andere donoren. 'We worden massaal afgeslacht. Ze proberen ons te doden. Ze nemen veel te veel bloed, maar het kan ze niks schelen.'

'Ik begrijp het niet,' zei de kapitein.

Hij had het nog niet gezegd of de kreten van de donoren werden luider, zwollen aan tot een gruwelijke kakofonie. Onder woest gekrijs sleepten de donoren zich met hun laatste krachten naar de rand van het dek, ze werkten zich op de reling en keken aarzelend naar de duisternis in de diepte.

'We zullen moeten springen!' riep een van hen. 'Dat is onze enige hoop!'

'Doe niet zo stom!' riep een ander. 'Dan verdrinken we. De kapitein zal ons helpen.' Hij richtte zijn klaaglijke blik op de kapitein.

'Ja,' schreeuwde een ander die naast hem stond. 'De kapitein helpt ons altijd...' Ook haar ogen gingen naar de leider van het schip.

Darcy volgde hun voorbeeld. De kapitein zou de crisis wel weten te bezweren, zoals hij dat in het verleden ook altijd had gedaan.

Maar de kapitein stond als verlamd, en zijn woorden klonken weinig bemoedigend. 'Zwijg! Ik eis absolute stilte! Onmiddellijk!'

Darcy keek in doodsangst toe. Wat haar nog het meest bang maakte, was het plotselinge gevoel dat de kapitein de situatie niet onder controle had. Ze had hem nog nooit zo meegemaakt. Hij was altijd zo beheerst, hij had altijd de leiding gehad. Maar nu ineens leek hij... kwetsbaar. Ze kon het bijna niet verdragen naar hem te kijken.

Zich afwendend zag ze dat er een nieuwe meute op het dek was gearriveerd. De rebellerende vampiraten! Hun ogen stonden in brand, hun lippen en tanden zaten onder het bloed dat ze van de donoren hadden gestolen voordat die hadden weten te ontsnappen. Dus honger hadden ze niet meer. Ze waren gewoon op jacht naar nog meer bloed.

De kreten van de donoren werden nog luider, nog wanhopiger. Steeds meer klommen er op de reling. Een sprong er in zee. Een ander volgde hem, maar het was niet duidelijk of dat met opzet of per ongeluk gebeurde.

De kapitein, die zichzelf eindelijk weer onder controle leek te hebben, hief een geschoeide hand en sprak de rebellen toe. 'Stop! Wát hebben jullie gedaan? Wat hebben jullie in 's hemelsnaam aangericht?'

'We hadden honger,' klonk een stem uit het hart van de meute. 'We hadden honger, dus we hebben besloten die te stillen.'

'Wie spreekt daar zo kwaadaardig?' vroeg de kapitein. Zijn fluisterstem trok als een ijzige wind over het dek. 'Wie verzet zich tegen mijn regels? Vooruit, laat zien wie je bent!'

Maar Darcy had de stem al herkend, dus het was geen verrassing voor haar dat Jez Stukeley uit de opstandige meute naar voren kwam. Haar hart was toen al in duizenden stukjes gebroken.

'Jij?' zei de kapitein, duidelijk verrast. 'Jij, terwijl ik je uit de diepste diepten heb teruggehaald?'

'Eh, ja. Dat klopt,' zei Jez. 'Alleen vergeet u te vertellen dat u Connor en zijn piratenmaten eerst opdracht had gegeven me in brand te steken!'

'Dat heb je overleefd. Dus wat maakt het nog uit?'

'Ik neem het u ook niet kwalijk,' zei Jez. 'Hoe dan ook, ik ben er weer. Dat noemen ze veerkracht!'

De kapitein schudde zijn hoofd. 'Je... je hebt dit schip, deze gemeenschap in doodsnood gedompeld. Je hebt onze wereld tot een aanfluiting gemaakt. Je hebt angst en paniek gezaaid waar rust heerste. Je hebt het vertrouwen beschaamd. Je bent geen haar beter dan...' Hij zweeg abrupt, blijkbaar niet in staat de naam zelfs maar te noemen.

'Ach, misschien heb ik de boel een beetje wakker geschud,' zei Jez. 'Maar ik was niet de eerste. En, zoals u ziet, ik ben zeker niet de laatste. Heb ik gelijk of niet, lui?'

De andere vampiers knikten en keerden hun van boosheid schitterende ogen naar de kapitein. Darcy vroeg zich af of ze zover zouden gaan hem daadwerkelijk aan te vallen. Een allesoverheersende angst nam bezit van haar.

'We hebben een boodschap voor u, kapitein,' zei Jez. 'Geef me eens een steuntje!' Daarop werd hij door twee anderen op de schouders gehesen. 'Zo, dat is beter.' Vanaf zijn hoge zitplaats keek hij op de kapitein neer, terwijl hij een spreekkoor inzette: 'Meer bloed! Meer bloed!'

De anderen sloten zich bij hem aan. 'Meer bloed! Meer bloed! Meer...'

Het was het gruwelijkste wat Darcy ooit had gehoord, een gebrul als een laaiend vuur. De dichte meute vampiers bood de aanblik van een verschrikkelijk, vuurspuwend monster, met Jez – nee, je moet nu alleen nog maar aan hem denken als Stukeley – met Stukeley als de ogen en de tong van het wangedrocht.

Het was zeker niet zo dat alle vampiers bij de opstand betrokken waren, maar Darcy telde er toch minstens dertig. De vorige keer dat er rebellie op het schip was uitgebroken, ging het om slechts drie vampiers. Deze situatie was heel anders. Darcy keek naar Stukeley terwijl hij het spreekkoor leidde. Ze herinnerde zich hoe ze een paar uur eerder had gedacht dat dit de nacht zou zijn waarin alles ging veranderen. Ze had gelijk gehad, maar niet op de manier zoals ze had gehoopt. Haar dwaze, onbeduidende dromen waren in duigen gevallen. Dit was helemaal geen nacht vol magie, het was een nacht van het kwaad. Terwijl ze over deze plotselinge, noodlottige verandering stond na te denken, ontmoette Stukeleys blik de hare. Hij grijnsde, en ze wendde zich af, tot in het diepst van haar wezen vervuld van weerzin.

'Meer bloed! Meer bloed! Meer...' Het gebulder ging door.

'Zwijg!' zei de kapitein. 'Zwijg! Niemand krijgt meer bloed aan boord van dit schip. Jullie zullen moeten wachten tot het volgende Feestmaal.'

'Zoals u wilt,' zei Jez met ontwapenende berusting. 'Dan ben ik bang dat we u moeten gaan verlaten. Eerlijk gezegd beginnen we ons hier een beetje te vervelen. U begrijpt, het is niet persoonlijk bedoeld...'

'Je kent de regels.' De fluisterstem van de kapitein klonk koud als staal. 'Of je gehoorzaamt ze, of...'

'Of wat?' klonk een nieuwe stem, bulderend over het water. De kapitein draaide zich om. Darcy draaide zich om. De verzwakte, doodsbange donoren die zich aan de reling vastklampten, draaiden zich om. De meute opstandige, naar bloed hongerende vampiers draaide zich om.

Ze zagen allemaal hetzelfde. Een schip dat de *Nocturne* naderde en langszij kwam. Nog een galjoen. En aan dek, trotser, hoger oprijzend dan ooit, een gezicht uit hun verleden. Uit hun aller verleden, en nu – misschien – ook een gezicht dat deel ging uitmaken van hun toekomst.

Sidorio.

Hij stak zijn hand op naar de kapitein.

Die sloeg hem hoofdschuddend gade. 'Ik dacht dat je voorgoed was verdwenen.'

Sidorio ontblootte grijnzend zijn tanden. 'Denk maar niet dat het je ooit lukt me te vernietigen. Je kunt er beter aan wennen dat ik er altijd zal zijn.'

'Ik pieker er niet over!' zei de kapitein. 'Zolang ik nog lucht in mijn longen heb, zal ik voor niets terugdeinzen om gespuis zoals jij uit te roeien!'

Darcy glimlachte. Er klonk opnieuw kracht door in de fluisterstem van de kapitein.

Sidorio haalde zijn schouders op. 'Nou, het is wel duidelijk dat je niet tegen je verlies kunt!' riep hij.

Stukeley begon te lachen, en zijn lach bleek aanstekelijk. Darcy drukte haar handen tegen haar oren. De manier waarop Sidorio en Stukeley de kapitein tot een mikpunt van spot maakten, na álles wat die voor hen had gedaan, was meer dan ze kon verdragen.

'Goed gedaan, Stukeley!' riep Sidorio. 'Ik wist wel dat je geknipt was voor dit klusje! Je hebt de charme van de duivel! Zo, genoeg gepraat. Jullie hebben toch al te lang moeten wachten. Kom, vrienden. Sluit je aan! Jullie nieuwe schip wacht! Let wel, het is maar tijdelijk. Het duurt niet lang, dan hebben we iets groters!'

Al pratend wenkte hij de opstandige piraten. Stukeley ging als eerste bij de reling staan. Hij sprong hoog de lucht in, beschreef een salto en landde op het dek naast de afvallige kapitein.

'Zien jullie dat?' riep Sidorio naar de rest. 'Dat kunnen jullie ook! Allemaal! Vooruit! Probeer het. Jullie hebben geen idee waartoe jullie in staat zijn!' Hij wees naar de kapitein. 'Hij heeft jullie nooit genoeg bloed gegeven en zwak gehouden als tamme honden, terwijl jullie vrijelijk zouden moeten kunnen rondzwerven, wild als wolven. Het moment is gekomen dat jullie gaan leren wat ik ook heb geleerd. Hoe meer bloed we nemen, des te sterker worden we. Het zijn juist de dingen waarvan ons altijd is verteld dat we ze moesten verwerpen, die we moeten omhelzen!'

'Nee!' De kapitein schudde zijn hoofd. 'Het zijn allemaal leugens. Let op mijn woorden!' Vonkjes dansten in zijn cape.

'Wie geloven jullie?' vroeg Sidorio. 'Iemand die zich verbergt achter een masker? Iemand die zich verstopt in zijn hut? Iemand die fluistert als een angstig kind? Of mij?'

Bij die woorden drongen de afvallige vampiers naar de reling en sprongen ze een voor een omhoog, de lucht in.

'Zo mag ik het zien!' Sidorio was duidelijk in verrukking. 'Zo mag ik het zien. En dit... dit is nog maar het begin!'

Darcy keerde zich naar de kapitein, in de verwachting dat die iets zou ondernemen om hier een eind aan te maken. Hij stond als verlamd. Zijn cape hing dof en donker om zijn schouders. Vervuld van afschuw keek ze toe terwijl de rebellen tot de laatste man en vrouw van het schip sprongen.

Uiteindelijk bleef ze samen met de kapitein achter op het dek van de *Nocturne*. En met de donoren die zich aan de reling vastklampten, nog altijd verlamd van angst.

Aan boord van het andere, naamloze galjoen verkeerden de rebellen in staat van grote opwinding. Stukeley werkte zich tussen hen door naar de reling. 'Ga je niet mee, Darcy?' riep hij over het water. 'Wil je je niet bij ons aansluiten?'

Ze schudde haar hoofd. Haar ogen bleven droog, want ze wilde niet dat hij haar zag huilen.

'Weet je het zeker?' riep hij. 'We zouden zo'n prachtige toekomst kunnen hebben, jij en ik!'

'Práchtig? Je weet niet eens wat dat woord betekent!' riep ze boos.

Aan boord van het rebellenschip klok hoongelach. 'Let maar niet op haar!' hoorde ze iemand naar Stukeley roepen. 'Een stuk hout. Meer is ze niet.'

'Precies,' riep een ander. 'Als je dol bent op drijfhout, nou, dan hoef je hier nooit zonder te zitten.'

Dat deed de deur dicht. Ze weigerde nog langer naar hun beledigingen te luisteren. Dus ze keerde zich naar de kapitein, maar die leek met stomheid geslagen.

Achteromkijkend over het dek zag ze nog meer vampiraten op het toneel arriveren. Haar eerste gedachte was dat de rebellie zich verder zou verspreiden, maar ze vatte moed toen ze zag dat de anderen net zo geschokt en verbijsterd waren als zij. Hun ogen stonden helder. Uit niets bleek dat ze die nacht extra bloed hadden genomen.

'Wat is híér gebeurd?' vroeg een van hen.

Darcy keerde zich naar de kapitein, in de verwachting dat hij voor eenheid zou zorgen, zoals hij dat altijd deed. Maar hij leek uitgeblust, niet in staat nog iets te zeggen. Roerloos als een standbeeld staarde hij naar het andere schip. Aangemoedigd door Sidorio bekogelden de afvallige vampiraten hem met scheldwoorden terwijl ze wegvoeren.

Toen Darcy zich omdraaide, stond het dek van de *Nocturne* opnieuw stampvol. De verschijning van meer vampiraten had de donoren duidelijk angst aangejaagd, want ze klampten zich nog uitzinniger aan de reling vast. Maar het gevaar was geweken.

'Rustig maar. Er is niets aan de hand!' zei Darcy met luide stem, terwijl ze van de donoren naar de vampiers keek. 'Alles is in orde. Het was afschuwelijk, en een deel van de bemanning is van boord gegaan. Maar we zijn beter af zonder hen.'

Ze zag dat er rondom instemmend werd geknikt.

'Akkoord,' vervolgde Darcy. 'Tijd om terug te gaan naar onze hutten.' Ze keerde zich naar de donoren. 'Kom, laat de reling nu maar los. Er is niemand meer die jullie kwaad zal doen. Jullie zijn veilig.'

Enigszins tot haar verbazing deden de donoren wat ze zei. De vampiers die aan boord waren gebleven, lieten hen door, hoofdschuddend, met woorden van troost en bemoediging.

Ten slotte bleven alleen Darcy en de kapitein op het dek achter. Hij had zich in zichzelf teruggetrokken en staarde nog altijd naar de zee, hoewel Sidorio's schip inmiddels was opgeslokt door de nacht. Darcy legde haar hand op de arm van de kapitein. 'Was dat in orde, kapitein?' vroeg ze. 'Is het goed wat ik heb gezegd?'

Hij wachtte even voordat hij antwoord gaf. 'Ja, Darcy. Dank je wel.'

'Waarom dééd u niets?' vroeg ze. 'Waarom hebt u niet geprobeerd hen tegen te houden?'

Weer bleef het even stil. Toen boog de kapitein zijn hoofd, en zijn fluisterstem was zo zwak dat Darcy hem nauwelijks kon verstaan.

'Ik heb het geprobeerd, Darcy.' Zijn stem werd steeds zwakker. 'Ik heb het geprobeerd, maar ik had er de kracht niet voor.'

'Maar u...' Ze was bijna met stomheid geslagen. 'Maar u hebt ons nog nooit teleurgesteld.'

'Mijn krachten nemen af, Darcy.' Zijn stem leek van heel ver te komen. 'Ik weet niet hoeveel tijd ik nog heb.'

'Nee!' zei ze. 'Ik zal u helpen. U hoeft me alleen maar te zeggen wat ik moet doen.'

'Ik weet het niet,' zei hij. 'Voor het eerst sta ik machteloos.'

Vol afschuw zag Darcy dat de kapitein opzijviel en op het dek in elkaar zakte, met zijn cape om hem heen. Heel vluchtig lichtten er een paar vonkjes op, toen werd alles donker.

'Het is voorbij,' fluisterde hij. 'Het is allemaal voorbij.'

Vervuld van een dodelijke angst keek Darcy op naar de zeilen. Ook daarin ontbrak elk spoortje licht.

HOOFDSTUK 43

Terugkeer naar de Piratenacademie

De ondergaande zon kleurde de hemel bloedrood, toen Connor afstevende op de stenen boog die de toegang vormde tot de Piratenacademie. De grote fakkels daaronder brandden, hun vlammen likten langs de stenen en verlichtten de spreuk van de Academie:

OVERVLOED EN VERZADIGING,
VREUGDE EN WELBEHAGEN,
VRIJHEID EN MACHT

Nog maar een paar maanden eerder was hij voor het eerst onder de boog door gezeild en had hij Cheng Li gevraagd wat 'verzadiging' betekende. 'Dat betekent dat je neemt wat je wilt, en meer,' had ze glimlachend geantwoord. Terwijl hij aan dat moment terugdacht, leek het een leven achter hem te liggen. Wat was hij nog een kind geweest, een en al opwinding over wat de Academie hem te bieden had. In zijn tijd op de Academie hadden de leraren – met de commodore voorop – hem ervan weten te overtuigen dat hij een grootse carrière tegemoet ging als piraat. Nu waren die dromen vervlogen. Er was zo veel veranderd. Om hem heen, maar ook binnen in hem.

De spreuk beloofde een gelukkig leven als piraat – een leven van onbegrensde rijkdom en plezier, maar ook een vrij en machtig leven. Puur theoretisch klonk het allemaal geweldig, maar wat de spreuk er niet bij vertelde, was de prijs die je voor zo'n leven moest betalen. Natuurlijk, al die rijkdom kon je deel worden, maar alleen als je erin berustte dat je daarvoor moest doden. Nee, daar moest je niet alleen in berusten, dat vooruitzicht moest je leren te omhelzen. Het vooruitzicht dat je telkens weer een nieuwe tegenstander van het leven zou moeten beroven.

De vurig karmozijnrode hemel herinnerde hem levendig aan het bloed dat uit de wond van zijn slachtoffer was gestroomd. Niet doen, zei hij tegen zichzelf, terwijl hij zijn ogen sloot. Maar zoals gebruikelijk, maakte dat het alleen nog maar erger. In zijn verbeelding zag hij het allemaal nog veel levendiger voor zich – als een stuk uit een film dat telkens opnieuw werd afgespeeld. Hij deed zijn ogen weer open, dankbaar te zien dat de zonsondergang snel verbleekte en dat de avondschemering de angel uit het rood haalde.

Terwijl hij verder voer, keek hij naar de gebouwen van de Academie, op de top van de heuvel. De verlichte ramen staken helder af tegen de donkere hemel. Daarachter kon hij de silhouetten van studenten en leraren onderscheiden – ongetwijfeld op weg van of naar het diner, en daarna naar de laatste lessen van de dag. Hij kon beter even wachten met aanmeren. In elk geval tot de laatste bel had geluid, en de studenten zich vermoeid in hun slaapzalen op bed lieten ploffen.

Terwijl hij naar de steiger voer, op zoek naar een plek waar hij onder dekking van een stel wilgenbomen het juiste moment kon afwachten, werd hij bestormd door herinneringen aan de korte periode die hij op de Piratenacademie had doorgebracht. Hij dacht aan zijn eerste ontmoeting met commodore Kuo, aan zijn eerste bezoek aan de Koepelzaal, of de 'Octopus' zoals de bijnaam luidde die de leerlingen eraan hadden gegeven, waar de zwaarden van beroemde piratenkapiteins hingen. Dat bracht hem bij zijn eigen zwaard, dat inmiddels lag te roesten op de zeebodem. Hij dacht terug aan de lessen – Gevechtstraining en KUM – het hardlopen bij het krieken van de dag onder leiding van kapitein Platonov. In gedachten hoorde hij het grind weer onder zijn voeten knarsen en rook hij de zilte, scherpe geur van de vroege ochtend. Hij herinnerde zich hoe hij het gevoel had gehad daar thuis te horen, terwijl hij voortrende, geflankeerd door Jacoby en Jasmine. Jacoby Blunt, zijn nieuwe beste vriend... Tenminste, dat had hij gedacht. Maar Jacoby had hem verraden, daartoe aangezet door de rector. Hij dacht terug aan het in scène gezette gevecht in het 'Bloedbad', waar Jacoby had geprobeerd hem serieus te verwonden. Toen puntje bij paaltje kwam, had Jacoby het niet gedurfd. Connor vroeg zich af of dat zijn lot op de Academie had bezegeld. De Piratenfederatie had geen behoefte aan protégés die uiteindelijk niet voldoende lef bleken te bezitten.

Het was een vreemde, verwarrende tijd geweest, maar ook al was die slecht afgelopen, Connor kon niet helpen dat hij toch een zekere opwinding voelde nu hij terug was. Daadkracht en optimisme waren hier zo voelbaar aanwezig dat het leek alsof je je hand maar hoefde uit te strekken om ze te pakken, net als de overvloed aan granaatappels die rijpten op de vruchtbare grond van de Academie. Leerlingen kwamen hier met de droom ooit een beroemd piraat te worden. Connor dacht aan de kinderen in de les Knopen van kapitein Quivers, die Connor en Grace met grote ogen hadden aangekeken en hen hadden overstelpt met vragen, hoe het was om op een echt piratenschip mee te varen. Destijds had hij vol enthousiasme verteld over het leven aan boord van de *Diablo*. Nu zou hij hun vragen heel anders beantwoorden: *Knopen leggen, Navigatie, dat is allemaal niet belangrijk,* zou hij zeggen. *En hetzelfde geldt voor leuke dingen als een naam bedenken voor je schip en je eigen vlag maken met doodshoofd en knekels. Waar het om draait, is de vraag of je bereid bent te doden. Dat is het enige waar het om gaat.* Alles welbeschouwd was het waarschijnlijk geen goed idee om bij zijn terugkeer te komen binnenstormen in de les Knopen van kapitein Quivers en zijn nieuw verworven wijsheid met de leerlingen te delen.

Plotseling hoorde Connor stemmen, gelach. Hij dook in elkaar, kroop zo diep mogelijk weg in de boot, toen richtte hij zich voorzichtig op, zodat hij over de rand kon kijken. Bij het licht van de lantaarns tussen de wilgentakken zag hij twee gedaanten die naar de waterkant renden. Toen ze daar bleven staan, zakte Connor de moed in de schoenen. Het waren Jacoby Blunt en Jasmine Peacock. Uitgerekend zijn twee klasgenoten! Ze mochten hem niet zien. Hij liet zich terugglijden in de boot, in de hoop dat ze hun weg zouden vervolgen. Het bleef even stil, op een merkwaardig, ritselend geluid na. Toen klonk er een gespetter, gevolgd door een kreet.

'Zie je wel dat ik het durf? Nou jij nog!' riep Jacoby. Er was geen twijfel over mogelijk, hij was in het water gedoken – zo te horen verontrustend dicht bij Connors boot. 'Kom op, Jasmine. Afspraak is afspraak!'

'Is het koud?' Connor herkende de stem van Jasmine, en moest zich beheersen om niet stiekem een blik te werpen op het mooiste meisje van de Piratenacademie.

'Als je er eenmaal in bent, valt het best mee!' riep Jacoby onder luid gespetter.

'Oké, ik kom eraaaaaaaaaaaaaan!'

Opnieuw gespetter, een gil, toen gelach.

'Leugenaar! Het is ijijijijijskoud!'

'Je moet ook zwemmen. Dan heb je het zo weer warm.'

Connors hart bonsde. Niet deze kant uit zwemmen, dacht hij wanhopig. Zwem de haven in.

'Wie het eerste bij de wilgen is!' riep Jacoby.

Natuurlijk! Net waar hij op zat te wachten! Nu was het alleen nog een kwestie van tijd. Op de bodem van de boot liggend probeerde Connor te besluiten wat hem te doen stond. Er was geen tijd meer om verder langs de steiger te varen. Dus het beste wat hij kon bedenken, was doodstil blijven liggen. Op die manier bestond er een kans – een klein kansje – dat ze hem nietsvermoedend voorbij zouden zwemmen.

'Jaaaaaaaaaaaaaaa! Ik heb gewonnen!' hoorde hij Jacoby roepen.

'Dat is niet eerlijk! Je bent eerder begonnen dan ik!'

'O Jasmine, wat een rotsmoes!'

'Revanche! Wie als eerste bij de kade is.'

Goed zo! Connor moest zich beheersen om niet triomfantelijk zijn vuist in de lucht te steken.

'Wacht eens even! Ligt daar een boot?'

'Ja, daar lijkt het wel op.'

'Wat doet die daar nou? Er zijn hier helemaal geen aanlegpunten.'

Het volgende moment verschenen de vierkante schouders en het gezicht van Jacoby Blunt boven de rand van de boot. Connor bleef doodstil liggen, niet wetend wat te doen, terwijl Jacoby zich over de rand werkte en drijfnat boven op hem belandde.

'Wát?' bracht hij verbijsterd uit.

Connor duwde de druipnatte Jacoby van zich af.

'Connor!'

'Hallo Jacoby.'

'Wat doe jíj hier? Jij bent wel de laatste die ik hier had verwacht...'

Plotseling besefte Connor dat Jacoby spiernaakt was. Hij wendde zijn hoofd af. 'Misschien kun je...' begon hij, gegeneerd met zijn handen gebarend. 'Misschien kun je...'

'Wat? O, ja!' Jacoby werd zich ook ineens bewust van zijn naaktheid en keek om zich heen, op zoek naar iets om zich mee te bedekken. 'Heb je... iets...'

Met zijn ogen dicht tastte Connor de bodem van de boot af. Hij vond een vlag.

'Bedankt.' Jacoby bond hem om zijn middel. 'Oké, de kust is veilig.'

Connor deed zijn ogen open en zag tot zijn opluchting dat Jacoby de vlag als een sarong om zich heen had gewikkeld.

'Connor!' Het op en neer deinende gezicht van Jasmine verscheen boven de rand van de boot. De angstvallige manier waarop ze onder water bleef, deed hem veronderstellen dat ook zij naakt was.

'Hallo Jasmine.' Hij glimlachte, ondanks zichzelf. 'Sinds wanneer gaan jullie in je blootje zwemmen?'

‘Ach, het was gewoon een soort...’ begon Jasmine haastig.

‘Het was een weddenschap!’ vertelde Jacoby. ‘Als ik het deed, zou zij het ook doen.’

‘Aha,’ zei Connor.

‘Maar vertel, broeder! Wat brengt jou naar de Academie?’ Jacoby ging er eens gezellig voor zitten.

Broeder? Was hij vergeten hoe ze uit elkaar waren gegaan, vroeg Connor zich af.

‘Ja, vertel!’ zei ook Jasmine. ‘We hadden niet gedacht je ooit nog te zien. Tenminste, niet hier.’

‘Ik moest terug,’ zei hij. ‘Er is iets waar ik over moet praten... met Cheng Li.’ Hij zuchtte.

‘Dat klinkt ernstig,’ zei Jasmine.

‘Ja,’ zei Jacoby. ‘Ik moet zeggen, ouwe makker, je ziet eruit alsof je het behoorlijk voor je kiezen hebt gekregen.’

Connor boog zijn hoofd. Alleen al het terugzien van zijn oude vrienden maakte hem duidelijk hoe ingewikkeld zijn leven was geworden. ‘Ja, ik heb wat problemen gehad.’

‘Wat is er aan de hand?’ vroeg Jacoby.

‘Eerlijk gezegd weet ik niet of ik je nog wel kan vertrouwen,’ zei Connor.

Jacoby knikte. ‘Dat begrijp ik. Na wat er is gebeurd, begrijp ik dat je dat zegt. Maar ik ben je vriend, Connor. Ik weet dat ik je in de steek heb gelaten, maar ik ben je vriend. En ik heb het je gezegd voordat je wegging, ik zou er alles voor overhebben om te zorgen dat het weer goed komt tussen ons.’

Connor nam hem onderzoekend op. Jacoby leek zo onschuldig als een jong hondje. Toch had hij het vuile werk voor de rector opgeknapt.

‘Hij meent het.’ Jasmine keek Connor met haar betoverende ogen smekend aan. ‘Er gaat geen dag voorbij, of hij zegt hoeveel spijt hij ervan heeft. En dat hij tot alles bereid zou zijn om je vertrouwen terug te winnen.’

Connor keerde zich weer naar Jacoby.

'Goed dan. Jullie moeten me helpen, maar ik kan niet zeggen waar het om gaat. Nog niet. Ik moet bij Cheng Li zien te komen, zonder dat iemand te weten komt dat ik hier ben. Duidelijk?'

Jacoby knikte. 'Fluitje van een cent.' Hij glimlachte. 'Dat meen ik, Connor. Dus ik blijf bij je in het krijt staan. We gaan er meteen voor zorgen. Geef ons even de tijd ons aan te kleden.'

'Uitstekend idee.' Connor grijnsde. 'Want dat wasbord van je bezorgt me een ernstig minderwaardigheidscomplex.'

Toen Jacoby en Jasmine zich haastig hadden afgedroogd en aangekleed, liepen ze gedrieën de heuvel op naar het uitgestrekte complex van de Academie. Jacoby liep voorop, Connor bleef zo veel mogelijk uit het zicht, Jasmine vormde de achterhoede.

'Pas op!' siste Jacoby plotseling. 'Kapitein Quivers op twee uur.'

'Jacoby!' Dat was onmiskenbaar de scherpe stem van Lisabeth Quivers. 'Jacoby Blunt? Zie ik het goed?'

'Wat? O!' riep hij luchtig. Hij duwde Connor een rododendronstruik in en greep Jasmine bij de hand.

'Aha, Jasmine! Wat doen jullie hier?'

'Maar, kapitein Quivers,' zei Jacoby. 'Wat is er mis met een wandelingetje door de tuin? Het is een heerlijke avond! En het gezelschap is ook heerlijk!'

Kapitein Quivers moest lachen. 'Nee, daar is niets mis mee. Helemaal niets,' zei ze.

'En u?' Jacoby loodste haar weg van de rododendron.

'Ik? Dit is mijn vaste postprandiale wandeling,' zei ze.

Jacoby grijnsde. 'Ik heb geen idee wat het betekent, maar het klinkt goed.'

'Dat betekent "na het avondeten",' zei kapitein Quivers. 'Het is schandalig dat Latijn niet in het vakkenpakket is opgenomen. Ik heb het altijd een buitengewoon nuttig vak gevonden.' Ze zuchtte. 'Hoe dan ook, ik zal jullie niet langer ophouden. Wat ben je nat, Jasmine! Was er soms een plaatselijk regenbuitje op de steiger?'

Met een knikje en een raadselachtige glimlach vervolgde de excentrieke lerares haar weg.

Toen ze eenmaal uit het zicht verdwenen was, voegde Connor zich haastig weer bij Jacoby en Jasmine.

'Volgens mij is de kust veilig,' zei Jacoby. 'Maar voor alle zekerheid gaan we buitenom.'

Ze verlieten het grindpad en liepen over de in duisternis gehulde, keurig onderhouden gazons naar het gebouw waarin Cheng Li haar kamers had.

Haar licht brandde, en ze konden zien dat ze aan haar bureau zat, voor het raam. Blijkbaar was ze aan het werk.

'Orders uitgevoerd!' Jacoby legde zijn hand op Connors schouder.

'Veel succes!' Jasmine drukte vluchtig een kus op zijn wang. De aanraking was zo licht als van een vlinder, maar er ging een schok door zijn hele lichaam. Het was maar goed dat dit maar een vluchtig bezoekje was. Anders had de situatie wel eens gecompliceerd kunnen worden.

'We zullen je niet langer ophouden.' Jacoby begon al weg te lopen. 'Maar als je ooit iets nodig hebt...'

'Ja...' Connor hield zijn blik gericht op het raam vóór hem.

'Het was fijn om je weer te zien, Connor.' Jasmine draaide zich om en volgde Jacoby terug naar het pad. 'Pas goed op jezelf!'

Terwijl Connor naar Cheng Li stond te kijken, vroeg hij zich af of dit uiteindelijk toch wel zo'n goed idee was. Toen liep hij naar voren, en hij tikte op het raam. Ze keek op. Onverstoorbaar als ze was, toonde Cheng Li geen enkele emotie. Ze keek geschrokken, noch verrast. In plaats daarvan legde ze glimlachend haar vulpen neer en gebaarde ze hem binnen te komen.

HOOFDSTUK 44

Ingestort

'DOE OPEN! DOE OPEN! LAAT ME ERIN!'

De kreten van de jonge vrouw gingen over in gesnik terwijl ze zich tegen de poort wierp.

'Wie is daar?' vroeg de wacht.

'Darcy Flotsam! Ik kom van de *Nocturne*. De kapitein... de kapitein is ingestort. Hij heeft hulp nodig! Van Mosh Zu Kamal!'

Zodra de wacht de poort had geopend, rende Darcy de binnenplaats op, waar ze tegen een jongeman botste die een karretje voortduwde. Ze tuimelden allebei op de grond, het karretje kantelde, en de manden die erin stonden, vlogen over de binnenplaats.

'Is alles goed met je?' vroeg Olivier, terwijl hij Darcy overeind hielp.

'Nee! Nee, het is helemaal niet goed met me! Ik heb hulp nodig. Mosh Zu Kamal moet me helpen!'

'Dan ben je hier aan het juiste adres.' Bij het zien van de wanhopige blik in haar ogen besloot Olivier de kar te laten voor wat die was. 'Kom mee!' Hij pakte haar bij de hand. 'Luka, wil jij de kar wegzetten?' riep hij over zijn schouder naar de wacht. 'Probeer zo veel mogelijk te redden van de manden en zadel twee muildieren. Zo snel als je kunt!'

Luka knikte en kwam meteen in actie, terwijl Olivier zich weghaastte met Darcy.

'Ik ben hier ooit geweest. Lang geleden,' zei Darcy toen ze hun draf vertraagden tot een haastige tred door de gang die naar de vertrekken van Mosh Zu leidde.

Olivier knikte. 'En sindsdien ben je aan boord van de *Nocturne*?'

'Ja. De kapitein is zo goed voor me geweest. Voor ons allemaal. Ik vind het gewoon onverdraaglijk...'

'Probeer kalm te blijven,' zei Olivier. 'En Mosh Zu precies te vertellen wat er is gebeurd. We zijn er bijna.'

De deur stond op een kier. Olivier klopte vluchtig, duwde hem verder open en zag dat Mosh Zu en Grace net aan een meditatie begonnen, of misschien waren ze die aan het afsluiten. Hoe dan ook, ze stonden op toen Olivier en Darcy binnenkwamen.

'Neem me niet kwalijk dat ik stoor,' zei Olivier.

'Dat geeft niet.' Mosh Zu kwam naar voren. 'Darcy Flotsam.' Hij schonk haar een warme glimlach. 'Welkom terug in de Wijkplaats.'

'Darcy!' Grace haastte zich haar vriendin te omhelzen. 'Wat heerlijk om je te zien!'

'O Grace, ik vind het ook fijn om jou te zien.' Ze keek op naar Mosh Zu. 'En u natuurlijk ook, Mosh Zu! Maar dit is geen gezelligheidsbezoekje. Er is iets verschrikkelijks gebeurd. Echt verschrikkelijk!'

'Ga zitten.' Mosh Zu hielp Darcy in een stoel. 'Ben je alleen naar boven gekomen?'

Darcy knikte. 'Ik moest wel! Ik had geen keus. De kapitein was er niet toe in staat. O, het is zo verschrikkelijk! Zo verschrikkelijk!'

'Wil je misschien een kop thee?' vroeg Mosh Zu. 'Of iets anders om bij te komen van de reis?'

Darcy schudde haar hoofd. Ze zag eruit alsof ze elk moment weer in snikken kon uitbarsten, maar ze wist zich te beheersen. 'Ik moet u eerst vertellen wat er is gebeurd.'

'Natuurlijk,' zei Mosh Zu. 'Maar neem gerust de tijd.'

'Er was een opstand aan boord van de *Nocturne*. En deze keer niet zomaar van een of twee vampiraten. Nee, het waren er wel dertig. Misschien meer. En het was allemaal het werk van Sidorio. Hij heeft een van zijn... van zijn luitenants naar het schip gestuurd. Jez... Stukeley...'

Bij die naam keken Darcy en Grace elkaar aan, en Grace besefte hoe diep het verdriet van Darcy moest zitten.

'Hij kwam aan boord en smeekte de kapitein hem te helpen. Dus de kapitein bood hem gastvrij onderdak, en we dachten allemaal dat Jez... Nou ja, we vonden hem allemaal aardig. Hij was erg charmant. Ik was helemaal weg van hem. Hoe heb ik zo onnozel kunnen zijn! Hoe dan ook, hij heeft de zwakkelingen aan boord allerlei ideeën aangepraat om te zorgen dat ze ontevreden werden, en hij heeft ze opgestookt met verhalen over een ander schip waar ze het beter zouden hebben.'

Mosh Zu schudde grimmig zijn hoofd. 'Ik was al bang dat er zoiets zou gebeuren. Maar zo snel had ik het nog niet verwacht.'

Grace huiverde. De dreiging moest wel heel ernstig zijn, als die zowel de kapitein als Mosh Zu had verrast.

'Vannacht barstte de bom,' vervolgde Darcy. 'Jez... Neem me niet kwalijk, Stukeley... Stukeley doodde zijn donor, Shanti...'

'Shanti? Is Shanti dóód?' Grace was diep geschokt. Ze mocht dan een hekel hebben aan het meisje, maar het was afschuwelijk te horen dat ze dood was.

'Hij heeft al haar bloed genomen. En zo zijn er nog twintig donoren afgeslacht. Anderen hebben met ernstige verwondingen weten te ontsnappen. Ze kwamen aan dek toen ik daar stond met de kapitein. Aanvankelijk begrepen we niet wat er aan de hand was. Het was gewoon verschrikkelijk. Ze werden gevolgd door de vampiraten. Tenminste, degene die Stukeley had gerekruteerd. Het was duidelijk te zien dat ze allemaal te veel bloed hadden gedronken. Ze zeiden de afschuwelijkste dingen tegen de kapitein.' Darcy haalde diep adem. 'En toen kwam er een ander schip langszij...'

'Sidorio!' zei Grace.

'Ja.' Darcy knikte. 'De verbannen luitenant Sidorio. Hij schreeuwde naar de vampiraten dat ze zich bij hem moesten aansluiten. En dat deden ze. Ze vlogen door de lucht naar hem toe, alsof hij ze in een soort trance had gebracht. Het was een van de afschuwelijkste dingen die ik ooit heb gezien. En ik heb toch al heel wat meegemaakt.'

'En de kapitein?' vroeg Mosh Zu.

'Dat is het ergste,' zei Darcy. 'Ik dacht dat de kapitein de leiding zou nemen. Maar het lijkt wel alsof hij ergens heel diep vanbinnen ernstig gewond is. Blijkbaar is hij totaal verzwakt, want hij zakte op het dek in elkaar. Sindsdien heeft hij amper meer iets gezegd. Behalve dat ik hierheen moest varen...'

'Heb jíj het schip hierheen gevaren?' vroeg Grace.

Darcy knikte. 'Hij gaf aanwijzingen, maar toen we hier arriveerden, was hij te zwak om naar boven te klimmen. Vandaar dat ik alleen ben gekomen.'

'De andere vampiraten...' begon Mosh Zu. 'Voor zover ze op het schip zijn gebleven... Bestaat het gevaar dat die ook in opstand komen? Dat ze de kapitein kwaad doen?'

Darcy schudde haar hoofd. 'Nee. Integendeel. Ze zorgen heel goed voor hem. Want ze houden van de kapitein. Dat doen we allemaal. De rebellen zijn weg. Dus het schip is er alleen maar beter op geworden. Tenminste, als u... als u de kapitein kunt helpen.'

'Natuurlijk zal ik hem helpen.' Mosh Zu keerde zich naar Olivier. 'Neem Dani mee en ga de kapitein halen. Zadel de muildieren!'

'Dat is al gebeurd.' Olivier draaide zich om en haastte zich de kamer uit.

Nu ze haar verhaal eenmaal had gedaan, was Darcy plotseling doodmoe. Ze zakte onderuit in haar stoel, slap van uitputting. Grace liep naar haar toe en omhelsde haar.

'Darcy Flotsam,' zei Mosh Zu. 'Het is buitengewoon heldhaftig wat je vannacht hebt gedaan.'

'Ik heb alleen maar gedaan wat ik kon om te helpen,' zei ze.

Mosh Zu schudde zijn hoofd. 'Nee, je hebt veel meer gedaan

dan dat. Misschien heb je de kapitein wel gered van het einde. Dank je wel!' Daarop keerde hij zich naar Grace. 'Darcy heeft behoefte aan rust. Zou jij haar naar jouw kamer willen brengen en voor haar willen zorgen? Wat bessenthee zou haar goeddoen.'

Grace knikte. 'Natuurlijk.'

'Dank je wel, Grace. Ik ga de helingskamer voorbereiden op de komst van de kapitein. Het zou kunnen zijn dat we met spoed in actie moeten komen wanneer hij eenmaal hier is. Dus zodra je Darcy hebt geïnstalleerd, wil ik graag dat je terugkomt om me te assisteren.'

Grace knikte nogmaals. Toen pakte ze Darcy bij de hand. 'Kom maar mee. Dan breng ik je naar bed.'

Toen Grace terugkwam in de vertrekken van Mosh Zu, was die druk bezig in de helingskamer. Hij had kaarsen aangestoken en sprenkelde geurige kruiden langs de randen van het vertrek.

Bij haar binnenkomst draaide hij zich naar haar om. 'Hoe is het met Darcy?'

'Ze slaapt,' zei Grace. 'Ik heb haar wat thee gegeven, en we hebben even gepraat. Toen viel ze al snel in slaap.'

'Mooi zo. Dat heeft ze hard nodig na alle beproevingen.'

'Ze heeft zich geweldig geweerd vannacht, hè?' zei Grace.

Mosh Zu knikte. 'Waarschijnlijk heeft ze zichzelf verrast. Maar mij niet.'

'Nee, mij ook niet. Ik heb altijd geweten dat ze het in zich had.'

Ze keek de kamer rond, haar blik viel op de lange tafel waarop de kapitein zou komen te liggen. Een gevoel van paniek overviel haar. 'Denkt u dat u hem kunt helpen?'

'Ik zal eerlijk zijn, Grace,' zei Mosh Zu. 'Ik weet het niet. Zolang ik hem nog niet heb gezien, weet ik niet wat er met hem aan de hand is.'

Grace huiverde. 'U zei dat hij in gevaar verkeerde. Dat er een nieuwe tijd in aantocht was en dat hij daar sterker voor zou moeten zijn.'

'Dat klopt,' antwoordde Mosh Zu. 'Maar zelfs ik had niet verwacht dat het allemaal zo snel zou gaan.'

De voorbereidingen waren voltooid, dus ze liepen vanuit de helingskamer naar de meditatieruimte.

Op dat moment klonk er geluid in de gang.

'Zijn ze dat?' vroeg Grace. 'Ze kunnen nu toch nog niet terug zijn?'

Toen ze de gang in liep, zag ze Olivier aankomen, gevolgd door drie anderen die de kapitein droegen. Grace durfde nauwelijks te kijken. Alleen al zijn aanblik maakte haar doodsbang. Hij was gehuld in zijn cape en rustte slap en krachteloos op de schouders van de broeders die hem droegen. Hij leek zo zwak. Alsof het einde nabij was.

'Goed gedaan,' zei Mosh Zu. 'Breng hem naar de helingskamer.'

Grace keek het groepje na, maar bleef in de gang staan. Op dat moment hoorde ze een bel. Hij klonk heel zacht, maar omdat ze erop gespitst was, hoorde ze hem luid en duidelijk. Het was de bel van Lorcan – de bel op zijn nachtkastje, die hij kon gebruiken wanneer hij hulp nodig had.

Ze keerde zich naar Mosh Zu. Die knikte. 'Toe maar, Grace. Ga maar even kijken wat hij wil en kom dan weer hierheen.' Ze knikte en begon al weg te lopen. 'Wacht even!' riep Mosh Zu haar na. Ze bleef abrupt staan. 'Wat er ook aan de hand is, denk erom dat je hem niets vertelt over de kapitein.'

Ze knikte weer, toen draaide ze zich om, en ze begon te rennen. Het geluid van de bel werd steeds dringender. Wat kon er aan de hand zijn? Voelde hij soms wat er boven zijn hoofd gebeurde? Waren zijn verwondingen om welke reden dan ook verslechterd? Ze kon de gedachte niet verdragen dat hij nog meer zou moeten lijden. Vastberaden rende ze de gang door naar zijn kamer.

'Lorcan!' Ze stormde naar binnen. 'Ik ben het! Ik ben zo snel mogelijk gekomen.'

Hij zat rechtop in bed. De bel lag op de dekens, naast het afgerukte verband.

'Dat zie ik, Grace,' zei hij glimlachend. 'Ik kan zien dat jij het bent.'

'Bedoel je...' Ze kon haar oren niet geloven.

'Volgens mij is je haar gegroeid sinds ik je voor het laatst heb gezien. Dat staat je leuk!'

'O Lorcan!' Ze vloog naar hem toe en viel hem om de hals. 'Je kunt me zien! Je kunt me zien!'

'Ja.' Hij nam haar hand in de zijne. 'En ik begrijp voor het eerst wat ze bedoelen als ze zeggen dat iets een weldaad is voor het oog is.'

HOOFDSTUK 45

De mentor

TOEN CONNOR DE KAMER VAN Cheng Li binnenkwam, dook hij onmiddellijk weg uit het licht. 'Kun je de luiken dichtdoen? Ik wil niet dat iemand me hier ziet.'

Zonder aarzelen trok Cheng Li de blinden naar beneden. 'Ik kan het licht ook dempen, als je dat prettiger vindt,' stelde ze voor.

'Nee, ik wil gewoon niet dat iemand weet dat ik hier ben,' zei Connor.

'Ik zal proberen het niet persoonlijk op te vatten.' Ze nam hem doordringend op. 'Trouwens, jij bent wel de laatste die ik hier had verwacht.'

Hij beantwoordde haar blik, denkend aan de laatste keer dat ze elkaar hadden gezien, kort na zijn gevecht met Jacoby in het Bloedbad. Toen was hij boos op haar geweest. Hij had zich door haar verraden gevoeld. Samen met de commodore had ze een spelletje met hem gespeeld – met zijn ambities en zijn emoties. Hij herinnerde zich nog woordelijk wat ze toen had gezegd. *Je bent nu misschien boos op me, maar er zijn dingen die je niet begrijpt.*

'Waar sta je aan te denken?' vroeg ze.

'Aan de laatste keer dat we elkaar hebben gezien,' antwoordde hij.

Ze knikte. 'Toen was je boos op me,' zei ze kalm. 'Ben je dat nog steeds?'

Hij schudde zijn hoofd. 'Nee, niet op jou.' En dat was de waarheid. Op de een of andere manier was de vraag of ze hem destijds al dan niet had verraden ineens niet zo belangrijk meer.

'Daar ben ik blij om. Maar nog even voor alle duidelijkheid, er was geen duister, sluw plan om te zorgen dat je gewond zou raken. Het was ons er alleen maar om te doen je gevechtscapaciteiten op de proef te stellen. We wilden weten wat voor vlees we met je in de kuip hadden. Commodore Kuo was ervan overtuigd – trouwens, dat is hij nog steeds – dat je een enorme aanwinst zou zijn voor de Piratenfederatie.'

'Ja,' zei Connor. 'Dat begrijp ik inmiddels.' Wat niet wilde zeggen dat hij hun handelwijze goedkeurde – absoluut niet! Maar hij was bereid haar te geloven.

'En we hebben inderdaad duidelijkheid gekregen over je capaciteiten,' vervolgde Cheng Li. 'Je hebt je niet alleen een uitstekend vechter betoond, maar je hebt bovendien laten zien hoe belangrijk loyaliteit en eerlijkheid voor je zijn.' Ze glimlachte. 'Dus je zou kunnen zeggen dat jij óns een lesje hebt geleerd.'

Connor was enigszins verbijsterd, zowel door Cheng Li's woorden als door haar glimlach. Ze was zo veranderlijk. Telkens wanneer ze elkaar een tijdje niet hadden gezien, leek ze weer een huid te hebben afgelegd en een zekere evolutie te hebben doorgemaakt. Het was onmogelijk te voorspellen hoe ze zich zou ontwikkelen en wat haar volgende stappen zouden zijn. Dat maakte haar niet alleen fascinerend, maar ook buitengewoon gevaarlijk.

'Dus we zijn klaar met het verleden?' vroeg ze.

Hij knikte. 'Ja.' Hij had op dit moment veel belangrijker dingen waarover hij met haar wilde praten. Alleen, hij wist niet hoe hij erover moest beginnen.

Ze glimlachte nogmaals. 'Nou, wat je ook hier brengt, ik ben blij dat ik je zie.'

Connor zocht nog steeds naar de juiste woorden. Maar terwijl hij het vertrek rondkeek, werd hij afgeleid – werd hij als het ware de wereld van Cheng Li in getrokken. Het was in veel opzichten een welkome afleiding. Hij worstelde nu al zo lang met zijn innerlijke demonen. Dus het was goed om met een andere wereld te worden geconfronteerd – een wereld waarin, zoals altijd, van alles gaande was. Terwijl hij de kamer rond keek, zag hij dat er overal stapels papieren lagen – aantekeningen, kaarten, briefjes die op de muur waren geprikt, vellen papier in stapels op de grond, de tafel, de bank. Georganiseerde chaos – strák georganiseerde chaos.

'Zo te zien heb je het druk.' Hij wees naar alle paperassen.

'Dat is nog erg voorzichtig uitgedrukt. Je hebt geluk dat je me treft. Ik sta op het punt een week verlof te nemen. Morgen ga ik op werkbezoek. Of misschien moet ik zeggen dat ik op reis ga om te winkelen.'

Om te winkelen? Dat is niets voor de Cheng Li die ik ken, dacht Connor onwillekeurig.

Hij trok dan ook verrast zijn wenkbrauwen op. 'Heeft commodore Kuo je een week vrijgegeven om te gaan wínkelen? Het verbaast me dat de Academie je kan missen, al is het maar een week.'

Cheng Li leunde tegen haar bureau. 'Nog even, en ze zullen me hier veel langer moeten missen. Ik ga weg bij de Academie.'

'Maar je bent net terug!'

'Tja, zo gaat het bij mij nu eenmaal. Snel, sneller, snelst. Je kent me, Connor. Ik ben ambitieus. Mijn lerarenbaan hier is nooit meer dan tijdelijk geweest. Een stoplap. Bovendien geeft de Piratenfederatie er de voorkeur aan dat de staf van de Academie uit kapiteins bestaat.' Ze zweeg even. 'Zal ik thee voor je maken?'

Ineens begreep Connor het raadsel van de stapels papieren – kaarten, rapporten, cv's.

'Je wordt kapitein!' Het was nauwelijks een vraag. 'De Federatie heeft je je eigen schip gegeven?'

Cheng Li knikte, niet in staat de glimlach te verbijten die zich over haar hele gezicht verspreidde.

Maar Connor had die glimlach niet nodig om te weten hoe gelukkig ze met deze ontwikkeling moest zijn. Dit was waar ze haar hele leven naartoe had gewerkt en nu kreeg ze de kans net zo'n glorieuze reputatie op te bouwen als haar vader had genoten – de grote Chang Ko Li, 'de beste van de besten'. Ondanks de staat van verdoving waarin hij nog altijd verkeerde, werd hij overweldigd door blijdschap voor haar. Hij had de neiging haar om de hals te vallen. En als het Grace of Jasmine was geweest, zelfs Cate, zou hij dat misschien ook hebben gedaan. Maar op de een of andere manier was dat bij Cheng Li wat minder vanzelfsprekend. Dus stompte hij haar luchtig tegen haar schouder. 'Wat geweldig! Dat vind ik echt geweldig voor je! Heb je al besloten hoe je je schip gaat noemen?'

'Daar denk ik nog over na.' Ze wees op een klein aantekeningenboekje met *Scheepsnamen* op het etiket. 'Dus als je nog een goed idee hebt, kun je het erbij schrijven.'

'Wow! Dit is echt gróót nieuws! Wanneer aanvaard je je commando?'

'Over een paar weken, misschien eerder. Het hangt ervan af wanneer het schip klaar is. Dus daar heb ik geen invloed op. En dat is maar goed ook, want er zijn nog zo veel andere zaken die geregeld moeten worden.' Ze gunde zich amper de tijd om adem te halen. 'En omdat ik nog geen bemanning heb, komt het allemaal op mij neer. Nou ja, dan weet ik tenminste dat het goed gebeurt. Daarom vertrek ik morgenochtend al heel vroeg naar Lantao. Om de wapens te halen die de zwaardsmid van het eiland voor me heeft gemaakt...' Cheng Li zweeg even en nam hem keurend op. 'Waar is jóúw zwaard eigenlijk?'

Hij wendde zijn hoofd af, voelde zich opnieuw slecht op zijn gemak. 'Ik geloof dat ik inderdaad wel een kop thee zou lusten,' zei hij.

'Komt voor elkaar,' zei ze, zonder op een nadere toelichting aan te dringen. 'Het zal me goeddoen even pauze te nemen. Maak maar een plekje vrij op de bank, maar denk erom dat je de stapels niet door elkaar haalt!' Ze liep naar de kleine keukenhoek, maar halverwege draaide ze zich om en schonk ze hem opnieuw een warme glimlach. 'Ik ben zo blij om je te zien, Connor. Onverwacht bezoek van een goede vriend is altijd fijn.' Toen verdween ze in het keukentje om thee te zetten.

Nadat Connor een paar stapels met aantekeningen zorgvuldig had verplaatst, ging hij op de bank zitten. Dit gesprek verliep heel anders dan hij het zich had voorgesteld. Na de manier waarop hij destijds was vertrokken, had hij verwacht dat er een ongemakkelijke sfeer tussen hen zou heersen. Het laatste waarop hij had durven rekenen, was dat ze thee voor hem zou zetten en hem haar vriend zou noemen. Maar dat was typisch Cheng Li. Ze was altijd anders dan anderen – eerlijk, vaak op het wrede af, en ze verspilde geen tijd aan nodeloze emoties. In plaats daarvan ploegde ze als een schip verder door de wateren van het leven. Ze had het zelf gezegd – bij haar ging alles snel, sneller, snelst. Zo snel dat het soms niet meeviel haar bij te houden.

Hij pakte het aantekeningenboekje en bekeek wat ze al had opgeschreven. Zoals hij had kunnen verwachten, had ze niet drie of vier namen genoteerd, maar bladzijden en nog eens bladzijden vol, in haar keurige, onberispelijke handschrift. Sommige waren doorgeschreept, bij andere stond een sterretje, hier en daar zag hij zelfs twee of drie sterren. Het was maar al te duidelijk hoe belangrijk ze de keuze van een naam vond.

Hij was nog altijd in het boekje verdiept toen ze de kamer weer binnenkwam, voorzien van een blad met een kleine ijzeren theepot, twee kommen en een bord met verleidelijk dikke koekjes. 'Als ik íéts zal missen, dan is het de keuken van de Academie,' zei ze met een zucht. 'Ik heb overwogen het salaris van Hom te verdubbelen, om hem mee te nemen als scheepskok, maar ik denk niet dat Kuo me dat in dank zou afnemen. Wat denk jij?'

Connor schudde zijn hoofd en haalde nog twee stapels papieren weg om op de lage koffietafel plaats te maken voor het blad.

'Zo.' Cheng Li liet zich op een van de vloerkussens ploffen en ging in lotushouding zitten. 'Is er een naam bij die eruitspringt, vind je?'

Connor keek weer in het boekje. 'Hm.' Hij begon te lezen: 'De

Wreker. De *Beul.* De *Rebel.* De *Schrik der Zeeën,* De *Schooier,* De *Heilige Gruwel,* De *Ploert,* De *Adder,* De *Vlegel,* De *Moordenaar,* De *Helleveeg.*' Hij keek glimlachend op. 'Er is volgens mij wel iets van een rode draad in te ontdekken.'

'Hoe bedoel je?' Cheng Li begon de thee in te schenken.

'Nou, ze zijn allemaal nogal agressief.'

Cheng Li giechelde. 'Daar gaat het toch ook om? Wanneer ik langszij kom bij een ander schip, weten ze meteen dat ik niet met me laat spotten. Alsjeblieft, je thee. Pas op, hij is heet.'

'Ja, dat zal wel.' Connor pakte de kom van haar aan. 'Maar ze klinken in mijn oren allemaal een beetje te macho, ik zou bijna zeggen te *schurkachtig.*'

Cheng Li knikte. 'Oké, alle kritiek is welkom. Maar als je verder kijkt, zie je dat ik ook andere benaderingen heb geprobeerd.'

Connor sloeg de bladzijde om. '*Het Aetolisch Verbond*? Wat is dat?'

'Aha! Dat is een historische verwijzing naar een confederatie van buitengewoon strijdbare piraten in het Griekenland van vierhonderd jaar voor Christus.'

Connor schudde zijn hoofd. 'Te histórisch,' zei hij. 'En niet angstaanjagend genoeg!'

'Dat ben ik met je eens.' Ze knikte. 'Koekje? Er zitten macadamia's en goji-bessen in.'

'Bedankt.' Connor nam een koekje en doopte het in zijn thee.

'Wat vind je...' Cheng Li zweeg even. '... van *Bloed en Kompas*?'

Connor schudde zijn hoofd. 'Dat klinkt meer als een kroeg dan een schip!' zei hij lachend.

Cheng Li deelde in zijn vrolijkheid. Het was de meest spontane lach die hij ooit van haar had gehoord.

'Deze is niet slecht,' zei hij. 'De *Teuta*. Ik weet niet wat het betekent, maar het klinkt stoer zonder macho te zijn.'

'O... ja...' Cheng Li brak haar koekje doormidden. 'Geef die maar een extra sterretje.' Ze gaf hem haar pen. 'Teuta was een Griekse piratenkoningin in de derde eeuw voor Christus. Ze heeft de Romeinen een hoop last bezorgd. Voor mij is ze altijd een enórme bron van inspiratie geweest.'

Connor legde het aantekeningenboekje neer en bracht de kom welriekende thee naar zijn lippen. Hij nam een slok. De thee smaakte heerlijk.

'Verse munt,' zei Cheng Li. 'Het groeit hier recht voor mijn raam.' Ze had haar mok neergezet en keek hem onderzoekend aan. Haar ogen waren stralend en helder als een bergbeek.

'Ik heb een idee,' zei ze ineens.

'Een idee?'

'Ja.' Ze knikte. 'Ga met me mee. Morgen, naar Lantao. Het is een reis van twee dagen. Dan kun je me mooi gezelschap houden.'

Vier dagen in de sloep van de Academie – geen onplezierig vooruitzicht.

Cheng Li knikte nogmaals. 'En onderweg hebben we alle tijd om te praten – of juist níét te praten – over wat je dwarszit.'

'Ik...' begon Connor. Hij wilde het haar vertellen, maar al zijn zorgvuldig gerepeteerde formuleringen waren vergeten.

'Trek het je niet aan, Connor.' Cheng Li glimlachte weer. 'Drink je thee op. Dan maak ik de bank voor je vrij. Je ogen staan doodmoe, en je weet wat ze zeggen – de ogen zijn de spiegels van de ziel. We vertrekken morgenochtend in alle vroegte. Dus er is niemand die je ziet. En op die manier zijn we royaal binnen twee dagen op Lantao.'

HOOFDSTUK 46

De ogen geopend

'Hoe is hij eraan toe?' vroeg Grace. De kapitein was inmiddels vierentwintig uur in de Wijkplaats.

'Kom maar even kijken,' zei Mosh Zu. 'Je vindt het vast moeilijk, misschien zelfs pijnlijk hem zo te zien. Maar hij is stabiel. En als toekomstig genezer kun je dit soort confrontaties nu eenmaal niet uit de weg gaan.'

Nerveus volgde Grace de goeroe naar de achthoekige helingsruimte.

De vampiratenkapitein lag op de lage, langgerekte tafel. De plooien van zijn mantel vielen over de rand, op de planken vloer. Het was een schok hem zo te zien. Grace wist dat hij sliep – dat Mosh Zu hem in een genezende trance had gebracht – maar hij had net zo goed dood kunnen zijn. In gedachten ging ze terug naar de tijd toen ze nog maar een klein meisje was geweest. Destijds had ze zich altijd ongemakkelijk gevoeld bij de aanblik van haar slapende vader. Sterker nog, die had ze zo veel mogelijk ontweken. Maar af en toe, als ze de woonkamer in de vuurtoren binnenkwam, vond ze hem uitgestrekt op de haveloze oude bank, roerloos als een standbeeld. Die aanblik was voldoende om haar het klamme zweet te doen uitbreken. Met ingehouden adem liep ze dan naar hem toe, gespannen kijkend of ze zijn borst op en neer zag gaan. Pas als ze was gerustgesteld, werd haar eigen ademhaling weer normaal.

Het zien van de roerloze kapitein bezorgde haar een vergelijkbaar gevoel van onbehagen. Ze had de kapitein altijd als een krachtige figuur ervaren, maar ineens leek hij al zijn vitaliteit, al zijn gezag te hebben verloren. Dat was merkwaardig, want uiterlijk was er geen enkel verschil te bespeuren in zijn verschijning. Zijn gezicht was nog altijd gemaskerd, en ook zijn handschoenen droeg hij nog. Toch leed het geen twijfel dat hij een ingrijpende verandering had ondergaan.

'Kom maar mee.' Mosh Zu loodste haar terug naar de meditatieruimte. 'Zo is het wel genoeg, denk ik.'

Grace kon haar geschoktheid niet verbergen. 'Ik had niet gedacht... Nou ja, ik had nooit verwacht dat ik hem nog eens zo zou zien.'

'Dat begrijp ik,' zei Mosh Zu. 'En het is goed om je gevoelens niet weg te stoppen, Grace.'

'Begint zijn behandeling al resultaat af te werpen?'

Mosh Zu gebaarde haar te gaan zitten. 'Ik zal open kaart met je spelen. Hij reageert niet zo goed als ik had gehoopt. Het is me gelukt zijn conditie – althans voorlopig – te stabiliseren, maar het wordt me steeds duidelijker dat we met deze zachte aanpak nergens komen. We zullen radicaler te werk moeten gaan, en snel ook.'

'Wat is er met hem?' vroeg Grace.

'In zekere zin is het heel eenvoudig,' antwoordde Mosh Zu. 'Kun je je ons gesprek over het werk van een heler nog herinneren? Om iemand te kunnen genezen, moet je het vermogen ontwikkelen de pijn weg te halen, zonder dat je die naar jezelf toe trekt. Dat is niet half zo eenvoudig als het klinkt, zeker niet wanneer degene die we behandelen, veel voor ons betekent. We zijn zo vastberaden om onze dierbaren te helpen, dat we het gevaar lopen elk perspectief uit het oog te verliezen. Dat we signalen verkeerd interpreteren, waardoor onze behandeling minder succesvol verloopt voor onze patiënt, en zelfs een gevaar kan opleveren voor onszelf.'

Terwijl hij aan het woord was, dacht Grace eraan hoe moeilijk het was geweest Connor te helpen en zijn lijden onder ogen te zien.

'De kapitein zet zich tot het uiterste in om zijn medemens te helpen,' vervolgde Mosh Zu. 'Ik ken niemand die zich zo in dienst van anderen stelt. Maar dat is precies het probleem. Hij heeft zonder aarzelen de lasten van anderen op zich genomen. Door dat te doen, is hij geleidelijk aan steeds verder verzwakt. Als ik hem niet snel weer op krachten weet te krijgen, lopen we het gevaar dat we hem verliezen.'

Een ijzige kilte overviel Grace bij die gedachte.

'Ik vertel je dit, omdat ik geloof in je helende vermogens, Grace. Maar luister goed naar wat ik zeg. Trap niet in dezelfde valkuil als de kapitein. Hoe graag je anderen ook wilt helpen – en je bent in dat opzicht tot grootse dingen in staat – je moet leren hun lijden niet naar je toe te trekken, hun lasten niet op je eigen schouders te nemen. Je mag het niet laten gebeuren dat hun duisternis bezit van je neemt.'

Ze knikte.

'Ik zie de bezorgdheid in je ogen. En ik weet dat ik daar voor een deel verantwoordelijk voor ben. Je maakt je zorgen over de kapitein. En dat is heel begrijpelijk. Maar ik ga hem beter maken! Het zal niet meevallen, het zal niet eenvoudig zijn, maar het ligt in mijn vermogen.'

Ze voelde zich weer enigszins gerustgesteld.

'Laten we het over iets anders hebben,' zei Mosh Zu. 'Heb je Lorcan vandaag al gezien?'

'Nog niet, maar misschien kan ik nu even naar hem toe?'

Mosh Zu knikte. 'Dat lijkt me een uitstekend idee. Maar ik moet je wel iets vragen, Grace. Lorcan mag dan weer kunnen zien, maar gezien het psychologische aspect van zijn blindheid is hij nog niet helemaal uit de problemen. Het blijft een wankel evenwicht. Extreme spanningen of grote angsten zouden ertoe kunnen leiden dat hij opnieuw blind wordt. En als dat gebeurt, zal het niet meevallen hem voor een tweede keer te genezen.'

'Dat begrijp ik.' Ze knikte. 'Ik zal voorzichtig zijn en niets doen of zeggen waardoor hij van streek zou kunnen raken.'

'Afgesproken. Ga dan maar gauw!' Mosh Zu glimlachte weer. 'Ik weet zeker dat hij al naar je uitkijkt.'

'Grace!' Lorcan lag op bed, maar toen ze binnenkwam, stond hij haastig op. Hij spreidde zijn armen om haar te omhelzen, maar ze aarzelde, want ze wilde hem in zijn ogen kunnen kijken.

Terwijl ze dat deed, moest ze tranen wegknipperen. 'Het spijt me, maar ik kan het nog altijd niet geloven! Ik ben nog altijd bang dat ik het heb gedroomd!'

'Nee, je hebt het niet gedroomd.' Lorcan nam haar in zijn armen. 'Ik kan weer zien, Grace! Ik kan jou zien! En dat maakt me zo gelukkig!'

Toen liet hij haar los, en ze gingen tegenover elkaar op het bed zitten. 'Hoe voelt het?' vroeg ze, terwijl ze elkaar stralend aankeken.

'Verbijsterend. Het is niet alleen dat ik weer kan zien. Maar alles lijkt wel stralender, helderder dan vroeger.' Hij pakte haar hand. 'Soms zijn dingen nog mooier dan ik me ze herinnerde.'

Grace werd bijna verlegen onder zijn doordringende blik. Het was lang geleden dat hij haar voor het laatst zo had aangekeken. Ze moest er weer aan wennen. In zekere zin was het net als die allereerste keer dat hun ogen elkaar hadden gevonden. In haar herinnering ging ze terug naar dat moment waarop ze haar ogen had opgeslagen, op het dek van de *Nocturne*. Aanvankelijk had ze gedacht dat ze naar de hemel keek – zo blauw waren zijn irissen. Maar toen ineens had ze beseft wat ze zag, en daarna was alles veranderd. Trouwens, dat gold ook voor hem, peinsde ze, denkend aan haar visioen waarin ze hem in haar groene ogen had zien kijken. Aan het visioen waarin hij op haar had neergekeken en haar had herkend. Ze begreep het nog steeds niet.

'Waar zit je aan te denken?' vroeg hij. 'Je leek even heel ver weg.'

Ze schudde haar hoofd. 'Nee hoor, ik ben hier. Bij jou! Maar ik dacht aan die allereerste keer dat we elkaar zagen.'

Hij glimlachte. 'Toen ik je uit het water had gevist?'

Ze knikte.

'Daar heb ik ook veel aan gedacht.'

'O ja?' vroeg ze gretig.

Hij knikte.

'Ik heb veel nagedacht terwijl ik hier lag. Trouwens, dat was zo ongeveer het enige wat ik kon.'

'Ja, maar dat is nu allemaal voorbij.' Ze drukte zijn hand. 'Je kunt weer zien, en nog even, dan ben je weer helemaal de oude.' Ze zweeg even, denkend aan de instructies van Mosh Zu. 'Het duurt nu niet lang meer, dan gaan we terug naar de *Nocturne.*' Ze hoopte dat ze monter en opgewekt klonk. 'En dan is alles weer gewoon.'

Lorcan fronste zijn wenkbrauwen. Grace voelde een zweem van ongerustheid – had ze iets van haar twijfel over hun terugkeer laten doorschemeren?

'Grace, er zijn een paar dingen die ik tegen je moet zeggen,' begon hij. 'Dingen die je misschien niet wilt horen, en die je misschien niet meteen begrijpt. Maar laat me alsjeblieft uitspreken. En wat ik ga zeggen, dat zeg ik omdat ik zo veel om je geef. Bedenk dat goed.'

Nu was het haar beurt om haar wenkbrauwen te fronsen. Dat klonk allemaal wel erg onheilspellend.

Hij haalde diep adem. 'Wanneer ik terugga naar de *Nocturne*, denk ik dat jij beter niet mee kunt gaan. Het schip is niet de juiste plek voor je.'

'Ik vind het er fijn,' zei ze. 'Echt waar. Het klinkt misschien raar, maar toch is het zo.'

Hij schudde zijn hoofd. 'Ik weet dat je het er fijn vindt. En ik vind het heerlijk om je bij me te hebben. Ik zou niets liever willen. Maar het is gewoon niet goed voor je. Je zou bij Connor aan boord kunnen gaan...'

'Nee.' Grace schudde haar hoofd. 'Nee, dat zou niks worden.'

'Ik weet dat je geen band hebt met de piratenwereld,' zei Lorcan. 'Maar dat komt wel...'

'Nee.' Ze schudde nogmaals haar hoofd. Weer brandden er hete tranen in haar ogen. 'Hoelang ik ook op een piratenschip zou meevaren, het zou nooit mijn thuis worden. Zoals de *Nocturne* mijn thuis is. Daar voel ik me mee verbonden.'

'Ja, en dat komt mede door mij. Dat verwijt ik mezelf. Ik had je die wereld niet mogen binnenhalen. Het is er niet veilig. In elk geval niet voor stervelingen.'

'Hoezo, niet veilig? Volgens mij heb ik tot dusverre aardig voor mezelf weten op te komen.'

Ze dacht aan Sidorio en hoe ze zijn aanval had afgeweerd. Anderen zouden doodsbang zijn geweest, opgesloten in een hut met de meest bloeddorstige vampier van de hele bemanning. Maar zij had haar hoofd koel weten te houden en hem naar het verhaal van zijn leven – en zijn dood – gevraagd. Een verhaal dat hij maar al te graag had willen vertellen. Op die manier was het haar gelukt tijd te rekken tot de kapitein haar te hulp kwam. Als ze Sidorio aankon, dan kon ze alle vampiraten aan!

'Ooit komt het moment dat je geluk opraakt, Grace. Je bent geen vampier en geen donor.'

Nee, dacht ze. Ik ben een tussenfiguur. En op dat moment was dat zo ongeveer het ergste wat ze zich kon voorstellen.

'Je ziet er zo verdrietig uit,' zei hij. 'En dat is mijn schuld.'

'Ja!' Haar verdriet sloeg om in boosheid. 'Dat is jouw schuld. Je hebt zelf tegen me gezegd dat ik moest blijven! Om alle mysteries van het schip te ontsluieren. Weet je dat nog? Weet je nog dat je dat tegen me zei?'

Hij knikte. 'Ja, dat weet ik nog. Sterker nog, ik herinner me elk woord dat we ooit tegen elkaar hebben gezegd.' Hij zuchtte. 'Het was erg romantisch van me, om je te vragen te blijven. Maar ook dom. Ik dacht dat het ons misschien zou lukken een brug te slaan tussen onze werelden.'

'En waarom ben je ineens van gedachten veranderd?'

Hij keek haar doordringend aan. 'Omdat me de ogen zijn geopend.'

HOOFDSTUK 47

De reis naar Lantao

De reis naar het eiland Lantao zou bijna twee dagen duren. Dus ik heb alle tijd, dacht Connor, toen ze in het vroege ochtendlicht van wal staken. Hij had alle tijd om met Cheng Li te praten over wat hij op zijn hart had.

Maar al varend hadden Cheng Li en hij het er zo druk mee om de sloep van de Academie op de juiste koers te houden, dat er helemaal geen tijd was voor diepzinnige gesprekken. Ze kwamen niet verder dan het uitwisselen en bevestigen van instructies, terwijl ze de boot door de ruwe wateren loodsten.

Merkwaardig genoeg merkte Connor dat hij zich beter begon te voelen, ook al had hij nog met geen woord over zijn probleem gesproken. Misschien kwam het doordat hij zich helemaal kon overgeven aan de fysieke inspanning van het varen. Al toen hij heel klein was, had hij troost gevonden in dat soort uitdagingen. Wanneer hij dreigde te worden overvallen door somberheid, was er geen betere remedie dan bijvoorbeeld een paar baantjes in het zwembad.

Cheng Li vormde bovendien de ideale metgezel. Ze was niet iemand die zo nodig voortdurend moest praten. Net als Connor hield ze zich aan het principe dat ze alleen iets zei wanneer ze echt iets te zeggen had. Hij kon zien dat ze opging in haar eigen gedachten – haar hoofd was ongetwijfeld gevuld met alles wat ze nog moest regelen in de aanloop naar haar benoeming tot kapitein. Ook zonder dat ze iets zei, straalde ze een aanstekelijk optimisme uit. Dat, gecombineerd met de zon die de wolken had verdreven, zorgde voor een volmaakte dag op zee.

Toen de zon ten slotte naar de horizon begon te zinken, gooiden ze het anker uit en gaven ze hun vermoeide spieren eindelijk rust. Cheng Li verdween in het ruim en kwam even later terug met een mand die door de chefkok van de Piratenacademie was gevuld met allerlei lekkers.

'Tast toe!' zei ze. 'Ik rammel van de honger, en jij vast en zeker ook!'

Ze maakten de diverse bakjes open, gevuld met koud vlees, met vis, met salades en sauzen, en stapelden hun bord vol met al dat verleidelijks. Na de zware inspanningen van de dag hadden ze een stevige trek. Opnieuw bleef het gesprek beperkt, terwijl ze Homs smakelijke creaties verslonden.

'Wat zal ik lekker slapen!' zei Connor ten slotte.

'Anders ik wel!' viel Cheng Li hem bij. 'Trouwens, je ziet eruit alsof je kapot bent!'

Wat weet ze het toch altijd charmant te brengen, dacht hij gefrustreerd.

'Ik ga thee zetten.' Ze verdween weer benedendeks.

Connor ruimde de spullen van het eten op en bracht de lege bakjes naar de kombuis, waar Cheng Li een verleidelijk mengsel van groene thee met gember en ginseng stond te brouwen.

'Het ruikt geweldig!' zei hij.

'Neem maar mee naar boven,' zei Cheng Li. 'Het moet nog even trekken. Ik kom zo bij je.'

Eenmaal aan dek zette hij het blad op de tafel. Toen strekte hij zich genietend uit op de kussens van de bank, terwijl hij de thee de tijd gunde om te trekken. Met een zwemvest onder zijn hoofd keek hij omhoog naar de met sterren bezaaide hemel en ging hij op zoek naar zijn favoriete sterrenbeelden. Het was een spelletje waar hij altijd troost aan ontleende, omdat het hem terugvoerde naar de vuurtoren, naar Grace en zijn vader. Maar tegen de tijd dat hij de Arend had gevonden, waren zijn oogleden zo zwaar geworden, dat hij niet de kracht had ze nog langer open te houden.

Toen Cheng Li aan dek kwam, was hij in slaap gevallen, met een diepe, regelmatige ademhaling. Ze pakte een deken en legde die over hem heen. Zachtjes liep ze over het dek om de lantaarns aan te steken. Toen ging ze zitten om van haar thee te genieten.

Connor schrok wakker, meteen klaarwakker. Een kilte had zich in zijn botten genesteld. De hemel was zwart, de nachtlucht koud. Maar dat was het niet het enige waardoor hij wakker was geschrokken. In zijn droom was hij teruggegaan naar het verleden, en het laatste beeld dat hij had gezien, was zijn rapier dat zich in de rug van Alessandro boorde.

'Wat is er?' vroeg Cheng Li.

Hij keek op. Ze zat tegenover hem, druk aantekeningen makend bij het licht van de lantaarns. 'Ik moet met je praten.'

Ze legde haar pen neer en keek hem afwachtend aan.

Het had geen zin het nog langer uit te stellen. Tenslotte was hij naar de Piratenacademie teruggegaan om met haar te praten. Eenmaal daar had hij zich laten afleiden door het nieuws dat ze kapitein zou worden op haar eigen schip, en vervolgens had hij zich gekoesterd in het zonnetje en genoten van de dag op zee. Sterker nog, hij was er bijna in geslaagd zichzelf wijs te maken dat alles weer net zo was als vroeger. Weer net als vóór de verschrikkelijke gebeurtenis die zijn leven op zijn kop had gezet. Maar hij besefte dat hij zichzelf niet langer voor de gek kon houden.

'Ik heb iemand gedood,' zei hij.

Ze knikte.

'Je wist het al!' Hij zag het aan haar gezicht.

'Ja,' zei ze. 'Dat soort nieuws doet nu eenmaal razendsnel de ronde. Daarom ben je naar me toe gekomen, Connor, waar of niet? Om te horen wat ik erover te zeggen heb?'

Hij knikte. 'Ja. Ik wist niet waar ik heen moest. Op de *Diablo* kon ik niet blijven. Toen ze me die Bloedkapitein hadden gegeven, wist ik dat ik weg moest. Dus ik heb doelloos rondgevaren, mijn zwaard in zee gegooid, en uiteindelijk ben ik tot de conclusie gekomen dat er misschien één persoon is die me kan helpen.'

'En dat ben ik.' Het was geen vraag.

Hij knikte weer.

'Akkoord,' zei ze. 'Vertel! Het hele verhaal.'

Ze kon goed luisteren. Hij zag aan haar gezicht dat ze elk woord, elke emotie daarachter registreerde. En ze onderbrak hem niet. Integendeel, ze was een en al geduld. Ook als hij af en toe haperde en moest nadenken over de juiste formulering om haar zijn gevoelens duidelijk te maken. Het was belangrijk om haar precies te vertellen wat hij voelde. En daarvoor gaf ze hem alle ruimte, alle tijd.

Toen hij was uitgesproken, knikte ze, en ze zweeg geruime tijd, als om alles wat hij had verteld te verwerken en de feiten van zijn verhaal op hun waarde te beoordelen.

'Nou?' drong hij ten slotte aan.

Ze leek verrast. 'Ik kan je schuldgevoel niet wegnemen,' zei ze. 'Je hebt iemand gedood. Je hebt een man gedood die bij het wakker worden zijn hele leven nog voor zich had. We zullen nooit weten hoelang dat leven nog zou hebben geduurd, want jij hebt er voortijdig een eind aan gemaakt. Dat valt niet te ontkennen, en daar kun je niet voor weglopen.'

Connor had gehoopt dat ze hem althans enige troost zou kunnen bieden, maar in plaats daarvan voelde hij zich alleen maar ellendiger door wat ze zei.

'Niemand kan het gevoel van schuld afleggen na het doden van een medemens. En volgens mij moeten we dat ook helemaal niet proberen. Naar mijn mening is dat schuldgevoel een redelijke prijs die we betalen. Het doden van een medemens schenkt geen bevrediging, het heeft niets lonends. En zo hoort het ook.'

'Heb jij wel eens iemand gedood?' vroeg Connor.

'Ja.' Ze knikte. 'Meer dan eens.'

'Hoe kom je daarmee in het reine?' vroeg hij. 'Hoe kun je daarna doorgaan met je leven? Hoe kun je ooit weer genieten van het leven als piraat?'

Opnieuw dacht ze zorgvuldig na voordat ze antwoord gaf. 'Wanneer ik iemand heb gedood, voel ik me precies zoals jij je nu voelt. Ze zeggen dat de eerste keer de ergste is. Dat je er daarna voor afstompt. Maar dat vind ik een verwerpelijke filosofie. Ik wil niet afstompen. Het is geen bewijs van kracht om je gevoelens te ontkennen, om juist dat af te wijzen wat je tot mens maakt. Er is een reden waarom we ons schuldig voelen. Net zoals er een reden is waarom we bang zijn, of blij, of moe. Gevoelens zijn signalen. We worden niet geächt elkaar te doden. Maar of je het nu leuk vindt of niet, in de wereld waarin wij leven, gebeurt het wel.'

'Oké...' Hij vroeg zich af waar ze heen wilde.

'Mijn manier om verder te kunnen met mijn leven, is proberen niet onnodig te doden. Je hebt gezien hoe ik vecht. Ik geloof in precisie, niet in ongecontroleerd geweld. En ik geloof in resultaten. Tijdens je korte verblijf op de Piratenacademie heb je, volgens mij, John Kuo's college bijgewoond over *zanshin*. Kun je je dat nog herinneren?'

'Ja.' Hij knikte. '*Zanshin* is een staat van extreme alertheid, waarin je in staat bent naar alle kanten aan te vallen en je naar alle kanten te verdedigen.'

'Precies,' zei Cheng Li. 'Maar ik vind dat we die staat van alertheid permanent moeten handhaven – zowel in het heetst van de strijd als daarbuiten. Hoe alerter je bent als piraat, des te minder kom je in situaties waarbij het om leven of dood gaat. Als piratenkapitein heb je geen vrijbrief om te moorden. Soms heb je geen andere keus. Dan moet je kiezen tussen je eigen leven of dat van de ander. Of je moet een tegenstander doden om een van je kameraden te redden. Dat was bij jou het geval. Als jij die bewaker niet had gedood, zou Link Wrathe het niet hebben overleefd. Je had orders gekregen en die heb je opgevolgd. Dus in gevechtstermen heb je je een ware *zanshin*-meester getoond.'

Hij voelde zich enigszins gevleid door haar woorden, maar ze was nog niet uitgesproken.

'Maar in het gewone leven, los van het gevecht, kun je minder goed uit de voeten met *zanshin*. De overval op Fort Avondstond was typerend voor de werkwijze van Molucco Wrathe. Een gedurfde onderneming, gericht op een snelle buit. Zonder hoger doel, zonder strategie. Natuurlijk, Cate had het plan heel sluw uitgewerkt, maar er werd geen hoger doel mee gediend. Dus je hebt je – niet voor het eerst – in een situatie laten brengen waarbij geweld vermeden had kunnen worden.'

'Je bedoelt, net als bij de aanval die resulteerde in de dood van Jez?'

'Precies.' Ze knikte.

'Wat wil je daarmee zeggen?'

'Het is een observatie, meer niet. Je zult merken dat het nooit gemakkelijker wordt een medemens te doden. Daar is niks aan te doen, en zo hoort het ook. Wat je wel kunt doen, is zorgen dat het aantal situaties waarin je wordt gedwongen je tegenstander te doden, tot een minimum beperkt blijft. Met andere woorden, je hoeft de piraterij niet vaarwel te zeggen. Je moet je alleen afvragen wat voor piraat je wilt zijn. En met wat voor piraten je wilt samenwerken.'

Haar woorden hadden hem niet de troost gebracht waarop hij had gehoopt. Toch was er iets veranderd in zijn gevoel over wat hij had gedaan. Heel even kon hij zich voorstellen dat hij misschien toch verder zou kunnen met zijn leven. Het gevoel was echter meteen weer verdwenen, overspoeld door de vertrouwde vloedgolf van angst die diep vanbinnen bij hem opwelde.

'Wat is er?' vroeg ze, even alert als altijd.

'Ik snap wel wat je wilt zeggen. Alleen, ik ben nog nooit zo bang geweest. En dat begrijp ik niet. Er dreigt geen enkel gevaar, en toen dat wel zo was, heb ik gedaan wat er van me werd verwacht. Maar ik ben doodsbang, midden op zee, in een volkomen rustige nacht. Hoe komt dat?'

Cheng Li dacht even na, toen glimlachte ze. 'Ach, dat is eigenlijk heel simpel. De grootste gevaren loeren niet op de oceaan, of in de schaduwen.' Ze boog zich dichter naar hem toe en legde haar hand op zijn hart. 'De grootste dreiging schuilt diep vanbinnen. Die zit in je bloed. Dat is niet alleen bij jou zo. Dat geldt voor ons allemaal.'

HOOFDSTUK 48

De lasso

'Ik zeg het omdat ik zo veel om je geef, Grace,' zei Lorcan. 'Dat geldt voor ons allemaal – Mosh Zu, de kapitein. We willen alleen maar wat het beste voor jou is.'

'En het is het beste voor me als ik je nooit meer zie?'

Lorcan knikte. 'Ja. Ik weet dat het zwaar is, maar uiteindelijk zul je inzien dat ik gelijk heb.'

Ze wist niet wat ze moest doen, lachen of het uitschreeuwen. 'Ik denk het niet,' zei ze uiteindelijk stijfjes. 'En ik denk ook niet dat ik je hier ooit dankbaar voor zal zijn.'

Ze had veel meer kunnen zeggen, maar ze dacht aan de waarschuwing van Mosh Zu. Hoe vreselijk Lorcan haar ook had bezeerd, ze wilde niet de oorzaak zijn van een terugval. Ze moest hier weg, besefte ze. Als ze nog langer bleef, zou ze zich niet kunnen inhouden en hem vertellen over de rebellie aan boord van de *Nocturne* of over de inzinking van de kapitein.

'Ik ga,' zei ze dan ook.

Hij bleef haar hand vasthouden. 'Niet doen. Ik wil niet dat je zo weggaat. Zo... zo van streek.'

Ze trok haar hand uit de zijne. 'Ik heb gewoon tijd voor mezelf nodig. Om over alles na te denken.'

'O.' Hij klonk een beetje verrast.

Ze kon het niet opbrengen hem aan te kijken terwijl ze opstond en naar de deur strompelde.

Pas toen ze de deur achter zich had dichtgetrokken, werd ze

in volle hevigheid overweldigd door haar emoties. Ze voelde een snik in haar keel opwellen, maar ze was vastberaden haar tranen pas toe te laten als ze Lorcans kamer ver achter zich had gelaten. Ze begon de gang door te rennen, terug naar haar kamer.

Blijkbaar had ze ergens een verkeerde afslag genomen, want ineens ontdekte ze dat ze in een onbekende gang liep. Gelukkig kwam ze niemand tegen. Leeg, emotioneel uitgeput en moe van het rennen bleef ze ten slotte staan en liet ze zich op de grond zakken. Toen kon ze zich niet langer beheersen.

Door haar tranen heen keek ze de gang uit. Ze dacht aan het ontzag dat ze had gevoeld bij het betreden van de Wijkplaats. Dit wonderbaarlijke herstellingsoord. En de Wijkplaats had volledig beantwoord aan haar verwachtingen. Lorcan kon weer zien. Maar nu hij genezen was, duwde hij haar weg. Ze was blij voor hem dat hij zijn gezichtsvermogen terug had, maar haar hart brak bij de herinnering aan wat hij had gezegd. Dat hij alleen terugging naar de *Nocturne*. Zonder haar.

Het was alsof haar hele wereld instortte. Het nieuws van de *Nocturne* was verschrikkelijk. Een nieuwe opstand, de ernstigste tot dusverre. En wat het zelfs nog erger maakte, was dat Jez Stukeley de aanstichter was. Tijdens zijn leven was hij zo'n goed mens geweest, maar na zijn dood – onder invloed van Sidorio – had hij vastberaden zijn duistere kant omhelsd. Het leek ongelooflijk dat de kapitein de revolte van Sidorio het hoofd had weten te bieden, maar dat hij was gebroken door de opstand van Jez. Uit wat Mosh Zu had gezegd, bleek echter dat het niet simpelweg de rebellie was waardoor de kapitein zich niet langer staande had weten te houden. Hij streed al veel te lang een uitputtingsslag met zichzelf, in een poging de harmonie te bewaren aan boord van zijn schip en de vampiers te helpen hun honger naar bloed onder controle te houden.

Alles waarvoor Mosh Zu en de kapitein zich hadden ingezet, dreigde ten onder te gaan. Misschien was de honger naar bloed bij een vampier simpelweg niet te controleren. Misschien leidden pogingen daartoe onvermijdelijk tot verdriet en teleurstelling. Grace besefte dat ze meer vertrouwen zou moeten hebben, maar met elke nieuwe ontwikkeling raakte het werk van de kapitein en Mosh Zu verder ondermijnd. En dat was zo jammer, zo verschrikkelijk jammer. Ze probeerden de dragers van de vloek der onsterfelijkheid een manier te geven om zin te geven aan hun oneindige bestaan. Helaas waren de meeste vampiers niet in staat verder te kijken dan hun eigen onmiddellijke begeerten.

Grace schudde haar hoofd. Het kon allemaal nauwelijks erger. Jez had op de *Nocturne* opnieuw voor onrust gezorgd. Het was inmiddels maar al te duidelijk dat Sidorio niet vernietigd was, maar in het diepste geheim en loerend in de schaduwen weer volledig op krachten was gekomen. Hoelang zou het duren voordat hij opnieuw tot de aanval zou overgaan?

Zo'n nieuwe aanval zou het einde van de vampiratenkapitein kunnen betekenen. Hij was er verschrikkelijk aan toe, zijn leven lag in de handen van Mosh Zu. Misschien zou zijn genezing de ultieme beproeving van de vermogens van de goeroe blijken te zijn.

En dan was Connor er ook nog. Ze had haar best gedaan hem te genezen, maar ze had geen idee waar hij was, wat hij doormaakte.

En ten slotte Lorcan. Lorcan, die zo goed leek te genezen. Toch had de vreugde daarover maar kort geduurd, en haar geluksgevoel was haar wreed ontnomen door zijn bewering dat ze de *Nocturne* de rug toe moest keren. Als hij eens wist dat er ook voor hem misschien geen terugkeer naar het schip mogelijk was!

Wat een toestand, dacht ze. Wat een verschrikkelijke toestand! Beelden van alle betrokkenen speelden door haar hoofd. Jez en Sidorio. De vampiratenkapitein en Mosh Zu. Connor en Lorcan. Hun broze wereld stond aan alle kanten op instorten, en ze had geen idee hoe – en zelfs of – ze een uitweg zouden weten te vinden uit deze situatie.

Moedeloos liet ze haar hoofd in haar handen vallen.

Nadat ze een tijdje zo had gezeten, hoorde ze kreten. Een stem die ze meende te herkennen. Het was de stem van misschien wel de enige in de Wijkplaats die haar op een moment als dit een beetje zou kunnen opbeuren.

Dus ze werkte zich overeind, sloeg het stof van haar kleren en liep de gang uit, in de richting van het geluid. Na een paar bochten kwam ze terecht op een grote binnenplaats. In het midden stond Johnny Desperado, met zijn lasso in zijn hand, roepend en joelend terwijl hij het touw behendig om zijn theefles gooide.

Grace glimlachte. Hij zag er zo bruisend, zo levend uit! Johnny was precies degene die ze nodig had om haar op te vrolijken.

Ze liep verder de binnenplaats op. Johnny haalde net de lasso van de fles, en toen hij haar in de gaten kreeg, schonk hij haar een brede grijns.

'Hier!' Hij gooide haar de fles toe. 'Zet maar ergens neer. Dan vang ik hem voor je met mijn lasso.'

'Oké!' Lachend zette ze de fles op de stoffige grond. Toen deed ze een paar stappen naar achteren. De lasso vloog kronkelend door de lucht en leek boven de fles te blijven zweven. Op dat moment haalde Johnny hem aan, de lasso viel om de hals van de fles, en de lus trok strak. Grace kreeg plotseling een visioen van Johnny die een paard ving. Hij was duidelijk een meester met zijn lasso.

Terwijl hij de fles naar zich toe haalde, praatte hij honderduit. Grace wist niet zeker of hij het tegen haar had of tegen zichzelf. 'Het breken van een wild paard is een kwestie van vertrouwen opbouwen. Je moet het stapje voor stapje doen. Net als bij een vriendschap. Je probeert een paard zover te krijgen dat het je aardig vindt. Vooral geen confrontaties. Daar komt niets goeds uit voort. Tenminste, niet in het begin. Het gaat erom dat je weet hoeveel druk je moet toepassen, en wanneer. Een beetje druk, en die druk dan weer wegnemen, dat is de belangrijkste boodschap die je een paard kunt geven. Daarmee maak je duidelijk dat het geen gevangene is. Dat het iets kan doen om de druk te verlichten.'

Johnny keek naar Grace en gooide de fles weer naar haar toe.

Terwijl zij die opnieuw ergens neerzette, praatte hij door. 'Wanneer de lasso straktrekt, zal zelfs een afgericht paard in verzet komen. En dat geldt natuurlijk helemaal voor een paard dat nog volledig wild is. Zodra het voelt dat de lasso zich sluit om zijn hals, kan het niets doen om de druk te verlichten, anders dan zich volledig overgeven. Dus op dat moment vecht een paard voor zijn leven.'

Johnny hief zijn hand met de lasso, klaar voor de volgende worp. Toen hij het touw losliet, knipoogde hij naar Grace. Ze zag het door de lucht zeilen. Blijkbaar had die knipoog zijn balans verstoord, want de lus kwam zelfs niet in de buurt van de fles terecht. In plaats daarvan kwam het touw haar kant uit. Grace keerde zich naar Johnny. Er lag een vreemde uitdrukking op zijn gezicht. Plotseling voelde ze een lichte bries, de lus gleed over haar hoofd en haar hals, bleef even hangen en zakte toen naar haar ellebogen. Toen werd de lasso strak getrokken.

Iets vertelde haar dat dit niet langer een spelletje was. Nerveus keek ze naar Johnny.

'Nee maar! Nu heb ik echt een wilde merrie te pakken!' riep hij trots.

HOOFDSTUK 49

De zwaardsmid en zijn dochter

Ze naderden Lantao vanuit het zuiden. Toen Connor opkeek van de navigatiekaart, zag hij in de verte de berg die het hoogste punt vormde van het eiland en die dezelfde naam droeg. De top was bekleed met dicht, mals groen oerwoud. Cheng Li had gezegd dat de zwaardsmid hoog boven het water woonde, dus hij kreeg een somber vermoeden dat ze die berg zouden moeten beklimmen – en weer afdalen – om de wapens te halen die Cheng Li voor haar bemanning had besteld.

De sloep gleed langs een langgerekt zandstrand, dat zich tussen twee kliffen koesterde in de zon. Als hij alleen was geweest, zou hij ernstig in de verleiding zijn gekomen om het anker uit te gooien en naar het strand te zwemmen. Hij hoefde echter maar naar het gezicht van Cheng Li te kijken om te beseffen dat ze voor zaken naar Lantao waren gekomen. Dat ze niet van plan was haar tijd te verspillen. Hij stak het dek over en ging naast haar aan het roer staan.

'Lantao heeft een rijke piratengeschiedenis,' vertelde ze. 'Het is altijd een geliefde uitvalsbasis geweest voor piraten en smokkelaars.'

'O ja?' Met een verlangende blik op het strand besloot Connor dat de piraten en smokkelaars een goede keuze hadden gedaan met het eiland.

Cheng Li keek strak naar de smaragdgroene strook in de verte. 'In de negentiende eeuw had Chang Po hier zijn hoofdkwartier. Een van de beroemdste piraten aller tijden.' Ze wierp een vluchtige blik op Connor, alsof ze wilde controleren of hij wel oplette. 'Hij werd geboren als zoon van een visser,' vervolgde ze. 'In Xinhui. Dat ligt in de delta van de Parel Rivier. Hij had een heel ander leven kunnen hebben – een lang, maar zwaar en saai bestaan – ware het niet dat hij op zijn vijftiende gevangen werd genomen door de beroemde Cheng I en zijn vrouw, Cheng I Sao.' Connor had hun namen nooit eerder gehoord, maar het was duidelijk dat ze voor Cheng Li boekdelen spraken.

'Het lot was Chang Po gunstig gezind,' ging ze verder. 'Zijn gevangennemers waren twee van de meest succesvolle piraten uit de hele geschiedenis. Het echtpaar stond aan het hoofd van een vloot piratenschepen, de zogenaamde Vloot van de Rode Vlag. Een paar jaar nadat Chang Po deel ging uitmaken van hun bemanning, verdronk Cheng I en nam Cheng I Sao alle taken van haar man over. Ze stelde Chang Po aan het hoofd van de dagelijkse vlootoperaties. Hij was toen amper een jaar ouder dan ik nu ben. Onder aanvoering van Chang Po versloegen de piraten van de Rode Vlag elk schip dat hun macht durfde te tarten. Tien jaar lang was hij onoverwinnelijk. Alle piraten van die tijd – zowel zijn eigen kapiteins als die van rivaliserende schepen – waren ervan overtuigd dat hij werd beschermd door de goden. Ze spraken over hem alsof hij zelf half goddelijk was.'

'Indrukwekkend,' zei Connor. 'Maar je zei dat hij tien jaar lang onoverwinnelijk was. Wat gebeurde er toen?'

Cheng Li draaide aan het roer, nog altijd met haar blik op de rotsen, terwijl ze om de zuidwestpunt van het eiland voeren. 'Het imperium begon scheuren te vertonen van binnenuit. Er ontstond ruzie tussen de kapiteins en de admiraals. Bemanningen sloegen aan het muiten. De Vloot van de Rode Vlag kwam van verschillende kanten onder vuur te liggen, waarop Chang Po en Cheng I Sao besloten de piraterij vaarwel te zeggen zolang het nog kon.'

'Echt waar?' vroeg Connor verrast. De twee piraten over wie Cheng Li had verteld, leken hem niet geschikt voor een rustig leventje als renteniers.

'Ja. Chang Po werd officier bij de marine en maakte ook daar op illustere wijze carrière.'

'En Cheng I Sao?'

Cheng Li glimlachte. 'Ze stopte weliswaar met de vloot, maar ze heeft de piraterij nooit helemaal opgegeven. Uiteindelijk sleet ze haar dagen als directeur van een grote smokkeloperatie. En dat is ze gebleven tot haar dood.'

'Ze klinkt als een bijzonder iemand,' zei Connor. 'Trouwens, hij ook.'

'Ik zou je nog veel meer over ze kunnen vertellen!' zei Cheng Li. 'Maar dat doe ik een andere keer. We zijn er bijna.'

'Waarom ben je eigenlijk over ze begonnen?' vroeg Connor.

'Gewoon, om je een beetje over de plaatselijke geschiedenis te vertellen,' zei ze, maar iets in haar glimlach deed Connor vermoeden dat er meer achter zat. Dat ze hem met dit verhaal zijn opties had willen voorleggen. Wat wilde hij liever, een leven als visser, of als admiraal van een piratenvloot? Hoe zag hij zichzelf, had ze hem ook kunnen vragen. Als aanstormend piraat, of als de verweesde zoon van een vuurtorenwachter in een dorp aan een doodlopende weg?

Hij dacht nog steeds over die vraag na toen Cheng Li een strakke bocht begon te beschrijven en snelheid terugnam. Ze koersten af op een kleine vissersplaats. Anders dan Connor had verwacht, stelde de haven weinig voor. Wat rijen simpele huizen op palen, pal boven het water, met daaronder, deinend op het zilvergrijze water, fleurig geschilderde vissersboten. Terwijl Connor toeschoot om Cheng Li te helpen de sloep voor anker te leggen, trok hij zijn neus op. Er hing een sterke geur in het haventje.

'Zoute vis en garnalenpasta.' Cheng Li snoof genietend. 'Dat zijn de specialiteiten van de winkels hier aan de waterkant. Erg lekker! Die moet je proeven!'

Amper hadden ze het anker laten vallen, of ze zagen een visser aankomen om hen met zijn bootje aan wal te brengen.

Cheng Li knikte naar de roeier terwijl Connor en zij aan boord stapten. Een paar slagen later klommen ze op een houten pier, nadat Cheng Li de visser een paar munten in zijn eeltige hand had gedrukt.

'Hoe komen we nu boven?' vroeg hij.

'Wat bedoel je? Waarom wil je naar boven?'

'Woont de zwaardsmid daar dan niet? Je zei dat hij hoog boven het water woonde, dus ik dacht...'

Cheng Li schudde haar hoofd en wees naar een van de huizen op palen. 'Hij woont daar! Ik weet dat je last hebt van hoogtevrees, maar dit kun je wel aan, denk ik. Kom mee!'

Ze begon over de pier naar de paalwoning te lopen. Terwijl hij haar volgde, verbaasde Connor zich over het bescheiden onderkomen van de beroemde zwaardsmid van Lantao. Ze beklommen de korte, gammele trap naar de deur. Ernaast hing een schellekoord in de vorm van een vogel. Cheng Li gaf er een ruk aan.

Ze werden bijna onmiddellijk opengedaan door een meisje met donker, kortgeknipt haar. Met haar ronde, Chinese gezichtje leek ze wel wat op Cheng Li. Haar gelaatstrekken waren alleen zachter.

'Meesteres Li!' Ze legde haar handen tegen elkaar, maakte een buiging en deed haar ogen dicht, waardoor haar lange wimpers een schaduw wierpen op haar gezicht.

'Meesteres Yin.' Cheng Li beantwoordde het gebaar in stijl. Toen richtte ze zich op, en ze wees naar Connor. Op 'Tempest' na kon hij niet verstaan wat ze zei, maar hij besefte dat hij werd voorgesteld. Dus hij legde zijn handen tegen elkaar en boog op dezelfde manier als hij dat de twee vrouwen had zien doen.

'Connor,' zei Cheng Li. 'Dit is Bo Yin, de dochter van de zwaardsmid.'

'Erg leuk om je te leren kennen, Connor,' zei de jonge vrouw.

'Insgelijks.' Connor was meteen onder de indruk van haar natuurlijke gratie en schoonheid.

Bo Yin gebaarde blozend met haar hand. 'Kom binnen. Mijn vader is aan het werk, maar ik zal hem zeggen dat jullie er zijn.'

Ze betraden het huis van de zwaardsmid. Een echt thúís. Bescheiden, maar voorzien van alles wat een mens zich maar kon wensen – een propvolle, maar geordende keuken, een uitnodigend zitgedeelte en planken met boeken en kunstvoorwerpen. Aan een van de muren hing een verzameling zwaarden. Het waren er maar weinig vergeleken bij de zwaarden in de Koepelzaal van de Piratenacademie, maar zelfs van een afstand kon Connor zien dat het om heel oude, kostbare wapens ging, die stuk voor stuk een eigen verhaal zouden kunnen vertellen. Hij ging in het midden van de kamer staan en keek aandachtig om zich heen, terwijl Bo Yin in een aangrenzend vertrek verdween om te overleggen met haar vader. Even later kwam ze weer tevoorschijn.

'Mijn vader legt net de laatste hand aan een van uw wapens,' zei ze tegen Cheng Li. 'Hij heeft me gevraagd u wat soep aan te bieden. Verder moest ik zeggen dat hij niet lang op zich zal laten wachten.'

'Dat klinkt uitstekend.' Cheng Li glimlachte vriendelijk terwijl Bo Yin het deksel optilde van een kleine pan. Opnieuw rook Connor de geur van zoute vis en garnalen, nu nog verleidelijker dan in de haven, helemaal toen Bo Yin een paar kommen vulde met soep en op een lage tafel zette.

'U hebt vast trek na zo'n lange reis,' zei Bo Yin glimlachend.

'Dat kun je wel zeggen! Sinds ons vertrek van de Academie heeft Connor niets anders gedaan dan eten,' zei Cheng Li.

'Ik heb op zee nou eenmaal altijd honger!' protesteerde hij.

'Ach, jongens...' Cheng Li wisselde een veelbetekenende blik uit met Bo Yin.

Ze dronken gretig hun soep, en toen Bo Yin aanbood hun kommen nog eens te vullen, stemden ze daar dankbaar mee in. Ze stond net weer soep op te scheppen, toen er knarsend een deur openging en de zwaardsmid binnenkwam. Hij was kleiner dan zijn dochter, zijn witte haar had hij in een staart bij elkaar gebonden. Enigszins bijziend keek hij de kamer rond, als een mol die na lange tijd weer in het daglicht verschijnt, dacht Connor onwillekeurig.

'Vader!' riep Bo Yin, die bij het fornuis stond. 'Wil je ook wat soep?'

Hij knikte. 'Heel graag,' antwoordde hij met zachte stem. Toen keerde hij zich naar Cheng Li, die bij zijn binnenkomst onmiddellijk was opgestaan.

'Meesteres Li!'

'Meester Yin!'

Ze liepen naar elkaar toe en bogen.

'Uw eigen schip!' zei de zwaardsmid. 'Stel je voor, uw eigen schip!'

Ze knikte. 'Het was slechts een kwestie van tijd.'

'Dat is waar. Uw vader... Ach, wat zou hij tróts op u zijn geweest!'

'Dank u wel.' Cheng Li knikte. Ze draaide zich om en gebaarde naar Connor. 'Meester Yin, dit is Connor Tempest. Connor, meester Yin is de meest getalenteerde zwaardsmid van zijn generatie.'

Connor ging voor de meester staan, en ze bogen naar elkaar. 'Ik heb erg veel over u gehoord,' zei hij.

'En ik ook een beetje over jou.'

Dat verraste Connor, helemaal toen de zwaardsmid eraan toevoegde: 'Dus dit is 'm?'

Cheng Li knikte.

'Kom, vader, eet wat soep.' Bo Yin wenkte hem naar de tafel.

Connor dacht nog na over de raadselachtige woorden van de zwaardsmid, terwijl Bo Yin een rieten stoel naar de tafel trok. De oude zwaardsmid was blijkbaar niet lenig genoeg meer om op de kussens te zitten.

Ze schaarden zich weer om de tafel. Meester Yin doopte zijn lepel in de kom en proefde genietend. 'Precies zoals je moeder hem maakte.' Hij knikte glimlachend. 'Erg lekker, Bo Yin.'

Wat een plichtsgetrouwe dochter, dacht Connor. Het was duidelijk dat haar vader erg veel van haar hield, maar toch vroeg Connor zich af of ze zich hier niet opgesloten voelde. Hij kon zich niet aan de indruk onttrekken dat ze meer van het leven verwachtte.

Dat las hij in haar ogen – een soort verwantschap met zijn eigen verwachtingen, zijn eigen verlangens. Hij was nog bezig met de twee opties die Cheng Li hem had voorgelegd – visser of piraat. De keus was echter maar al te duidelijk. De weegschaal begon onverbiddelijk naar één kant door te slaan.

'Vertel eens, Connor!' De stem van Bo Yin deed hem opschrikken uit zijn gedachten. 'Hoe is het om piraat te zijn?'

Voordat hij kon reageren, begon haar vader te lachen. 'Dat vraagt ze altijd.' Hij bootste de stem van zijn dochter na. '*Hoe is het om piraat te zijn? Hoe is het op een piratenschip?*'

Heel vluchtig stond er pijn in Bo Yins ogen te lezen. Connor zag het duidelijk. Pijn, en nog iets... Was hij de enige die het had gezien? 'Wie zal het zeggen, vader? Misschien zal ik het ooit weten, uit eigen ervaring.'

Hij haalde zijn schouders op. 'Wel ja! Word piraat! Laat je arme oude vader maar aan zijn lot over, in zijn huis vol zwaarden.'

Bo Yin schudde zuchtend haar hoofd. 'Ik zou je nooit in de steek laten, papa.' Ze keerde zich weer naar de anderen, met een verlangende blik in haar grote ogen. 'Maar misschien zal ik in een ander leven ook de glorie van het piratenleven leren kennen...'

Zou ze echt zo lang moeten wachten, vroeg Connor zich af. Een leven van soep maken en haar oude vader bedienen leek te beperkt voor een meisje als Bo Yin. Plotseling besefte hij hoe vrij hij was. Vrij om zijn eigen bestemming te kiezen.

Hij voelde dat Cheng Li naar hem keek en richtte zijn blik op een van de zwaarden aan de muur achter meester Yin.

'Indrukwekkend, hè?' zei Cheng Li.

Meester Yin draaide zich om in zijn stoel en volgde hun blikken. 'Ach, ja.' Hij keerde zich weer naar Connor. 'Dat zwaard was ooit van de grote Chang Po. Het heeft een inscriptie met een opdracht van Cheng I Sao. Ik neem aan dat je de geschiedenis van het beroemde piratenechtpaar kent?'

Connor knikte. 'Mag ik ze eens van dichterbij bekijken?' vroeg hij.

'Natuurlijk!' Meester Yin gebaarde royaal met zijn lepel.

Connor liep naar het zwaard toe. De talloze kepen en krassen in de kling en het gevest verrieden dat er heel wat mee was gevochten. Maar de kling was nog scherp. Een doekje met olie eroverheen, en het zwaard was weer klaar voor gebruik.

'Je mag het wel uit de houder nemen,' zei meester Yin. 'Een zwaard is tenslotte een gebruiksvoorwerp. Probeer het maar eens!'

Connor was verrast door het gemak waarmee de zwaardsmid met zo'n oud en indrukwekkend voorwerp omging. Aarzelend nam hij het wapen van de muur. Toen zijn vingers zich om het gevest sloten, besefte hij dat hij voor het eerst sinds hij zijn rapier in zee had gegooid, weer een wapen vasthield.

'Het lijkt voor je gemaakt!' Meester Yin keerde zich naar Cheng Li. 'Buitengewoon veelbelovend, ik kan niet anders zeggen.'

Connor begon te manoeuvreren en liet de kling door de lucht snijden. Hij had het gevoel alsof de geest van Chang Po zijn hand leidde. Ineens was hij niet meer in de paalwoning van de zwaardsmid, maar op het dek van een groot schip, en voerde hij het commando over de Vloot van de Rode Vlag bij de zoveelste succesvolle strooftocht. Hij rook het kanon, hij hoorde de geluiden van de strijd. Adrenaline joeg door zijn aderen. Toen hoorde hij een kreet.

'Hoera voor kapitein Tempest!'

Hij draaide zich om en besefte dat dit niet het schip was van Chang Po, maar zijn eigen schip. Zijn bemanning kwam naar hem toe. De manschappen sloegen hem lachend op de schouder. Hij voelde dat ze die dag een grote overwinning hadden behaald.

Voordat hij het wist, hadden ze hem op hun schouders gehesen en paradeerden ze met hem over het dek. 'Zet me neer!' riep hij lachend. 'Zet me neer!'

Maar ze lachten alleen maar. En het kon hem niet schelen. Op dat moment voelde hij zich intens gelukkig. Hij wist dat hij geliefd was bij zijn bemanning en dat hij het zoveelste indrukwekkende wa-

penfeit op zijn naam had gebracht. Toen hij zijn zwaard boven zijn hoofd hief, klonken er opnieuw luide kreten.

'Kapitein Tempest! Hoera voor kapitein Tempest! Hoera...'

Plotseling werd hij zich weer bewust van de werkelijkheid, en van drie paar ogen die hem aandachtig opnamen.

In verlegenheid gebracht draaide hij zich om, en hij wilde het zwaard alweer in de houder steken, toen zijn oog viel op de Chinese karakters die in het gevest gegraveerd waren.

'Wat staat hier?' vroeg hij.

'Dat is een opdracht van Cheng I Sao aan Chang Po,' antwoordde meester Yin. 'Kom maar hier. Dan zal ik voor je vertalen wat er staat.'

Hij haalde een bril uit zijn borstzak. Connor gaf hem het zwaard, en de oude zwaardsmid legde het dwars over zijn knieën.

'Ach, ja.' Hij pakte een doek en veegde ermee over het gevest. 'Ik weet het alweer. "Je bent een heel eind gekomen, kleine visser uit de rivierdelta!"'

De zwaardsmid glimlachte, er verschenen rimpeltjes om zijn ogen. 'Ze had volgens mij wel gevoel voor humor, die Cheng I Sao.'

'Ja.' Cheng Li glimlachte ook. 'Dat had ze zeker,' zei ze, zonder haar blik van Connor af te wenden.

HOOFDSTUK 50

In de gevarenzone

'ERG LEUK, JOHNNY. MAAR ZO is het wel genoeg! Laat me los!'

Met een deskundige worp was hij erin geslaagd de armen van Grace langs haar lichaam te binden zodat ze zich amper kon bewegen. Inmiddels begon het touw in haar huid te snijden. Hij maakte echter geen aanstalten de lasso los te maken. Integendeel, hij trok hem nog strakker, en het viel haar op dat er een wazige blik in zijn ogen kwam.

'Kom op, Johnny, je doet me pijn! Laat me los!'

'Nog niet. Ik ben nog niet helemaal met je klaar, jongedame.' Hij schudde traag zijn hoofd.

Wat bedoelde hij, vroeg ze zich af, terwijl hij de lasso begon in te halen, met een bedrevenheid alsof hij een koe naar zich toe trok.

'Wat is er, Johnny? Wat mankeert je?' vroeg ze toen ze vlak tegenover elkaar stonden.

'Wat me mankéért?' Hij grijnsde. 'Helemaal niks! Ik heb me in geen tijden zo goed gevoeld!'

Een blik in zijn ogen bevestigde haar grootste angst. 'Je hebt bloed gedronken, waar of niet?' Ze keek naar de fles die hij op de stoffige grond had laten vallen. 'Er zat bloed in je bessenthee. Maar hoe kan dat? Waar heb je dat vandaan?'

'Waar ik het altijd haal,' zei hij, nog altijd grijnzend.

'Heb je al eerder bloed gedronken?'

Hij haalde zijn schouders op. 'Ik ben een vampier, Grace! Dus ik kan niet eindeloos overleven op kruidenthee en groepsmeditatie.'

Grace vertrok haar gezicht bij de minachtende toon waarop hij praatte over de complexe behandeling van Mosh Zu.

'Maar de thee is bedoeld als vervánger van bloed! Je wordt geacht te leren je honger onder controle te krijgen. Het ging zo goed met je!'

'Sjonge, dank je wel! Hou op met tegenspartelen! Daardoor trekt het touw alleen maar strakker.'

Hij had gelijk, besefte ze. De lasso sneed hoe langer hoe meer in haar vlees. Bij het zien van de rode striemen kreeg ze tranen in haar ogen van de pijn, maar ze wilde niet huilen. Dus ze beet uit alle macht op haar onderlip. 'Waarom doe je zo?' vroeg ze. 'Zo ken ik je niet!'

'Ik heb je gezegd dat ik niet deugde, schatje! Maar daar wilde jij niet aan. Jij zag alleen maar een mislukte cowboy met een tic voor schaken.'

'Nee,' zei ze. 'Je bent meer dan dat. Kom op, Johnny! Je mag nu niet opgeven, alleen omdat iemand je bloed heeft gegeven dat je helemaal niet nodig hebt. Je mag je toekomst niet vergooien! Je bent al zo lang op de vlucht, maar dat hoeft niet meer. Nog even, en je kunt naar de *Nocturne*.'

'Ja, dat zou je wel leuk vinden, hè? Jij en ik en Lorcan. Gezellig! En opwindend! Ik ken je!' Ze zag dat de verandering zich steeds sneller voltrok. Zijn tanden werden scherper, zijn ogen waziger. Nog even, en ze zouden veranderen in poelen van vuur. Dat moment moest ze zo lang mogelijk zien uit te stellen. Ze moest proberen hem aan de praat te houden. Ook al viel dat niet mee, nu de lasso steeds dieper, steeds pijnlijker in haar huid sneed.

'Wat bedoel je?' vroeg ze ten slotte.

'Het is gewoon griezelig om te zien hoe jij ervan geniet om op te trekken met jongens zoals Lorcan en ik. Alsof je koketteert met je duistere kant. We zijn geen dieren in een kinderboerderij, Grace! Je kunt niet gezellig met ons omgaan, alleen op de momenten dat jij dat leuk vindt. Optrekken met *verloren zielen* zoals wij is nooit vrijblijvend. Dat heeft consequenties, Grace.'

Hij boog zich zo dicht naar haar toe dat ze zijn warme adem langs haar gezicht voelde strijken. 'Waarom verzet je je ertegen? Diep vanbinnen wil je het net zo graag als ik. De Blinde Jongen uit Connemara zal het je niet geven, maar ik wel. Je hebt je al die tijd afgevraagd hoe het zou zijn, waar of niet? Vanaf het moment dat je aan boord kwam van het schip. Je zag Lorcan en Shanti samen, en je wilde het ook... Je wilde het weten... Je wilde weten hoe het is om te delen!'

'Nee! Hoe kom je daar nou bij? Dat wil ik helemaal niet!'

Hij schudde zijn hoofd. 'Daar geloof ik niks van, Grace. Johnny heeft de spijker op zijn kop geslagen.'

Hij bracht zijn vrije hand naar haar hals. De greep van zijn vingers was net zo strak als van het touw. Toen liet hij de lasso los, en hij reikte naar de kraag van haar bloes.

'Nee!' riep ze toen ze de stof hoorde scheuren, maar door de druk van zijn vingers op haar hals kwam ze niet verder dan een schor gekras.

Plotseling hoorde ze voetstappen.

'Wat is hier aan de hand?'

'Lorcan!' riep ze uit, hijgend van opluchting.

'Net waar we op zaten te wachten! Onze brave Lorcan! Je komt net op tijd!' sneerde Johnny, nog altijd met zijn vingers om haar hals.

'Laar haar los!' Lorcan probeerde Johnny's hand los te wringen, maar de *vaquero* was sterker dan hij.

'Waarom zou ik haar loslaten?' Johnny keek hem boos en dreigend aan. 'Zodat jíj je lusten op haar kunt botvieren?'

'Laat haar los!' herhaalde Lorcan.

Uit niets bleek dat Johnny van plan was Grace te laten gaan.

Ze sloot haar ogen. Lorcan kon haar niet helpen. En zelf was ze ook machteloos.

Toen ze haar ogen weer opendeed, zag ze dat Lorcan opnieuw zijn hand ophief. Wat had het voor zin? Hij wist toch dat Johnny veel sterker was?

Maar toen zag ze iets vreemds. Lorcans Claddagh-ring verspreidde een dieprode gloed, als een gloeiend brandijzer. De schedel erop leek groter te worden. Nee, dat léék niet alleen maar zo... Hij werd écht groter! En hij bewoog! De kleine mond knarste met zijn tanden. Lorcan bracht zijn hand naar Johnny's hals en drukte de gloeiende schedel tegen de huid, net onder Johnny's oor. De mond van de schedel ging open, er verschenen twee scherpe tanden, als gloeiende naalden.

Johnny had niets in de gaten, zozeer werd hij verteerd door zijn honger. Hij merkte pas wat er aan de hand was toen de gloeiende naalden zich diep in zijn hals hadden begraven. Op slag verstijfde hij, zijn handen leken plotseling verlamd, zijn gezicht werd een masker, verwrongen van pijn.

Lorcan maakte van het moment gebruik om Grace uit zijn greep te bevrijden. Deze keer verzette de *vaquero* zich niet. Maar Lorcan was genadig. De naaldvormige tanden trokken zich terug, en Lorcan liet zijn hand zakken.

Terwijl Johnny nog altijd tot niets in staat was, haastte Lorcan zich om de lasso te verwijderen.

'Wow!' zei ze. 'Ik heb nooit geweten dat die ring dat kon. Al die tijd dat ik hem om mijn hals heb gehad... '

Lorcan haalde zijn schouders op. 'Ik heb het je al eerder gezegd. Je weet nog lang niet alles van me.' Toen hij de lasso liet vallen en zag hoe diep haar striemen waren, vertrok hij zijn gezicht.

'Is het erg?' vroeg ze. 'Ik durf nauwelijks te kijken.'

'Ja, het is behoorlijk erg. Dat gaat heel wat potten vlierzalf kosten.'

Johnny was ondertussen overeind gekrabbeld. 'Die striemen genezen wel,' zei hij. 'Ze zijn maar oppervlakkig.' Hij richtte zich in zijn volle lengte op. 'Niet half zo ernstig als de verwondingen die jij haar hebt toegebracht.'

'Waar heb je het over?' vroeg Lorcan. 'Ik heb haar nooit iets gedaan! Nooit!'

'O nee?' Johnny grijnsde. 'Daar denkt zij heel anders over.'

'Grace?' Vervuld van afschuw keek Lorcan haar aan. Ze kon zijn blik niet verdragen en boog haar hoofd. Hoe had ze zo dom kunnen zijn om Johnny in vertrouwen te nemen? Maar toen was hij zo anders geweest.

'Waar heb je het over?' riep Lorcan woedend. 'Ik heb Grace nooit pijn gedaan. Vooruit, Grace, zeg iets! Zeg dat ik gelijk heb...'

'Ach, schei toch uit met je gezeur!' Johnny's honger was tijdelijk weggeëbd door Lorcans aanval. 'Word eindelijk eens volwassen en gedraag je als een vent! Het is de hoogste tijd dat je een besluit neemt over Grace. Ze weet niet wat ze aan je heeft. Trouwens, dat geldt voor ons allemaal.'

'Mijn gevoelens voor Grace...' begon Lorcan. Grace was verrast dat hij zich tot een uitspraak liet verleiden. Haar hart begon sneller te slaan. 'Mijn gevoelens voor Grace zijn... gecompliceerd.'

'Gecompliceerd!' Johnny begon te lachen. '*Gecompliceerd?* Wat een rotsmoes! Maar dat hadden we van je kunnen verwachten. Denk nou toch eens na, *amigo*! Voor jou is ze die hele rotberg op geklommen. En wat doe jij? Je zegt dat het allemaal een vergissing is geweest. Dat ze je moet vergeten en terug moet naar haar vroegere leventje!'

'Zo heb ik het niet bedoeld!' Lorcan keek van Johnny naar Grace en weer terug.

'Nou, vertel op dan!' Het was duidelijk dat Johnny genoot. 'Vertel dan maar eens hoe het zit. En vertel dan meteen wat je van Grace verwacht. Want als je echt van haar houdt, dan doe ik een stap opzij. Dan ben ik bereid toe te geven dat de beste vampier heeft gewonnen. Maar zo niet, dan is ze van mij. Misschien vandaag nog niet, en morgen ook nog niet, maar ooit. En zo lang zal dat niet meer duren!'

'Zeg, ik ben geen stuk buit waar jullie om vechten!' zei Grace verontwaardigd.

'Natuurlijk niet,' zei Lorcan. 'Je moet niet naar hem luisteren, Grace. Het is de honger naar bloed waardoor hij zulke dingen zegt.'

'Ik honger tenminste ergens naar!' zei Johnny. 'Ik heb tenminste vuur in mijn donder!' Hij keerde zich naar Grace. 'Weet je hoe ze het noemen wanneer een vampier zich voedt met het bloed van een sterveling?' Ze keek hem niet-begrijpend aan. 'Dat noemen ze een vampierkus. Je mag dan dromen over je lieve Lorcan, maar ik zal je eens wat vertellen. Dat is de enige kus die hij je ooit zal geven. Het verschil tussen hem en mij is dat ik eerlijk tegen je ben.'

Terwijl Grace naar Lorcan keek, had ze plotseling het gevoel alsof er een loden last op haar hart drukte. Was het waar wat Johnny zei? Was dat de enige relatie die ze ooit zouden hebben? Was dat wat hij had geprobeerd haar te vertellen? Was dat de worsteling die hij had doorgemaakt? Zag hij haar simpelweg als een potentiele donor, meer niet?

'Dat is niet waar!' zei Lorcan. 'Je weet niet waar je het over hebt. Ik heb het al gezegd, mijn gevoelens voor Grace zijn...'

'Ja, ja, dat weten we... *Gecompliceerd!*'

Plotseling strekte Lorcan zijn armen uit en hij trok Grace naar zich toe. Terwijl hij haar dicht tegen zich aan hield, keek hij haar diep in de ogen. De druk op haar bezeerde armen was pijnlijk, maar het kon haar niet schelen. Dit was het moment waarop ze zo lang had gewacht. 'Ik heb wel degelijk gevoelens voor je, Grace. Heel sterke gevoelens zelfs. Maar ik laat me niet op deze manier in een hoek drijven. We moeten praten, maar níét waar hij bij is. Daarvoor is wat ik je te zeggen heb te belangrijk. Neem je daar voor dit moment genoegen mee?'

'Ja!' Ze knikte, tranen van pijn en opluchting stroomden over haar gezicht. 'Ja!'

'Goed.' Lorcan boog zich naar haar toe, nam haar in zijn armen en drukte een kus op haar voorhoofd. Bij het gevoel van zijn koele lippen op haar huid ging er een huivering door haar heen.

'Toe maar!' Johnny begon weer te lachen. 'Een kus op het voorhoofd! Je loopt wel erg hard van stapel!'

'Wat is hier aan de hand?'

Toen ze zich omdraaiden, zagen ze Olivier aankomen. Hij

schopte de lasso weg. Zodra hij de striemen op de armen van Grace zag, hield hij geschokt zijn adem in.

'Iemand heeft bloed in Johnny's thee gedaan,' zei Grace. 'Hij viel ons aan.'

Olivier trok Johnny's armen achter zijn rug. 'Maak je niet druk,' zei die. 'Maak je niet druk, *amigo*. Van mij zul je geen last meer hebben.' Olivier liet hem los, maar bleef hem strak aankijken, klaar om opnieuw in te grijpen als dat nodig was.

'Hoe heeft dit kunnen gebeuren?' vroeg Lorcan.

'Dat weet ik niet.' Olivier fronste zijn wenkbrauwen. 'Maar we hebben nu geen tijd om ons daarin te verdiepen. Mosh Zu wil dat alle vampiers onmiddellijk naar de Grote Vergaderzaal komen.'

'O? Wat is er aan de hand?' vroeg Johnny. 'Had hij plotseling een overweldigende drang tot groepstherapie?'

'Hou je mond!' beet Olivier hem toe.

Johnny haalde zijn schouders op. 'Mij best. Kom mee, jongens. Op naar de Grote Vergaderzaal!'

Olivier schudde zijn hoofd. 'Jij niet, Grace. Mosh Zu wil dat je naar je kamer gaat en de deur op slot doet.'

'Ik pieker er niet over!' Grace keek hem uitdagend aan.

'Dat is de uitdrukkelijke wil van Mosh Zu,' zei Olivier.

'Grace blijft bij mij.' Lorcan nam haar hand stevig in de zijne.

'Ook goed.' Olivier zuchtte. 'Ik heb geen tijd – en geen geduld – om ruzie te maken. Maar ik waarschuw je, Grace. Je begeeft je nu echt in de gevarenzone.'

'Natuurlijk doet ze dat!' zei Johnny. 'Ze doet immers niks liever!'

HOOFDSTUK 51

De reis gaat verder

'BENT U TEVREDEN?' MEESTER YIN tilde een zachte doek op, waardoor de glimmende zwaarden daaronder zichtbaar werden.

Connor was geschokt door de bescheidenheid van de beroemde meester. Cheng Li had hem de meest getalenteerde zwaardsmid van zijn generatie genoemd. Toch leek hij zo nerveus als de eerste de beste leerling terwijl ze een van de zwaarden uit de kist nam. 'Perfect!' luidde haar oordeel. De oude man straalde!

Cheng Li legde het zwaard terug in de kist. Meester Yin bedekte de wapens weer met de zachte doek, even teder alsof hij een baby toedekte in zijn wiegje. 'Zeventig zwaarden en zeventig dolken. Precies zoals u had besteld.' Hij deed het houten deksel op de kist.

'Uitstekend,' zei Cheng Li. 'Connor, wil jij ze naar de pier brengen? Ondertussen regel ik de betaling met meester Yin.'

'Natuurlijk.' Connor pakte een kist met zwaarden.

'Ik zal je wel even helpen.' Bo Yin pakte ook een kist en volgde hem de kamer uit.

Toen ze weg waren, keerde Cheng Li zich naar meester Yin. 'En?' vroeg ze. 'Wat vindt u?'

De meester glimlachte. 'Ik denk dat je gelijk hebt. Hij hééft iets. Zoals hij met dat zwaard omsprong. Dat heb ik niet vaak gezien in mijn leven. De laatste keer bij jou.'

Cheng Li glimlachte bij zijn compliment, maar ze werd vrijwel meteen weer ernstig.

'Je maakt je zorgen,' zei meester Yin.

Cheng Li knikte. 'Ik twijfel niet aan Connors talent. Maar toch maak ik me zorgen. Hij is kwetsbaar. Nog niet zo lang geleden heeft hij voor het eerst een tegenstander gedood, en daar is hij erg door van streek. Dus ik hou serieus rekening met de mogelijkheid dat hij de piraterij vaarwel zegt.'

'Dat is gemakkelijker gezegd dan gedaan.' Meester Yin knikte. 'Je kiest er niet voor om piraat te worden. De piraterij neemt bezit van je. Net zoals dat gebeurde met Chang Po en de grote Cheng I Sao.' Hij zuchtte. 'Het is voor iedereen een schok wanneer je voor het eerst je tegenstander moet doden. En zo hoort het ook. Om een groot piraat te zijn moet je de waarde van leven en dood kennen. Kapiteins zitten niet te wachten op moordmachines als bemanningsleden.'

'Nee,' zei ze. 'Nee. Daar hebt u gelijk in.'

Er klonk gelach toen Connor en Bo Yin terugkwamen om de volgende twee kisten te halen.

Zodra ze weer alleen waren, keek Cheng Li de zwaardsmid aan. 'Misschien hebben we vandaag wel twee piratenwonderkinderen onder één dak?'

Meester Yin schudde zijn hoofd. 'Daar wil ik het niet over hebben.'

Cheng Li liet zich niet ontmoedigen. 'U ziet toch hoe het gezicht van Bo begint te stralen, alleen al bij het noemen van de oceaan? Ze is sterk en ze is slim, en ik heb haar met een zwaard aan het werk gezien.'

'Alsjeblieft,' zei de oude zwaardsmid. 'Zulke dingen moet je niet zeggen.'

'Ik wil u niet van streek maken, 'zei Cheng Li. 'Maar u zei het net zelf. *Je kiest er niet voor om piraat te worden. De piraterij neemt bezit van je*. En volgens mij...'

'Bo Yin,' riep haar vader.

'Ja, vader!'

'Wees voorzichtig met die kisten!' riep hij haar na. 'Het zijn geen appels waar je mee loopt te sjouwen!'

'Ja, vader!'

Bij het zien van de uitdrukking op zijn gezicht, besloot Cheng Li niet verder aan te dringen. Maar ze had de blik in de ogen van het jonge meisje gezien. Ze had het vuur daarin herkend. En ze hoefde niet helderziend te zijn om te weten hoe dit ging aflopen. Ze keek naar de zwaardsmid, die over een van de kisten gebogen stond, en besefte dat hij het ook wist. Het was slechts een kwestie van tijd.

'Kijk!' Hij maakte een kist open die kleiner was dan de rest. 'Dit is de speciale opdracht waarom je had gevraagd.' In de kist lagen een zwaard en een dolk.

Cheng Li bukte zich en streek over de kling van het zwaard. 'Schitterend,' zei ze. 'Precies wat ik in gedachten had.'

'Mooi zo.' De zwaardsmid sloot de kist weer en zette hem op de andere kisten, klaar om naar de boot te worden gebracht.

Toen alles was ingeladen, lieten Connor en Cheng Li zich voor een laatste keer terugbrengen naar de steiger om afscheid te nemen van meester Yin en zijn dochter.

'Mijn dank is groot,' zei Cheng Li tegen de zwaardsmid.

'Dat geldt ook voor de mijne,' zei meester Yin. 'En denk aan wat ik heb gezegd.'

Cheng Li knikte. 'Dat zal ik doen. En ik zou u hetzelfde willen vragen.' Ze keerde zich naar Bo Yin. 'Bedankt voor je hulp.'

Het meisje knikte. 'Leuk dat u er was, meesteres Li. En jij natuurlijk ook, Connor.'

Hij grijnsde.

'Zorg goed voor je vader,' zei Cheng Li.

'We zullen goed voor elkáár zorgen.' Meester Yin trok zijn dochter beschermend naar zich toe.

'Het was me een groot genoegen u te ontmoeten, meester Yin.' Connor maakte een buiging.

'Insgelijks,' zei de zwaardsmid. 'Veel plezier met je nieuwe wa...' Hij sloeg verschrikt een hand voor zijn mond.

Toen Connor zich omdraaide, zag hij dat Cheng Li haar hoofd schudde. 'Kom,' zei ze. 'Tijd om van wal te steken.'

Ze sprong weer in het kleine bootje. Hij volgde haar voorbeeld, en ze lieten zich naar de sloep van de Academie brengen. Eenmaal aan boord maakten ze zich gereed voor de terugreis, en ze hesen het anker. Meester Yin had de steiger verlaten en was alweer op weg naar huis, maar Bo Yin stond nog in de haven. Hij stak zijn hand op, maar ze zag hem niet, gefascineerd als ze was door de aanblik van de zee.

'Bo Yin wil piraat worden, hè?' vroeg hij aan Cheng Li.

Die knikte. 'Er bestaat een oud gezegde. Waaraan herken je een echte piraat?'

'En, wat is het antwoord?' vroeg Connor.

'Wanneer je in de ogen kijkt van een echte piraat, is de zee het enige wat je ziet.' Cheng Li knikte. 'Ik heb in de ogen van Bo Yin gekeken en daarin de eindeloze uitgestrektheid van de oceaan gezien.'

De terugtocht verliep net als de heenreis. Overdag werd er weinig gesproken en waren ze allebei verdiept in hun eigen gedachten. Pas bij het avondeten kwam het tot een echt gesprek. Connor zat vol vragen over meester Yin, zijn werkplaats en zijn knappe, bruisende dochter.

'Nu wil ik jou óók iets vragen,' zei Cheng Li. 'Er gebeurde iets toen je het zwaard van Chang Po in je hand nam. Het leek wel alsof je even heel ver weg was.'

Connor knikte en legde een kippenbotje neer. 'Ik had een visioen. Eerst was ik op het schip van Chang Po. Tenminste, dat dacht ik. En toen stond ik op het dek van mijn eigen schip...'

'Je éigen schip?'

'Ja, volgens mij had ik een visioen over de toekomst. De bemanning sprak me aan met kapitein. Kapitein Tempest.'

'Hoe voelde dat?'

'Goed. Heel goed. Maar ik heb het al twee keer eerder meegemaakt.'

'O?' Ze keek hem vol verwachting aan.

'Op de Piratenacademie. De eerste keer in de Koepelzaal, toen ik onder de zwaarden van de beroemde kapiteins stond. En daarna tijdens een van de colleges van commodore Kuo.'

'En is het visioen altijd hetzelfde?'

Connor schudde zijn hoofd. 'Nee, van het visioen bij meester Yin werd ik erg gelukkig. Er werd feest gevierd aan boord. Maar in de visioenen op de Piratenacademie was ik gewond. Ik bloedde. Sterker nog, volgens mij heb ik mijn eigen dood gezien.'

Cheng Li zette grote ogen op. 'Denk je dat echt? Dat je je dood als piratenkapitein hebt gezien?'

'Ja. Dat is een van de redenen waarom ik denk dat ik deze wereld vaarwel moet zeggen.'

'Dat is gemakkelijker gezegd dan gedaan.'

'Ja,' moest hij haar gelijk geven.

'Weet je wat ik denk,' begon ze. 'Die visioenen zijn dan weliswaar heel levensecht, maar... ik denk dat het misschien geen beelden uit je toekomst zijn. Misschien krijg je in die visioenen alleen zicht op de kéúzes die je worden geboden.'

'Bedoel je de keuzes voor het sóórt piraat dat ik wil worden? Waar je het al eerder over had?'

Ze knikte.

'Daar heb ik over nagedacht,' zei hij. 'Toen we bij meester Yin waren. En ik geloof dat ik er klaar voor ben om terug te gaan naar de piraterij, maar niet op het schip van Molucco Wrathe.' Hij keek op, zijn ogen straalden weer. 'Ik wil graag bij jou aanmonsteren.'

'Aha.' Cheng Li knikte. Zoals gebruikelijk verried haar gezicht nauwelijks enige emotie.

'Ik dacht dat je dat leuk zou vinden,' zei Connor.

'Natuurlijk voel ik me gevleid. Maar het is niet zo simpel als jij denkt.' Ze keek hem strak aan. 'Je bent geen vrij man, Connor. Je bent gebonden aan je contract met kapitein Wrathe.'

'Ik weet zeker dat hij me laat gaan. Dat hij begrijpt dat ik een nieuwe start moet kunnen maken.'

Cheng Li schudde haar hoofd. 'Hij zou denken dat ik je onder zijn neus wegkaap. Laten we eerlijk zijn, Connor. Iedereen weet dat het niet botert tussen Molucco Wrathe en mij.'

'Wil je daarmee zeggen dat je niet eens wilt overwegen me in dienst te nemen? Als je onderkapitein?'

'Als mijn onderkapitein?' Ze glimlachte. 'Aha! De oude Connor Tempest is weer helemaal terug!'

'Nee,' zei hij resoluut. 'Dit is de nieuwe Connor Tempest. Ouder, wijzer...'

'Dat moet je dan maar bewijzen. Ga naar Molucco en praat het uit. Wat ik ook van hem mag vinden als kapitein, hij is altijd goed voor je geweest. Daarvoor sta je bij hem in het krijt. Vertel hem wat je overwegingen zijn. Als hij bereid is je van je verplichtingen te ontslaan, zal ik je graag welkom heten als lid van mijn bemanning.'

Onder dekking van de duisternis bereikten ze de Academie. In de haven lag een galjoen, majestueus glanzend in het maanlicht.

'Het is er al!' Cheng Li slaagde er niet in de opwinding uit haar stem te weren.

'Is dat ons nieuwe schip?' vroeg Connor.

'Míjn nieuwe schip,' zei Cheng Li glimlachend. 'Het is mijn schip. En het wordt tijd dat jij zee kiest, op zoek naar de *Diablo*, om met Molucco te praten.'

'Ja.' Bij het vooruitzicht overviel hem een gevoel van moedeloosheid. Hij pakte zijn spullen en maakte aanstalten naar de kleine boot te lopen, die nog altijd verscholen lag onder de wilgentakken.

'Wacht even!' zei Cheng Li. 'Ik heb iets voor je.'

Ze verdween in het ruim en kwam terug met een kleine kist. Hij keek haar vragend aan, ook al had hij een vermoeden wat erin zat. 'Mag ik hem openmaken?' Ze knikte.

Zijn gezicht straalde toen hij het deksel optilde en de twee fonkelnieuwe wapens zag, een rapier en een dolk.

'Je had een nieuw zwaard nodig. Bovendien wordt het tijd dat je met twee wapens leert vechten,' zei Cheng Li.

'Ze zijn prachtig!' Connor pakte het zwaard. Meteen voelde hij eenzelfde soort band als met het zwaard van Chang Po.

'Ligt het goed in de hand?' vroeg Cheng Li.

'Absoluut!' Hij knikte. Terwijl hij het zwaard in zijn hand omdraaide, ontdekte hij in het gevest een inscriptie, net als bij het zwaard van Chang Po. 'Wat is dat?'

'Lees maar.'

'*Voor Connor Tempest, een uitzonderlijk veelbelovend piraat, aan het begin van een opmerkelijke carrière. Van Cheng Li.*'

Connor was overweldigd.

'Dank je wel!' Alle decorum vergetend viel hij haar om de hals. 'Ontzettend bedankt!'

'Graag gedaan,' zei Cheng Li, enigszins ongemakkelijk door zo veel emotioneel vertoon.

'En bedankt voor je goede raad.' Hij legde het zwaard weer in de kist.

'Ik heb je tenslotte al eerder op het droge getrokken.' Ze keek hem peinzend aan. 'Sterker nog, ik ben hard op weg daar een gewoonte van te maken.'

HOOFDSTUK 52

De bestorming van het bolwerk

GRACE, LORCAN EN JOHNNY KWAMEN bijna als laatsten de stampvolle Grote Vergaderzaal binnen. Onder de aanwezigen ontdekte Grace talloze gezichten die ze nog niet eerder had gezien. Ze besefte dat dit alle vampiers waren die in de Wijkplaats verbleven, verdeeld over drie blokken – de drie fases van Mosh Zu's behandeling. Zoals Olivier al had gezegd, waren er geen donoren. Grace stelde zich voor dat die zich veilig achter hun gesloten deuren in het donorenblok hadden teruggetrokken.

Ze huiverde bij de gedachte dat ze een van de weinige niet-vampiers was. Ondanks de vastberadenheid waarmee ze Olivier van repliek had gediend, vroeg ze zich nu af of ze er wel goed aan had gedaan door hier te komen. Ze hoefde het gevaar tenslotte niet op te zoeken! Lorcan drukte haar hand, en dat stelde haar een beetje gerust. Bovendien wilde ze Mosh Zu door haar aanwezigheid steunen.

Ze keek op toen hij het podium betrad. 'Is iedereen aanwezig?' vroeg hij aan Olivier.

Die knikte, hij sloot de deur van de zaal en nam zijn plaats in, naast Dani.

Van alle kanten klonk geroezemoes, maar Mosh Zu legde zijn gehoor het zwijgen op door zijn hand omhoog te steken. Onmiddellijk richtten alle blikken zich op hem.

'Ik heb jullie gevraagd hier te komen om met jullie te praten over een nieuwe, gevaarlijke situatie die is ontstaan.' Na die woorden klonk er opnieuw gefluister, dat echter snel wegstierf toen Mosh Zu verder sprak. 'Maar eerst wil ik jullie eraan herinneren waarom jullie hier zijn en wat we jullie in de Wijkplaats kunnen bieden.' Hij zweeg even. 'Het leven van een vampier in de gewone maatschappij kent talloze problemen. Dat hoef ik jullie niet te vertellen. Ik heb met jullie allemaal gesproken en jullie persoonlijke, vaak pijnlijke ervaringen gehoord uit de tijd dat jullie over de wereld zwierven. Wij allen hebben het kostbare geschenk van de onsterfelijkheid mogen ontvangen. Maar zoals we allemaal weten, kan dat geschenk ook een last worden. Namelijk wanneer we door dat geschenk in een oneindige spiraal terechtkomen – een spiraal van jagen en honger lijden. Het gevaar van een dergelijk bestaan is dat onze honger het enige is wat we nog voelen, het enige wat ons bezighoudt. Daardoor zijn we blind voor de zeldzame schoonheid van het geschenk dat we hebben ontvangen. Bovendien dwingt de honger ons om anderen pijn te doen en maakt hij ons tot bannelingen in de wereld van de stervelingen. Iedereen hier is vertrouwd met dat gevoel van ballingschap.'

Grace luisterde geboeid.

'Wie naar de Wijkplaats komt, laat eindelijk zijn zwervende bestaan als balling achter zich. Hier helpen we jullie je honger onder controle te krijgen. Wanneer ons werk is gedaan, zijn jullie in staat jezelf in leven te houden zonder anderen kwaad te doen. En ons uiteindelijke doel is jullie de kans te bieden aan boord te gaan van de *Nocturne*. Sommigen zullen ervoor kiezen terug te keren naar de wereld van de stervelingen. Maar wanneer jullie hier weggaan, en als jullie trouw blijven aan de discipline die jullie hier hebben geleerd, hebben jullie je honger onder controle en wacht jullie een zinvoller bestaan in onsterfelijkheid. Dan pas zijn jullie echt vrij om dat geschenk te omhelzen.'

Het gezicht van Mosh Zu werd somber. 'Er is echter een nieuwe, gevaarlijke situatie ontstaan. Een situatie waarin er van buitenaf aan jullie zal worden getrokken.'

Opnieuw geroezemoes.

'Er is sprake van een nieuwe, nog steeds groeiende groep vampiers die anderen ertoe aanzetten de leefwijze die jullie hier leren, de rug toe te keren,' vervolgde Mosh Zu. 'Vampiers die hun eeuwigheid liever verloren laten gaan dan de voortdurende jacht op bloed op te geven. Ze zijn extreem gewelddadig en kennen geen enkel respect voor het leven van de stervelingen. Op ditzelfde moment treffen ze hun voorbereidingen om jullie in de verleiding te brengen je bij hen aan te sluiten. En laat er geen misverstand over bestaan: jullie zúllen in verleiding worden gebracht. Sterker nog, het zal niet meevallen die verleiding te weerstaan. Zoals ik al eerder zei, ons werk hier is zwaar. Je bij hen aansluiten lijkt de gemakkelijkste weg, en dat maakt hun aanbod nóg verleidelijker.'

Hij keek op en liet zijn blik over de verzamelde vampiers gaan. 'Er zijn twee dingen die jullie moeten weten. Om te beginnen dat je nooit meer terug kunt naar de Wijkplaats, mocht je besluiten de lokroep van de afvalligen te volgen. Dan zullen onze poorten voorgoed voor jullie gesloten blijven... Voorgoed! Dat klinkt misschien wreed, maar in dit opzicht ben ik niet bereid ook maar enig risico te nemen. Verder moet ik jullie waarschuwen dat hun aanbod misschien veelbelovend klinkt, maar dat het jullie niets anders dan vergetelheid zal brengen.'

Na die woorden deed hij een stap naar achteren. 'Meer heb ik niet te zeggen.'

Ergens in de menigte ging een hand omhoog.

'Ik heb hier op dit moment niets aan toe te voegen,' verklaarde Mosh Zu. 'Mochten jullie later nog vragen hebben...'

De bewuste vampier liet zich echter niet ontmoedigen. Er ontstond commotie in de gelederen toen hij zich een weg baande naar het middenpad. Zodra hij uit de menigte tevoorschijn kwam, hield Grace geschokt haar adem in. Het was Sidorio! Hoe was díé erin geslaagd hier binnen te komen?

Het was duidelijk dat Mosh Zu hetzelfde dacht. Met een blik vol ongeloof zag hij Sidorio naar het podium komen.

'Rustig maar,' zei de afvallige vampier. 'Ik heb geen vraag.'

'Verdwijn!' zei Mosh Zu.

'Mag ik niet eens mijn zegje doen?'

Mosh Zu aarzelde – een fractie te lang. Sidorio sprong op het podium en richtte zich tot de verzamelde vampiers.

'Sommigen van u vragen zich misschien af wie ik ben. Anderen weten dat al. Ik ben Sidorio, voormalig luitenant op de *Nocturne*. Ik heb ook nieuws. Om te beginnen dat er niet langer sprake is van maar één vampiratenschip. De tijd van de *Nocturne* is voorbij. Er is nu ook een tweede schip, en spoedig zullen het er nog meer zijn. Schepen waar we de dingen een beetje anders aanpakken.'

'Ik eis dat je vertrekt!' zei Mosh Zu.

'Maar ze willen horen wat ik te zeggen heb.' Sidorio gebaarde met zijn hoofd naar zijn geboeide gehoor. 'Ziet u niet hoe geïnteresseerd ze zijn? U hebt uw kans gehad. Is het dan niet eerlijk dat ik ook de gelegenheid krijg mijn zaak te bepleiten?' Hij ontblootte grijnzend zijn tanden.

Mosh Zu deed opnieuw een stap naar voren. 'Laat hem uitspreken!' riep iemand uit het publiek.

'Ja!' klonk een andere stem. 'Laat hem zijn zegje doen!'

Mosh Zu schudde zijn hoofd. Grace zag dat hij wanhopig was. Terwijl Sidorio naar het spreekgestoelte liep, verliet Mosh Zu het podium.

'Niet erg democratisch, vindt u wel?' Sidorio lachte. 'Hij wil niet eens het podium met me delen!'

Sommige vampiers begonnen ook te lachen. Het was duidelijk dat Sidorio al een deel van zijn gehoor had ingepalmd.

'Ik vertegenwoordig de "nieuwe groep", zoals uw góéróé het noemt. Maar onze opvattingen zijn niet nieuw. En ook niet erg ingewikkeld. *Blijf trouw aan jezelf.* Vier woorden, meer niet. Jullie zijn vampiers. Dat ben ik ook. Jullie hebben bloed nodig. Dat heb ik ook. Waarom zou je je daartegen verzetten? *Blijf trouw aan jezelf.* Waarom zou je je bestaan ingewikkeld maken door te leren je "inname onder controle te houden"? We hebben bloed nodig, en dat zal altijd zo blijven. Het geschenk van de onsterfelijkheid hebben we al. *Blijf trouw aan jezelf.* Volgens jullie goeroe moeten jullie de eeuwigheid in porties opdelen. Is dat echt wat jullie willen? Of wil je gewoon doorgaan met leven, echt leven? Trouwens, we hebben niets te vrezen van de wereld der stervelingen. Ons aantal is groeiende. Dus nogmaals, we hebben niets te vrezen! Stervelingen die ook maar een beetje verstandig zijn, zullen het niet in hun hoofd halen het ons lastig te maken. *Blijf trouw aan jezelf.*'

Al pratend liet hij zijn blik in het rond gaan, tot die bleef rusten op Grace. Ze keek hem minachtend aan. Tot haar bevrediging leek hij even van zijn stuk gebracht, toen sprak hij verder.

'Mijn schip heeft ruimte voor iedereen die zich bij ons wil aansluiten. Jullie hoeven me alleen maar te volgen, de berg af. Aan de voet daarvan wacht jullie een nieuwe reis. En ik kan jullie verzekeren dat het de reis van jullie leven wordt! Dus zeg het maar! Wie gaat er met me mee?'

Grace werd overvallen door moedeloosheid toen ze zag dat diverse vampiers hun hand opstaken en hun bijval betuigden. Onder de stemmen die zich verhieven, herkende ze het vertrouwde accent van Johnny. 'Ik doe mee!' Grace schudde verdrietig haar hoofd. Het was de honger die hem dreef. Dat gold ook voor de anderen. Sidorio wist precies hoe hij hen moest bewerken. Wat hij moest doen om hen zover te krijgen dat ze vrijwillig hun noodlot tegemoet gingen.

'Zo mag ik het horen!' verklaarde hij. 'Ik loop zo meteen de zaal uit, en jullie hoeven me alleen maar te volgen. Maar er is nog iets wat ik jullie moet vertellen, en dat is vooral bedoeld voor wie nog aarzelt. Er is jullie misschien verteld dat de *Nocturne* jullie zal verwelkomen aan het eind van je opleiding. Dat de kapitein jullie allerhartelijkst zal ontvangen, om jullie mee te nemen op een reis naar de eeuwigheid. Het spijt me dat ik jullie die illusie moet ontnemen, maar de waarheid moet gezegd worden. En die waarheid luidt dat de *Nocturne* geen kapitein meer hééft.'

Er ging een schok door de zaal.

'De *Nocturne* heeft geen kapitein meer!' bulderde Sidorio. 'Want de kapitein is ingestort, en hij vecht hier, in de Wijkplaats, voor zijn leven. Tussen ons gezegd en gezwegen, geef ik hem niet veel kans.'

'Is het waar wat hij zegt?' riep een van de vampiers.

Mosh Zu beklom opnieuw het podium.

'We willen de waarheid weten!' riep een andere vampier.

Mosh Zu hief zijn hand op. 'Het is waar dat de kapitein zich niet goed voelt...'

'*Niet goed?*' herhaalde Sidorio bulderend. 'Dat lijkt me wel erg voorzichtig uitgedrukt.'

De bevestiging van Mosh Zu was echter al genoeg geweest om de onvrede in de zaal te doen toenemen, en daarmee het aantal rekruten voor Sidorio.

'Waarom hebt u ons dat niet verteld?' klonk het uit de zaal.

'Ja! We hadden er recht op dat te weten!' riep weer een ander.

'Begrijpen jullie dat dan niet?' vroeg Sidorio. 'Zo werken ze hier. Ze houden jullie welbewust dom!'

'Het komt door jou!' riep Mosh Zu. 'Het is jouw schuld dat de kapitein is ingestort.'

Sidorio ging er niet op in. 'Hoelang is hij hier al?' vroeg hij. 'Hoelang ligt hij al in de helingskamer, vechtend voor zijn leven? Een uur? Een middag? Een nacht?'

Mosh Zu schudde zijn hoofd en weigerde antwoord te geven.

'Nou, als ú het ze niet wilt vertellen, dan zal ík het doen,' riep Sidorio met luide stem. 'Hij is hier inmiddels twee dagen! Twee hele dagen achter slot en grendel, terwijl de levenskracht uit hem sijpelt. En daarmee jullie hoop om ooit nog bij hem aan boord te gaan en mee te varen op de *Nocturne*.'

'Dat is niet waar!' Mosh Zu richtte zich tot de zaal. 'Jullie begrijpen het niet! Het zijn allemaal leugens.'

Sidorio sloeg hoofdschuddend zijn armen over elkaar. 'Ik ben hier niet degene die liegt, en dat weet u heel goed.' Na die woorden sprong hij van het podium.

'Olivier, doe de deuren open!' commandeerde hij.

Hoe kende hij Oliviers naam? Grace keerde zich naar de assistent en zag dat Mosh Zu hetzelfde deed. Dus er was opnieuw verraad gepleegd! Ze keken toe terwijl Olivier opsprong om zijn nieuwe meester te gehoorzamen en de deuren te openen.

'Trouwens, dit is de man die ervoor heeft gezorgd dat jullie je vanavond zo goed voelen!' Sidorio trok Olivier naar voren. 'Hij is degene die wat extra krachtvoer in jullie flessen heeft gedaan. Sterker nog, hij is al enkele dagen bezig het percentage bloed op te voeren. Want we dachten dat jullie wel genoeg zouden hebben van die bessenthee.'

Weerzin vervulde Grace. Dus het was Olivier geweest, de rechterhand van Mosh Zu, die met de thee had geknoeid en die het genezingsproces van de vampiers had verstoord. Geen wonder dat Sidorio zo'n ontvankelijk gehoor had getroffen.

'Hoe kon je dat nou doen?' vroeg ze aan Olivier. 'Hoe kón je? Je was Mosh Zu's eerste assistent!'

'Inderdaad, dat wás ik! Totdat jíj kwam.'

Grace voelde zich diep geschokt. Was zij medeverantwoordelijk voor wat er nu gebeurde?

'Laat maar praten,' zei Mosh Zu. 'Hij is ziek, z'n geest is vergiftigd.'

'Dat is niet waar!' protesteerde Olivier. 'Sidorio luisterde naar me! Hij had begrip voor mijn zorgen. We hebben een afspraak!' vervolgde hij, met een blik op Sidorio, in de hoop op bijval.

'Hoezo, een afspraak?' vroeg Grace. Haar blik ging van Olivier naar Sidorio.

'Ik heb voor Sidorio de weg geplaveid,' zei Olivier. 'En hij heeft me beloofd...'

Sidorio grinnikte. Het was een gruwelijk, bloedstollend geluid. Olivier haperde.

'Wát heeft hij je beloofd?' vroeg Mosh Zu. 'Een functie op zijn nieuwe schip?'

'Ja, en wat is daar mis mee?' vroeg Olivier. 'Hier was ik uw eerste assistent. Daar word ik de zijne...'

Sidorio haalde zijn schouders op. 'Rustig aan, vriend. Ik heb niet gezegd dat je mijn éérste assistent wordt...'

'Hè? Maar dat hadden we toch afgesproken...'

'Je hebt me geweldig geholpen,' zei Sidorio. 'En daar ben ik je dankbaar voor. Vanuit de grond van mijn... Nou ja...' Hij duwde Olivier weg. 'We hebben het er later nog wel over.'

'Zie je nou wel?' zei Mosh Zu. 'Zie je nou hoe hij je gebruikt en je vervolgens laat vallen?' Hij liet zijn blik door de zaal gaan. 'Vergis je niet!' sprak hij met luide stem. 'Zo vergaat het jullie allemaal. Hij denkt niet aan jullie. Alleen aan zijn eigen kwaadaardige plannen!'

Even voelde Grace weer een vonkje hoop opflakkeren. Het was duidelijk dat de woorden van Mosh Zu indruk hadden gemaakt.

Maar toen schraapte Sidorio zijn keel, en alle ogen richtten zich weer op hem. Het leek wel alsof hij een duistere greep op de vampiers had. Alsof hij over een gruwelijk soort charisma beschikte.

'We dwalen af,' zei hij. 'Waar waar was ik gebleven? O ja... Als jullie een nieuw leven willen, op een nieuw schip, ga dan met me mee. Naar een schip waar jullie net zo veel bloed krijgen als jullie willen. Bovendien is het afgelopen met dat zielige gedoe van mediteren en met groepsknuffels praten over je gevoelens!'

Toen hij de deur bereikte, werd hij al omstuwd door een menigte opgewonden vampiers. Ze volgen hem als ratten die achter de rattenvanger van Hamelen aan lopen, dacht Grace grimmig. Ze zag Johnny naar voren stormen, met ogen die schitterden van gedrevenheid. Hij had altijd gezegd dat mensenkennis niet zijn sterkste kant was. Nou, deze keer vergiste hij zich wel heel erg!

Grace liep haastte naar Mosh Zu. 'We moeten ze tegenhouden!'

'Nee.' Hij schudde zijn hoofd. 'Ze zijn besmet. Dankzij mijn eigen assistent.' Ze keerden zich weer naar Olivier en zagen hoe hij de rekruten de zaal uit loodste. Grace vroeg zich af waarom hij nog steeds bereid was Sidorio te helpen. Begreep hij dan niet dat er voor hem geen plaats was bij de afvallige bemanning?

'Het zijn altijd degenen die je het meest na staan,' zei de goeroe. 'Die zijn het moeilijkst te doorgronden. Daardoor verlies je je perspectief.'

Grace keek wanhopig hoe de zaal leegstroomde. Ongeveer een derde van de vampiers had besloten Sidorio te volgen. De rest bleef zitten, verdwaasd door het nieuws over de kapitein, geschokt door het feit dat hun veilige toevluchtsoord niet veilig was gebleken.

'Kunt u hem niet tegenhouden?' vroeg er een aan Mosh Zu. 'Kunt u ze niet terughalen?'

Mosh Zu schudde zijn hoofd. 'Wat Sidorio me ook voor de voeten werpt, ik doe niet aan hersenspoelen. Het is niet zo dat ík je genees wanneer je bij me komt. Ik help je alleen om jezelf te genezen. Je komt vrijwillig naar de Wijkplaats en je gaat hier vrijwillig weer weg. Het draait om de keuzes die jíj maakt. En zij...' Hij gebaarde met zijn hoofd naar de deuren. 'Zij hebben ook hun keuze gemaakt.'

'En wij dan?' vroeg een van de anderen. Grace draaide zich om en zag dat het de Princesse de Lamballe was.

'Er verandert niets,' zei Mosh Zu. 'Ons werk gaat gewoon door. We zijn misschien met minder, maar dat betekent dat we nog intensiever aan de slag kunnen met degenen die ervoor hebben gekozen hier te blijven.'

'En hoe zit het met de kapitein?' hield de prinses vol. 'Is het waar dat hij stervende is?'

'De kapitein is niet helemaal zichzelf,' zei Mosh Zu. 'Maar hij reageert goed op de behandeling. Hij komt er wel weer bovenop. En ik weet zéker dat hij het commando over de *Nocturne* uiteindelijk weer op zich zal nemen. Als u me nu wilt verontschuldigen, ik moet naar hem toe. Grace, zou jij zo goed willen zijn met me mee te gaan?'

Ze knikte.

Mosh Zu draaide zich om naar de vampiers die hadden besloten te blijven. 'Ga terug naar jullie kamer en denk na over wat er is gebeurd. Ga bij jezelf te rade wat je verwacht van de eeuwigheid. En als je ook maar enigszins twijfelt, dan raad ik je aan te vertrekken en de stoet bergafwaarts te volgen.'

Na die woorden liep hij driftig de zaal uit, met Grace in zijn kielzog.

Op weg naar zijn vertrekken kwamen ze langs de recreatiekamer. Grace keek naar binnen en bleef staan. Mosh Zu had niets in de gaten en haastte zich verder.

'Ik kom zo!' riep ze hem na, maar ze betwijfelde of hij haar had gehoord.

Toen ze binnenkwam, verschoof Johnny een van de schaakstukken. 'Schaakmat.' Hij keek haar grijnzend aan terwijl hij de witte Koning omtikte. Toen begon hij het schaakbord in te pakken.

'Doe het niet, Johnny,' zei ze. 'Ga niet met hem mee. Ik weet dat het verleidelijk klinkt allemaal, maar ze hebben bloed in je thee gedaan. Daarom viel je mij zo-even ook aan. Omdat je je niet kon beheersen. Maar als je hier blijft, komt het allemaal goed met je. Dat weet ik zeker.'

Hij keek haar verdrietig aan. 'Ik heb het je al eerder gezegd, Grace. Het valt niet mee hier. En om je de waarheid te zeggen, het was vandaag niet de eerste keer dat ik bloed heb gedronken. Olivier was altijd wel te porren voor een handeltje.' Hij zuchtte. 'Ik heb het geprobeerd, Grace. Echt waar. Maar mijn besluit staat vast. Ik ga met die gozer mee, die Sidorio.'

Grace keek somber toe terwijl hij het schaakbord en de stukken in zijn plunjezak deed. Toen bedacht ze nog een laatste argument waarmee ze hem misschien zou kunnen overtuigen.

'Weet je nog wat je tegen me zei? Over je leven en je dood? Dat mensenkennis niet je sterkste kant is?'

Hij glimlachte bij de herinnering aan zijn bekentenis.

'Je hebt al eerder verkeerde keuzes gemaakt, Johnny,' vervolgde Grace. 'Maar als je vanavond met Sidorio meegaat, dan is dat je slechtste keuze ooit.'

Hij haalde zijn schouders op. 'Misschien heb je gelijk, maar wat heb ik te verliezen?' Met die woorden hing hij de plunjezak over zijn schouder.

'Ik heb geprobeerd me aan de regels te houden.' Hij deed een stap naar haar toe. 'Ik heb echt mijn best gedaan. Weet je, het is niet dat ik het niet kán. Ik ben gewoon beter in slechte dingen.' Hij zette zijn cowboyhoed op en trok hem diep over zijn voorhoofd. 'Tot ziens, jongedame.' Hij glipte de gang op.

Grace schudde haar hoofd, tranen biggelden over haar wangen. Het was allemaal zo verschrikkelijk. Haar hele wereld was bezig in te storten. En niet alleen háár wereld.

Waar is Lorcan, dacht ze ineens. Ze had hem niet meer gezien sinds de Grote Vergaderzaal. Toen de meute naar de deuren was gestroomd en ze op zoek was gegaan naar Mosh Zu, had ze Lorcan uit het oog verloren. Waar was hij gebleven? Hij was toch niet ook met Sidorio meegegaan? Als dat zo was, dan had ze geen enkele hoop meer, geen enkel vertrouwen in de toekomst. Met tranen in haar ogen draaide ze zich om en liep ze de recreatiekamer uit.

Eenmaal in de gang begon ze te rennen. Ze wist niet goed waar ze heen ging, maar ze had plotseling een wanhopige behoefte aan frisse lucht.

Buiten zag ze dat Johnny zich haastte om aan te haken bij de achterhoede van de stoet die de berg afdaalde. Hoofdschuddend bleef ze staan, midden op de verlaten binnenplaats. Het was koud, en ineens merkte ze dat het begon te sneeuwen. Ze keek omhoog naar de dwarrelende sneeuwvlokken die uit de lucht vielen. In gedachten zag ze weer de beelden van haar visioen over Johnny's leven en zijn dood, de beelden met vallende sneeuw. Ze verdrong ze. Het was te pijnlijk om nu aan hem te denken.

Plotseling herinnerde ze zich de moestuin, waar ze zich al eerder had teruggetrokken, en ze besloot daarheen te gaan, zodat ze even alleen kon zijn. Haastig sloeg ze het pad in naar de tuin. Tot haar opluchting lag die er verlaten bij. En mooier dan in haar herinnering, met de sneeuw die neerdaalde op de fontein en de banken daaromheen.

Ze dacht aan de keer dat ze daar had gelegen met het lint van Lorcan om haar hals. Ze was die avond op zoek geweest naar antwoorden, naar een manier om Lorcan te helpen. Het leek ineens niet belangrijk meer. Lorcan was verdwenen. Waarschijnlijk had hij besloten Johnny en de rest van Sidorio's rekruten te volgen. Rust! Dat was het enige waarnaar ze op zoek was. Maar behalve rustig was het ook ijzig koud buiten. Dus keerde ze de tuin verdrietig de rug toe en liep terug naar de grote binnenplaats, met gebogen hoofd, om geen sneeuw in haar ogen te krijgen.

Pas op het laatste moment zag ze de gedaante naderen door de vallende sneeuw. Ze keek vluchtig op. Hij droeg een legerjas, sneeuw bedekte zijn schouders. Toen zijn intens blauwe ogen de hare ontmoetten, begon hij sneller te lopen.

'Lorcan!' riep ze uit.

'Grace! Je zit helemaal onder de sneeuw! Wat zul je het koud hebben!' Hij sloeg zijn jas open en trok haar tegen zich aan.

'Je bibbert,' zei hij. 'Hoelang ben je al buiten?'

'Ik dacht dat je weg was,' zei ze verdrietig. 'Ik dacht dat je met Sidorio mee was gegaan en dat ik je kwijt was.'

'Hoe kun je dat nou dénken? Hoe kun je nou denken dat ik voor Sidorio zou kiezen, in plaats van voor jou?' Hij schudde zijn hoofd. 'Dat zou ik toch nooit doen!'

Ze slaakte een zucht van verlichting en vlijde zich tegen zijn borst. Dit maakte het verlies van Johnny meer dan goed. En het gaf haar althans iets terug van haar vertrouwen dat uiteindelijk alles toch nog goed zou komen.

'Kom,' zei Lorcan. 'Je moet naar binnen. Anders krijg je het veel te koud.'

Samen haastten ze zich terug naar de warmte.

HOOFDSTUK 53

Een band doorgesneden

'HÉ, HALLO DAAR!' SUGAR PIE glimlachte toen ze de nis binnenkwam. 'De hoeveelste keer is dit nu al dat je hier zit? Zeker de zesde?'

Connor schudde zijn hoofd. 'De negende.'

'Nou, wie weet, misschien gebeurt het vannacht.'

'Ik hoop het.' Connor kreeg er genoeg van op Molucco en zijn bemanning te wachten. Het vooruitzicht van het gesprek dat hij met de kapitein moest voeren, drukte steeds zwaarder op hem naarmate dat gesprek langer werd uitgesteld. Na zijn terugkeer uit Lantao was het hem niet gelukt de *Diablo* op zee op te sporen. Dus had hij besloten zijn geluk bij Ma Kettle's te beproeven. Zodra het schip naar deze wateren terugkeerde, zou de bemanning zeker bij de taveerne langsgaan.

'Ik zal nog iets te drinken voor je halen,' zei Sugar Pie.

'Dank je wel.'

'Weet je zeker dat ik je niet tot iets sterkers kan verleiden?'

Hij knikte. Sugar Pie haalde haar schouders op. 'Ik maak me zorgen om je.'

'Dat moet je niet doen.'

'Je ziet er ineens zo veel ouder uit, Connor. De eerste keer dat je hier kwam, was je nog maar een jochie. Nu ben je een man. Maar je bent niet gelukkig. En je weet wat ze zeggen over het piratenleven. Kort maar vrolijk, met de nadruk op vrolijk!'

'Er zijn wat dingen waarover ik duidelijkheid moet zien te krijgen,' zei Connor. 'Zodra ik dat voor elkaar heb, is alles weer bij het oude.'

'Beloof maar niet te veel,' zei Sugar Pie. 'Ik zou al tevreden zijn met een glimlach.'

Hij deed zijn best.

'Hm, dat is tenminste iets. Vergeet nooit dat je hier altijd welkom bent, Connor. Wat de toekomst ook voor je in petto heeft.' Ze zweeg even. 'Want je hebt het hart op de goede plek.'

Dat was precies wat hij graag wilde horen. Toen hij haar weer aankeek, schitterden er tranen in zijn ogen. Plotseling werden alle schuldgevoelens, alle pijn, al het verdriet hem te machtig.

'O Connor!' Sugar Pie ging bij hem zitten en sloeg een arm om hem heen. Hij protesteerde niet. Het was heerlijk om eindelijk lucht te geven aan zijn opgekropte emoties.

'Gaat het weer een beetje?' vroeg Sugar Pie even later.

Hij knikte. Zijn gezicht voelde ontspannen, en hij was in staat oprecht naar haar te glimlachen. Hoe vaak had hij er niet van gedroomd dat hij in Sugar Pies armen lag? Maar dan wel onder andere omstandigheden.

'Mooi zo.' Ze stond op. 'Dan ga ik nu iets te drinken voor je halen.'

Toen ze weg was, boog Connor zich naar voren, hij trok het fluwelen gordijnen een stukje opzij en keek neer op de dansvloer en de gelagkamer. Het was een rustige nacht, maar dat was niet zo vreemd voor de dinsdag. Hij vroeg zich af of de nieuwe veiligheidsmaatregelen van Ma Kettle's een deel van de vaste klanten afschrikten. Na de moord op Jenny Stormvogel had Ma alle wapens uit de taveerne gebannen. Ook vanavond stond haar hoofd Beveiliging – een aardige reus die Grijpstuiver heette – bij de ingang om de gasten te fouilleren en hun zwaarden, dolken, *shuriken* en ander wapentuig weg te bergen. De ironie van de situatie ontging Connor niet, want het was geen zwaard, geen dolk, geen *shuriken* die een eind had gemaakt aan Jenny's leven. Het serveerstertje was het slachtoffer geworden van een paar scherpe tanden en een honger die elk menselijk bevattingsvermogen te boven ging. Geen wapens die bij fouilleren aan het licht kwamen.

'Wat heeft dit te betekenen?' bulderde een vertrouwde stem. 'Het is een schande! Hoe durven jullie een piraat zijn wapens af te nemen? Het is ongehoord!' Er kon geen enkele twijfel over bestaan aan wie die stem toebehoorde. Connors hart begon sneller te slaan. Hij keek opnieuw naar beneden, en inderdaad, daar stond Molucco Wrathe, midden in de gelagkamer. Zijn gezicht drukte een en al verbijstering uit, terwijl Grijpstuiver hem geduldig maar resoluut uitlegde dat er geen uitzonderingen werden gemaakt bij de nieuwe veiligheidsmaatregelen in Ma Kettle's.

Terwijl beneden de discussie werd voortgezet, glipte Connor de nis uit en daalde hij de smalle trap af.

Tegen de tijd dat hij beneden kwam, was Grijpstuiver er niet alleen in geslaagd Molucco te ontdoen van zijn twee identieke zilveren dolken, maar ook van een reeks kleinere wapens die blijkbaar onder zijn enorme jas verborgen hadden gezeten. Van een afstand keek Connor toe terwijl Grijpstuiver het wapentuig in een metalen kist deed, waarna hij Molucco een briefje met een nummer gaf.

'Waar is Kitty?' bulderde de kapitein. 'Ga zeggen dat ik er ben! En dat ik geen behoefte heb aan briefjes met nummers. Alleen als er mooie prijzen te winnen zijn!'

Hij stond op het punt in een nieuwe tirade los te barsten, toen hij Connor in de gaten kreeg. Zijn mond viel open, maar er kwam geen woord uit. Toen glimlachte hij, en hij wenkte Connor.

'Beste jongen,' zei hij ten slotte. 'Wat ben ik blij dat ik je zie! We hebben ons zo veel zorgen om je gemaakt!' Molucco spreidde zijn armen en Connor omhelsde hem, meer omdat het van hem werd verwacht dan uit behoefte aan warmte. Hij moest ernstig met Molucco praten, en daarbij kon hij zich niet op een zijspoor laten lokken door een uitbundig vertoon van emoties.

'Laat me je eens goed bekijken!' Molucco hield Connor op een armlengte van zich af. 'Je bent magerder geworden! Heb je wel ge-

geten? Ach, Mr. Tempest! Het doet me goed dat we je weer gezond en wel in ons midden hebben!'

Op dat moment zag Connor dat Barbarro, Trofie en Link de gelagkamer binnenkwamen. Ze leken aanzienlijk minder enthousiast over de hereniging.

'Dag, Connor.' Trofie deed althans een poging bezorgd te lijken. 'We hebben ons allemaal zo veel zorgen om je gemaakt, *min elskling*.'

Connor knikte haar toe. 'Dank je wel, maar het gaat goed met me. Ik heb gereisd.'

'En daar willen we alles over horen!' verklaarde Molucco. 'Dit is een avond van komen en gaan! Mijn dierbare broer en zijn gezin nemen afscheid van ons. Tenminste, voorlopig.'

Link keek Connor grijnzend aan. 'Ach, je weet hoe het gaat. Er moet weer gewerkt worden. Een overvalletje hier, een partijtje matten daar...'

'Ik had eigenlijk gehoopt dat ik het wat rustiger zou krijgen.' Trofie schonk haar zoon een toegeeflijke glimlach.

'En wat mijn lieve vrouw wil, dat krijgt ze.' Barbarro sloeg zijn ene arm om Trofie, de andere om Link.

Molucco keek Connor stralend aan. 'Zo gaat het met zeevarende families. Onze schepen zijn altijd onderweg. Maar terwijl het ene schip uitvaart, keert het andere terug naar de veilige haven. Kom mee, Mr. Tempest. Bartholomeus en Cate kunnen ook elk moment hier zijn. Laten we naar het vip-gedeelte gaan.'

'Hè, ja!' viel Trofie hem bij. 'Ik zou mijn linkerhand geven voor een glas champagne.'

'Ik wil u graag even alleen spreken, kapitein,' zei Connor tegen Molucco. 'Kunnen we misschien even naar buiten gaan, om een eindje te lopen?'

'Een eindje lopen?' herhaalde Molucco bulderend. 'Ach, waarom ook niet? Tenminste, als het hoofd Beveiliging daar geen bezwaar tegen heeft.'

'Geen enkel bezwaar, kapitein,' zei Grijpstuiver lachend. 'En maakt u zich geen zorgen. Uw privéarsenaal is bij mij volkomen veilig.'

Molucco schudde zijn hoofd en gebaarde naar de uitgang van de taveerne, vanwaar een houten wandelpad langs het water liep. Zoals Molucco al had gezegd, stonden Bart en Cate in de rij voor de deur. Ze draaiden zich verrast om, toen staken ze grijnzend hun hand naar Connor op. 'Tot straks!' zei hij geluidloos. Hij mocht zich nu niet laten afleiden. Dus hij liep haastig door en zag niet dat Bart en Cate elkaar bezorgd aankeken.

Connor en Molucco liepen naar het eind van het plankenpad, maar het was hier nog lawaaiiger dan binnen, niet in de laatste plaats door het nieuws van de recente veiligheidsmaatregelen dat zich door de rij verspreidde.

'Dit wordt niks,' zei Molucco. 'Hier kunnen we niet praten.' Connor vertrok zijn gezicht. Hij móést de kapitein onder vier ogen spreken. 'We gaan naar het schip,' zei Molucco. 'Sterker nog, we nemen stiekem een glas rum in mijn hut, voordat we teruggaan naar de anderen.'

'Dat klinkt goed!' Connor knikte, vastberaden de rum af te slaan.

Het was vreemd om terug te zijn op het vertrouwde en tegelijkertijd vreemde terrein van Molucco's hut. Hij herkende de schatten die daar waren opgeslagen, en toch zag hij alles met andere ogen. De ogen van een vreemde, besefte hij. Het proces van afstand nemen van de kapitein en het schip was al begonnen. Afstand ook van de bemanning.

'Zo!' Molucco zette een groot glas rum voor hem neer en schonk de karaf vervolgens leeg in zijn eigen glas. 'Ga zitten en maak het je gemakkelijk!' Ze namen plaats aan een glimmend gewreven tafel. Blijkbaar een nieuwe aanwinst, dacht Connor, misschien afkomstig van de overval op Fort Avondstond.

'En vertel eens, Mr. Tempest. Waar ben je geweest?'

'Overal.' Connor probeerde zo afstandelijk mogelijk te klinken.

'Ik heb rondgevaren, om na te denken over wat er is gebeurd, over wat ik heb gedaan.'

Kapitein Wrathe knikte en nam een grote slok rum.

'Het spijt me dat ik zo stilletjes ben vertrokken,' vervolgde Connor. 'Het was niet mijn bedoeling dat u of iemand anders zich zorgen zou maken. Ik moest gewoon in het reine zien te komen met wat ik had gedaan.'

Hij wachtte tot de kapitein hem zou aanmoedigen door te gaan, maar die nam nog een slok rum en knikte alleen maar. 'En inmiddels heb je daar vrede mee!' zei Molucco ten slotte. Hij hief zijn glas. 'Welkom terug, Connor.'

Die fronste zijn wenkbrauwen. 'Nee, ik heb er géén vrede mee. Ik denk niet dat ik er ooit vrede mee zal hebben. Ik heb iemand gedood. In koelen bloede.'

'Je hebt het leven van mijn neef gered! En daar zal onze familie je altijd dankbaar voor blijven. Neem een slok van je rum, knul. Dan voel je je meteen een stuk beter.'

Connor schudde zijn hoofd. 'Ik heb het gedaan om Link te redden, en daar heb ik geen spijt van. Maar ik kan de gedachte niet van me afzetten dat ik een medemens heb gedood.'

'De eerste keer is het moeilijkst,' zei Molucco. 'Maar je bent piraat, knul. Vroeg of laat moest het gebeuren. Zeker bij iemand met jouw schermtalent. De volgende keer is het al gemakkelijker. Dat zul je zien.'

'Ik wíl niet dat het gemakkelijker wordt,' zei Connor.

Molucco's gezicht was een toonbeeld van verwarring. 'Wat dan? Wil je dat het moeilijker wordt?'

'Ja! Nee... Nee, ik wil er gewoon niet aan gewend raken! Bovendien was het verkeerd wat er is gebeurd!'

Nu was het de beurt aan Molucco om zijn wenkbrauwen te fronsen. 'Dus het was verkeerd dat je mijn neef hebt gered?'

Connor zweeg even. Hij zou zijn woorden zorgvuldig moeten kiezen. 'Ik denk...' begon hij. 'Ik denk dat Link had kunnen voorkomen dat hij in een dergelijke situatie terechtkwam.'

'O.' Molucco nam nog een grote slok rum. 'Hier spreekt de deskundige! De grote aanvalsstrateeg.'

Connor schudde zijn hoofd. 'Daar hoef je niet deskundig voor te zijn.'

'Nee, want dat bén je ook niet!' zei kapitein Wrathe. 'Je komt nog maar net kijken, Connor Tempest. In sommige kringen noemen ze lui zoals jij *rapierenvoer*. Je wordt betaald om te vechten, niet om te denken. Dat kun je met een gerust hart aan het kader overlaten.'

Connor zweeg, maar zijn gezicht sprak boekdelen.

'Tenzij je het niet eens bent met de beslissingen van dat kader,' vervolgde Molucco. 'In dat geval kun je je daar toch maar beter als de sodemieter bij neerleggen!'

Connor had geweten dat hij Molucco's woede zou moeten trotseren. Een woede die plotseling oplaaide, net zo onverwacht als een solitaire golf die oprees uit een kalme zee. Connor zette zijn tanden op elkaar en bereidde zich voor op de wilde emotionele wateren die voor hem lagen.

'Als je het zo oneens bent met de manier waarop ik mijn schip leid, dan verbaast het me dat je uit je zelfgekozen ballingschap bent teruggekomen,' zei Molucco. 'Waarom ben je niet gewoon door blijven varen, de horizon tegemoet?'

Connor schudde zijn hoofd. 'Dat zou niet goed zijn. Niet juist. Ik ben u dankbaar voor alles wat u voor me hebt gedaan...'

'Dat zou ik ook denken. Ik heb je met mijn blote handen uit zee gevist!'

Dat was een onbeschaamde leugen, typerend voor de manier waarop Molucco zichzelf met mythen omringde. Dit was echter niet het moment om hem eraan te herinneren dat het Cheng Li was geweest die Connor had gered.

'U hebt me een thuis gegeven toen ik dat niet had,' vervolgde Connor. 'En daarvoor zal ik altijd bij u in het krijt blijven staan.' Hij zuchtte. 'Maar de *Diablo* voelt niet langer als mijn thuis. Ik kan niet meer de piraat zijn die u in me ziet.'

Molucco schudde verdrietig zijn hoofd. 'Het is fraai, Mr. Tempest. Het is fraai. Je was als een zoon voor me.'

Connor had wel verwacht dat hij met dat cliché zou aankomen. 'Maar ik bén uw zoon niet,' zei hij dan ook. 'Uiteindelijk komen Link en uw familie altijd op de eerste plaats.'

Molucco keek verrast op. 'Dus dát is het! Je bent teruggekomen om te zeggen dat je het verder voor gezien houdt. Na alles wat ik voor je heb gedaan!'

'Ja.'

Ze zaten geruime tijd zwijgend tegenover elkaar. Er heerste een drukkende stilte in de hut.

'Is dat alles?' vroeg Molucco ten slotte. 'Of is er nog meer?'

Connor haalde diep adem. Er was nog iets wat hij moest vertellen. Het zou gemakkelijker zijn om het voor zich te houden, maar hij was Molucco de waarheid verschuldigd – de volledige waarheid. Hoe explosief die ook zou reageren, hij moest het van Connor zelf horen.

'Ja, er is nog iets,' zei Connor dan ook. 'Ik heb Cheng Li gesproken.'

Molucco zette grote ogen op.

'Ze krijgt haar eigen schip,' vervolgde Connor.

'*Muchas gracias* voor het nieuwtje,' zei Molucco. 'Maar dat wist ik al. En ik weet ook waar je naartoe wilt. Je wilt bij haar aanmonsteren, waar of niet?'

Connor knikte. Opnieuw bleef het geruime tijd stil. Connor verwachtte dat de kapitein in een nieuwe tirade zou losbarsten, maar in plaats daarvan schudde die zuchtend zijn hoofd. 'Ik had kunnen weten dat Cheng Li hierachter zat. Ze heeft je tegen me opgestookt. Je bent bij haar gekomen op een moment dat je buitengewoon afhankelijk en kwetsbaar was, en...'

'Nee,' viel Connor de kapitein in de rede. 'Nee, zo is het niet gegaan. Ze heeft me meegenomen naar Lantao, toen ze wapens ging halen bij de zwaardsmid daar. Onderweg hebben we gepraat...'

'O, natuurlijk! Jullie hadden ongetwijfeld meer dan genoeg

om over te praten,' zei Molucco verbitterd. 'En ze zat vast en zeker vol goede raadgevingen terwijl ze je opstookte om mij te verraden.'

Connor werd boos. Of liever gezegd, hij besefte nu pas hoe boos hij dit hele gesprek al was. 'Integendeel, zij heeft juist gezegd dat ik het met u moest uitpraten. Dat u mijn kapitein was, ongeacht mijn gevoelens, en dat mijn eerste loyaliteit bij u lag. Dat ik me moest houden aan mijn contract.'

Dat was de genadeslag. Ze wisten het allebei. Molucco had geen enkele troef meer om uit te spelen. Hij stond op, dronk zijn glas leeg en liep naar een houten archiefkast, waar hij zijn hand langs de drie laden liet gaan. 'A tot I, J tot R, S tot Z!' Hij trok de onderste la open en bladerde door de mappen. 'De T van Tempest!' riep hij ten slotte. De vellen perkament in de map besloegen het hele spectrum van roomwit via geel en beige naar bruin. Zo lang stonden sommige bemanningsleden al bij hem onder contract.

'Hier heb ik het,' zei de kapitein somber. 'Tempest, Connor.' Hij hield het roomwitte vel perkament van Connors contract omhoog en stopte de map weer in de la. Toen kwam hij terug naar de tafel, en hij hield het perkament bij het licht van de kaars die daar stond. '*Heden, de zesde dag van de zesde maand in het jaar tweeduizendvijfhonderdvijf, zweer ik, Connor Tempest, handelingsbekwaam naar geest en lichaam, plechtig levenslange trouw aan kapitein Molucco Wrathe...*'

Hij stopte met lezen en keek Connor aan. 'Je weet wat *levenslang* betekent?'

Connor knikte. 'Ik weet dat het contract bindend is, en dat het nog nooit is vertoond wat ik u vraag. Misschien kan ik het contract wel afkopen. Ik heb niet veel geld, maar ik denk dat we het wel eens kunnen worden.'

Molucco's hand trilde even. Zijn saffieren ringen glinsterden in het kaarslicht. Toen hij opnieuw het woord nam, had zijn stem een andere klank. 'Een regeling is ondenkbaar.'

Wat bedoelde hij? Weigerde hij botweg Connor te laten gaan?

Zijn ogen stonden ondoorgrondelijk. De blik daarin was leeg, afstandelijk.

Plotseling rook Connor een schroeilucht. Het perkament stond in brand! Zijn contract met kapitein Wrathe ging letterlijk in rook op.

Hij deed zijn mond al open om de kapitein te waarschuwen, maar toen besefte hij dat het geen ongeluk was. De kapitein voerde het perkament aan de hongerige vlam. Het was ongelooflijk hoe snel het verteerde. Connor keek toe terwijl het vuur zich verspreidde over zijn handtekening en over de bloedvlek daaronder. Ten slotte hadden de vlammen de laatste rafelige rand van het perkament bereikt. De kapitein blies het roet van zijn vingers, haalde een zijden zakdoek tevoorschijn en veegde zijn handen schoon. Toen hij opkeek, lag er een kille blik in zijn ogen.

'Er is geen contract meer waardoor je aan dit schip gebonden bent. En dat brengt me op de vraag wat je hier nog doet. In mijn hut.'

Hij stond op en keerde de tafel de rug toe. Terwijl hij dat deed, kwam Scherpent tevoorschijn. De slang kronkelde in Connors richting. Die verwachtte dat het beest naar hem zou sissen, uit loyaliteit met zijn meester, maar als er al enige emotie uit de slangenogen sprak, dan was het verdriet.

'Dank u wel, kapitein,' zei Connor.

Het bleef even stil, alsof de kapitein hem niet had gehoord. 'Bedank me niet,' zei hij ten slotte. 'Praat niet tegen me. Je bestaat niet meer voor me.'

Connor kon het niet langer verdragen. Hij stond op en liep zo snel als hij kon de hut uit. Hij had gekregen wat hij wilde, hij had zijn vrijheid terug, maar het voelde niet als een overwinning.

Terwijl hij de ladder afdaalde en op de kade sprong, ging zijn hart wild te keer. Op dat moment zag hij Bart en Cate aankomen.

Opnieuw stroomden de tranen over zijn wangen. Hij kon er niets aan doen.

'Connor, wat is er?' vroeg Cate ongerust.

'Ik ga weg. Deze keer voorgoed,' voegde hij eraan toe bij het zien van haar verbaasde gezicht. 'De kapitein heeft me ontslagen van mijn contract.'

De blik die Bart en Cate uitwisselden, verried dat ze beseften dat het menens was.

'Waar ga je naartoe, maatje?' vroeg Bart, en ook zijn ogen werden vochtig.

'Ik ben van plan aan te monsteren op het schip van Cheng Li,' zei Connor. 'Ik moet een nieuwe start kunnen maken. Maar voordat ik dat doe, moet ik nog één keer op reis. Er is er nog één met wie ik moet praten.'

Cate knikte. 'Met Grace.' Ze probeerde te glimlachen.

Connor knikte ook. Hoeveel hij ook nog zou willen zeggen, hij kon het niet opbrengen de situatie nog langer te laten duren. De band met hen beiden was zo sterk! 'Ik ben erg slecht in afscheid nemen.' Hij gebaarde vaag naar de steiger waar zijn bootje lag te wachten.

'Dan nemen we geen afscheid.' Bart deed een stap naar voren en omhelsde zijn vriend. '*Hasta la vista*. We zien je gauw weer, maatje!' Hij drukte Connor even stijf tegen zich aan, toen liet hij hem los. De tranen stroomden nog altijd over zijn wangen.

'Hij heeft gelijk,' zei Cate. 'Omdat je weggaat van de *Diablo* hoeft er toch niets tussen ons te veranderen? Daarvoor zijn we te goede vrienden. Je kunt altijd op ons rekenen. Altijd!'

Connor knikte, maar het werd hem bijna te veel. 'Ik moet echt gaan,' zei hij met een betraand gezicht. Toen hij zich afwendde, zag hij nog net dat Bart zijn arm om Cates schouders sloeg.

Zijn benen dreigden hem in de steek te laten, maar het lukte hem zijn bootje te bereiken. Hij maakte de touwen los, sprong aan boord en koerste de haven uit, de donkere zee tegemoet. Hij keek niet achterom. Bewust niet. Maar de heldere gloed van Ma Kettle's neonreclame bescheen hem als de stralen van de ondergaande zon.

HOOFDSTUK 54

De bevrijder

'WAT EEN GEWELDIG IDEE, STUKELEY!' Sidorio's ogen schitteren.

Jez haalt zijn schouders op. 'Je wilde een groter schip én meer bemanning. Op deze manier slaan we twee vliegen in één klap.'

'Een gevangenisschip!' zegt Johnny D. 'Hoe kom je d'r op!'

Stukeley en hij wisselen een blik uit. Sinds hun vertrek uit de Wijkplaats, een paar weken eerder, zijn ze toegewijde bondgenoten geworden – met het oog op de toekomst beseffen ze dat ze elkaar nodig hebben. Ze staan aan weerskanten van hun kapitein – twee trouwe luitenants. De macht – het brein – achter de troon.

Hun gekaapte galjoen nadert het gevangenisschip en glijdt langszij. Met dit schip zullen ze een geweldige slag slaan. Daar zijn ze het alle drie over eens. Om te beginnen is het groter, en het biedt een lelijke, grimmige aanblik, als een zeemonster. 'Het geeft het juiste signaal af,' zegt Stukeley. Johnny D knikt.

'Het duurt nu niet lang meer, jongens,' zegt Sidorio. Nog even, en ze gaan aan boord van het schip, om het te overmeesteren. Dan begint er een nieuw tijdperk, voor hen allemaal. Na alle mislukkingen komt het nu eindelijk in orde. Sidorio denkt vluchtig aan drie vroegere kameraden – Lumar, Olin en Mistral. Ze zijn omgekomen bij de brand. Zwakkelingen, dat waren ze. En hij duldt geen zwakheid onder zijn mensen. Hij kijkt naar zijn twee luitenants en ziet duisternis, geen zwakheid. 'Zijn we er allemaal klaar voor?'

De twee luitenants draaien zich om en laten hun blik over hun eigen ploeg gaan. Achter hen op het dek staat de nieuwe bemanning opgesteld – degenen die Stukeley heeft meegelokt van de *Nocturne* en zij die met Johnny D zijn meegekomen uit de Wijkplaats. Het opmerkelijke enthousiasme van Johnny D had hem meteen een leidinggevende functie opgeleverd.

'Ja, kapitein!' antwoorden Stukeley en Johnny D als uit één mond.

'Mooi. Wij gaan als eersten aan boord. Jullie kiezen ieder vijf mensen uit je ploeg – de meest bloeddorstige. Die gaan met ons mee. De rest houdt zich gereed om achter ons aan te komen wanneer we de bewaking eenmaal hebben uitgeschakeld.'

Stukeley en Johnny D maken snel hun keuze. De gekozen mannen en vrouwen komen naar voren. De anderen staan klaar om te volgen. Er zit gedrevenheid en dynamiek in de lucht wanneer het galjoen stil komt te liggen naast het gevangenisschip. Iedereen weet dat deze avond het begin inluidt van een nieuw tijdperk.

'Oké, mensen!' roept Sidorio. 'Volg me!' Hij springt omhoog, beschrijft een salto in de lucht en komt neer op het andere schip. Hij is zo soepel en lenig als een tiener, denkt Stukeley. In dit soort situaties is de kapitein op zijn best. Wanneer hij zich omdraait, ziet Stukeley dat Johnny D zijn mensen al naar voren haalt. De een na de ander maakt de sprong naar het andere schip, en even later roffelen er dertien paar voeten over het bovendek van het gevangenisschip.

Sidorio roept hen bij zich. Hij heeft de trap naar beneden gevonden. Maar waarom zouden ze de moeite nemen de trap af te dalen, als ze ook kunnen springen? 'Volg me!' zegt hij tegen zijn luitenants. Met één vloeiende beweging belandt het drietal in het inwendige van het schip, waar het oog in oog komt te staan met drie verbijsterde bewakers. Het effect is als dat van een spiegel, maar dan een lachspiegel zoals je die op de kermis ziet.

'Wie zijn jullie?' vraagt de dapperste van de bewakers. 'Waar komen jullie vandaan?'

'Heb je dat niet gezien?' vraagt Johnny D op zijn beurt. 'We zijn als engelen uit de hemel neergedaald.'

'Ja, dat heb ik gezien. Maar hoe zijn jullie aan boord gekomen?'

Stukeley grijnst. 'Volgens mij doen jullie iets verkeerd. Jullie zijn er zo op gebrand dat er niemand uitbreekt dat jullie veel te weinig aan inbraakpreventie doen.'

'Wie zou hier willen inbreken? Heb je enig idee van de categorie gevangenen die we aan boord hebben?'

'Precies,' valt een andere bewaker hem bij. 'Categorie H – van hopeloos.'

De derde bewaker heeft inmiddels ook voldoende moed verzameld. 'Toen ze deze lui opsloten, hebben ze letterlijk de sleutel weggegooid. Die komen nooit meer vrij.'

Sidorio haalt zijn schouders op en laat zijn blik langs de rijen cellen gaan. Achter de dikke, witte tralies kan hij de gevangenen onderscheiden. Ze zien eruit als gekooide vogels op een straatmarkt. Dat gaat allemaal veranderen, denkt Sidorio. *Sidorio de Bevrijder*. Klinkt goed.

'Niet om het een of ander, maar wat komen jullie hier eigenlijk doen?' vraagt de eerste bewaker. Hij strijkt met twee vingers over zijn snor.

'Wat we hier komen doen?' Sidorio doet alsof hij over de vraag nadenkt. Hij heeft zijn hand onder zijn kin gelegd en tikt met zijn wijsvinger tegen zijn lippen. 'Wat komen we hier doen? Wat komen we hier doen? O, natuurlijk, dat is waar ook!' Hij kijkt de bewaker recht in de ogen. 'We willen het schip!'

'Dat zal niet gaan!' De bewaker ontleent kracht aan zijn twee collega's, die aan weerskanten naast hem zijn gaan staan. 'Dit gevangenisschip is staatseigendom en wordt als zodanig door de staat bestuurd. Ik heb geen instructies gekregen dat ik de leiding moet overdragen.' Hij keert zich beurtelings naar zijn collega's. 'Heeft een van jullie een memo van het hoofdkwartier gekregen?'

Ze schudden hun hoofd. 'We hebben sinds Kerstmis niets meer van het hoofdkwartier gehoord!' zegt de tweede bewaker.

'Ach, dat zijn details!' zegt Sidoro. 'En ik ben geen man van *de-*

tails!' Hij doet een stap in de richting van de eerste bewaker. De man met de snor doet zijn mond al open, maar er is iets wat hem ervan weerhoudt te protesteren.

'Sorry, maar ik verstond je niet.' Sidorio weet dat de bewaker zijn gouden hoektanden heeft gezien. Het gesprek heeft inmiddels een geheel nieuwe dynamiek gekregen.

De bewaker denkt razendsnel na en zwicht. 'Nou, nu we het erover hebben... Ik herinner me inderdaad een memo! Jullie mogen het schip hebben! Met de gevangenen erbij!' Met trillende vingers probeert hij de sleutelbos van zijn riem te halen.

'Kom, dan zal ik je helpen.' Sidorio strekt een hand uit en rukt de sleutelbos met geweld los. De andere bewakers kijken hem geschokt aan, met een combinatie van verbijstering en doodsangst op hun gezicht.

'Zoals u ziet, zijn ze genummerd,' zegt de eerste bewaker, minstens een octaaf hoger dan daarvoor. 'De nummers op de sleutels corresponderen met de nummers op de cellen.'

'Bedankt!' Sidorio gooit de sleutelbos naar Johnny D, die hem behendig opvangt.

'Okidoki,' zegt de bewaker. 'Nou, dan laten we het verder maar aan jullie over.' Hij pakt zijn collega's bij de arm en wil al weglopen.

Sidorio kijkt omhoog naar de rijen met cellen. Vanachter hun tralies kijken de gevangenen op hen neer. Zwijgend, waakzaam. Sidorio grijnst naar hen. 'Wat vinden jullie?' vraagt hij. 'Moeten we jullie bewakers laten gaan?'

'Nee!' roept een van de gevangenen. De kreet weergalmt over het schip.

'Geweldige akoestiek!' Johnny D port Jez Stukeley tussen zijn ribben. Die knikt en kijkt zijn makker grijnzend aan.

De kreet van de eerste gevangene wordt overgenomen door een tweede. En een derde. Het duurt niet lang, of het hele schip weergalmt van de protesten. 'Nee! Nee! Nee!' De gevangenen stampen met hun voeten op de metalen vloer.

De doodsangst op de gezichten van de bewakers is nu onmiskenbaar. Ze lijken in niets meer op de mannen die Sidorio en zijn luitenants ter verantwoording hebben geroepen.

Siderio haalt zijn schouders op. 'Het spijt me, mannen,' zegt hij tegen de bewakers. 'Maar ze gaan voor me werken...' Hij wijst naar de gekooide gevangenen. 'Dus ik moet ze te vriend houden.' Met één vloeiende beweging scheurt hij het overhemd en het hemd van de bewaker open, hij trekt de man naar zich toe en begraaft zijn gouden tanden in diens borst.

Terwijl hij zijn honger stilt, beginnen de gevangenen te juichen. Het doet Sidorio terugdenken aan het stadion in Rome. Hij is er een paar keer geweest, en in een ander leven zou hij misschien gladiator zijn geworden. Trouwens, misschien is hij nu ook wel een soort gladiator...

De twee andere bewakers kijken als verlamd toe, terwijl de man die ze altijd als hun meerdere hebben behandeld, dieper wordt vernederd dan ze ooit voor mogelijk hadden gehouden. Een van de twee raapt al zijn moed bij elkaar. 'Wie bent u?' weet hij uit te brengen.

Sidorio tilt grijnzend zijn hoofd op. 'Ik ben je grootste nachtmerrie... Of nee, zelfs je grootste nachtmerrie zou er voor mij gillend vandoor gaan!'

De bewaker begint te beven. Net als zijn collega.

'We moeten dit niet te lang laten duren,' zegt Stukeley tegen Johnny D.

Die schudt zijn hoofd. 'Nee, dat zou getuigen van slechte manieren,' valt hij zijn makker bij.

Samen komen ze op de doodsbange bewakers af. Dan klinkt er een scheurend geluid, de luitenants zetten hun tanden in de borst van hun slachtoffers en beginnen zich naar hartelust te goed te doen.

Een ware heksenketel breekt los onder de gevangenen. Een vreemde combinatie van angst en uitbundigheid. Het lawaai is oorverdovend en wordt door de wanden zonder ramen weerkaatst. Het gejuich grenst aan hysterie. Het kan niet anders of de gevangenen beseffen dat hun hetzelfde lot zal treffen als de bewakers.

Wanneer Sidorio het levenloze lichaam van de bewaker op het dek laat vallen, wordt het plotseling doodstil. Het gejuich zwijgt, het gestamp houdt op. De gevangenen wachten gespannen af. Sidorio geeft Stukeley en Johnny D de tijd om hun honger te stillen, dan heft hij zijn hoofd op en er verschijnt een bloederige grijns op zijn gezicht.

'Allemaal opletten!' buldert hij. 'Jullie hebben het vast en zeker al geraden! We deugen niet! Net zomin als jullie. We gaan dit gevangenisschip veranderen in een piratenschip. En dan heb ik het niet over gewone piraten, maar over vampiraten! Dat zijn piratenvampiers. Ben ik duidelijk tot dusverre?'

Er wordt niet gereageerd. Angst heeft bezit genomen van de gevangenen.

'Ik hoor niks!' Sidorio keert zich naar Johnny D. 'Ik hoor mijn bemanning niet!'

Johnny schudt zijn hoofd en laat zijn blik langs de rijen getraliede cellen gaan. 'Wanneer jullie kapitein een vraag stelt, geef je antwoord!' roept hij. 'En hij heeft jullie gevraagd of alles tot dusverre duidelijk is. Daarop moeten jullie met ja of nee antwoorden. Bij voorkeur met ja.'

Het blijft even stil. 'Ja!' klinkt het dan enigszins gesmoord.

'Heel goed,' zegt Johnny. 'Dan laat ik nu de kapitein weer aan het woord. Ik ben zijn tweede... Eh... Ik ben een van zijn luitenants. Johnny D, en ik zie ernaar uit jullie te ontmoeten!'

'Zoals ik al zei,' vervolgt Sidorio, 'vanaf vandaag is dit schip niet langer een gevangenis, maar een vampiratenschip. Ik ben de kapitein. Op een vampiratenschip is het belangrijk dat de bemanning bestaat uit vampiers.' Hij knikt naar Johnny. Die kijkt naar de bovenkant van de trap en knipt met zijn vingers. Dat is het teken waarop de gelederen van de wachtende vampiers de roostervormige stalen treden beginnen af te dalen.

'Hier zijn nog wat leden van mijn bemanning,' kondigt Sidorio aan.

Iedereen kijkt toe terwijl de vampiers de centrale doorgang beginnen te vullen.

'Heel goed, mensen. Kom maar naar beneden!' Sidorio kijkt weer omhoog naar de cellen. 'Hé, goed nieuws voor jullie daar in de kooien! We rekruteren nog steeds. Er is plek voor jullie allemaal. We moeten alleen zeker weten dat jullie vampiers zijn... O, en maak je geen zorgen. Mocht je dat niet zijn, dan komt er iemand van mijn bemanning bij je langs om daarvoor te zorgen.'

Hij kijkt om zich heen. Het is een eeuwigheid geleden dat hij een gehoor van deze omvang heeft toegesproken. De laatste keer was in Cilicia. Vóórdat hij Caesar ontvoerde. Sindsdien is hij niet meer zo machtig geweest. Dat is te lang geleden. Veel te lang geleden. Maar nu is het wachten voorbij. Hij keert zich naar zijn luitenants.

'Waar wachten jullie nog op?' Hij wijst naar de sleutelbos in Johnny's hand. 'Aan de slag!'

Johnny schuift de sleutels van de ring en deelt ze met Stukeley. Dan geven ze alle leden van hun ploeg een sleutel. En het duurt niet lang of de vampiers beklimmen de stalen traptreden, op weg naar hun eerste opdracht.

Sidorio kijkt toe, geflankeerd door zijn twee luitenants. 'Ik denk dat dit een heel effectieve rekruteringsoperatie zal blijken te zijn. Goed werk, mannen.' Hij slaat zijn armen om hun schouders.

Johnny D kijkt hem aan. 'Moeten we geen naam hebben voor het schip?'

'Natuurlijk!' zegt Stukeley. 'Dat had ik ook al bedacht.'

'Jullie kapitein is jullie een stap voor,' zegt Sidorio grijnzend. 'Welkom aan boord van de...'

Hij wordt overstemd door gegil. De bemanning heeft de cellen bereikt. Het rekruteringsproces is begonnen.

'Het spijt me, kapitein,' zegt Stukeley. 'Ik heb u niet verstaan.'

'Ik zei, de *Cilicia*,' zegt Sidorio.

Stukeley en Johnny kijken elkaar aan.

'Wat is er?' zegt Sidorio. 'Vinden jullie het geen mooie naam?' Hij kijkt diep teleurgesteld.

'Ach, niet mooi...' zegt Johnny D. 'Dat is het niet. Het is een naam die niets zegt over ons. Over wat we doen. Als u begrijpt wat ik bedoel.'

'Het is de plek waar ik vandaan kom,' zegt Sidorio.

'Misschien is dat het probleem,' zegt Johnny D. 'Met die naam kijkt u achterom. Het lijkt me dat de naam van het schip moet zijn afgestemd op de toekomst!'

Sidorio aarzelt. Zo heeft hij er nog niet over nagedacht, maar er zit iets in. 'Hebben jullie een suggestie?'

Johnny D schudt zijn hoofd. 'Ik ben erg slecht in namen.'

'Ik weet wel iets,' zegt Jez Stukeley.

'Voor de draad ermee! We zijn een en al oor,' zegt Sidorio.

Stukeley schraapt zijn keel. 'De *Bloedkapitein.*'

'Da's een goeie!' zegt Johnny.

'Er is een traditie in de piraterij...' begint Stukeley. Maar Sidorio laat hem niet uitspreken.

'De *Bloedkapitein*. Ja, dat vind ik een goeie! Dat wordt 'm!'

HOOFDSTUK 55

Verzamelaar van Zielen

'Ik heb jullie hierheen laten komen om duidelijkheid te verschaffen over de kapitein.' Mosh Zu stond in het midden van de meditatieruimte en keek Grace, Darcy en Lorcan aan. 'Ik heb jullie hulp nodig om hem te genezen. We hebben niet veel tijd. Ik ben al met de voorbereidingen begonnen, maar ik wil proberen jullie zo goed mogelijk uit te leggen wat we gaan doen, en waarom we het doen.

Toen je hulp kwam halen, was de kapitein er erg slecht aan toe, Darcy. Zonder jouw snelle en moedige optreden was hij misschien op het dek van zijn schip gestorven. Maar door onze hulp in te roepen, heb je hem een kans gegeven. Ik ben erin geslaagd zijn toestand te stabiliseren, en de afgelopen twee dagen en nachten heeft hij gerust. Ik had eigenlijk gehoopt dat rust in combinatie met een milde behandeling genoeg zou blijken te zijn. Dat is helaas niet het geval. De tijd van de zachte aanpak is voorbij. Ik zal iets radicalers moeten proberen.

Zoals jullie allemaal weten, zet de kapitein zich volledig in voor het helpen van anderen. Daarbij gaat hij tot het uiterste. Hij gaat zelfs zo ver dat hij de lasten van anderen op zijn schouders neemt.'

Mosh Zu keek hen opnieuw een voor een aan, om zich ervan te overtuigen dat ze begrepen waar hij het over had.

'Jullie hebben alle drie kennisgemaakt met de lintgenezing die we hier praktiseren. Jullie hebben gezien hoe ik bij het helingsritueel de pijn van een vampier laat afvloeien in het lint. Elke keer dat ik dit doe, bestaat het risico dat ik de pijn zelf absorbeer. Wanneer dat gebeurt, kan die pijn als het ware in de ontvanger verstrikt raken en is dan uiterst moeilijk weer te verwijderen. In de loop der jaren heeft de kapitein de pijn van tallozen in zich opgenomen. Dat heeft hem ernstig verzwakt. Sterker nog, de kapitein heeft niet alleen hun pijn overgenomen, hij is wat we een Zielendrager noemen, of een Verzamelaar van Zielen. Dat wil zeggen dat hij, om iemand te redden, in sommige gevallen niet alleen diens pijn heeft weggenomen, maar ook onderdak heeft geboden aan de ziel! Daarmee is hij als het ware een schip binnen een schip geworden.

Het is een bewijs van zijn enorme kracht dat de kapitein in staat is zielen op die manier in zich op te nemen. Alleen, dat had nooit meer dan een tijdelijke maatregel mogen zijn, gebruikt in extreme situaties. Nadat hij de kwetsbare zielen een tijdje onderdak had geboden, had hij ze moeten loslaten en ze de kans moeten geven weer sterk te worden. Wat de kapitein heeft gedaan, is dat hij te lang onderdak heeft geboden aan te veel zielen. Dat is de reden dat hij zo ernstig verzwakt is geraakt. We moeten samen proberen die zielen uit hem los te maken. Dat zal niet eenvoudig zijn, en bovendien niet zonder risico. We lopen het gevaar niet alleen de zielen te verliezen, maar ook de kapitein zelf.'

'En als we dat risico níét nemen?' vroeg Grace.

'Dan zullen we hem bijna zeker verliezen, en de zielen in elk geval.'

'Dan hebben we geen keus,' zei Grace.

'Precies,' zei Mosh Zu. 'Dus ik vind dat we zonder verder uitstel moeten doorgaan met de behandeling.'

'Natuurlijk!' zei Darcy. 'Alleen, wat ik niet begrijp, is hoe wíj daarbij kunnen helpen?'

'Het grootste gevaar is misschien wel dat de kapitein ervoor zal kiezen de zielen níét los te laten,' legde Mosh Zu uit. 'Vandaar dat ik mensen om hem heen wil verzamelen van wie hij houdt en die van hem houden. Dat is de enige manier om hem duidelijk te maken dat hij de zielen zal moeten loslaten, omdat hij anders met ze in de vergetelheid zal verdwijnen.'

HOOFDSTUK 56

Achter het masker

De deur ging open. 'De voorbereidingen zijn achter de rug,' kondigde Mosh Zu aan. 'We gaan beginnen.'

Hij wenkte Grace, Darcy en Lorcan naar de helingsruimte, waar de kaarsen een heerlijke geur van bijenwas verspreidden en waar Mosh Zu welriekende kruiden op de grond had gestrooid.

Op het gezicht van Darcy en Lorcan verscheen een geschokte uitdrukking toen ze de kapitein op de rechthoekige tafel zagen liggen. Trouwens, ook al had ze hem al eerder zo gezien, Grace dreigde zelf ook in paniek te raken door het besef hoe zwak en kwetsbaar hij was. Maar we zijn hier om hem te genezen, hield ze zichzelf voor. Samen gaan we ervoor zorgen dat hij weer de oude wordt. Die gedachte staalde haar vastberadenheid.

'Grace,' zei Mosh Zu. 'Ik wil graag dat jij bij zijn voeten gaat zitten.' Zonder aarzelen liep Grace naar het eind van de lange tafel, waar ze zich op haar knieën liet vallen.

Mosh Zu keerde zich naar Darcy. 'Jij hier, bij zijn rechterhand... En jij, Lorcan, bij zijn linkerhand.'

De drie vrienden namen hun posities in. Mosh Zu stelde zich op bij het hoofd van de kapitein. Grace sloeg hem aandachtig gade. Hij had gezegd dat ze een helende gave bezat, dus misschien zou ze ook ooit de leiding hebben bij een dergelijk helingsritueel. Het was een opwindende gedachte, maar niet een waar ze op dit moment bij stil kon blijven staan. Nu was de genezing van de kapitein het enige wat telde.

Voordat hij begon, richtte Mosh Zu opnieuw het woord tot hen. Zijn stem klonk zacht, zorgvuldig. 'We zijn hier vanwege onze liefde, ons respect voor degene die voor ons ligt. We willen de kapitein helpen, en het ligt in ons vermogen dat te doen.' Hij keek hen beurtelings aan. 'We zijn vanuit verschillende werelden samengekomen, van deze en gene zijde van leven en dood. We brengen al onze unieke ervaringen, gedachten en gevoelens bij elkaar en verenigen onze diverse energieën voor dit helende ritueel. Het kan zijn dat we ons zorgen maken. Misschien jaagt het genezingsproces waarvan we getuige zullen zijn, ons zelfs angst aan. Maar we moeten standvastig blijven, in het belang van degene die voor ons ligt, onze geliefde kapitein.'

Mosh Zu pakte het hoofd van de vampiratenkapitein en knikte naar Grace, die haar handen uitstrekte en ze op de punten van diens laarzen legde. 'Zo is het goed,' fluisterde Mosh Zu. 'Een vluchtige aanraking is al genoeg. Het gaat erom dat je je energie in staat stelt verbinding te zoeken met de zijne.' Hij keerde zich naar Darcy en Lorcan. 'En nu jullie.'

Ze namen ieder een van de gehandschoende handen van de kapitein in de hunne. Mosh Zu knikte, spreidde zijn vingers en legde zijn geopende handen om de schedel van de kapitein. Toen sloot hij zijn ogen.

'Laat het los,' zei hij zacht. 'De pijn... het verdriet... alles wat op je drukt... laat het los!'

Hij zweeg en wachtte af, met zijn handen losjes maar vastberaden onder het hoofd van de kapitein. Ook de anderen zorgden dat het concact gehandhaafd bleef. Plotseling voelde Grace een schok, alsof de kapitein naar haar had geschopt. Zijn voeten lagen echter roerloos. Toen voelde ze het opnieuw. Een onmiskenbare sensatie.

'Dat is een goed teken,' zei Mosh Zu. 'Hou vast, Grace. Het is begonnen.'

Toen was het plotseling Darcy die het gevoel had alsof er vanuit de hand van de kapitein een elektrische schok door de hare trok.

Ze keek naar Lorcan, die duidelijk net zo verrast was als zij. Mosh Zu knikte opnieuw, zonder zijn ogen open te doen. 'Het gaat goed. Het contact dat we hebben gelegd, begint vruchten af te werpen. Ik waarschuw jullie dat het er hevig aan toe zal gaan, maar concentreer je uitsluitend op het contact. Hou dat vast. En hou hem tegelijkertijd in je hart. Geef hem de bemoediging dat hij de last die hij diep vanbinnen met zich meedraagt, kan afleggen.'

Mosh Zu verschoof zijn handen iets, en bijna onmiddellijk had Grace het gevoel alsof de kapitein met een ruk zijn benen optrok. Toch had hij zich nog altijd niet bewogen. Aan Lorcans gezicht zag ze dat hij een soortgelijke ervaring had. Zoals Mosh Zu had voorspeld, was de innerlijke energie van de kapitein bezig zich te hergroeperen. Het werd moeilijker haar handen op zijn voeten te houden, maar ze wist dat het van cruciaal belang was het contact te handhaven.

Opnieuw werd ze zich bewust van een golf van energie, waarop de kapitein wild om zich heen begon te maaien. Grace zag dat Lorcan en Darcy hun greep verschoven. Zelf had ze het er nog steeds zwaar mee. Lorcan en Darcy hielden allebei slechts één hand vast, maar zij moest contact zien te houden met de beide voeten van de kapitein, die naar alle kanten bewogen. Het dreigde haar te veel te worden. Paniek begon zich van haar meester te maken.

Plotseling voelde ze een arm naast zich. Een arm die de hare wegduwde en zich over de rechtervoet van de kapitein ontfermde, waardoor zij in staat was met beide handen de linkervoet te omklemmen. De energie daarin pulseerde nog altijd krachtig, maar nu ze zich op nog maar één voet hoefde te concentreren, kon ze het aan.

Na een tijdje raakte ze gewend aan de vreemde bewegingen die het lichaam van de kapitein uitstraalde. De bewegingen werden zelfs regelmatiger, als golven die braken op de kust.

Toen ze opzij keek, om te zien wie haar te hulp was geschoten, kon ze haar ogen niet geloven.

'Connor!'

Hij glimlachte naar haar. 'Zo te zien kwam ik net op tijd,' fluisterde hij.

Grace was verbijsterd. Er was zo veel wat ze tegen hem wilde zeggen, zo veel wat ze hem wilde vragen, maar daar was dit niet het moment voor. Voorlopig moest ze zich tevredenstellen met het feit dat hij er was, en dat voelde heerlijk! Ze keek op naar Mosh Zu, zich afvragend of hij Connor op de een of andere manier naar de Wijkplaats had gehaald. Hij knikte glimlachend.

Of het door Connors inmenging kwam of door het helende werk dat ze samen hadden verricht, wist ze niet, maar de innerlijke bewegingen van de kapitein werden kalmer, gelijkmatiger.

'Voelen jullie de verandering?' vroeg Mosh Zu.

'Ja,' antwoordde Lorcan zacht.

'Ja, ik ook,' zei Darcy.

'Het voelt alsof de oceaan in hem beweegt,' zei Grace.

'Inderdaad, Grace.' Mosh Zu glimlachte vluchtig. 'Zo had ik het nog niet gezien, maar je hebt volkomen gelijk.' Hij zweeg even. 'Mooi zo. Hij is rustig, dus jullie kunnen loslaten, een voor een. Lorcan, jij als eerste.'

Toen die de hand van de kapitein losliet, bleef deze naar hem uitgestrekt.

'Nu jij, Darcy.' Bijna met tegenzin liet ook Darcy los. Beide armen van de kapitein bleven gestrekt, alsof hij dreef, op sterk zouthoudend water.

'Connor, nu jij.' Connor nam zijn handen van de voet van de kapitein.

'En nu jij, Grace.' Mosh Zu knikte. Grace nam haar handen van zijn voet, wiegde naar achteren op haar knieën en richtte zich op. Toen pakte ze Connors hand, alsof ze zich ervan wilde overtuigen dat hij echt was.

Mosh Zu verbrak als laatste het contact met de kapitein. 'Het is zover. De last die op je drukt, wordt weggenomen,' sprak hij. 'Voel hoe je lichter wordt.'

Bij die woorden begon de kapitein op te stijgen. Zijn cape

zweefde om hem heen, fladderde zacht gloeiend om de omtrek van zijn lichaam. Toen de kapitein ongeveer anderhalve meter boven de tafel hing, kwam hij tot stilstand en bleef hij zweven in de helende cirkel die om hem heen was gecreëeerd.

Het was een uitzonderlijke aanblik. Grace, Darcy, Lorcan en Connor stonden als aan de grond genageld. Ze hadden geen idee hoeveel tijd er was verstreken toen Mosh Zu de stilte verbrak.

'Akkoord,' zei hij. 'Ik denk dat hij stabiel is. Dus we kunnen beginnen.'

Beginnen? Grace keek verrast op. Ze had gedacht dat de behandeling bijna voorbij was.

'Het is tijd om los te laten,' zei Mosh Zu, neerkijkend op de kapitein. 'Zo lang heb je de pijn van anderen gedragen, om hen te helpen, hen te genezen. Maar daarmee heb je je eigen krachten uitgeput, waardoor je niets meer te geven hebt. Dus je moet hun pijn loslaten. Terwijl je dat doet, zal de druk diep vanbinnen verdwijnen.'

Grace zag dat de aderen in de cape van de kapitein steeds vuriger begonnen te gloeien.

'Kom,' zei Mosh Zu. 'Het is tijd om hem het masker af te nemen.'

Hij wenkte de anderen. 'Er zijn drie gespen. Lorcan, wil jij de eerste losmaken?'

Grace wist dat het masker op drie punten was vastgemaakt. De riempjes werden aan de achterkant van het hoofd bij elkaar gehouden door een zilveren speld in de vorm van engelenvleugels. Ze had die speld vaak gezien, glanzend afstekend tegen de diep gebruinde huid van de kapitein. En even zo vaak had ze gewenst dat hij de gespen zou losmaken en haar het gezicht achter het masker zou tonen. Nu ging het dan eindelijk gebeuren. Nu zou ze eindelijk oog in oog komen te staan met de vampiratenkapitein. Zou ze hem echt leren kennen. Verdrietig wenste ze dat het onder andere, minder gevaarlijke omstandigheden had kunnen gebeuren.

Mosh Zu leidde de hand van Lorcan naar het eerste riempje.

'Je hoeft het alleen maar aan te raken,' zei de goeroe.
Terwijl Lorcan dat deed, begon Mosh Zu te zingen.
'Als de bloem die bloeit in de zon,
Stel je open en laat los!
Als de wolk die zijn regen uitstort,
Stel je open en laat los!'
Terwijl hij zong, liet de eerste gesp los en zweefde naar opzij.
'Dank je wel, Lorcan,' zei Mosh Zu. 'Nu jij, Darcy. De tweede gesp.'
Darcy kwam een beetje angstig dichterbij.
'Raak het riempje aan,' instrueerde Mosh Zu.
Terwijl ze dat deed, begon hij opnieuw te zingen:
'Als de schelp die zijn parel toont,
Stel je open en laat los!
Als de pop die de vlinder de vrijheid geeft,
Stel je open en laat los!'
Het tweede riempje liet los en zweefde naar opzij.
'Heel goed, Darcy.' Mosh Zu glimlachte. 'En nu jij,Grace. Het laatste riempje.'
Connor drukte bemoedigend haar hand. Toen liep ze naar Mosh Zu. Haar hart bonsde. Vanaf haar eerste ontmoeting met de vampiratenkapitein had ze van dit moment gedroomd. Nu het zover was, werd haar fascinatie overstemd door het vurige verlangen dat ze hem zou kunnen helpen, dat ze hem zou kunnen genezen. Ze strekte haar hand uit naar het laatste riempje.
Mosh Zu begon opnieuw te zingen.
'Als de mond die zich opent voor een lach,
Stel je open en laat los!
Als dit alles, groot en klein,
Stel je open en laat los!
Stel je open en laat los!
Stel je open en laat los!'
Ze hoorde de gesp opengaan, en op datzelfde moment begonnen de engelenvleugels op en neer te bewegen, teder als de vleu-

gels van een vlinder. Het masker steeg op boven het lichaam van de kapitein, hoger, steeds hoger. Ze zagen geen van allen waar het bleef, want hun blik was naar beneden gericht. En ze konden hun ogen niet geloven.

'Ik begrijp het niet,' zei Grace.

'Ik ook niet,' zei Lorcan. 'Wat is dit? Een truc?'

'Nee, het is geen truc,' antwoordde Mosh Zu beheerst. 'Kijk alleen maar. Zonder te proberen het te begrijpen.'

Het hart van Grace bonsde zoals het dat nog nooit had gedaan, en tegelijkertijd voelde ze een kilte diep vanbinnen. Vóór hen zweefde het lichaam van de kapitein, maar hij had geen gezicht, geen hoofd. Het masker had slechts een leegte bedekt.

HOOFDSTUK 57

De hereniging

'Maar er is helemaal niets!' zei Grace.

'Kijk met je geest,' zei Mosh Zu. 'Niet met je ogen.'

Ze keken allemaal naar de leegte boven de schouders van de kapitein. Naar het totale ontbreken van... iets, wat dan ook. Dwars door de leegte heen zag ze het dunne kussen dat Mosh Zu op de langgerekte tafel had gelegd.

Maar terwijl ze bleef kijken, besefte Grace dat ze de planken van de vloer niet meer kon zien. Ze werden aan het zicht onttrokken door een deken van rook. Haar eerste gedachte was dat er een kaars was omgevallen en dat een van de tapijten vlam had gevat. Maar ze rook geen brandlucht, en in plaats van warmer leek het wel killer te zijn geworden in het vertrek. De rook werd dikker, en Grace zag dat het geen rook was maar mist. Ze keek naar Connor. Zijn gezicht drukte verwarring uit. Ze schonk hem een vluchtige glimlach, in de hoop hem gerust te stellen, maar zelf had ze ook geen idee wat er gebeurde.

De mist steeg op tot net onder het zwevende lichaam van de kapitein. Niet hoger. Toen begon hij dikker te worden en vorm te krijgen, heen en weer rollend als golven die braken op de kust. Meer dan ooit leek het alsof de kapitein dreef op de oceaan.

Grace keek opnieuw naar Mosh Zu. Hij hield zijn ogen gesloten en begon weer zacht te zingen.

'Als de bloem die bloeit in de zon...
Als de wolk die zijn regen uitstort...

Als de schelp die zijn parel toont...'

Grace merkte dat ze beefde. Connor kwam naast haar staan en legde liefkozend een hand op haar schouder.

Grace keek van Mosh Zu naar de kapitein, en ze hield haar adem in. Waar eerder niets was geweest, vormde zich nu een gezicht. Eerst nog heel vaag – niet meer dan een omtrek – maar geleidelijk aan scherper, alsof het ook uit een dichte mist tevoorschijn kwam. Grace stond als verlamd. Het was een gezicht dat ze eerder had gezien.

Terwijl de gelaatstrekken scherper werden, herinnerde ze zich haar eerste ontmoeting met de vampiratenkapitein. In een visioen had ze daarbij het gezicht van een man gezien, diep gebruind, met een vurig rood litteken. Dat gezicht zag ze nu weer. De kapitein had haar geprezen omdat ze achter het masker had weten te kijken. En nu, zo veel verder op haar reis, was het masker afgelegd en zag ze zijn gezicht eindelijk echt.

'Dat is hij,' bracht ze ademloos uit. 'Dat is de kapitein.'

Connor leek met stomheid geslagen. Lorcan stond als aan de grond genageld. Mosh Zu stond nog altijd met gesloten ogen te zingen.

'*Als de pop die de vlinder de vrijheid geeft...*

Als de mond die zich opent voor een lach...'

'Kijk!' fluisterde Connor.

Het gezicht begon op te rijzen, gevolgd door een lichaam, en er klom een man uit de vertrouwde huls van de kapitein. Een man in smerige, rafelige vodden. Hij keek op naar Grace.

'Hallo,' zei ze glimlachend, en ze besefte dat ze huilde. Het was verbijsterend wat er gebeurde. Alsof er een kind was geboren.

De man beantwoordde haar glimlach niet, maar deinsde voor haar terug.

'Wat is er?' Grace keerde zich naar Mosh Zu. 'Het lijkt wel alsof hij bang voor me is. Kent hij me niet meer?'

Mosh Zu schudde zijn hoofd. 'Hij kent je niet. Dit is níét de kapitein.'

'Maar... ik begrijp het niet...' begon Grace.

'Wacht maar rustig af,' zei Mosh Zu zacht.

Verward keek Grace de man na die verdween in de mist.

'Het gebeurt opnieuw,' fluisterde Connor.

Ze keken toe en zagen hoe een tweede gezicht vorm begon aan te nemen in de leegte boven de schouders van de kapitein. Toen de gelaatstrekken duidelijker werden, zagen ze het gezicht van een vrouw. Ze leek oud en zwak, en ze keek rusteloos om zich heen. Het was niet duidelijk of ze hen zag, of dwars door hen heen keek. Ook zij richtte zich op, alsof ze de lakens van een bed naar achteren sloeg. Ze stapte uit het lichaam van de kapitein en verdween in de mist.

'Wie zíjn dat?' vroeg Connor toen een derde gezicht vorm begon aan te nemen.

'Verloren zielen,' fluisterde Grace, die ineens begreep wat er gebeurde. 'De kapitein heeft ze bij zich gedragen, maar nu moet hij ze loslaten.' Mosh Zu knikte en bleef zingen, zonder ook maar één moment te haperen.

De derde ziel – die van een jonge man – begon overeind te komen.

Hij werd gevolgd door een vierde, en een vijfde.

'Hoeveel komen er nog?' vroeg Grace. Ze was hevig geëmotioneerd, de tranen stroomden over haar gezicht.

Zwijgend keken ze toe terwijl een zesde, zevende, achtste, negende figuur 'ontwaakten uit hun diepe slaap', in hun ogen wreven, om zich heen keken en verdwenen in de mist.

Al die tijd zweefde het lichaam van de kapitein roerloos in de lucht. En Mosh Zu bleef zingen, zijn stem nog altijd even krachtig en welluidend.

Ineens besefte Grace dat de zielen die het lichaam van de kapitein hadden verlaten, zich om hen heen hadden verzameld en toekeken terwijl hun medereizigers zich bij hen voegden.

Blijven ze leven, vroeg ze zich af. Wat zijn ze? Mensen of geesten? Blijven ze leven nu de kapitein hen heeft losgelaten? Allemaal vragen die ze Mosh Zu wilde stellen, maar ze mocht zijn gezang niet onderbreken.

Bij het zien van haar onbehagen trok Connor haar dichter naar zich toe. Hij sloeg zijn arm om haar schouders. Ze was niet de enige die door haar emoties werd overweldigd, zag ze. Darcy en Lorcan stonden ook te huilen en hielden elkaar stevig vast.

Opnieuw begon er een gezicht vorm aan te nemen. Het gezicht van een jonge vrouw. Al toen de eerste lijnen zich aftekenden, van haar neus en haar jukbeenderen, wist Grace dat ze beeldschoon zou zijn. Ze had een bleke huid, met sproetjes. Haar kastanjebruine haar viel tot op haar schouders en bewoog luchtig in de bries. Toen ze haar ogen opendeed, hield Grace haar adem in. Lorcan deed hetzelfde, en Grace voelde dat Connors hand zich nog strakker om de hare sloot. De ogen van de vrouw waren groen, diep smaragdgroen.

Toen ze haar hoofd ophief, staakte Mosh Zu eindelijk zijn gezang. 'Zij is de laatste.' Uitgeput deed hij een stap naar achteren.

Grace keek naar Connor. Ook hij staarde als aan de grond genageld naar de vrouw vóór hen. Ze richtte zich op, duwde haar weerbarstige haar achter haar oren en knipperde met haar ogen. Grace kon zich niet langer beheersen.

'Kijk eens hierheen!' riep ze.

Het duurde even voordat de vrouw reageerde, alsof er nog een afstand tussen hen gaapte en ze de tweeling nog slechts vaag kon zien en horen. Maar ten slotte draaide ze zich om, en haar blik kwam te rusten op Grace en Connor.

Grace huilde. Connor fronste zijn wenkbrauwen en schudde ongelovig zijn hoofd.

De vrouw stond inmiddels rechtop. Ze zal toch niet in de mist verdwijnen, net als de anderen, dacht Grace. Ze mag niet weggaan!

Maar dat deed ze niet. Met elk moment dat verstreek, leek ze meer tot leven te komen. En in plaats van zich af te wenden, kwam ze naar hen toe! Er schitterden tranen in haar smaragdgroene ogen, maar het waren tranen van geluk. Ze strekte haar armen uit naar Grace.

'Moeder!' Het werd Grace te machtig. 'Moeder! Jij bent mijn moeder, hè?'

De vrouw knikte, en toen Grace haar om de hals vloog, voelde ze tot haar verrassing een levend, ademend lichaam. Lippen streken over haar voorhoofd, kusten haar.

'Moeder!' zei Grace opnieuw.

'Ach Grace, je hebt geen idee hoe ik ernaar heb verlangd je dat te horen zeggen.' De stem van de vrouw klonk warm, vol liefde.

'Moeder! Moeder! Moeder!' herhaalde Grace, overweldigd door emoties. Ze wilde het blijven zeggen, voor alle keren dat ze aan haar moeder had gedacht of had gewenst dat ze bij haar was in de vuurtoren. Voor alle keren dat ze van haar moeder had gedroomd, maar bij het ontwaken weer alleen was geweest.

De vrouw omhelsde haar, kuste haar nogmaals en strekte toen een arm uit naar haar zoon.

'Connor!' Ze keek hem aan.

Even was hij nog onzeker, toen liet hij zijn twijfels varen, en hij haastte zich naar haar toe, viel haar om de hals.

De vrouw omhelsde haar kinderen hartstochtelijk, toen hief ze haar hoofd op.

Grace zag dat Lorcan hen gespannen gadesloeg.

'Hallo Sally,' zei hij ten slotte.

Grace was verbijsterd. Hoe wist Lorcan dat hun moeder Sally heette?

Ze keek van Lorcan naar haar moeder en terug. Uit de glimlach waarmee ze elkaar aankeken, sprak een diepe vriendschap. Misschien meer.

'Wat heerlijk om je te zien, Sally,' zei Lorcan.

'Ach, Lorcan, ik ben ook zo blij om jou te zien. Dank je wel! Dank je wel dat je zo goed voor mijn kinderen hebt gezorgd.'

Grace keek naar Connor. Net als zij stond hij hun moeder en Lorcan nieuwsgierig op te nemen.

Plotseling vroeg Grace zich af waar de anderen waren gebleven. Ze keek de kamer rond, maar Mosh Zu en Darcy waren nergens te bekennen. En alle andere zielen waren ook verdwenen. De mist begon op te trekken, zodat ze de tafel kon zien waarop de kapitein had gelegen. Maar van hem was ook geen spoor te bekennen. Zelfs het kussen was verdwenen. Wat gebeurde er allemaal?

Dat zou ze spoedig genoeg te weten komen, besloot ze, nog altijd met haar armen stijf om haar moeder en haar broer geslagen. Toen ook Lorcan zich bij hun omhelzing voegde, was Grace zich bewust van een gevoel van volmaakte vrede. Ze wist dat die vrede niet kon duren. Dat ze misschien alleen maar droomde. Maar hoe vluchtig het ook mocht zijn, en of het een droom was of niet, dit was het moment waarop ze haar hele leven had gewacht, en ze zou het door niets laten bederven!

Lees ook:

Vampiraten. Demonen van de oceaan

Grace en Connor wonen met hun vader in een vuurtoren. Voor het slapen gaan zingt hij altijd een oud vampiratenlied. Wanneer hun vader overlijdt, besluit de tweeling het ruime sop te kiezen. Een verschrikkelijke storm verwoest hun boot en Grace en Connor belanden in het ijskoude water. Ze vinden elkaar niet meer terug.

Connor wordt uit het water gevist door de bemanning van een berucht piratenschip. Al snel blijkt dat hij over het allerbeste piratenbloed beschikt. Grace belandt op een wel héél macaber schip: een vampiratenschip. Overdag is het doods, maar 's nachts, na het luiden van de bel, komt het schip tot leven.

Dan vertelt een mysterieuze boodschapper Connor dat er werkelijk een vampiratenschip bestaat. Vastbesloten stevenen de piraten op een zeeslag af. Zullen Grace en Connor elkaar ooit in levenden lijve terugzien?

Spookachtig! Voor koelbloedige lezers…

'Buitengewoon vermakelijk. Ik wil meer!'
Publishing News

ISBN 978 90 261 3148 6

Vampiraten – Gruwelvloed

De tweeling Grace en Connor leeft aan boord van het piratenschip de *Diablo*. Conner groeit uit tot een van de beste piraten; wanneer kapitein Molucco moeite heeft met schatkaartlezen, vraagt hij Connor om hulp. Maar Connor is slecht in navigatie en hoewel Grace de oplossing weet, negeert de kapitein haar.

Grace mist de bemanning van het vampiratenschip waarmee zij maanden rondzwierf. Dan ontdekt ze dat de munt die ze bij haar vertrek ontving, magische krachten bezit. Wanneer ze de munt opwarmt, kan ze zich verplaatsen in de gedachten van vampiraten. Ze 'ziet' dat het vampiratenschip in grote problemen is geraakt: muiterij ligt op de loer en tot overmaat van ramp heeft een vampiraat Molluco's jongere broer vermoord. Zodra Molucco dit te weten komt, zal hij aansturen op een zeeslag tegen het vampiratenschip.

'Scherp geschreven en vol fantastische karakters.'

Publishing News

ISBN 978 90 261 3206 3